고등학교 통합과학
자습서

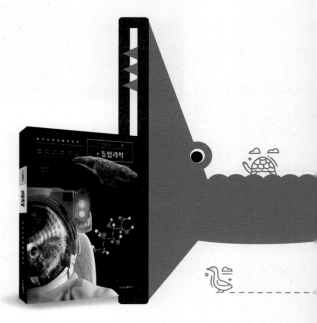

정대홍 | 성숙경 | 손미현 | 박종웅
유경환 | 안민기 | 조현재 | 강필원
최승규 | 이재우 | 박성은 | 이진봉

금성출판사

이 책의 **구성**

단원 개념 구조도

단원에서 학습할 내용을 한눈에 알아보기 쉽도록 구조도로 제시하였습니다.

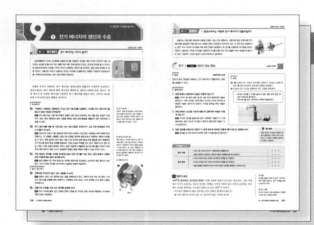

교과서 내용 해설

토의하기, 탐구 결과, 더 알아보기, 물음, 과제, 확인하기, 학습 정리의 모든 물음에 대한 답을 꼼꼼하게 풀이하였습니다. 또한 핵심 내용과 원리를 한눈에 알아볼 수 있도록 깔끔하게 정리하였습니다. 특히 탐구에는 수행 평가에 대비할 수 있도록 탐구 수행 과정과 결과에 대한 평가 기준을 제시하였습니다

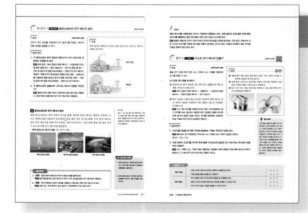

개념 확인 문제/탐구 동영상 QR 코드

해결하기 단계에서 학습한 중요한 내용은 개념 확인 문제를 통해 스스로 점검할 수 있도록 하였습니다.
꼭 알아야 하는 필수 탐구는 동영상을 통해 쉽게 이해할 수 있도록 탐구 동영상 QR코드를 제시하였습니다.

이 책은 중요한 개념과 원리를 이해하고, 학교 시험에 적응할 수 있도록
교과서 내용 해설, 개념 확인 문제, 대단원 마무리, 단원 총괄 평가, 정답과 해설로 구성하였습니다.

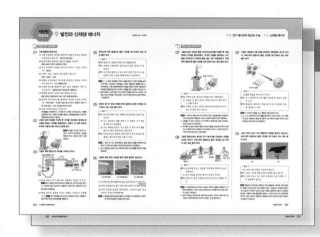

대단원 마무리

교과서에 제시된 대단원 마무리 문제의 정확한 답과 자세한 해설을 제시하였습니다. 이어 과학과 핵심 역량을 기를 수 있도록 과학과 직업, 과학과 논쟁, 과학과 견학, 프로젝트 과제의 구체적인 예시를 제시하였습니다.

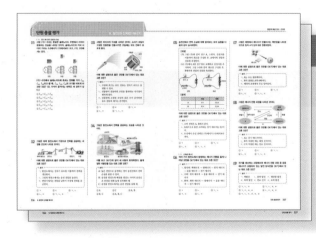

단원 총괄 평가

대단원에서 학습한 내용을 종합하여 점검할 수 있도록 다양한 유형의 문제를 수록하였습니다. 특히 학교 시험에서 비중이 높아지고 있는 서술형 문제를 강화하였습니다.

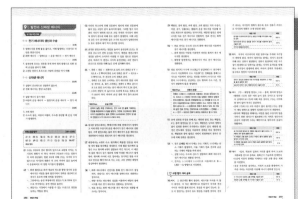

정답과 해설

개념 확인 문제, 단원 총괄 평가의 답안과 상세한 해설을 수록하였습니다.

이 책의 # 차례

CONTENTS

1

물질의 규칙성과 결합

나를 이루는 물질은 어디에서 만들어졌을까?

나와 우리 주변의 여러 물질을 이루는 수많은 원소는
우주의 역사를 통해 만들어졌다.
원소가 어디에서 어떻게 만들어졌는지 이해하여
지구와 생명의 역사가 우주 역사의 일부분임을 인식해 보자.
또한, 원소들 사이에는 어떤 주기성이 있는지 찾아내고, 이러한 원소들이
결합하여 물질을 이루는 까닭과 그 결합 방법을 이해하여 우리 주위의
여러 물질의 규칙성을 탐구해 보자.

① 물질의 기원

우주의 구성 원소	원소 생성
원소의 스펙트럼	빅뱅 우주론
	핵융합 반응
	초신성 폭발

② 원소의 주기성

알칼리 금속	할로젠
물과 반응	2원자 분자
양이온 형성	음이온 형성

주기율표

| 가로줄: 주기 | 세로줄: 족 |
| 전자 껍질 수 | 원자가 전자 수 |

화학적 성질 유사

③ 화학 결합과 물질의 형성

옥텟 규칙

화학 결합

| 공유 결합 | 이온 결합 |
| 비금속과 비금속 | 금속과 비금속 |

| | 액체, 수용액 상태에서 전기 전도성 |

① 물질의 기원
우리를 구성하는 물질은 어디에서 왔을까?

원소의 주기성
원소들의 성질에는 어떤 주기성이 있을까?

화학 결합과 물질의 형성
수많은 물질은 어떻게 만들어질까?

학습 계획 세우기

이 단원에서는 세상을 이루는 원소들이 어떤 과정으로 만들어졌는지 탐구하며 원소의 주기성을 발견하고 원소가 결합하여
다양한 물질을 형성하는 원리를 이해한다. 각 소단원에서 학습할 내용을 미리 살펴보고 학습 계획을 세워 보자.

스펙트럼을 이용한 우주의 구성 원소 확인 → 여러 원소가 만들어지는 과정 → 빅뱅 우주론, 별에서의 핵융합 반응, 초신성 폭발

원소의 주기성 → 공통적인 성질을 지닌 원소들

이온 결합 물질과 공유 결합 물질 확인 ← 이온 결합과 공유 결합

– ❶ 물질의 기원

 ❶단계 생각 펼치기 **우리는 모두 우주인이다?**

사과는 나보다 작기 때문에 내가 사과 속으로 들어갈 수 없다. 그렇지만 '사과 한 톨에 우주가 들어있다'는 시의 표현을 시인의 의도와는 별개로 과학적으로 해석해 볼 수는 없을까? 우주에서부터 생명체를 이루는 DNA까지 우주를 구성하는 여러 요소의 크기와 포함 관계를 살펴보고, 우주를 구성하는 가장 기본적인 단위가 무엇인지, 지구와 생명체, 그리고 우주를 구성하는 여러 물질은 어떤 공통점이 있는지 생각해 본다. 이를 토대로 시의 의미를 다시 한 번 해석해 본다.

우주, 우리 은하, 태양계, 지구, 사람, 세포, DNA를 나타낸 그림을 보고 나와 우주의 관계, 그리고 나를 이루는 물질이 무엇인지 생각해 보자.

우주 은하 태양계 지구 사람 세포 DNA

토의하기

다음 물음에 관해 친구와 생각을 나누어 보자.

❶ **그림에 나타난 각 요소의 크기와 서로의 포함 관계에 관해 토의해 보자.**
 예시 우주에서 우리 은하, 태양계, 지구, 사람(생명체), 세포, DNA❶로 갈수록 크기가 작아진다. 또한, DNA는 세포에, 세포는 생명체에, 생명체는 지구에, 지구는 태양계에, 태양계는 우리 은하에, 우리 은하는 우주에 포함된다.

❷ **DNA를 점점 확대해 볼 수 있다면 무엇을 관찰할 수 있을까? 이를 바탕으로 우주를 구성하는 가장 기본적인 단위가 무엇인지 토의해 보자.**
 예시 DNA에는 유전자가 들어 있으므로 DNA를 점점 확대해 볼 수 있다면 유전자를 이루는 원소의 원자를 관찰할 수 있을 것이다. 따라서 물질을 이루는 가장 기본적인 단위는 원자이고, 우주를 구성하는 가장 기본적인 단위 역시 원자라고 생각한다.❷

알고 있나요?

❶ **자신이 알고 있는 원소의 이름과 원소 기호를 써 보자.**
 예시 산소(O), 수소(H), 탄소(C), 질소(N), 황(S), 나트륨(Na), 칼슘(Ca), 철(Fe) 등

❷ **물질을 이루는 원소를 구별하는 실험 방법에는 무엇이 있을까?**
 예시 불꽃 반응 색을 비교하거나 스펙트럼을 비교하여 원소를 구별할 수 있다.

❸ **현재 우주의 크기가 어떻게 변하고 있는지 설명해 보자.**
 예시 우주는 현재 팽창하고 있으며, 이로 인해 우주의 크기가 커지고 있다.

❶ DNA
세포의 핵에 들어 있으며, 유전 정보를 지니고 있다.

❷ 시의 의미 해석
사과의 구성 성분인 물(H_2O)과 여러 가지 탄수화물 등은 산소, 탄소, 수소, 질소 등의 원소로 이루어져 있으며, 나를 이루는 물과 단백질 등도 산소, 탄소, 수소 등의 여러 가지 원소로 이루어져 있다. 사과와 나는 모두 지구를 이루는 물질에서 만들어졌고, 지구는 태양계에서, 태양계는 우리 은하에서, 우리 은하는 우주에서 기원했다. 즉, 나와 사과를 이루는 모든 원소들은 우주에서 기원한 것이다. 따라서 '사과 한 개에 내가 들어 있고 우주가 들어 있다'는 시의 표현을 '사과와 나를 비롯하여 세상을 이루는 모든 물질의 기원이 우주'라고 해석해 볼 수 있다.

②단계 해결하기   **1. 우주를 이루는 원소는 어떻게 알아낼 수 있을까?**

범죄 사건이 일어났을 때 사건 현장이나 증거물에 남아 있는 지문은 범인을 찾는 데 중요한 단서가 되는데, 이는 사람마다 고유한 지문을 갖기 때문이다. 우주에 존재하는 물질과 이를 구성하는 원소를 알아내려면 우주에서 오는 정보, 즉 천체가 방출하는 빛을 분석해야 한다. 이때 '지문'과 같이 사용할 수 있는 단서가 바로 스펙트럼이다. 여러 가지 광원의 스펙트럼 관찰을 통해 우주의 구성 원소를 분석하는 원리를 탐구하고, 우주의 구성 원소를 알아본다.

탐구 1 실험 원소의 스펙트럼 관찰

교과서 16~17쪽

목표
과학적 탐구 능력

여러 가지 광원을 간이 분광기로 관찰하여 원소마다 고유한 스펙트럼이 나타남을 설명할 수 있다.

 과정

❶ 백열등을 전원에 연결하여 전구에서 나오는 빛을 간이 분광기로 관찰하고, 스펙트럼의 모습을 색연필로 그려 보자.

❷ 창가에 흰 종이를 놓고 종이에 반사된 햇빛을 간이 분광기로 관찰하여 스펙트럼의 모습을 색연필로 그려 보자.

❸ 기체 방전관을 고전압 발생 장치에 끼우고 전원을 연결하자. 방전관에서 방출되는 빛을 간이 분광기로 관찰하고, 스펙트럼의 모습을 색연필로 그려 보자. 이후 다른 기체의 방전관으로 교체하여 스펙트럼을 관찰해 보자.

결과/정리

1. 광원에 따른 스펙트럼을 관찰하고 색연필로 그려 보자.

예시

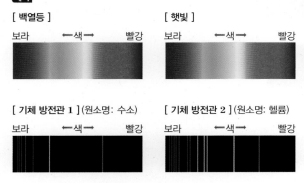

2. 자신이 그린 스펙트럼을 모둠의 다른 학생이 그린 것과 비교해 보자.

해설 스펙트럼의 모양에 차이가 있다면 그 까닭이 무엇인지 생각해 본다. 각각의 광원을 간이 분광기로 관찰할 때, 다른 빛을 차단하지 않은 경우에 다른 광원의 스펙트럼이 겹쳐서 보일 수 있다.

3. 광원의 종류에 따라 나타나는 스펙트럼의 모양과 색은 어떤 차이가 있는지 설명해 보자.

예시 백열등과 햇빛에서는 무지개와 같이 여러 가지 색의 연속적인 띠 모양의 스펙트럼이 나타난다. 기체 방전관에서는 여러 가지 색의 선이 띄엄띄엄 분포하는 스펙트럼이 나타나는데, 원소마다 선이 나타나는 위치와 선의 색이 다르다.

 탐구 분석

여러 가지 광원을 간이 분광기로 관찰하면 햇빛과 백열등에서는 연속적인 스펙트럼을, 기체 방전관에서는 특정 파장의 빛이 몇 개의 밝은 선으로 나타나는 스펙트럼을 관찰할 수 있다. 또한, 원소마다 고유한 스펙트럼이 나타나는 것이 물질의 구성 원소를 알아내는 원리임을 알 수 있다.

수행평가 TIP

탐구 수행	• 모둠 구성원과 협력하여 함께 탐구를 수행한다.	☆ ☆ ☆
	• 기체 방전관을 사용할 때 장갑을 착용하고 파손에 유의한다.	☆ ☆ ☆
	• 태양의 스펙트럼을 관찰할 때 태양을 직접 보지 않고 흰 종이에 반사된 햇빛을 관찰한다.	☆ ☆ ☆
탐구 결과	• 간이 분광기로 스펙트럼을 관찰한 결과를 정확하게 기록한다.	☆ ☆ ☆
	• 광원에 따라 나타나는 스펙트럼의 모양과 색이 어떤 차이가 있는지 설명할 수 있다.	☆ ☆ ☆
	• 기체 방전관의 원소에 따라 서로 다른 스펙트럼이 나타나는 것을 설명할 수 있다.	☆ ☆ ☆

1 스펙트럼

무지개는 여러 파장의 빛이 섞여 있는 햇빛이 공기 중의 수많은 물방울에서 각 파장에 따라 다른 각도로 굴절되면서 빛이 분산되어 나타나는 것이다.

(1) 스펙트럼의 정의 빛을 분광기❶에 통과시키면 무지개와 같은 여러 가지 색의 띠를 볼 수 있는데, 이와 같이 파장에 따라 분산된 빛의 띠를 스펙트럼이라고 한다.

(2) 스펙트럼의 종류

① 연속 스펙트럼 고온의 광원에서 나온 빛을 분광기에 통과시켰을 때 모든 파장 영역에서 연속적인 색의 띠가 나타나는 것이다.

백열등의 연속 스펙트럼

백열등은 금속 필라멘트가 가열되어 연속 스펙트럼을 만든다.

② 선 스펙트럼 빛의 방출 또는 흡수에 의해 특정한 파장에서 밝게 또는 어둡게 나타나는 선을 일컫는다.

• 빛의 방출에 의한 선 스펙트럼(방출 스펙트럼) 기체 방전관❷을 분광기로 관찰할 때와 같이 몇 개의 선으로 특정한 파장의 빛이 밝게 나타난 것이다.

• 수소와 네온 기체는 각각 특정한 빛만을 방출하는 방출 스펙트럼을 만든다. 단, 두 기체가 방출하는 빛의 파장은 서로 다르다.

수소 기체 방전관의 선 스펙트럼

네온 기체 방전관의 선 스펙트럼

• 흡수에 의한 선 스펙트럼(흡수 스펙트럼) 연속 스펙트럼 위에 특정한 위치에서 여러 개의 검은 선이 나타난 것이다.

• 선 스펙트럼은 원소마다 고유한 파장에서 나타나므로 원소의 지문과도 같다고 할 수 있다.

(3) 스펙트럼의 형성

① 연속 스펙트럼 고온의 광원에서 방출하는 빛에서 나타난다.

② 방출에 의한 선 스펙트럼 고온의 기체에서 방출하는 빛에서 나타난다. 기체 방전관이나 고온의 별 주위의 성운이 가열되며 빛을 방출하는 경우에 관찰할 수 있다.

③ 흡수에 의한 선 스펙트럼 고온의 광원에서 방출한 빛이 저온의 기체를 통과할 때 특정한 파장의 빛이 흡수되고 남은 빛에 의해 나타난다.

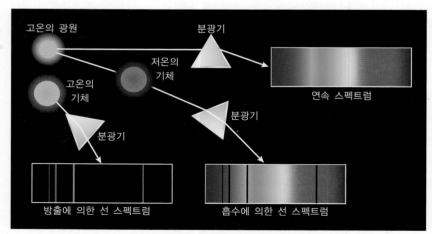

스펙트럼이 형성되는 과정

❶ 분광기
분광기는 스펙트럼을 눈으로 관찰할 수 있게 고안한 기구이다. 과거에는 프리즘을 이용하여 빛을 분산시켰으나, 최근에는 주로 회절격자를 통해 빛을 분산시켜서 스펙트럼을 얻는다.

❷ 기체 방전관
내열성 유리관에 기체를 채운 것으로, 전극을 연결하면 기체가 전리되면서 밝은 빛을 낸다.

(4) 스펙트럼의 분석
  ① 선 스펙트럼은 원소의 종류에 따라 특정한 파장에서 나타난다.
  ② 한 원소에서는 방출에 의한 선 스펙트럼과 흡수에 의한 선 스펙트럼이 나타나는 파장이 일치[3]한다.

흡수에 의한 선 스펙트럼

방출에 의한 선 스펙트럼

헬륨의 선 스펙트럼

  ③ 이와 같은 원리로 어떤 광원의 스펙트럼을 각 원소의 스펙트럼과 비교하여 분석하면 그 광원을 구성하는 원소의 종류와 그 함량을 알아낼 수 있다.

2 우주의 구성 원소

(1) 태양의 구성 원소
  ① **태양의 스펙트럼** 태양의 스펙트럼을 확대하면 연속 스펙트럼 위에 검은 선으로 나타나는 흡수에 의한 선 스펙트럼을 관찰할 수 있다. 독일의 물리학자 프라운호퍼[4]가 최초로 발견한 것으로, 프라운호퍼선이라고도 한다.

태양의 스펙트럼

  ② **태양의 구성 원소** 프라운호퍼가 태양 스펙트럼에서 흡수선을 발견한 이래 태양의 스펙트럼 연구를 통해 태양을 구성하는 원소가 주로 수소(H)와 헬륨(He)인 것을 알아냈다.

(2) 우주의 구성 원소
  ① **천체의 스펙트럼 분석** 우주에 존재하는 별, 성운, 은하 등 여러 천체의 스펙트럼을 관측하고, 원소마다 고유한 스펙트럼이 나타나는 원리를 이용하여 스펙트럼을 분석하면 각 천체의 구성 원소와 그 함량을 알아낼 수 있다.

우주를 구성하는 여러 천체

  ② **우주의 구성 원소** 여러 천체의 스펙트럼을 분석한 결과, 우주 전역에 가장 많이 존재하는 원소는 수소와 헬륨이며 그 질량비가 약 3 : 1[5]임이 밝혀졌다. 또한, 수소와 헬륨은 우주 전체 원소의 약 98 %를 차지한다. 즉, 우주를 구성하는 원소의 대부분은 수소와 헬륨이다.

• 확인하기

1. [이해] 우주를 구성하는 원소 중 가장 높은 비율을 차지하는 두 원소는 무엇인지 말해 보자.
   [예시] 수소와 헬륨

2. [적용] 천체의 빛을 이용해 천체의 구성 원소를 알아내는 방법을 설명해 보자.
   [예시] 각 원소마다 고유한 스펙트럼이 나타나는 원리를 이용하여 천체의 스펙트럼을 분석하면 그 천체의 구성 원소를 알아낼 수 있다.

❸ 동일한 원소의 방출 스펙트럼과 흡수 스펙트럼이 일치하는 까닭
원자를 구성하는 전자의 에너지 상태는 간격이 일정하지 않은 계단과 같은 구조로 되어 있다. 계단을 오르내리는 것처럼 전자의 에너지 상태가 바뀌려면 에너지를 방출하거나 흡수해야 하는데, 이때 원자나 분자가 갖는 에너지의 값을 에너지 준위라고 한다. 각 원소마다 에너지 준위가 다르기 때문에 빛을 방출하고 흡수할 때 나타나는 방출 스펙트럼과 흡수 스펙트럼의 파장이 일치하는 것이다.

❹ 프라운호퍼(Fraunhofer, J. R., 1787~1826)
독일의 물리학자이며 광학 기기 제작자로, 태양의 흡수 스펙트럼을 최초로 관찰하여 연구했다. 그의 연구는 이후 태양을 비롯한 여러 별의 구성 원소를 밝히는 데 많은 도움을 주었다.

❺ 우주 전역의 수소와 헬륨의 질량비
우주를 구성하는 원소에서 수소가 약 74 %, 헬륨이 약 24 %를 차지한다.

✔ 개념 확인 문제

1 고온의 기체 방전관을 관찰하면 볼 수 있는 스펙트럼의 종류는?

2 태양의 스펙트럼을 확대하여 관찰하면 볼 수 있는 스펙트럼의 종류는?

우주의 역사를 기록한 하나의 영화가 있다고 가정하고 이 영화의 필름을 거꾸로 돌려 볼 수 있다면 영화의 첫 장면, 즉 우주의 시작에는 어떤 일들이 일어났을지 생각해 본다. 우주의 나이는 약 138억 년에 이르며, 우주의 크기는 상상할 수 없을 만큼 크다. 이렇게 크고 오랜 역사를 가진 우주의 시작은 어떤 모습이었고, 우주가 시작할 때 무슨 일이 일어났으며 우주 구성 원소의 대부분을 차지하는 수소와 헬륨이 어떻게 만들어졌는지 알아본다.

해 보기 1 스토리 텔링 우주의 시작 이야기 만들기

교과서 19쪽

목표
과학적 의사소통 능력

빅뱅에 관한 동영상을 시청하고, 단어 카드를 조합하여 우주 초기에 일어난 일들을 추정하여 이야기로 만들어 본다.

과정

'빅뱅'에 관한 동영상을 시청하고 다음 단어 카드를 사용하여 우주의 시작 이야기를 만들어 보자.

(가)	(나)	(다)
빅뱅	우주의 크기	증가
시간	우주의 밀도	감소
공간	우주의 온도	일정

결과/정리

1. 다음 규칙에 따라 (가)~(다)에서 단어 카드를 선택하여 모둠별로 우주 초기에 어떤 일들이 일어났을지 추정하여 이야기로 만들어 보자.

> • (가), (나), (다)의 단어 카드를 각각 하나씩 선택하여 문장을 만든다.
> • 카드에 없는 단어도 추가하여 사용할 수 있다.
> • 여러 개의 문장으로 이야기를 만들어 보자.

예시 빅뱅으로 우주의 크기가 증가했다. 빅뱅 이후 우주 공간이 팽창하며 우주의 밀도와 온도가 감소했다. 시간이 흐르며 우주의 온도가 감소함에 따라 입자들이 만들어졌다.

2. 모둠별로 우주의 시작에 관해 만든 이야기를 발표해 보자.

3. 다른 모둠의 발표를 듣고 우리 모둠의 이야기와 어떤 차이점이 있는지 비교해 보자.

4. 모둠별로 만든 이야기를 종합하여 학급에서 하나의 이야기로 정리해 보자.
해설 모둠별 이야기를 비교하고 보완하여 하나의 이야기로 정리한다.

탐구 분석

우주는 초고온, 초고밀도의 한 점에서 빅뱅이라는 대폭발로 시작되었다. 빅뱅 이후 우주의 크기, 밀도, 온도 등의 주요 물리량이 어떻게 변화하였으며 기본 입자가 어떻게 만들어졌는지 이해하는 것은 현재 우주를 구성하는 물질이 어떻게 만들어졌는지 이해하기 위해 중요하다.

1 빅뱅 우주론

(1) **빅뱅 우주론** 약 138억 년 전에 초고온, 고밀도 상태인 매우 작은 한 점에 모든 물질과 에너지가 모여 있다가 대폭발(빅뱅)로 우주의 시간과 공간이 시작되었고, 우주가 팽창하는 과정에서 우주의 밀도와 온도가 감소하며 여러 가지 입자가 만들어지고 이후 별과 은하가 만들어졌다는 이론이다.

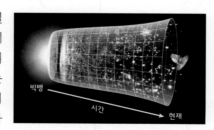

빅뱅   시간   현재

(2) **역사** 르메트르[1]가 작은 한 점에서 시작하여 팽창하는 우주에 관한 가설을 주장하였고, 가모[2]가 이를 발전시켜 빅뱅 우주론을 주장했다. 한때 호일[3] 등이 주장하던 정상 우주론이 빅뱅 우주론과 대립하였으나, 현재 빅뱅 우주론은 우주의 모습을 가장 잘 설명하는 이론으로 인정받고 있다.

[1] 르메트르(Lemaître, G., 1894~1966) 1927년에 우주의 팽창과 대폭발에 관한 이론을 최초로 발표하였으나 당시에는 주목받지 못했다.

[2] 가모(Gamow, G., 1904~1968) 르메트르의 팽창 우주론을 발전시켜 우주가 한 점에서 폭발하여 팽창하였다는 대폭발 이론을 주장했으며, 우주 배경 복사의 존재를 예측했다.

[3] 호일(Hoyle, F., 1915~2001) 우주가 팽창하여 밀도가 작아지면 새로운 물질이 만들어져서 우주의 밀도가 일정하게 유지된다는 정상 우주론을 주장했다. 빅뱅 이론을 비판하였으나, '빅뱅'이라는 이름을 붙인 것도 호일이다.

2 초기 우주의 물질 생성

(1) 빅뱅 직후 우주의 물질 생성

① 빅뱅 직후 우주는 매우 뜨거웠지만, 우주가 팽창하여 <mark>우주의 밀도와 온도가 감소</mark>하면서 전자를 비롯한 <mark>기본 입자[4]</mark>들이 만들어졌다. 빅뱅 직후 초고온, 고밀도의 우주는 팽창하면서 점점 밀도가 작아지고 온도가 낮아졌다.

② 계속된 우주의 팽창으로 우주의 온도가 더욱 낮아지면서 빅뱅 이후 약 3분이 지났을 무렵 <mark>수소(H) 원자핵[5]</mark>과 헬륨(He) 원자핵이 차례로 만들어졌다. 하지만 우주의 온도는 여전히 높아서 원자핵과 전자가 결합하지 못하고 분리되어 있었다.

(2) 최초의 원자 생성

K(켈빈)은 절대 온도의 단위로, '절대온도=섭씨온도+273'이다.

① <mark>빅뱅 이후 약 38만 년</mark>이 지났을 무렵, 우주의 온도가 약 3000 K까지 낮아지면서 원자핵이 전자와 결합할 수 있게 되어 수소 원자와 헬륨 원자가 만들어졌다.

② 원자핵이 전자와 결합하면서 <mark>우주 배경 복사[6]</mark>가 우주 공간으로 퍼져나갔다.

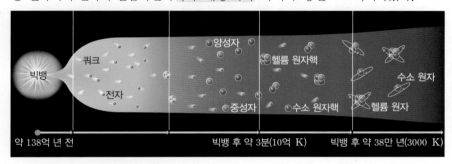

약 138억 년 전 | 빅뱅 후 약 3분(10억 K) | 빅뱅 후 약 38만 년(3000 K)

(3) 빅뱅 이후 우주의 진화

빅뱅 이후 시간이 지남에 따라 우주는 지속적으로 팽창하였다. 초기 우주에서 만들어진 수소와 헬륨이 우주 공간에 퍼지고, 수많은 별과 은하가 만들어지며 우주의 역사가 시작되었다. 우주 팽창 속도는 일정하지 않았는데, 우주 초기에 급팽창한 시기가 있었고, 현재 우주의 팽창 속도는 점점 증가하고 있다.

---

[4] 빅뱅 직후 생성된 기본 입자
빅뱅 직후 우주가 팽창하여 밀도와 온도가 감소하면서 쿼크, 전자 등의 기본 입자가 만들어졌고, 이후 양성자, 중성자 등이 만들어졌다.

[5] 원자핵
원자는 중심부의 원자핵과 원자핵을 둘러싼 전자로 이루어져 있다.

[6] 우주 배경 복사
빅뱅 우주론을 주장했던 가모는 원자핵과 전자가 만나 원자를 형성하면서 우주가 투명해지고, 이때 우주 전역으로 퍼져나간 빛이 우주가 팽창함에 따라 긴 파장의 복사로 관측될 것이라고 주장했다. 1964년에 펜지어스와 윌슨이 안테나를 시험하던 중 우주 전 방향에서 오는 잡음을 발견했는데, 이것은 우주의 온도 약 2.7 K에 해당하는 전파로, 빅뱅 우주론의 증거가 되는 우주 배경 복사이다.

 탐구 2　**토론**　빅뱅 우주론이 확립되기까지의 과정

목표

과학적 사고력, 과학적 의사소통 능력

빅뱅 우주론이 확립되는 과정에서 논쟁이 되었던 문제나 관측 증거를 찾아 토론하고, 이를 통해 빅뱅 우주론이 확립되기까지의 과정을 설명할 수 있다.

과정

❶ 모둠별로 교과서 334쪽을 복사하여 과학자 카드를 만들어 보자. 이 과학자 카드에는 우주의 시작과 진화에 관한 다음 과학자들의 주장이 제시되어 있다.

- 아인슈타인(Einstein, A., 1879~1955)
- 르메트르(Lemaitre, G., 1894~1966)
- 호일(Hoyle, F., 1915~2001)
- 펜지어스(Penzias, A., 1933~)와 윌슨(Wilson, R., 1936~)
- 프리드먼(Friedmann, A., 1888~1925)
- 가모(Gamow, G., 1904~1968)
- 허블(Hubble, E., 1889~1953)

❷ '허블'과 '펜지어스와 윌슨'의 과학자 카드의 빈칸에 알맞은 내용을 조사하여 써 넣자.

예시 • 허블: 에드윈 허블은 미국의 천문학자로, 외부 은하의 스펙트럼을 관측하여 외부 은하의 후퇴 속도가 은하까지의 거리에 비례한다는 허블 법칙[*]을 발표하며 우주의 팽창을 증명했다.
• 펜지어스와 윌슨: 아노 앨런 펜지어스와 로버트 우드로 윌슨은 미국의 천문학자로, 1964년에 안테나를 시험하던 중 우연히 우주의 모든 방향으로부터 오는 잡음을 발견했다. 이것은 우주의 온도 약 2.7 K에 해당하는 전파로, 빅뱅 우주론의 증거가 되는 우주 배경 복사이다.

＊허블 법칙
허블은 우리 은하 밖의 여러 은하의 스펙트럼을 분석하여 우리 은하로부터 멀리 떨어진 은하일수록 더 빠르게 멀어져간다는 사실을 발견하여 우주의 팽창을 증명하였다. 허블의 이러한 발견은 허블 법칙이라고 불린다.

❸ 모둠 구성원이 각자 한 명의 과학자 입장이 되어 과학자 카드의 내용을 참고하여 우주의 시작과 진화에 관해 주장과 근거를 내세우며 토론해 보자.

❹ 모둠별로 과학자 카드를 자석 칠판에 붙이고, '→ (지지)', '↔ (대립)' 등의 화살표를 그려 넣어서 각각의 관계를 관계도로 나타내 보자.

결과/정리

1. 각 모둠이 만든 관계도와 그렇게 나타낸 까닭을 발표해 보자.

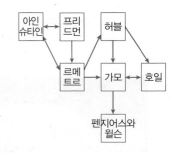

예시 아인슈타인은 수축도 팽창도 하지 않는 정적인 우주를 주장했으나, 프리드먼은 수축과 팽창 모두 가능한 동적인 우주를 주장했고, 르메트르는 작은 한 점에서 시작하여 팽창하는 우주를 주장했다. 허블은 외부 은하를 관측하여 허블 법칙을 발견하면서 우주의 팽창을 증명했고, 가모는 이를 이어받아서 우주가 한 점에서의 대폭발로 시작되었다고 주장했다. 호일은 우주가 팽창하지만 우주의 밀도가 일정하게 유지된다는 정상 우주론을 주장했으나, 이후 펜지어스와 윌슨이 우주 배경 복사를 발견하여 빅뱅 우주론이 옳다는 것을 증명했다.

2. 각 모둠의 관계도를 비교하고, 서로 다를 경우 그 까닭을 토의해 보자.

해설 과학자들의 연구 결과와 주장이 다른 과학자의 연구에 어떤 영향을 미치는지 정리하는 과정에서 차이가 생길 수 있다. 관계도에 오류가 있는 경우, 토론을 통해서 오류를 수정한다.

더 알아보기

1. 빅뱅 우주론이 확립되기까지의 과정에서 중요한 역할을 한 관측 증거에는 어떤 것들이 있는지 설명해 보자.

예시 아인슈타인의 정적인 우주 모형과 프리드먼의 동적인 우주 모형이 대립하였는데, 허블이 멀리 있는 외부 은하가 더 빠르게 멀어진다는 사실을 발견하여 동적 우주 모형이 옳다는 것을 증명했다. 또한, 가모의 빅뱅 우주론과 호일의 정상 우주론이 대립하였는데, 펜지어스와 윌슨이 가모가 예측했던 우주 배경 복사를 발견하면서 빅뱅 우주론이 옳다는 것을 증명했다.

2. 과학자는 자신의 이론과 대립하는 주장에 관해 어떤 자세로 대처해야 할지 생각해 보자.

예시 과학자는 자신의 주장이 언제나 옳다고 확신하지 않고 타당한 근거를 들어 다른 과학자의 주장을 살펴보아야 하며, 다른 과학자의 주장에서 옳은 부분은 인정하고 수용해야 한다.

탐구 분석

빅뱅 우주론이 확립되기까지 우주의 시작과 진화에 관한 여러 과학자들의 연구 결과간의 관계를 파악한다. 이를 통해 빅뱅 우주론은 어느 한 과학자의 연구 결과로 만들어진 것이 아니라 수많은 과학자들의 논쟁과 관측 결과에 의해 만들어졌음을 알 수 있다.

확인하기

1. 이해 우주 초기에 수소와 헬륨이 어떻게 만들어졌는지 설명해 보자.

예시 빅뱅 이후 우주가 팽창하면서 우주의 밀도와 온도가 감소하며 기본 입자가 만들어졌고, 기본 입자에서 수소 원자핵과 헬륨 원자핵이 만들어졌으며, 이후 원자핵과 전자가 결합하여 수소 원자와 헬륨 원자가 만들어졌다.

2. 적용 빅뱅 우주론이 확립되는 과정에서 논쟁이 되었던 문제를 설명해 보자.

예시 우주가 수축도 팽창도 하지 않는 정적인 우주인지, 팽창 또는 수축할 수 있는 동적인 우주인지의 문제. 우주가 빅뱅으로 시작되어 팽창하며 밀도가 감소하는지, 우주가 팽창하더라도 새로운 물질이 만들어지면서 우주의 밀도가 일정하게 유지되는지의 문제가 큰 논쟁이 되었다.

개념 확인 문제

1 빅뱅 이후 현재까지 우주의 크기는 (커, 작아)지고 밀도는 (증가, 감소)하고 온도는 (높아, 낮아)졌다.

2 수소 원자와 수소 원자핵 중 빅뱅 이후 우주에서 먼저 만들어진 것은?

❷단계 해결하기 3. 지구와 생명체를 구성하는 원소는 어떻게 만들어졌을까?

중세 시대에 연금술사는 비금속이나 값싼 금속으로부터 금이나 은을 만들고자 하였지만 실패했다. 우주 초기에 수소와 헬륨이 만들진 후 새로운 원소가 만들어지지 않았다면 우주는 수소와 헬륨으로만 이루어졌을 것이다. 우주, 지구와 생명체를 구성하는 원소는 각각 무엇이고 이러한 원소들이 어떻게 만들어졌는지 알아본다.

 해 보기 2 ⟨자료 해석⟩ 우주, 지구, 사람을 구성하는 원소

목표　　　　　　　　　　과학적 사고력

우주, 지구, 생명체의 구성 원소를 비교할 수 있다.

결과/정리

1. (가)~(다) 중에서 우주, 지구, 사람에 해당하는 것이 각각 무엇인지 찾고, 그렇게 생각한 까닭을 설명해 보자.
   예시 (가): 사람, (나): 우주, (다): 지구. 우주를 구성하는 원소는 대부분이 수소와 헬륨이고, 지구의 지각과 맨틀에는 규소와 산소가, 핵에는 철 등의 금속 물질이 풍부하며, 사람은 단백질, 물 등으로 이루어져 있으므로 탄소와 산소가 많다.

2. 우주, 지구, 사람을 구성하는 원소의 종류를 비교하고, 각각은 어떤 차이가 있는지 설명해 보자.
   예시 우주에는 수소와 헬륨이 대부분이지만 지구에는 철, 마그네슘 등의 금속 원소가 많이 분포하며, 사람은 산소와 탄소, 수소가 주를 이룬다.

과정

다음은 우주와 지구, 그리고 사람을 구성하는 원소들의 질량비를 순서 없이 나타낸 것이다.

질소 3 % / 기타 5 % / 수소 11 % / 탄소 21 % / 산소 60 %

기타 3 % / 헬륨 23 % / 수소 74 %

기타 7 % / 마그네슘 13 % / 철 35 % / 규소 15 % / 산소 30 %

 탐구 분석

우주 전체에는 수소와 헬륨이 대부분이지만 지구와 생명체에는 다른 여러 원소가 분포한다. 수소와 헬륨이 생성된 후 새로운 원소가 만들어졌기 때문이다.

 해 보기 3 ⟨추론⟩ 새로운 원소가 만들어지려면?

목표　　　　　　　　　　과학적 사고력

핵융합 반응으로 원소가 생성되는 과정을 추론할 수 있다.

결과/정리

1. 원자핵의 상대적 질량을 비교할 때, 수소 원자핵 몇 개가 융합하면 헬륨 원자핵 1개를 만들 수 있을까?
   예시 4개. 헬륨 원자핵의 상대적 질량이 수소 원자핵의 4배이기 때문이다.

2. 원자핵의 상대적 질량을 비교할 때, 헬륨 원자핵 몇 개가 융합하면 탄소 원자핵 1개를 만들 수 있을까?
   예시 3개. 탄소 원자핵의 상대적 질량이 헬륨 원자핵의 3배이기 때문이다.

3. 가벼운 원소가 융합하여 무거운 원소가 만들어질 수 있는 조건을 만족하는 곳은 어디일지 생각해 보자.
   예시 별의 내부. 원자핵끼리 융합하려면 온도와 밀도가 매우 높아야 한다. 별의 내부는 온도와 밀도가 모두 높은 곳이므로 새로운 원소가 만들어질 수 있다.

과정

자료 1은 수소와 헬륨, 탄소 원자핵의 상대적 질량을 나타낸 그림이고, 자료 2는 헬륨, 탄소 원자핵이 만들어지는 조건이다.

[자료 1] 수소와 헬륨, 탄소 원자핵의 상대적 질량

[자료 2] 헬륨 원자핵과 탄소 원자핵이 만들어지는 조건

- 무거운 원소의 원자핵은 가벼운 원소의 원자핵이 융합하여 만들어질 수 있다.
- 원자핵끼리 융합하기 위해서는 온도와 밀도가 매우 높아야 한다.

1 헬륨과 탄소 원자핵의 생성

(1) 수소 핵융합 반응

① 수소 핵융합 반응 태양과 같은 별(주계열성)[1]의 중심핵은 온도가 수천만 K에 이르며 밀도가 매우 높아서 수소 원자핵 4개가 헬륨 원자핵 1개를 만드는 수소 핵융합 반응이 일어난다.

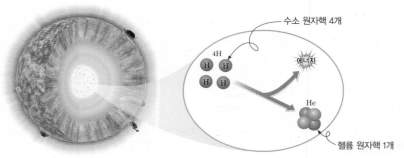

수소 핵융합 반응

② 핵융합 반응과 에너지 헬륨 원자핵 1개의 질량은 수소 원자핵 4개의 질량보다 작은데, 이 질량의 차이가 빛에너지로 전환[2]된다. 태양은 중심핵의 수소 핵융합 반응에서 발생한 에너지로 빛을 내고 있다. 지구에서 생명체가 탄생하고 현재까지 진화해올 수 있었던 것은 태양으로부터 빛에너지를 꾸준히 받아왔기 때문이다.

(2) 헬륨 핵융합 반응

① 헬륨 핵융합 반응 별의 중심핵에서 수소 핵융합 반응으로 수소가 모두 헬륨으로 바뀌면 별의 중심부가 수축하여 온도가 상승하고 별의 겉 부분은 팽창하여 붉게 보이는 별(적색 거성)[3]이 된다. 중심핵의 온도가 더욱 높아지면 헬륨 원자핵 3개로부터 탄소(C) 원자핵 1개가 만들어지는 헬륨 핵융합 반응이 일어난다. — 약 1억 K

② 질량이 가벼운 별의 한계 별의 중심핵에서 헬륨 핵융합 반응으로 탄소 중심핵이 만들어진 후 이보다 무거운 원소의 핵융합 반응이 일어나려면 중심핵의 온도가 더 높아야 한다. 그런데 질량이 태양 정도인 별은 중심핵의 온도가 높이 올라갈 수 없어서[4] 더 이상 무거운 원소가 만들어질 수 없다.

2 탄소보다 무거운 원소의 생성

(1) 무거운 별 내부에서의 핵융합 반응

① 태양보다 약 10배 이상 무거운 별에서는 헬륨 핵융합 반응으로 탄소 중심핵이 만들어진 후에도 중심핵의 온도가 계속 높아져서 탄소, 산소(O), 규소(Si) 핵융합 반응까지 일어나며 산소, 네온(Ne), 규소 등 점점 더 무거운 원소가 만들어진다.

② 별 내부의 핵융합 반응으로 생성될 수 있는 가장 무거운 원소는 철(Fe)[5]이다. 별 내부에 철의 중심핵이 만들어지면 별 내부에서의 핵융합 반응이 멈춘다.

태양보다 약 10배 이상 무거운 별

철(Fe)로 이루어진 중심핵

무거운 별의 내부 구조

• 태양보다 약 10배 이상 무거운 별은 중심핵의 온도가 태양과 같은 별에 비해 훨씬 높이 올라갈 수 있어서 산소나 규소의 핵융합 반응을 통해 철까지 만들어질 수 있다.
• 무거운 별의 내부 구조는 철로 이루어진 중심핵에서 바깥쪽으로 갈수록 보다 가벼운 원소가 분포하며, 가장 바깥 껍질에는 수소가 존재한다.

❶ 주계열성
주계열성은 별의 일생에서 가장 오랜 시간을 보내는 시기에 해당하며, 가장 안정한 단계로서 현재 태양이 주계열성 단계이다.

❷ 핵융합 반응과 에너지 생성
수소 핵융합 반응으로 만들어진 헬륨 원자핵 1개의 질량(4.003)은 수소 원자핵 4개의 질량(4.032)보다 작다.
$$4H \rightarrow He + \Delta m$$
여기서 이 질량의 차이(Δm)가 빛에너지로 전환된다. 이는 아인슈타인이 밝혀낸 질량 에너지 등가 원리($E = \Delta m \cdot c^2$)이다.

❸ 적색 거성
주계열성 이후의 별의 진화 단계로, 별의 중심부가 수축하여 내부 온도가 상승하고 외부는 팽창하여 표면 온도가 감소하면서 붉게 보이는 별이 된다.

❹ 별의 질량과 별의 진화
별은 질량에 따라 다르게 진화하는데, 질량이 클수록 중심부의 온도가 높이 올라갈 수 있어서 더 무거운 원소를 만드는 핵융합 반응이 일어난다.

❺ 핵융합 반응으로 철보다 무거운 원소가 생성되지 않는 까닭
철의 원자핵이 매우 안정하기 때문에 철이 융합하여 더 무거운 원소가 만들어지려면 그 과정에서 에너지를 흡수해야 한다.

(2) 초신성 폭발과 원소의 생성

① **초신성 폭발** 별의 중심부에서 철이 만들어진 후에는 별이 급격히 수축하다가 강력한 폭발을 일으키는데, 이를 초신성 폭발이라고 한다.

② **철보다 무거운 원소의 생성** 초신성 폭발 과정에서 엄청난 양의 에너지가 발생하며 초고온의 환경이 되어 구리(Cu), 금(Au), 우라늄(U) 등 철보다 무거운 원소가 만들어진다.

③ **초신성 폭발과 성간 물질** ┌─ 별과 별 사이에 분포하는 기체와 먼지 등의 각종 물질
초신성 폭발로 별의 중심핵[6]을 제외한 나머지 대부분을 날려 보내며 별 내부에서의 핵융합 반응과 초신성 폭발 과정에서 만들어진 수많은 원소가 포함된 물질을 우주 공간으로 방출[7]한다. 이러한 물질은 성운을 형성하기도 하고, 성운에서 새로운 별이 탄생할 수 있다.

> 빅뱅으로 만들어진 수소와 헬륨이 별의 일생을 거쳐 점차 무거운 원소로 만들어지고 우주 공간에 방출된 후 또 다른 별과 행성의 재료가 된다. 따라서 인간을 비롯한 수많은 생명체와 그 터전인 지구, 그리고 태양계의 역사는 우주 역사의 일부분이며 우리는 이러한 우주의 역사를 고스란히 안고 있는 존재이다.

3 태양계와 고체 지구의 형성

(1) 성운의 형성 별의 최후에 초신성 폭발을 통해 우주 공간으로 방출된 물질들과 우주 공간에 존재하는 성간 물질들이 모여 밀도가 높은 곳을 성운이라고 한다.

(2) 태양계와 고체 지구의 형성 ┌─ 중심부의 온도가 상승한다.

① 약 46억 년 전 거대한 성운이 중력에 의해 수축하기 시작한다.

② 수축하는 성운이 회전하면서 중심핵과 원반부가 형성된다.

③ 성운의 중심에서 원시 태양이 만들어지고, 원반부에서는 회전하는 물질이 작은 고체 알갱이로 응축하고 서로 뭉쳐서 지름 1~10 km의 미행성체를 형성한다.

④ 원시 태양은 태양으로 발전하고, 미행성체는 서로 충돌하며 뭉쳐서 원시 행성을 형성한다.

⑤ 원시 행성이 지구를 비롯한 행성들로 진화하였다.

(3) 태양계 행성의 분포 원시 태양이 만들어지고 원반부에서 행성이 만들어질 때 태양에 가까울수록 온도가 높고 태양풍이 강해서 태양에 가까운 곳에서는 주로 암석질 행성(지구형 행성)[8]이, 태양에서 먼 곳에서는 주로 기체 물질로 이루어진 행성(목성형 행성)이 만들어졌다.

---

[6] 초신성 폭발 후 남은 중심핵
초신성 폭발 후 남은 중심핵은 질량이 크지 않은 경우에는 중성자별이 되며, 폭발 후 남은 중심핵의 질량이 크면 블랙홀이 된다.

[7] 초신성 폭발 잔해
태양보다 약 10배 이상 무거운 별의 최후에 초신성 폭발로 만들어진 성운으로, 수소와 별 내부에서의 핵융합 반응으로 만들어진 헬륨, 탄소, 산소, 규소, …, 철과 같은 원소들과 초신성 폭발 과정에서 만들어진 철보다 무거운 원소들이 분포한다.

게성운(초신성 폭발 잔해)

[8] 지구형 행성과 목성형 행성
지구형 행성은 태양계의 안쪽에 위치하여 주로 암석질로 이루어진 수성, 금성, 지구, 화성이 해당한다. 목성형 행성은 태양계의 바깥쪽에 위치하여 주로 기체 물질로 이루어진 목성, 토성, 천왕성, 해왕성이 해당한다.

· 확인하기

1. [이해] 물을 구성하는 원소는 어떻게 생성되었는지 설명해 보자.

[예시] 수소는 초기 우주에서, 산소는 태양보다 무거운 별의 중심핵에서 핵융합 반응으로 만들어졌다.

2. [적용] 별의 내부에서 핵융합 반응으로 원소가 만들어지는 원리를 바탕으로, 인공적인 방법으로 원소를 만들 수 있는 조건을 설명해 보자.

[예시] 별의 중심부와 같이 온도와 밀도가 매우 높아서 원소의 핵융합 반응이 일어날 수 있어야 한다. 우리나라의 'K스타'와 같이 초전도 자석을 이용한 인공적인 핵융합로에서 수소를 수천만~수억 K의 플라즈마 상태로 만들면 핵융합 반응이 일어나게 할 수 있다.

✔ 개념 확인 문제

1 별 내부에서 헬륨 핵융합 반응으로 ( ) 원자핵이 만들어진다.

2 철보다 무거운 원소는 ( )로 만들어진다.

 **❸단계 생각 모으기** **학습 정리**

핵심 내용 정리하기

❶ 우주 초기의 원소 생성 교과서 16~21쪽

천체가 방출하는 빛의 [**❶ 스펙트럼**]을/를 분석하여 우주의 구성 원소를 알아
낼 수 있다. [**❷ 빅뱅**](으)로 우주가 시작되었고, 우주가 팽창하며 [**❸ 수소**]
과/와 [**❹ 헬륨**] 원자핵이 차례로 만들어졌다.

수소의 선 스펙트럼

헬륨의 선 스펙트럼

❷ 지구와 생명체를 이루는 원소가 만들어지는 과정 교과서 22~25쪽

현재 태양의 중심부에서 [**❺ 수소 핵융합**] 반응으로 [**❻ 헬륨**] 원자핵이 만들
어지고 있으며, 태양과 비슷한 질량의 별에서는 [**❼ 탄소**] 원자핵까지 만들어
질 수 있다. 철보다 무거운 원소는 질량이 큰 별의 최후에 [**❽ 초신성 폭발**] 과
정에서 만들어진다.

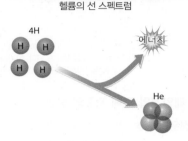

수소 핵융합 반응

활동으로 확인하기

다음 표는 여러 원소와 그 원자의 상대적 질량을 나타낸 것이다.

원소 기호	원소 이름	원자의 상대적 질량	원소 기호	원소 이름	원자의 상대적 질량
H	수소	1	Si	규소	28
He	헬륨	4	Fe	철	56
C	탄소	12	Cu	구리	64
N	질소	14	Ag	은	108
O	산소	16	Au	금	197
Mg	마그네슘	24	U	우라늄	238

❶ 모둠별로 탁구공(또는 스타이로폼 구)의 겉면에 원소 기호를 하나씩 써넣고, 바구니에 다음 그림과 같이 이름을 써넣자.

(가) 빅뱅 직후 우주

(나) 태양과 비슷한 질량의 별 내부

(다) 태양보다 약 10배 이상 무거운 별 내부

(라) 초신성 폭발 과정

❷ 각각의 원소가 어디에서 만들어졌는지 고려하여 탁구공을 바구니에 분류해 보자. (이때 여러 개의 바구니에 들어갈 원
소는 탁구공을 추가로 사용하자.)

예시

(가)

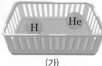

(나)

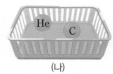

(다)

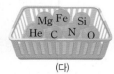

(라)

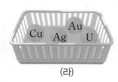

❸ (가)에서 (라)로 갈수록 바구니에 담긴 원자의 상대적 질량은 어떤 경향을 보이는가?

예시 (가)에서 (라)로 갈수록·더 무거운 원소가 만들어질 수 있으므로 바구니에 담긴 원자의 상대적 질량은 점점 더 커진다.

4 단계 생각 넓히기 원소의 고향을 찾아 떠나는 여행 – 천문대 방문하기 –

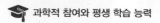
과학적 참여와 평생 학습 능력

> 우리를 둘러싼 모든 별들이 마치 거대한 양떼처럼 유순하게
> 고요히 그들의 운행을 계속하고 있었다.
> 이따금 나는 이 별들 중 가장 아름답고 빛나는 별 하나가
> 부드럽게 내 어깨에 내려앉아 잠을 청하고 있다고 상상했다.
> 알퐁스 도데 《별》

우주를 이루는 수많은 원소는 모두 빅뱅 직후의 우주와 별의 내부, 그리고 초신성 폭발 과정에서 만들어졌다. 만약 나와 지구를 이루는 원소의 고향을 찾아 여행을 떠나고 싶다면 과거로 가거나 태양계 밖의 우주로 나가야 한다. 그러나 아직 인류가 태양계 밖으로 유인 탐사선을 보내는 것은 불가능하다. 도시 외곽이나 산속과 같이 인공적인 빛이 적은 곳에 있는 천문대에서는 맨눈이나 망원경으로 별, 은하, 우주를 볼 수 있다. 이것이 우리가 원소의 고향, 즉 나의 고향을 만날 방법이 아닐까? 천문대 방문 계획을 세워 보자.

1 어디로 갈까?

관측 대상과 목적, 거리와 환경을 고려하여 가까운 지역의 천문대와 방문 가능한 일정을 조사하고 천문대 방문 계획을 세워 보자.

해설 지역에서 가까운 천문대가 무엇이 있는지 조사하고, 관측 목적과 일반인에게 개방되는지의 여부 등에 따라 방문 가능한 일정을 정해 본다.

2 무엇을 볼까?

천문대에서는 망원경 등 천체 관측 기기를 견학하거나 천체 망원경으로 별, 달, 행성, 은하, 성운과 성단 등을 관측할 수 있다. 천문대를 방문하는 날짜와 시각을 고려하여 관측 가능한 천체가 무엇인지 미리 조사해 보자.

해설 천문대 방문 목적이 천문대 견학인지 천체 관측인지 정한다. 천문대의 천체 망원경이나 기타 관측 기기 견학, 플라네타리움 관람을 할 목적이라면 낮에 방문하는 것이 가능하다. 천문대의 장비와 시설을 이용하여 직접 천체를 관측하고자 한다면 해당 시기의 주요 별자리와 방문 시각에 관측 가능한 행성 및 성운, 성단 등은 무엇이 있는지 조사해 본다.

계절	주요 별자리	주요 천체
봄	사자자리, 처녀자리, 목동자리	M3 구상성단, M13 구상성단
여름	거문고자리, 백조자리, 독수리자리, 궁수자리	M17 오메가 성운, M22 구상성단
가을	페가수스자리, 안드로메다자리, 고래자리	M31 안드로메다 은하
겨울	오리온자리, 큰개자리, 쌍둥이자리, 황소자리	M45 플레이아데스 성단, M42 오리온 대성운
북쪽 하늘 (연중 관측 가능)	큰곰자리, 작은곰자리, 카시오페이아자리	페르세우스 이중성단

3 견학 일지 작성

천문대에서 직접 관측한 천체와 사용한 망원경 등을 관측 일지에 작성해 보자.

해설 천체 관측 일지에는 관측 대상과 관측 일시(월령 포함), 관측 장소, 관측 장비, 달의 위상, 날씨 및 관측한 천체에 관한 세부 내용을 기록하며, 스케치나 사진을 덧붙이기도 한다.

② 원소의 주기성

❶단계 생각 펼치기 **세상을 이루는 물질은 어떤 원소들로 이루어져 있을까?**

지구에는 긴 세월을 거치며 육지와 바다가 만들어졌고, 여러 생명체가 출현하였다. 이들을 구성하고 있는 성분을 찾아보면 우리 주변에는 셀 수 없이 많은 물질이 있지만 물질을 구성하고 있는 원소는 110여 종에 불과하다. 우리 주위의 물질과 생명체를 구성하는 원소는 그 구성 비율은 다르지만, 산소, 수소, 탄소, 질소, 규소, 철 등 많은 원소들을 공통적으로 포함하고 있다. 여기서는 몇 가지 원소들의 공통적 성질을 살펴보고, 이를 통해 원소의 공통성과 주기성을 찾아본다.

토의하기

1 지각❶이나 바닷물, 또는 우리 몸 가운데 한 가지 주제를 정해서 어떤 원소❷들로 이루어졌는지 조사해 보자.

예시 • 지각: 산소, 규소, 알루미늄, 철, 칼슘, 나트륨, 칼륨, 마그네슘 ← 지각의 8대 구성 원소
  • 바다: 수소, 산소, 염소, 나트륨, 마그네슘, 칼슘, 칼륨 ← 물과 염분
  • 우리 몸: 수소, 산소, 탄소, 질소, 칼슘, 인, 황, 염소, 나트륨, 칼륨, 마그네슘 ← 다량 원소

2 조사한 원소를 다음과 같은 성질로 나누어 보자. 이 밖에 원소를 나눌 수 있는 공통적인 성질은 무엇인지 말해 보자.

> 원소를 고체, 액체, 기체 상태로 나누어 정리하면 어떨까?

예시 • 고체: 규소, 알루미늄, 철, 칼슘, 나트륨, 칼륨, 마그네슘, 인, 탄소 (25℃, 1기압)
  • 기체: 산소, 수소, 염소, 질소

> 색깔이나 모양처럼 겉모습이 비슷한 것으로 나누는 것이 좋겠어.

예시 • 금속: 광택이 있고 단단함: 알루미늄, 철, 칼슘, 나트륨, 칼륨, 마그네슘
  • 비금속: 금속의 성질을 갖지 않는 것: 규소, 인, 탄소, 수소, 산소, 염소, 질소

> 우리 몸에 많이 들어 있는 것과 적게 들어 있는 것으로 나누는 것이 좋을 것 같아.

예시 • 우리 몸에 많이 들어 있는 것: 수소, 산소, 탄소, 질소, 칼슘, 인, 황, 염소, 나트륨, 칼륨, 마그네슘
  • 우리 몸에 적게 들어 있는 것: 철, 아연, 구리

알고 있나요?

다음의 용어 중에 알고 있는 것에 ○표시하고, 자신이 알고 있는 내용을 말해 보자.

> • 원자 • 원소 • 원소 기호

예시 • 원자: 물질을 구성하는 가장 작은 입자로, 원자핵과 전자❸로 구성되어 있다. 전기적 중성이다.
• 원소: 한 종류의 원자만으로 만들어진 물질 및 그 구성 요소로 수소, 산소, 질소 등이 있다.
• 원소 기호: 원소를 기호로 나타낸 것으로 첫 글자는 대문자, 두 번째 글자는 소문자로 쓴다. H(hydrogen), O(oxygen), Ca(calcium) 등이 있다.

❶ 지각
지구는 지권, 수권, 기권, 생물권으로 구성되어 있고, 지권의 겉부분인 지구 표면을 지각이라고 한다.

❷ 원소
원자 번호로 구별되는(동일한 양성자 수를 갖는) 원자의 종 또는 그것으로 구성된 물질을 말한다. 수소, 질소, 산소 등

❸ 원자핵과 전자
원자의 중심에는 (+)전하를 띠는 원자핵이 있고 그 주위에 (−)전하를 띠는 전자가 있으며, 원자는 전기적으로 중성이다.
원자핵의 지름은 원자의 $\frac{1}{100,000}$ 정도로 매우 작아 원자의 대부분은 빈 공간이다.

② 단계 **해결하기** 1. 원소들의 성질에는 어떤 공통점이 있을까?

고양이, 독수리, 개구리, 개미 등 지구에 살고 있는 수많은 종류의 동물을 척추의 유무나 체온의 유지 방법, 또는 번식 방법과 같은 공통점으로 무리 지을 수 있는 것처럼, 다양한 종류의 원소들도 무리 지을 수 있는 공통점이 존재한다. 여기서는 유사한 성질을 가진 몇 가지 금속 원소와 비금속 원소를 알아보고, 이를 통해 다양한 원소를 서로 무리 지을 수 있는 공통된 성질이 있음을 확인한다.

탐구 1 **실험** 공통된 성질로 금속 구분하기

교과서 30쪽

목표
과학적 탐구 능력

몇 가지 금속 원소의 공통점을 찾고, 이를 활용하여 금속 원소를 구분할 수 있다.

결과/정리

1. 관찰 결과를 표에 써 보자.

금속	리튬	나트륨	구리	아연	철
겉모양	은백색 광택	은백색 광택	붉은색 광택	은백색 광택	은백색 광택
단단한 정도	무르다	무르다	단단하다	조금 단단하다	단단하다
물과의 반응성	기체 발생 격렬하게 반응	기체, 불꽃 발생 리튬보다 격렬하게 반응	반응하지 않음	반응하지 않음	반응하지 않음
수용액의 색깔 변화	붉은색	붉은색	변화 없음	변화 없음	변화 없음

2. 모둠별로 관찰 결과를 바탕으로 비슷한 성질을 지닌 금속끼리 구분해 보자.

예시 칼로 자를 수 있을 만큼 무르고 물과 반응해서 기체가 발생하며, 수용액은 페놀프탈레인 용액을 붉게 변화시키는 공통점이 있는 리튬, 나트륨과, 칼로 자를 수 없이 단단하고 물과 반응하지 않는 구리, 아연, 철로 나눌 수 있다.

3. 자신의 모둠에서 금속을 구분한 기준은 무엇인가?

예시 단단한 정도, 물과의 반응성, 물과의 반응 후 수용액의 색깔 변화 등

과정

(가) 겉모양과 단단한 정도 비교하기

❶ 리튬, 나트륨, 구리, 아연, 철의 색깔과 광택 등 겉모양을 관찰하자.

❷ 유리판 위에 리튬, 나트륨, 구리, 아연, 철을 올려놓고 칼로 잘라 단단한 정도를 비교해 보자.

(나) 물과의 반응성 비교하기

❸ 쌀알만 한 크기의 리튬, 나트륨, 구리, 아연, 철 조각을 증류수가 반쯤 든 비커에 각각 넣고 변화를 관찰하자.

• 어느 금속에서 어떤 변화가 일어나는가? 리튬과 나트륨은 격렬히 반응

❹ 반응이 끝나면 과정 ❸의 비커에 페놀프탈레인 용액을 2~3방울 떨어뜨려 색깔 변화를 살펴보자.

과정 2

과정 3

과정 4

탐구 분석

단단한 정도, 물에 넣었을 때의 반응성, 페놀프탈레인 용액의 색깔 변화 등으로부터 리튬과 나트륨이 비슷한 성질을 지니고 있고, 구리, 아연, 철과는 다른 금속임을 알 수 있다.

수행평가 TIP

탐구 수행	• 모둠 구성원과 협력하여 실험을 진행한다.	☆ ☆ ☆
	• 알칼리 금속은 위험하므로 안전규칙을 잘 지키며 실험을 수행한다.	☆ ☆ ☆
	• 알칼리 금속은 반드시 쌀알만 하게 잘라 물과 반응시킨다.	☆ ☆ ☆
탐구 결과	• 금속의 구분 기준이 실험 결과에 부합해야 한다.	☆ ☆ ☆
	• 금속의 단단한 정도, 물과의 반응성 등으로 알칼리 금속을 구분한다.	☆ ☆ ☆
	• 리튬, 나트륨, 칼륨과 같이 유사한 화학적 성질을 갖는 원소의 무리가 있음을 설명한다.	☆ ☆ ☆

1 알칼리 금속

(1) 알칼리 금속 ●

주기율표의 1족에 해당하는 금속 원소로 리튬(Li), 나트륨(Na), 칼륨(K), 루비듐(Rb), 세슘(Cs), 프랑슘(Fr)이 있다.

(2) 알칼리 금속의 공통점

- 칼로 자를 수 있을 만큼 무른 금속이며, 물에 떠서 반응할 만큼 밀도가 작다. (Li, Na, K의 밀도는 물의 밀도 ❷ 보다 작다.)

- 물과의 반응성이 크므로 공기 중 수분과의 접촉을 피하기 위해 석유나 벤젠과 같은 유기 용매에 보관한다. 산소와의 반응성도 크므로 표면은 대부분 산화되어 존재한다.

리튬   나트륨   칼륨

- 물과 반응하여 수소 기체를 발생하고, 수용액은 페놀프탈레인 용액을 붉게 변화시킨다. ❸

- 물이나 산소와의 반응성이 크므로 알칼리 금속을 이용한 실험을 할 경우에는 손으로 만져서는 안 되며, 자르고 남은 조각이라도 쓰레기통에 버릴 경우 화상이나 화재의 위험이 있으므로 주의해야 한다. 칼륨, 루비듐, 세슘 등은 반응성이 너무 커서 위험하므로 실험실에서 다루지 않는다.

❸ 페놀프탈레인 용액의 색 변화
리트머스 종이와 같이 산 염기 지시약의 일종으로 산성에서 무색, 염기성에서 붉은색을 나타낸다.

산성   염기성

참고 알칼리 금속의 전자 배치 (1–③ 단원)
알칼리 금속의 공통된 성질은 전자 배치에서 볼 수 있는 것처럼 알칼리 금속이 전자 1개를 잃고 1가 양이온이 되려는 경향이 크기 때문에 나타나는 현상이다.

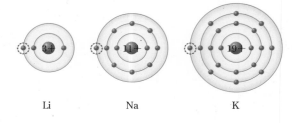

Li   Na   K

(3) 알칼리 금속의 이용

- 리튬 전지 리튬은 높은 반응성 때문에 폭발 위험이 있지만 이온화 경향이 크고 가볍다는 이점 때문에 리튬 이온 전지, 리튬 폴리머 전지 등의 유용한 재료로 사용된다. 용매로 유기 물질을 사용하는 리튬 폴리머 ❹ 전지는 리튬 이온 전지에 비해 얇고 안정적이며 용량이 커서 현재 대부분의 휴대전화와 노트북에 사용되고 있다.

리튬 이온 전지   리튬 폴리머 전지

- 나트륨등 나트륨 증기를 방전시켜 빛을 내는 램프로 590 nm 가까운 파장의 빛만 내므로 노란색을 띤다. 형광등처럼 안정기를 사용해야 하고 점등 후 20~30분이 지나야 충분한 빛을 낼 수 있다. 노란색 빛이므로 일반 조명으로는 적합하지 않지만 안개 속에서도 빛을 잘 투과하므로 고속 도로, 일반 도로, 터널 내의 조명 등에 사용된다.

- 인체 내에 존재하는 알칼리 금속 나트륨, 칼륨은 반응성이 커서 대부분 전자를 잃고 양이온의 화합물 상태로 존재한다. 나트륨 이온(Na^+), 칼륨 이온(K^+)은 몸속에서 신경 전달이나 수분 유지 등에 관여하는 필수적인 물질이다.

목표

과학적 사고력

주어진 자료를 바탕으로 4가지 비금속 원소의 공통적 성질을 알아본다.

결과/정리

1. 네 가지 원소의 공통점은 무엇인가?

[예시] F_2, Cl_2, Br_2, I_2와 같이 원자 2개가 결합한 분자 형태로 존재한다. 연한 노란색, 노란색, 적갈색, 보라색과 같이 색을 띤다. 수소, 금속 등과 반응하여 화합물을 형성한다. 소독성이 있다.

2. 네 가지 원소를 포함하는 다양한 화합물이 일상생활에서 활용되는 사례를 조사해 보자.

[예시]

- 플루오린화 수소(HF): 유리를 부식하는 성질이 있어서 유리 에칭에 사용된다.
- 염화 나트륨(NaCl): 소금의 주요 성분으로, 식염수는 눈과 코 등의 소독에 사용된다.
- 브로민화 은(AgBr): 빛에 의해 분해되는 성질이 있어 필름, 인화지에 사용된다.
- 아이오딘화 칼륨(KI): 소독약의 주성분으로 아이오딘과 함께 에탄올에 녹여 만든다.

과정

다음은 알칼리 금속과 결합하여 물에 녹기 쉬운 물질을 만드는 몇 가지 비금속 원소의 성질을 조사한 자료이다.

플루오린(F)
존재 형태
F_2의 형태로 존재
상태(실온)
연한 노란색 기체
반응성
- 수소와 격렬하게 반응한다.
- 금속과 빠르게 반응한다.
용도
치약에 이용

염소(Cl)
존재 형태
Cl_2의 형태로 존재
상태(실온)
노란색 기체
반응성
- 수소와 반응한다.
- 금속과 빠르게 반응한다.
용도
수돗물의 소독에 이용

브로민(Br)
존재 형태
Br_2의 형태로 존재
상태(실온)
적갈색 액체
반응성
- 수소와 천천히 반응한다.
- 금속과 잘 반응한다.
용도
물의 소독 및 정화에 이용

아이오딘(I)
존재 형태
I_2의 형태로 존재
상태(실온)
보라색 고체
반응성
- 수소와 매우 느리게 반응
- 금속과 잘 반응한다.
용도
소독약으로 이용

수행평가 TIP		
탐구 수행	• 모둠 구성원과 협력하여 논의를 진행한다.	☆ ☆ ☆
탐구 결과	• 플루오린, 염소, 브로민, 아이오딘이 유사한 화학적 성질을 갖는다는 것을 설명한다.	☆ ☆ ☆

2 할로젠

(1) **할로젠**[5] 주기율표의 17족에 해당하는 비금속 원소로 플루오린(F), 염소(Cl), 브로민(Br), 아이오딘(I), 아스타틴(At)이 있다.

(2) **할로젠의 공통점**

① 할로젠은 반응성이 커서 원자끼리 서로 결합한 분자 형태로 존재한다. 즉, 자연 상태에서 플루오린은 F_2, 염소는 Cl_2, 브로민은 Br_2, 아이오딘은 I_2로 존재한다.

② 할로젠 분자는 모두 색깔이 있는 물질로 25 ℃,

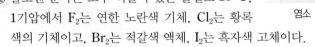
염소   브로민   아이오딘

1기압에서 F_2는 연한 노란색 기체, Cl_2는 황록색의 기체이고, Br_2는 적갈색 액체, I_2는 흑자색 고체이다.

③ 수소 및 여러 가지 금속들과 반응하여 다양한 화합물을 형성한다.

- 할로젠 기체가 수소 기체와 반응하여 형성된 할로젠화 수소는 물에 녹아 강한 산성을 나타낸다. 염화 수소가 물에 녹은 염산(HCl)은 화학 반응에서 많이 이용되는 강한 산이다. 플루오린화 수소산(HF)은 유리를 부식하는 성질이 있지만, 수용액에서 이온화가 잘 안되므로 약한 산으로 분류된다.

⑤ 할로젠
금속 원소와 반응하여 화합물인 염을 형성하기 쉬워 그리스어의 halos(염)과 gennao(만들다)에서 유래하였다. 반응성이 강하여 천연에 단독으로는 거의 존재하지 않는다.

• 할로젠 기체는 대부분의 금속과 반응하여 화합물을 형성한다.
특히 알칼리 금속과는 이온 상태로 1:1의 이온 수비로 반응하여 염화 나트륨(NaCl), 아이오딘화 칼륨(KI) 등의 화합물을 만든다.[6]

참고 할로젠의 전자 배치

할로젠 원소는 전자 1개를 얻어 옥텟 규칙을 만족하므로 전자를 얻기 쉬운 원소일수록 반응성이 크다. 원자 반지름이 작을수록 원자핵과 원자가 전자 사이의 인력이 증가하므로 전자를 얻기 쉬워 반응성의 크기는 $F_2 > Cl_2 > Br_2 > I_2$이다.

2주기 F   3주기 Cl

(3) 할로젠의 이용

• 플루오린(F, 불소) 이온은 충치 예방에 효과가 있어 대부분의 치약에 포함되어 있다.
• 염소는 소금(염화 나트륨)의 주요 성분이며, 수돗물, 수영장 등의 소독에 이용된다. 수영장에서 나는 소독약 냄새는 주로 염소 기체에 의한 것이다.
• 브로민화 은은 감광성이 있어 필름, 인화지에 사용된다.
• 아이오딘은 아이오딘화 칼륨과 함께 에탄올에 녹여 소독약을 만드는 데 사용된다. 아이오딘은 갑상선 호르몬의 주성분으로 아이오딘 부족을 예방하기 위해 소금에 첨가하기도 한다.[7]

불소가 포함된 치약

가정용 염소 소독 알약

식염수를 이용한 코 세척

필름에 사용되는 브로민화 은

아이오딘을 이용한 상처 소독약

아이오딘 보충제

· 확인하기

1. **이해** 다음 원소들을 공통적인 성질에 따라 두 종류로 구분하고, 어떤 공통적인 성질이 있는지 말해 보자.

> •리튬(Li)   •플루오린(F)   •칼륨(K)   •나트륨(Na)   •염소(Cl)   •브로민(Br)

예시
• 리튬, 칼륨, 나트륨: 칼로 자를 수 있을 만큼 무르고 물과 격렬하게 반응하여 수소 기체를 발생함.
• 플루오린, 염소, 브로민: 두 개의 원자가 결합하여 분자 형태로 존재하고 반응성이 커서 다양한 원소와 반응하여 화합물을 형성함.

2. **적용** 리튬, 나트륨, 칼륨을 알칼리 금속이라고 하는 까닭을 이들 금속의 공통적인 성질과 관련지어 말해 보자.
예시 리튬, 나트륨, 칼륨은 물과 반응하여 수용액을 염기성(알칼리성)으로 만들기 때문이다.

❷단계 해결하기 **2. 원소를 어떻게 배열하면 주기성이 잘 나타날까?**

자연 현상 중에는 계절의 변화, 계절에 따른 낮과 밤의 길이, 달의 모양 변화 등 주기적으로 반복되는 것들이 많다. 달력을 보면 월일의 날짜뿐만 아니라 주기적으로 반복되는 계절의 변화를 알 수 있다. 여기서는 다양한 원소들의 주기적인 성질을 쉽게 알 수 있도록 배열한 주기율표를 과학사적 측면에서 알아보고, 현재 사용하고 있는 주기율표를 해석하여 원소의 주기적 성질을 찾아본다.

탐구 2 토의 **원소의 분류**

목표   과학적 사고력 / 과학적 의사소통 능력

여러 종류의 원소들을 배열하는 체계적인 방법을 찾을 수 있다.

 결과/정리

1. 비슷한 성질을 지닌 원소는 몇 번째마다 나타나는가?

[예시] 원자량 순으로 배열할 때, Li, Na, K의 알칼리 금속을 기준으로 하면 8의 간격으로 비슷한 성질을 지닌 원소가 나타난다. Li, Na, K은 공통적으로 고체이고, 전기 전도성이 크며, 물과 격렬하게 반응한다

과정

❶ 교과서 부록 335쪽의 원소 카드를 복사한 후 가위로 오리자.

❷ 다음과 같은 기준을 만족하려면 원소를 어떻게 배열하는 것이 좋을지 모둠별로 토의해 보자.

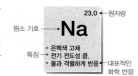

· 가로줄, 또는 세로줄에 원소의 성질이 주기적으로 나타나도록 배열한다.
· 원소의 특성이나 반응성이 유사한 원소끼리 묶일 수 있도록 배열한다.

❸ 토의 결과를 바탕으로 모둠별로 원소를 배열하고, 그 결과를 발표해 보자.

2. 모둠별로 배열한 방법의 장단점을 비교해 보자.

[예시] 장점: 특성이 유사한 원소가 찾기 쉽게 배열된다.
       단점: 수소의 위치가 같은 세로줄에 나열된 원소의 특성에 맞지 않는다.

◇ 탐구 분석

원소 카드를 기준에 맞도록 배열하면 세로줄에 성질이 비슷한 원소들이 배열되는 것을 알 수 있다.

수행평가 TIP

탐구 수행	· 모둠 구성원과 활발하게 논의를 진행한다.	☆ ☆ ☆
탐구 결과	· 원소의 성질이 주기적으로 나타나도록 원소 카드를 배열한다.	☆ ☆ ☆
	· 원소의 성질에 따라 주기성이 나타남을 설명한다.	☆ ☆ ☆

---

❶ 주기율표의 역사

(1) **주기율표** 원소의 화학적 성질이 주기적으로 나타나도록 배열한 표
(2) **주기율표의 역사**

과학자들은 원소의 성질에 일정한 주기성이 있다는 것을 알아내고, 원소를 일정한 기준으로 배열하려고 노력하였다.

① 되베라이너의 세 쌍 원소설[1] 성질이 비슷한 세 쌍의 원소[3개조]가 존재하며 이 원소들의 원자량 사이에는 일정한 관계가 있음을 알아내었다. 칼슘과 바륨의 원자량의 평균은 스트론튬의 원자량과 유사하고, 염소와 아이오딘의 원자량의 평균은 브로민의 원자량과 유사하다.

$$브로민의 원자량 = \frac{35.5 + 127}{2} = 81$$

② 샹쿠르투아의 나선형 주기율 원자의 질량에 따라 원통 상에 나선형으로 배열하여 비슷한 성질을 가지는 원소들이 수직선 상에 정렬되는 것을 발표하였다.

③ 뉴렌즈의 옥타브설[2] 원자량 순으로 원소를 나열할 때 8번째마다 화학적 성질이 비슷한 원소가 나타난다는 규칙을 발견하였고, 이것을 음악의 음계(옥타브)에 비유하였다. 옥타브 설에 포함된 몇 가지 원소 족들은 현대 주기율표에도 들어 있다.

④ 멘델레예프의 주기율표

최초의 주기율표이다. 원자의 상대적 질량[3]이 증가하는 순으로 원소를 나열하여 비슷한 성질의 원소가 같은 세로줄에 오도록 배치하였다. 멘델레예프는 당시 발견되지 않은 원소가 있을 수 있다고 생각하고 주기성에 맞는 원소가 없을 경우 이를 비워 두고, 빈자리에 맞는 원소를 에카 붕소, 에카 알루미늄, 에카 규소라 하고 그 성질을 예측하였다. 이후 멘델레예프의 예측과 유사한 원소인 스칸듐, 갈륨, 저마늄이 발견되면서 멘델레예프 주기율표의 우수함이 인정되었다.

❶ 세 쌍 원소설

원소	원자량	원소	원자량
칼슘	40.08	염소	35.5
스트론튬	87.62	브로민	81
바륨	137.33	아이오딘	127

❷ 뉴렌즈 옥타브설

❸ 원자의 질량

원자 1개의 질량은 매우 작으므로 하나의 원자를 기준으로 정하고 다른 원자의 질량을 상댓값으로 나타낸다. 현재 원자량은 탄소 원자를 기준으로 하고 있다.

 해 보기 2 자료 해석 **주기율표로 원소의 주기성 찾기**

교과서 34~35쪽

목표
과학적 사고력

현재 사용되고 있는 주기율표의 원소 배열 규칙을 찾을 수 있다.

결과/정리

1. **주기율표에서 금속과 비금속은 주로 어디에 위치하는가?**
   예시 금속은 주기율표의 왼쪽에, 비금속은 주기율표의 오른쪽에 위치한다.

2. **알칼리 금속과 할로젠 원소를 찾아 각각 표시해 보자.**
   예시 알칼리 금속은 Li, Na, K, Rb, Cs, Fr (1족 중 수소를 제외한 원소)이고, 할로젠은 F, Cl, Br, I, At(17족 원소)이다.

3. **주기율표에서 성질이 비슷한 원소들은 어떻게 배열되어 있는가?**
   예시 화학적 성질이 비슷한 원소들이 같은 세로줄에 배열되어 있다.

과정

다음 그림은 현재 사용되고 있는 주기율표이다. 주기율표는 원소의 화학적 성질이 주기적으로 나타나도록 배열한 원소의 분류표이다.

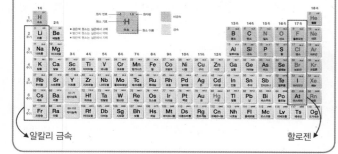

알칼리 금속   할로젠

수행평가 TIP

탐구 수행	• 모둠 구성원과 협력하여 논의를 활발하게 진행한다.	☆ ☆ ☆
탐구 결과	• 주기율표에서 금속과 비금속, 알칼리 금속과 할로젠의 위치를 찾는다.	☆ ☆ ☆
	• 성질이 비슷한 원소가 주기율표의 세로줄에 배열되어 있음을 설명한다.	☆ ☆ ☆

2 현재의 주기율표

① **모즐리의 주기율표** 원소를 원자의 질량 순으로 배열했을 때 아르곤과 칼륨,[4] 코발트와 니켈과 같이 주기성에서 벗어나는 원소들이 있다. 따라서 현재는 모즐리가 원자 번호 순으로 배열한 주기율표를 사용하고 있다.

> **참고** 원자 번호
> 원자 번호는 원자가 가지는 고유한 번호로 원자핵에 포함된 양
> 성자 수와 일치하는 값이다. 원자는 원자핵과 전자로 이루어
> 져 있고, 원자핵은 (+)전하를 띠는 입자인 양성자와 전하
> 를 띠지 않는 중성자로 이루어져 있다. 전자의 질량은 매
> 우 작으므로 양성자와 중성자의 질량이 원자의 질량 대부
> 분을 차지하며, 중성자 수가 달라지면 양성자 수가 적어도
> 질량이 더 큰 원자가 있을 수 있다. 현재 주기율표는 양성자 수
> 인 원자 번호 순으로 배열되어 있다.

② **주기와 족**
- **주기(period)**[5] 주기율표의 가로줄, 원소의 성질이 반복되는 단위, 1주기~7주기
- **족(group)**[6] 주기율표의 세로줄, 화학적 성질이 비슷한 원소가 위치, 1족~18족

③ **실온에서의 상태**
실온에서 H, N, O, F, Cl 및 18족 원소는 기체이고, Br, Hg은 액체, 나머지는 고체로 존재한다.

④ **금속과 비금속**
주기율표의 왼쪽에는 금속 원소가, 오른쪽에는 비금속 원소가 위치한다. 금속과 비금속의 경계에 위치한 붕소(B), 규소(Si) 등의 원소를 준금속으로 분류하기도 한다.
- **금속** 양이온이 되기 쉬우며, 열과 전기를 잘 전도하고, 금속의 산화물(Na_2O, MgO 등)은 염기성을 나타낸다.
- **비금속** 음이온이 되기 쉬우며, 열과 전기를 잘 전도하지 않고, 비금속의 산화물(CO_2, NO_2, SO_2 등)은 산성을 나타낸다.
- **준금속** 일반적으로는 전기의 부도체로 비금속의 성질을 나타내지만, 가열하거나 특정 원소를 소량 첨가하면 금속과 같은 전기 전도체가 되므로 반도체라고도 한다.

족 주기	1	2	3~12	13	14	15	16	17	18
1	H								He
2	Li	Be		B	C	N	O	F	Ne
3	Na	Mg		Al	Si	P	S	Cl	Ar
4	K	Ca		Ga	Ge	As	Se	Br	Kr
5	Rb	Sr		In	Sn	Sb	Te	I	Xe
6	Cs	Ba		Tl	Pb	Bi	Po	At	Rn
7	Fr	Ra							

☐ 금속 ☐ 준금속 ☐ 비금속

> **· 확인하기**
>
> 1. **이해** 1족, 3주기에 해당하는 원소는 무엇인가? 나트륨(Na)
>
> 2. **적용** 주기율표는 고정된 형태가 아니며, 과학자들은 새로운 형태의 주기율표를 제안하고 있다. 현재 사용하고 있는 주기율표의 문제점을 찾아보자.
>   **예시** 같은 족에는 비슷한 성질의 원소가 위치하는데 수소는 다른 1족 원소인 알칼리 금속과는 전혀 다른 성질을 갖는다. 란타넘족과 악티늄족을 모두 표현하기 어렵다.

❹ 아르곤과 칼륨
아르곤과 칼륨의 경우 칼륨이 아르곤보다 원자량이 작으므로 원자량 순으로 배열하면 칼륨이 18족, 아르곤이 1족이 된다.

❺ 주기
성질이 반복되는 단위를 주기라고 한다. 봄에서 다시 봄이 되는 계절의 주기는 1년이고, 달 모양 변화의 주기는 1달이다.

❻ 족
가족 구성원이 서로 닮는 것처럼 주기율표의 같은 족 원소를 동족 원소라고 한다. 동족 원소는 서로 비슷한 화학적 성질을 나타낸다.

> **✓ 개념 확인 문제**
>
> 1 가장 가벼운 원소는 몇 주기 몇 족에 해당하는 원소인가?
>
> 2 주기율표의 가로줄로 원소의 성질이 반복되는 단위를 무엇이라고 하는가?
>
> 3 화학적 성질이 비슷한 원소가 위치하는 주기율표의 세로줄을 무엇이라고 하는가?

학습 정리

핵심 내용 정리하기

1 **알칼리 금속** `교과서` 30~31쪽
원소 중에는 유사한 성질을 갖는 원소들이 있다. 칼로 자를 수 있을 정도로 무르고, 물과 격렬하게 반응하는 리튬(Li), 나트륨(Na), 칼륨(K)과 같은 금속을 [❶ 알칼리 금속](이)라고 한다.

알칼리 금속

2 **주기율표** `교과서` 33~34쪽
멘델레예프는 원소들을 원자의 질량이 커지는 순으로 나열하면서 비슷한 성질의 원소가 같은 세로줄에 위치하도록 배열하여 [❷ 주기율표]을/를 완성하였다. 현재의 주기율표는 원소를 원자 번호 순으로 배열하였다.

3 **주기와 족** `교과서` 35쪽
(1) 주기율표에서 세로줄은 족, 가로줄은 주기라고 한다. 같은 족의 원소는 화학적으로 비슷한 성질을 갖는다. 또한 대체로 금속 원소는 주기율표의 [❸ 왼] 쪽에, 비금속 원소는 [❹ 오른] 쪽에 위치한다.
(2) 반응성이 크고 무른 금속인 리튬(Li), 나트륨(Na), 칼륨(K)은 모두 [❺ 1] 족 원소이고, 반응성이 거의 없고 기체로 존재하는 헬륨(He), 네온(Ne), 아르곤(Ar)은 모두 [❻ 18] 족 원소이다.

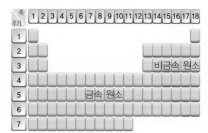

주기율표

활동으로 확인하기

다음은 주기율표의 일부를 나타낸 것이다.

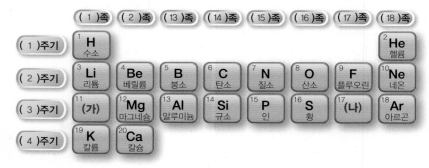

1 주기율표의 괄호 안에 해당하는 주기와 족을 써 보자.
`예시` 그림 참조

2 (가)와 (나)에 해당하는 원소는 무엇인가?
`예시` (가) Na   (나) Cl

3 알칼리 금속과 할로젠 원소를 찾아보고, 이들 원소의 공통점을 설명해 보자.
`예시` 알칼리 금속: Li, Na, K, 무르고 가벼운 금속으로 물과 반응하여 수소 기체를 발생한다.
할로젠: F, Cl, 2원자 분자로 존재하며 반응성이 커서 수소, 금속과 화합물을 형성하기 쉽다.

④ 단계 생각 넓히기 창의적 주기율표 만들기 🔓 과학적 문제 해결력

멘델레예프가 주기율표를 발표한 이후 140여 년이 넘는 기간 동안 주기율표는 과학의 발전과 더불어 조금씩 모양이 변해 왔다.

오늘날에도 주기율표는 현대 과학에서 물질의 세계를 이해하는 데 중요한 역할을 담당하고 있다.

주기율표를 살펴보면 원소가 놓인 위치에 따라 원소의 성질을 어느 정도 예상할 수 있다. 하지만 현재의 주기율표로는 원소가 지구의 어디에, 그리고 얼마나 많이 분포하는지 알 수 없다. 또한 각 원소가 어디에서 어떻게 활용되는지도 알 수 없다.

그러면 이러한 정보를 포함한 창의적인 주기율표를 만들 수는 없을까?

> 원소의 상대적인 존재량을 나타낸 주기율표
> 지구 표면에 많이 존재하는 원소를 상대적으로 크게 표현하면 원소의 상대적 존재량을 한눈에 알아볼 수 있다.
> http://www.meta-synthesis.com/webbook/35_pt/pt_database.php?PT_id=321

참고 과거부터 현재에 이르기까지 다양한 형태의 주기율표가 제안되고 있다. 관심 분야에 따라 주기율표의 형태가 다양할 수 있다. 원자에서 방출되는 빛은 고유의 선스펙트럼을 가지므로 원소의 스펙트럼을 분석하여 물질의 성분을 검사할 수 있다. 또한 원자의 전자 배치, 원자의 크기, 원자 반지름이나 이온 반지름, 원소의 용도, 동위 원소의 종류와 양, 고체 결정의 모양 등 필요한 정보에 따라 다양한 형태의 주기율표를 만들 수 있다.

① 목표 세우기

과학자의 연구 분야(우주, 지질, 유전 공학, 신약 개발 등)에 따라 원소의 어떤 정보가 필요할지 토의해 보자.

예시 새로운 치료법의 개발에 동위 원소를 사용하고 있다. 예들 들어 테크네튬(Tc)이 붕괴하면서 방출하는 방사선인 감마선은 인체를 쉽게 투과하는 성질이 있어 뇌, 심장 등의 영상 촬영에 사용되고, 아이오딘(I)이 방출하는 베타선은 2 mm 이내의 주변 세포만 선택적으로 파괴하여 갑상선 치료에 사용된다. 이러한 동위 원소의 방사능 붕괴는 의학적으로 사용될 가능성이 많기 때문에 새로운 치료법 개발을 위해 동위 원소에 대한 체계적인 정보가 필요하다.

② 자료 조사하기

모둠 구성원들이 역할을 분담하여 자신의 모둠이 선택한 분야의 연구자에게 필요한 정보가 들어 있는 주기율표를 만들기 위해 알아야 할 기초 자료를 조사해 보자.

해설 현재 의학적으로 사용되고 있는 동위 원소에 대한 자료와 동위 원소를 갖는 원소의 종류를 찾는다.

예시 수소의 동위 원소 : ^1H : 99.98 %, ^2H : 0.02 %, ^3H : 미량

③ 설계하기

모둠별로 만들고자 하는 주기율표의 형태를 그려보고, 이때 필요한 준비물을 써 보자.

해설 주기율표에 동위 원소의 종류를 보여주기 위한 방법으로 배경색을 달리하여 동위 원소의 개수를 나타내고 팝업 카드를 사용하여 설명을 첨부한다.

④ 창작 및 공유하기

모둠별로 설계한 주기율표를 만들고, 어떤 사람들에게 어떤 정보를 알려 주는 주기율표인지 발표해 보자.

해설 컴퓨터 사용이 가능한 경우 주기율표의 원소를 클릭하면 동위 원소에 대한 정보가 생성되도록 하고, 컴퓨터 사용이 어려울 경우 투명 필름, 입체 형태 등 다양한 도구와 방법을 고안하여 발표한다.

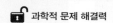

수행평가 TIP

• 지구의 원소 분포, 원소의 성질, 용도 등을 바탕으로 창의적인 주기율표를 만든다.

• 모둠 구성원과 협력하여 관련 자료를 조사한다.

• 모둠 구성원의 의견을 경청하고 적극적으로 논의에 참여한다.

• 조사 주제를 정확하게 파악하고 수집한 정보를 주제에 맞게 정리한다.

• 조사 주제에 맞는 정보를 포함하고 미적으로도 보기 좋은 형태의 주기율표를 고안하여 만들고 발표한다.

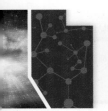

– ③ 화학 결합과 물질의 형성

❶단계 생각 펼치기 몇 가지 색의 물감으로 수많은 색을 표현할 수 있는 방법은 무엇일까?

그림을 그릴 때 몇 가지 색의 물감만으로도 다채로운 색을 표현할 수 있다. 이것은 서로 다른 몇 가지 색의 물감을 종류와 농도를 달리하여 섞으면 수많은 색을 만들어 낼 수 있기 때문이다. 이처럼 지구에 존재하는 헤아릴 수 없이 많은 물질도 한정된 몇 가지 원소로부터 만들어진다. 여기서는 물질을 이루는 원자가 결합하여 새로운 물질을 형성하는 원리와 화학 결합의 종류를 알아본다.

토의하기

1 오른쪽 4개의 블록으로 만들 수 있는 모양은 몇 가지일까?

예시

2 산소와 수소가 각각 위의 파란색 블록과 주황색 블록이라고 가정할 때, 산소 원자[❶](O) 2개와 수소 원자(H) 2개를 사용해서 만들 수 있다고 생각되는 물질의 화학식을 모두 써 보자. 단, 원자를 모두 사용하지 않아도 된다.

예시 H_2, O_2, HO, H_2O, HO_2, H_2O_2

3 토의하기 2번에서 만든 화학식을 갖는 물질이 실제로 존재하는지 찾아보고, 원소들이 어떻게 결합을 이루었을지 추론해 보자.

예시 H_2, O_2, H_2O, HO_2, H_2O_2가 실제로 존재한다. 이 중 HO_2는 물에서만 존재하는 불안정한 물질이다. H_2, O_2는 각각 H–H, O–O, H_2O[❷]는 H–O–H, H_2O_2는 H–O–O–H, H–O–H–O, O–H–H–O 등과 같이 결합할 수 있다.

알고 있나요?

1 다음의 용어 중에서 알고 있는 것에 ○표시하고, 자신이 알고 있는 내용을 말해 보자.

> • 원자핵   • 전자   • 분자   • 양이온[❸]   • 음이온

예시 • 원자핵: 원자의 중심에는 (+)전하를 띠는 원자핵이 있다.
• 전자: 원자핵의 주변에 (–)전하를 띠는 전자가 있다.
• 분자: 물질의 특성을 가진 가장 작은 입자. 1개 또는 2개 이상의 원자가 결합하여 형성된다.
• 양이온: 원자가 전자를 잃어서 형성된 (+)전하를 띤 입자
• 음이온: 원자가 전자를 얻어서 형성된 (–)전하를 띤 입자

2 원자는 어떻게 구성되어 있는지 원자 모형을 그려 보자.

예시 탄소의 원자 모형

❶ 원소와 원자
원소는 동일한 원자 번호를 갖는 한 종류의 원자만으로 만들어진 물질 및 그 구성 요소이며, 원자는 원자핵과 전자로 이루어진 입자이다. 예를 들어, 수소는 원소이며, 수소 기체는 수소 원자 2개로 이루어져 있다.

❷ 물
물인 H_2O는 수소 원자 2개와 산소 원자 1개가 결합하였으므로 H–O–H, H–H–O와 같은 결합 형태가 가능하지만, 실제로는 H–O–H만 존재한다.

❸ 이온
원자의 중심에는 (+)전하를 띠는 원자핵이 있고 그 주위에 (–)전하를 띠는 전자가 있어, 원자는 전기적으로 중성이다. 원자의 중심에 있는 원자핵은 화학 반응에 참여하지 않으며, 이온은 원자가 전자를 잃거나 얻어서 형성된다.

❷ 단계 해결하기 **1. 원자들이 결합을 하는 까닭은 무엇일까?**

과학 상자의 철판을 조립하거나 벽돌을 이어 붙여 집을 지을 때 볼트와 너트, 황토처럼 두 물질을 연결하는 역할을 하는 물질이 필요하다. 전자는 원자가 화학 결합할 때 볼트와 너트, 황토와 같은 역할을 한다. 여기서는 화학 반응에서 원자와 원자를 연결하는 역할을 하는 전자가 원자에 어떻게 배치되어 있는지 모형을 통해 알아본다.

탐구 1 자료 해석 **원자의 전자 배치와 주기율**

목표 과학적 탐구 능력

주기율표에 나타난 원자의 전자 배치에 어떤 특징이 있는지 설명할 수 있다.

결과/정리

1. 하나의 전자껍질에 전자가 가장 많이 채워졌을 때, 전자의 개수는 몇 개인가? 8개

> 예시 18족 원소를 보면 전자껍질 하나에 가장 많이 채워질 수 있는 전자의 수는 8개임을 알 수 있다.(H, He은 예외)

2. 족이 같은 원자들의 전자 배치에는 어떤 공통점이 있는가?

> 예시 족이 같은 원자는 가장 바깥 껍질에 같은 수의 전자를 갖는다. 특히 족의 끝자리 숫자와 가장 바깥 전자껍질에 있는 전자 수는 같다. 2족 원소는 가장 바깥 전자 껍질에 2개, 16족 원소는 가장 바깥 전자 껍질에 6개의 전자를 갖는다.

3. 주기율표에서 원소들 사이에 나타난 전자 배치의 경향성을 바탕으로 산소와 마그네슘의 전자 배치를 그려 보자.

> 예시 산소는 첫 번째 전자 껍질에 2개, 두 번째 전자 껍질에 6개의 전자가 배치되고, 마그네슘은 첫 번째 전자 껍질에 2개, 두 번째 전자 껍질에 8개, 3 번째 전자 껍질에 2개의 전자가 배치된다.

과정

다음은 주기율표의 일부와 몇 가지 원자의 전자 배치를 모형으로 나타낸 것이다.
모형에서는 전자가 운동하며 차지하는 공간을 전자 껍질로 표현하였다.
주기율표에서 원자 번호가 커질수록 원자가 가진 전자 수는 증가한다.

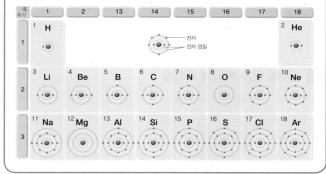

탐구 분석

주기율표에서 전자 배치의 규칙성을 파악할 수 있다. 즉, 주기가 같은 원소는 전자 껍질의 수가 같고, 족이 같은 원소는 가장 바깥 껍질의 전자 수가 같다.

산소의 전자 배치   마그네슘의 전자 배치

수행평가 TIP

탐구 수행	• 모둠 구성원과 논의를 활발하게 진행하고 협력한다.	☆ ☆ ☆
탐구 결과	• 전자 껍질에 최대 8개의 전자가 채워질 수 있음을 이해한다.	☆ ☆ ☆
	• 족이 같은 원자들의 전자 배치에 나타난 특징을 찾는다.	☆ ☆ ☆
	• 산소와 마그네슘의 전자 배치를 옳게 나타낸다.	☆ ☆ ☆

❶ 원자의 전자 배치

(1) **원자 모형** 원자는 원자핵(양성자+중성자)과 전자로 구성되어 있다.

참고 원자 모형의 변천❶

- 돌턴의 공 모형(1803년): 더 이상 쪼개지지 않는 가장 작은 입자로 단단한 공 모양이다. 같은 종류의 원자는 크기, 모양, 질량이 같다. 화학 반응에서 원자는 배열만 달라질 뿐 쪼개지거나 변하지 않는다.
- 톰슨의 푸딩 모형(1897년): (−)전하를 띤 입자인 전자가 (+) 전하를 띤 공에 박혀 있는 모양이다.
- 러더퍼드의 태양계 모형(1911년): 원자 내부에 밀도가 크고 (+)전하를 띠는 입자인 원자핵이 있고 그 둘레를 전자가 돌고 있다.
- 보어의 궤도 모형(1913년): 전자는 원자 주위의 정해진 궤도를 원운동한다.
- 현대의 전자구름 모형: 전자가 원자핵 주위에서 발견될 확률 밀도를 나타내는 함수인 오비탈로 전자의 존재를 표현한다.

(2) **전자 껍질과 전자 배치** 보어의 원자 모형❷에 따르면 전자는 특정한 에너지 준위를 가진 궤도, 즉 전자 껍질에 존재한다. 가장 안쪽 전자 껍질은 작아서 전자가 최대 2개까지 존재하고, 2번째 전자 껍질에는 전자가 최대 8개까지 존재할 수 있다.

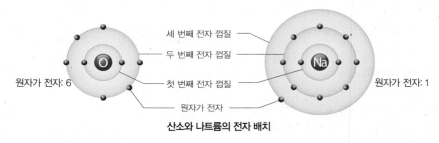

산소와 나트륨의 전자 배치

2 원자의 전자 배치와 주기율

(1) 현재의 주기율표에서 원소는 원자 번호 순으로 배열되어 있다. 원자 번호는 원자의 전자 수와 같으므로 주기율표에서 원소는 전자 수가 증가하는 순으로 배열되어 있다.

(2) 수소는 전자가 1개이고, 헬륨은 전자가 2개이다. 따라서 수소와 헬륨은 1개의 전자 껍질에 전자가 배치된다. 반면 전자가 3개인 리튬은 가장 안쪽 전자 껍질에 2개의 전자가 채워지고 3번째 전자는 두 번째 전자 껍질에 채워진다.

(3) 주기율표에서 주기가 같으면 전자 껍질 수가 같다.

- 1주기 원소는 1개의 전자 껍질을 가지며 수소(H)와 헬륨(He) 2종류의 원소가 있다.
- 2주기 원소는 2개의 전자 껍질을 가지며 리튬(Li), 베릴륨(Be), 붕소(B), 탄소(C), 질소(N), 산소(O), 플루오린(F), 네온(Ne) 8종류의 원소가 있다.
- 3주기 원소는 3개의 전자 껍질을 가지며 나트륨(Na), 마그네슘(Mg), 알루미늄(Al), 규소(Si), 인(P), 황(S), 염소(Cl), 아르곤(Ar) 8종류의 원소가 있다.

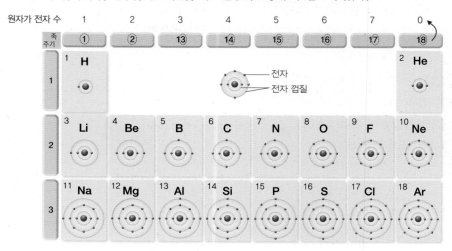

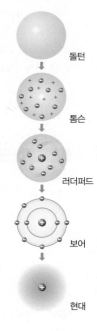

❶ **원자 모형의 변천**

돌턴 → 톰슨 → 러더퍼드 → 보어 → 현대

❷ **보어의 원자 모형**

수소 원자의 선 스펙트럼을 설명하기 위해서 전자가 특정한 에너지 준위를 가지는 궤도인 전자 껍질에만 있을 수 있으며, 궤도를 이동할 때는 에너지를 흡수 또는 방출한다고 제안하였다.

3 원자가 전자

(1) 원자가 전자 가장 바깥 전자 껍질에 채워진 전자로, 화학 반응에 참여하는 전자이다.

(2) 원자가 전자 수와 족
- 1족인 수소, 리튬, 나트륨의 원자가 전자 수는 1이고, 2족인 베릴륨과 마그네슘의 원자가 전자 수는 2로, 같은 족 원소는 원자가 전자 수가 같다.
- 주기율표에서 처음 20개의 원소에는 3~12족이 없으므로,[3] 족의 끝자리 수와 원자가 전자 수가 같다. 예를 들어 13족인 붕소와 알루미늄의 원자가 전자 수는 3이고, 17족인 플루오린과 염소의 원자가 전자 수는 7이다.

> **참고** 원자가 전자와 최외각 전자
> 가장 바깥 전자껍질에 채워진 전자는 최외각 전자이고, 이 중 화학 반응에 참여하는 전자를 원자가 전자라고 한다. 1족~17족까지는 최외각 전자와 원자가 전자 수가 같으나 18족 원소는 화학 반응에 참여하는 전자가 없으므로 최외각 전자의 개수는 2(헬륨) 또는 8(네온, 아르곤, …)이지만 원자가 전자의 개수는 0이다. 보통 화학 반응을 설명할 때는 원자가 전자를 사용한다.

[3] 3~12족
전자 껍질 수가 증가함에 따라 전자 껍질에 채워질 수 있는 전자 수가 많아지므로 주기가 커지면 같은 주기의 원소 수가 증가한다. 3주기에는 8개의 원소가 있지만, 4주기에는 18개의 원소가 있으므로 3주기까지는 3~12족에 해당하는 원소가 존재하지 않는다.

4 옥텟 규칙

(1) 옥텟[4] 규칙 가장 바깥 전자 껍질에 8개의 전자를 채워 18족 비활성 기체와 같은 전자 배치를 이루어 안정해지려는 경향이다.

(2) 옥텟 규칙의 만족
① **금속 원소** 원자가 전자 수가 적은 1족, 2족의 금속 원소는 전자를 잃고 옥텟 규칙을 만족한다. 예를 들어 1족 원소인 나트륨, 칼륨은 전자 1개를 잃고 18족의 전자 배치가 되면서 옥텟 규칙을 만족하고, 2족 원소인 마그네슘은 전자 2개를 잃고 옥텟 규칙을 만족한다.[5]
② **비금속 원소** 원자가 전자 수가 많은 비금속 원소는 대체로 전자를 얻어 옥텟 규칙을 만족한다. 예를 들어 16족 원소인 산소, 황은 2개의 전자를 얻어 18족과 같은 전자 배치가 되면서 옥텟 규칙을 만족하고, 17족인 플루오린, 염소는 1개의 전자를 얻고 옥텟 규칙을 만족한다.

[4] 옥텟
octa는 8을 뜻하는 접두어이다. 문어의 Octopus는 문어 다리가 8개인 것에서 유래하였으며, 10월의 october는 원래 8의 접두어를 사용한 예이다.

[5] 옥텟 규칙의 예외
리튬이 전자 1개를 잃어 18족 원소인 헬륨의 전자 배치를 할 때, 가장 바깥 전자 껍질의 전자가 2개이므로 옥텟 규칙을 만족한다라고 하지 않는다.

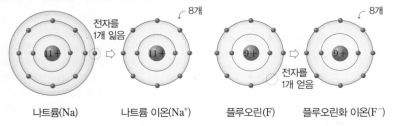

나트륨(Na)   나트륨 이온(Na^+)   플루오린(F)   플루오린화 이온(F^-)

✦ 확인하기

1. **이해** 다음 원자들이 옥텟 규칙을 만족하려면 전자가 몇 개 더 필요할지 써 보자.

> • 산소(O)   • 염소(Cl)   • 질소(N)

> **예시** • 산소(O): 원자가 전자가 6개이므로 2개의 전자가 더 필요하다.
> • 염소(Cl): 원자가 전자가 7개이므로 1개의 전자가 더 필요하다.
> • 질소(N): 원자가 전자가 5개이므로 3개의 전자가 더 필요하다.

2. **적용** 플루오린(F)과 나트륨(Na)이 옥텟 규칙을 만족하려면 전자를 어떻게 하는 것이 좋을지 말해 보자.
> **예시** 플루오린은 전자 1개를 얻으면, 나트륨은 전자 1개를 잃으면 옥텟 규칙을 만족한다.

✔ 개념 확인 문제

1 17족 원소가 옥텟 규칙을 만족하기 위해서는 몇 개의 전자를 얻어야 하는가?

2 1족, 2족 원소가 비활성 기체와 같은 전자 배치를 하기 위해 전자를 잃을까, 얻을까?

물은 생명의 기원이며 인체의 60 %를 차지하고 있는 중요한 물질이다. 이 때문에 과거에 물은 물질을 이루는 근원으로 생각되었으나 물은 원소가 아니며, 수소와 산소가 결합하여 생성된 화합물이다. 여기서는 수소와 산소가 어떻게 결합을 형성하여 물이 만들어졌는지 알아보고, 원자 사이에 전자를 공유하여 옥텟 규칙을 만족하는 공유 결합이 형성되는 원리를 학습한다.

해 보기 1 │만들기│ 옥텟 규칙을 만족하는 결합 찾기

교과서 42쪽

목표
과학적 사고력

옥텟 규칙을 적용하여 플루오린 분자(F_2)와 산소 분자(O_2)를 만드는 과정을 통해 전자의 공유를 이해한다.

결과/정리

1. 플루오린 원자(F_2)와 산소 원자(O_2)의 원자가 전자는 각각 몇 개인가?

예시 17족 원소인 플루오린 원자(F)의 원자가 전자는 7개, 16족 원소인 산소 원자(O)의 원자가 전자는 6개이다.

2. 플루오린 분자(F_2)와 산소 분자(O_2)가 어떻게 형성되었을지 전자 배치 모형을 만들어 설명해 보자.

예시 플루오린 분자(F_2)는 두 개의 플루오린 원자가 각각 전자 1개씩을 내놓고 1쌍의 전자를 공유하여 옥텟 규칙을 만족하는 결합을 형성한다. 산소 분자(O_2)는 두 개의 산소 원자가 각각 전자 2개씩을 내놓고 2쌍의 전자를 공유하여 옥텟 규칙을 만족하는 결합을 형성한다.

과정

그림과 같이 단추 자석을 칠판에 붙여 플루오린 원자(F) 모형 두 개와 산소 원자(O) 모형 두 개를 각각 만든 후, 원자가 전자를 움직여서 옥텟 규칙을 만족하는 플루오린 분자(F_2) 모형과 산소 분자(O_2) 모형을 만들어 보자.

● 준비물 자석 칠판, 단추 자석, 칠판펜

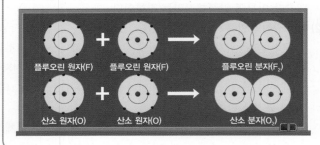

탐구 분석

플루오린 원자는 옥텟 규칙을 만족하기 위해 전자 1개가 필요하므로, 2개의 원자가 전자 1개씩을 내놓고 공유하는 결합을 형성한다. 산소 원자는 옥텟 규칙을 만족하기 위해 전자 2개가 필요하므로, 2개의 원자가 전자 2개씩을 내놓고 공유하는 결합을 형성한다.

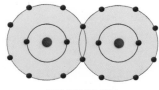

플루오린 분자(F_2)

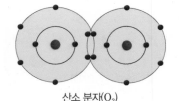

산소 분자(O_2)

3. 플루오린과 산소가 원자로 존재하지 않고 각각 분자로 존재하는 까닭을 옥텟 규칙으로 설명해 보자.

예시 원자 상태에서 옥텟 규칙을 만족하지 못하는 원자들이 전자쌍을 공유하여 분자를 형성함으로써 각각의 원자가 옥텟 규칙을 만족하여 안정해지기 때문이다.

수행평가 TIP

탐구 수행	• 모둠 구성원과 논의를 활발하게 진행한다.	☆ ☆ ☆
	• 자신의 생각을 그림이나 모형을 활용하여 논리적으로 표현한다.	☆ ☆ ☆
탐구 결과	• 산소와 플루오린의 원자가 전자 수를 찾는다.	☆ ☆ ☆
	• 산소 분자와 플루오린 분자의 전자 배치 모형을 만든다.	☆ ☆ ☆
	• 옥텟 규칙의 관점에서 결합의 형성을 설명한다.	☆ ☆ ☆

1 공유 결합

(1) 2개의 원자가 각각 전자를 내놓고 전자쌍을 공유하면서 형성되는 화학 결합이다.

(2) 공유 결합을 통해 형성되며 물질의 성질을 띠는 가장 작은 입자를 분자[1]라고 한다. 산소 분자(O_2), 물 분자(H_2O), 메테인 분자(CH_4) 등이 있다.

❶ 분자
물질의 성질을 가진 가장 작은 입자인 분자는 공유 결합으로 이루어진 물질에서만 존재한다. 다른 화학 결합(이온 결합, 금속 결합)에 의해 형성된 물질은 가장 작은 입자가 없고, 원자 사이의 결합이 무수히 반복되므로 분자라고 하지 않는다.

2 공유 결합의 형성

(1) 공유 결합은 전자를 얻어 안정해지려는 경향이 있는 비금속 원소와 비금속 원소 사이[2]에 이루어지는 결합이다.

(2) 수소, 탄소, 질소, 산소, 염소 등의 원소들이 공유 결합하여 수소(H_2), 염소(Cl_2), 물(H_2O), 메테인(CH_4), 암모니아(NH_3) 등의 다양한 화합물을 만든다.

- **수소 분자** 수소 원자는 공유 결합을 형성할 때 1쌍의 전자를 공유하고 헬륨과 같은 전자 배치를 하면서 안정해진다. 이때 수소 분자를 이루는 각 원자는 원자가 전자가 2개가 되므로 옥텟 규칙을 만족하지는 않는다.

수소 분자(H_2)

- **염소 분자** 염소 원자는 17족으로 원자가 전자가 7개인 염소 원자는 전자를 1개씩 내놓고 공유 결합을 형성하며, 옥텟 규칙을 만족한다.

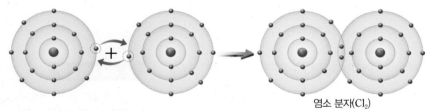

염소 분자(Cl_2)

- **물 분자** 수소 원자와 산소 원자는 전자를 1개씩 내놓고 1쌍의 전자를 공유한다. 산소 원자 1개와 수소 원자 2개가 각각 전자쌍을 공유하여 물 분자를 형성한다. 물 분자를 이루는 산소 원자는 옥텟 규칙을 만족한다.

물 분자(H_2O)

참고 공유 결합의 형성 원리

공유 결합을 형성하는 힘은 전자와 원자핵 사이의 정전기적 인력[3]이다. 두 원자가 서로 접근할 때 전자 사이의 반발력과 전자와 원자핵 사이의 인력의 합에 의해 에너지가 가장 안정해지는 위치에서 결합이 형성된다. 즉, 수소 분자의 경우 공유 결합을 이루는 두 수소 원자의 원자핵이 전자쌍을 끌어당기는 힘에 의해 안정화된다.

전자   원자핵

❷ 화학 결합의 종류
금속 원소와 비금속 원소 사이에는 이온 결합이, 금속 원소 사이에는 금속 결합이 형성된다.

❸ 정전기적 인력
전기는 (+)와 (−)의 두 종류가 있으며 같은 전기(+와 +, −와 −) 사이에는 반발력이, 다른 전기(+와 −) 사이에는 인력이 작용한다. 모든 화학 결합은 원자를 구성하는 원자핵의 (+)전하와 전자의 (−)전하 사이의 정전기적 인력에 의해 이루어진다.

해 보기 2 **표현하기** 공유 결합을 모형으로 나타내기

목표

과학적 문제 해결력

다양한 분자의 전자 배치를 통해 전자의 공유와 공유 결합을 표현하고 설명할 수 있다.

과정

질소 분자(N_2)는 질소 원자(N) 2개가 공유 결합을 형성하여
만들어진다. 단추 자석을 이용해 질소 원자의 전자 배치를
나타내고, 질소 원자 2개가 질소 분자를 형성하는 과정을
표현해 보자.

결과/정리

1. 질소 원자(N) 2개가 질소 분자(N_2)를 형성하는 과정을 설명해 보자.

예시 15족 원소인 질소는 원자가 전자가 5개이므로 3개의 전자를 얻어 옥텟 규칙을 만족한다.
따라서 질소 분자가 형성될 때는 전자를 3개씩 내놓고 공유하며 결합을 형성한다.

질소(N_2)

2. 이산화 탄소(CO_2)와 암모니아(NH_3)의 전자 배치를 표현해 보자.

예시

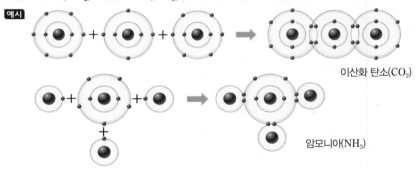

이산화 탄소(CO_2)

암모니아(NH_3)

> 💡 **탐구 분석**
>
> 15족 원소인 질소는 원자 2개가
> 각각 3개의 전자를 내놓고 공유
> 결합을 형성한다.
> 이산화 탄소는 산소와 탄소 사이
> 에 각각 2개의 전자를 내놓고 전
> 자를 공유하여 옥텟 규칙을 만족
> 하는 공유 결합을 형성하고, 암모
> 니아는 질소와 수소 사이에 각각
> 1개의 전자를 내놓고 공유하여 18
> 족 원소와 같은 전자 배치를 가져
> 안정해진다.

• 확인하기

1. **이해** 메테인(CH_4)에서 탄소는 수소와 몇 개의 전자쌍을 공유할까? 메테인의 공유 결합을 모형으로 그려서 설명해 보자.

예시 탄소는 원자가 전자가 4개이므로 4개의 전자를 얻어 옥텟 규칙을 만족하려 하고, 수소는 원자가 전자가 1개이므로 1개의 전자를 얻어 헬륨과 같은 전자 배치를 하려고 한다. 따라서 탄소 원자 1개에 수소 원자 4개가 결합하여 모두 4개의 전자쌍을 공유한다.

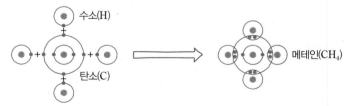

수소(H)

탄소(C)

메테인(CH_4)

2. **적용** 공유 결합은 두 친구가 용돈을 모아 학용품을 구입하는 것과 같이 다양한 비유를 통해 설명하면 이해하기 쉽다. 적절한 비유를 찾아 공유 결합을 설명해 보자.

예시 학급 단합대회를 할 때 모둠 구성원이 모두 모여 고기, 상추, 쌈장 등을 나누어 준비하고 함께 먹는다. 줄다리기의 경우 두 팀이 같은 줄에서 서로 잡아당기므로 서로 연결되어 있다.

✓ 개념 확인 문제

1 산소가 공유 결합을 형성하여 산소 기체가 될 때 공유 전자쌍은 몇 개인가?

2 산소 분자의 전자 배치를 모형으로 그려 보자.

❷ 단계 해결하기 **3. 나트륨과 염소는 어떻게 결합하여 소금을 만들까?**

짠맛을 내는 소금의 주성분은 염화 나트륨으로, 나트륨과 염소가 결합하여 이루어진 물질이지만 나트륨 원자와 염소 원자가 아닌 나트륨 이온과 염화 이온이 규칙적으로 배열된 물질로 나트륨, 염소와 전혀 다른 성질을 나타낸다. 나트륨과 염소의 결합은 전자를 공유하는 것과는 다른 결합이다. 여기서는 금속 원소와 비금속 원소 사이의 결합이 형성될 때 전자를 주고받아 이온을 형성한 후 이온 사이의 정전기적 인력에 의해 이루어지는 이온 결합을 알아본다.

 해 보기 3 추론 **염화 나트륨의 형성 과정 추론하기**

교과서 45쪽

목표 과학적 사고력

나트륨 원자와 염소 원자의 전자 배치로부터 염화 나트륨의 형성 과정을 추론한다.

결과/정리

1. **나트륨 원자와 염소 원자의 원자가 전자는 각각 몇 개인가?**

   예시 나트륨 원자의 원자가 전자는 1개이고, 염소 원자의 원자가 전자는 7개이다.

2. **나트륨 원자와 염소 원자가 결합할 때 공유 결합을 하지 않으면서 옥텟 규칙을 만족하는 방법은 무엇일지 빈칸에 모형으로 표현해 보자.**

   예시 나트륨 원자는 전자 1개를 잃으면, 염소 원자는 전자 1개를 얻으면 옥텟 규칙을 만족하게 된다. 전자를 잃은 나트륨은 나트륨 이온이 되고, 전자를 얻은 염소는 염화 이온이 되며, 이들이 정전기적 인력으로 결합하여 안정한 물질을 형성한다.

과정

다음은 나트륨 원자(Na)와 염소 원자(Cl)의 전자 배치를 나타낸 그림이다. 나트륨 원자와 염소 원자의 전자 배치로부터 염화 나트륨(NaCl)의 형성 과정을 추론해 보자.

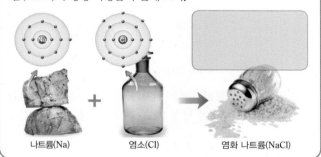

나트륨(Na)   염소(Cl)   염화 나트륨(NaCl)

💡 **탐구 분석**

원자가 전자가 1개인 나트륨 원자는 전자 1개를 잃고 옥텟 규칙을 만족하고, 원자가 전자가 7개인 염소 원자는 전자 1개를 얻어 옥텟 규칙을 만족한다. 나트륨 이온과 염화 이온 사이에 정전기적 인력에 의해 결합이 형성된다.

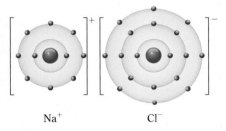

Na^+ Cl^-

3. **염화 나트륨이 형성될 때 전자의 이동을 설명해 보자.**

   예시 나트륨은 전자를 1개 잃고 염소는 전자를 1개 얻는다. 나트륨이 잃은 전자를 염소 원자가 얻어 이온을 형성한 후 이온 결합한다.

수행평가 TIP		
탐구 수행	• 모둠 구성원과 논의를 활발하게 진행하고 협력한다.	☆ ☆ ☆
	• 자신의 생각을 그림이나 모형을 활용하여 논리적으로 표현한다.	☆ ☆ ☆
탐구 결과	• 나트륨과 염소 원자의 원자가 전자 수를 찾는다.	☆ ☆ ☆
	• 나트륨 원자와 염소 원자 사이의 전자의 이동과 옥텟 규칙의 관계를 설명한다.	☆ ☆ ☆
	• 이온 결합의 형성을 공유 결합의 형성과 구별하여 설명한다.	☆ ☆ ☆

1 이온 결합

(1) 양이온과 음이온 사이의 정전기적 인력에 의한 화학 결합이다.

(2) 전자를 잃어 옥텟 규칙을 만족하는 금속 원소와 전자를 얻어 옥텟 규칙을 만족하는 비금속 원소 사이에 이루어지는 결합이다.

(3) 이온 결합은 양이온과 음이온이 무수히 반복되어 수많은 이온 결합을 형성하므로 이온 결합 물질은 분자로 이루어져 있지 않다.

(4) 이온 결합으로 이온 결정이 형성되면 에너지 측면에서 안정해진다.

2 이온 결합의 형성

(1) **이온의 형성** 원자가 전자를 잃거나 얻으면 전하를 띠는 이온이 된다.

① **나트륨 이온의 형성** 나트륨 원자가 전자 1개를 잃고 1가 양이온이 되면 네온(Ne)과 같은 전자 배치를 하게 되고, 옥텟 규칙을 만족한다.❶

전자 1개를 잃는다.
나트륨 원자(Na) → 나트륨 이온(Na⁺)

② **염화 이온의 형성** 염소 원자가 전자 1개를 얻고 1가 음이온이 되면 아르곤(Ar)과 같은 전자 배치를 하게 되고, 옥텟 규칙을 만족한다.

전자 1개를 얻는다.
염소 원자(Cl) → 염화 이온(Cl⁻)

(2) **이온 결합의 형성**❷ 나트륨 이온과 염화 이온 사이의 정전기적 인력에 의해 이온 결합이 형성된다.

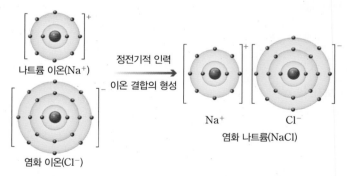
나트륨 이온(Na⁺)
염화 이온(Cl⁻)
정전기적 인력
이온 결합의 형성
Na⁺ Cl⁻
염화 나트륨(NaCl)

(3) **이온 결정의 형성** 수없이 많은 나트륨 이온과 염화 이온이 이온 결합을 반복 형성하여 규칙적으로 배열된다.

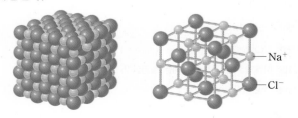
Na⁺
Cl⁻

❶ **옥텟 규칙의 예외**
리튬, 베릴륨과 같은 2주기 금속 원소는 전자를 잃고 헬륨과 같은 전자 배치를 이루므로 옥텟 규칙을 만족하지 않는다.

❷ **이온의 형성과 이온 결합의 형성**
금속 원소와 비금속 원소가 만나면 각각 전자를 주고받아 양이온과 음이온이 된 후, 이온 사이에 인력이 작용하여 결합이 형성된다. 이온 결합은 이온이 되는 과정이 아니라, 이온이 된 후 이온 사이에 인력이 작용하여 형성되는 결합을 의미한다.

3 이온 결합에서의 개수비

(1) 이온 결합에 의해 만들어진 물질은 전기적으로 중성이므로, 이온의 가수에 따라 일정한 개수비[3]로 결합한다.
- 1가 양이온과 1가 음이온은 1 : 1의 개수비로 결합한다. 예 염화 나트륨($NaCl$)
- 1가 양이온과 2가 음이온은 2 : 1의 개수비로 결합한다. 예 산화 나트륨(Na_2O)

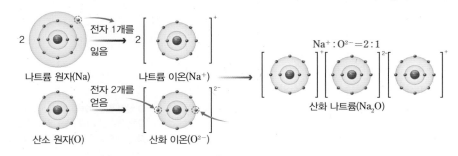

❸ 이온 개수비
이온 결합은 양이온과 음이온이 반복되어 결합되어 있으므로 공유 결합처럼 독립된 작은 단위(분자)가 존재하지 않는다. 따라서 이온 결합 물질을 설명할 때 이온의 개수가 아니라 개수의 비를 사용한다.

해 보기 4 자료 해석 원소의 성질에 따른 결합의 종류 추론하기

교과서 47쪽

 목표

과학적 탐구 능력

다양한 물질로부터 이온 결합과 공유 결합이 형성되는 원소의 종류를 추론할 수 있다.

과정

산소, 물, 질소, 설탕의 공유 결합 물질은 비금속 원소로, 산화 알루미늄, 염화 칼슘, 산화 철(Ⅲ), 염화 나트륨의 이온 결합 물질은 금속 원소와 비금속 원소로 이루어져 있다.

다음은 일상생활이나 자연에서 쉽게 볼 수 있는 공유 결합 물질과 이온 결합 물질이다.

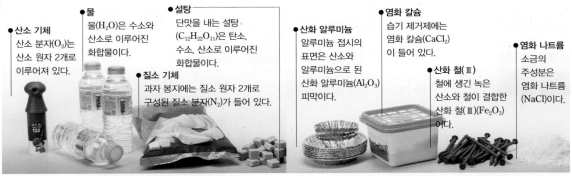

결과/정리

1. 공유 결합을 이루는 원소와 이온 결합을 이루는 원소를 표에 써 보자.

비금속 원소

공유 결합 물질	산소 기체	물	질소 기체	설탕
구성 원소	산소	수소, 산소	질소	탄소, 수소, 산소
이온 결합 물질	산화 알루미늄	염화 칼슘	산화 철(Ⅲ)	염화 나트륨
구성 원소	산소, 알루미늄	염소, 칼슘	산소, 철	염소, 나트륨

금속 원소

2. 공유 결합을 형성하는 원소와 이온 결합을 형성하는 원소의 종류에는 어떤 차이가 있는가?

예시 공유 결합을 형성하는 원소는 모두 비금속 원소이고, 이온 결합을 형성하는 원소는 금속 원소와 비금속 원소이다.

수행평가 TIP

- 모둠 구성원과 논의를 활발하게 진행한다.

- 이온 결합 물질과 공유 결합 물질을 찾는다.

- 이온 결합 물질은 금속 원소와 비금속 원소로 이루어져 있음을 설명한다.

4 주기율표와 화학 결합

(1) 금속 원소와 비금속 원소 사이의 결합 ➡ 이온 결합
① 금속 원소는 원자가 전자 수가 적어(보통 3개 이하) 전자를 잃고 양이온이 되기 쉽고, 비금속 원소는 원자가 전자가 많아(보통 5개 이상) 전자를 얻어 음이온이 되기 쉽다. 따라서 금속 원소와 비금속 원소 사이에는 양이온과 음이온의 정전기적 인력에 의한 이온 결합이 형성된다.

② 1족 금속 원소는 1가 양이온, 17족 비금속 원소는 1가 음이온이 되어 NaCl처럼 1 : 1의 개수비로 결합한다. 반면, 1족 금속 원소와 16족 비금속 원소가 결합을 형성할 때는 16족 비금속 원소가 전자를 2개 얻어 2가 음이온이 되므로 Na_2O처럼 2 : 1의 개수비로 결합을 형성한다. 마찬가지로 2족 금속 원소와 17족 비금속 원소가 결합을 형성할 때는 $CaCl_2$처럼 금속 원소와 비금속 원소가 1 : 2의 개수비로 결합을 형성한다. ❹

(2) 비금속 원소 사이의 결합 ➡ 공유 결합
비금속 원소는 전자를 얻어 옥텟 규칙을 만족하려는 경향이 크므로, 두 원소가 전자를 내놓고 공유하여 결합을 형성한다.

⓵ 산소(O_2), 물(H_2O), 메테인(CH_4) 암모니아(NH_3)❺ 등

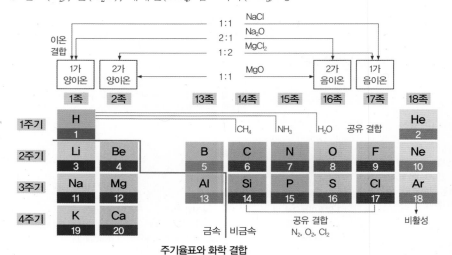

주기율표와 화학 결합

❹ 산화 알루미늄의 형성
13족 원소인 Al과 16족 원소인 O가 결합을 형성할 때는 2 : 3의 개수비로 결합하여 Al_2O_3을 형성한다.

❺ 공유 결합 물질
공기의 성분인 산소, 질소, 이산화 탄소 기체 외에도 설탕, 포도당, 아미노산, 지방산 등 생명체의 주요 구성 성분은 대부분 탄소, 수소, 산소 등으로 이루어진 공유 결합 물질이다.

✔ 확인하기

1. [이해] 원자가 전자가 1개인 수소와 비금속 원소 사이에 형성되는 결합의 종류는 무엇일까?
[예시] 수소는 비금속 원소이므로 비금속 원소와 비금속 원소 사이에는 공유 결합이 형성된다.

2. [적용] 칼슘(Ca)과 염소(Cl)가 결합하여 염화 칼슘($CaCl_2$)을 형성할 때 전자의 이동을 모형으로 나타내고 화학 결합의 종류를 말해 보자.
[예시] 칼슘 이온과 염화 이온 사이의 정전기적 인력에 의한 이온 결합이다.

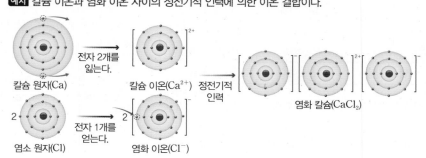

전자 2개를 잃는다.
칼슘 원자(Ca) → 칼슘 이온(Ca^{2+}) 정전기적 인력 → 염화 칼슘($CaCl_2$)
전자 1개를 얻는다.
염소 원자(Cl) → 염화 이온(Cl^-)

✔ 개념 확인 문제

1 리튬과 산소가 결합할 때 리튬 이온(Li^+)과 산화 이온(O^{2-})의 개수비는?

2 칼륨과 염소가 이온을 형성할 때 전자의 이동을 설명해 보자.

❷ 단계 해결하기 **4. 공유 결합 물질과 이온 결합 물질은 어떻게 다를까?**

소금(염화 나트륨)과 설탕은 일상생활에서 없어서는 안 되는 물질이며 비슷한 겉모습을 가지지만, 열을 가하면 설탕은 쉽게 녹는 반면 소금은 녹지 않고, 물에 녹이면 설탕물은 전류가 흐르지 않지만 소금물은 전류가 흐르는 등 차이점이 있다. 여기서는 고체와 수용액 상태에서의 소금과 설탕의 전기 전도성의 차이를 통해 공유 결합 물질과 이온 결합 물질의 차이를 알아본다.

탐구 2 실험 **화학 결합의 종류에 따른 물질의 상태 비교하기**

교과서 48~49쪽

 목표
과학적 탐구 능력

공유 결합으로 형성된 물질과 이온 결합으로 형성된 물질의 전기 전도성의 차이를 확인할 수 있다.

결과/정리

1. 실험 결과를 표에 기록해 보자.

물질	증류수	설탕		염화 나트륨		질산 나트륨	
		고체	수용액	고체	수용액	고체	수용액
전기 전도성	없음	없음	없음	없음	있음	없음	있음

2. 실험 결과를 바탕으로 4개의 액체에는 각각 어떤 용질 입자가 들어 있는지 입자 모형을 그려 보자. (단, 입자는 분자, 양이온, 음이온으로 구분한다.)

예시

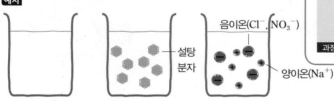

음이온(Cl⁻, NO₃⁻)
설탕 분자
양이온(Na⁺)

증류수   설탕 수용액   염화 나트륨 수용액, 질산 나트륨 수용액

3. 실험에 사용한 물질을 공유 결합 물질과 이온 결합 물질로 구분하고, 각 물질의 상태에 따른 전기 전도성의 차이를 설명해 보자.

예시 설탕은 비금속 원소 사이의 결합이므로 공유 결합 물질이고, 염화 나트륨과 질산 나트륨은 비금속 원소와 금속 원소 사이의 결합이므로 이온 결합 물질이다. 공유 결합 물질은 고체, 수용액 상태에서 모두 전류가 흐르지 않고, 이온 결합 물질은 고체 상태에서는 이온들이 강한 결합을 이루어 자유롭게 이동할 수 없으므로 전류가 흐르지 않지만 수용액 상태에서는 이온이 자유롭게 이동할 수 있어 전류가 흐른다.

과정

(가) 고체의 전기 전도성 측정

❶ 페트리 접시에 설탕, 염화 나트륨, 질산 나트륨을 적당량 넣고 전기 전도성 측정기로 전류가 흐르는지 관찰해 보자.

(나) 수용액의 전기 전도성 측정

❷ 비커 4개에 증류수를 각각 반쯤 넣자.

❸ 과정 ❷의 비커 중 3개의 비커에 설탕, 염화 나트륨, 질산 나트륨을 각각 한 숟가락씩 녹이자.

❹ 전기 전도성 측정기로 4개의 비커에서 전류가 흐르는지 관찰해 보자.

과정 1

과정 4

탐구 분석

공유 결합 물질은 고체, 수용액 상태에서 모두 전류가 흐르지 않고, 이온 결합 물질은 고체 상태에서는 전류가 흐르지 않지만 수용액 상태에서는 전류가 흐른다. 공유 결합 물질은 전하를 띤 입자가 없지만, 이온 결합 물질은 물에 녹았을 때 전하를 띤 이온이 자유롭게 이동할 수 있기 때문이다.

수행평가 TIP

탐구 수행	• 실험 안전 규칙을 잘 지키며 전기 전도성 측정기를 올바르게 사용하여 탐구를 수행한다.	☆ ☆ ☆
	• 모둠 구성원과 협력하여 수행하고 입자 모형을 그리는 데 적극 참여한다.	☆ ☆ ☆
탐구 결과	• 화학 결합의 종류에 따른 물질의 성질을 비교한다.	☆ ☆ ☆
	• 설탕은 분자 모형으로, 염화 나트륨과 질산 나트륨은 이온 모형으로 표현한다.	☆ ☆ ☆
	• 수용액 상태에서 전류가 흐르는 물질은 이온 결합 물질임을 설명한다.	☆ ☆ ☆

💡 알아보기

땀에 젖은 손으로 전기 제품을 만지면 감전의 위험이 있다고 하는 까닭을 실험 결과를 바탕으로 설명해 보자.

예시 땀에는 염화 나트륨과 같은 이온 결합 물질이 녹아 있으므로 전기 전도성이 있다. 따라서 땀에 젖은 손으로 전기 제품을 만지면 전류가 흐르게 되어 감전의 위험이 있다.

---

1 이온 결합 물질과 공유 결합 물질의 성질

(1) 이온 결합 물질

① **전기 전도성** 고체 상태에서는 이온[1]이 움직일 수 없으므로 전류가 흐르지 않지만, 액체나 수용액 상태에서는 <u>이온이 자유롭게 이동할 수 있으므로 전류가 흐른다.</u> 이온 결합 물질은 수용액이나 액체 상태에서 전원 장치를 연결하면 (+)전하를 띠는 양이온은 (−)극으로 이동하고, (−)전하를 띠는 음이온은 (+)극으로 이동한다.

② **녹는점과 끓는점** 반복되어 결합된 이온들 사이의 인력을 모두 끊어야 하므로 녹는점이나 끓는점이 높은 편이다.

(2) 공유 결합 물질

① **전기 전도성** 대부분 분자[2]로 이루어져 있으므로 전원 장치를 연결하여도 (+)극이나 (−)극으로 이동하는 입자의 흐름이 없어 전류가 흐르지 않는다.

② **녹는점과 끓는점** 이산화 탄소, 메테인과 같은 공유 결합 물질은 분자로 이루어져 있고, 융해나 기화할 때 공유 결합이 끊어지는 것이 아니라 분자와 분자 사이의 결합이 끊어지므로 녹는점이나 끓는점이 대체로 낮은 편이다.

(3) 이온 결합 물질과 공유 결합 물질의 전기 전도성

물질	이온 결합 물질		공유 결합 물질	
	고체	수용액	고체	수용액
전기 전도성	없음	있음	없음	없음

이온 결합 물질 — 수용액 상태일 때 전류가 흐른다.   공유 결합 물질 — 수용액 상태에서도 전류가 흐르지 않는다.

2 지각과 생명체를 이루는 화합물

(1) 지각과 생명체를 이루는 화합물 지각에 분포하는 화합물은 규소(Si)를 중심 원소로 갖는 규산염 광물이 많고, 생명체를 이루는 화합물은 탄소(C)를 중심 원소로 갖는 탄소 화합물이 많다. **예** Si−O 사면체, 아미노산

(2) 규소와 탄소를 중심으로 하는 화합물이 많은 이유 규소와 탄소는 모두 14족 원소로 4개의 원자가 전자를 갖는다. 원자가 전자 수가 7인 플루오린은 1개의 전자를 얻으면 옥텟 규칙을 만족하므로 대부분 1개의 원자와만 공유 결합을 한다. 반면, 원자가 전자 수가 4인 탄소나 규소는 전자 4개를 얻어야 옥텟 규칙을 만족하여 안정해지므로 최대 4개의 원자와 공유 결합을 형성할 수 있다. 따라서 4개의 원자가 전자를 가진 탄소와 규소는 주변에 결합할 수 있는 원자의 수와 방법이 다양하여 여러 가지 물질을 형성

---

❶ 이온 결합 물질의 구성 입자
이온 결합 물질은 전하를 띠는 입자인 양이온과 음이온으로 구성되어 있으므로 고체 상태에서도 이온 결합 물질을 구성하는 입자는 이온이다. 이온 결합 물질이 고체 상태에서 전류가 흐르지 않는 것은 이온이 이동할 수 없기 때문이다.

❷ 분자가 아닌 공유 결합 물질
공유 결합 물질 중 결정을 이루는 다이아몬드, 흑연 등은 원자가 반복되어 결합을 형성하며 보통의 공유 결합 물질과 다른 성질을 나타낸다. 예를 들어 흑연은 전기 전도성이 있고, 다이아몬드는 녹는점과 끓는점이 매우 높다.

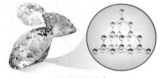

다이아몬드(C)

Si−O 사면체

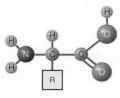

아미노산

할 수 있다. 예를 들어 4개의 원자와 공유 결합할 수 있는 탄소에 수소와 염소가 결합하여 형성되는 화합물의 종류는 다양하기 때문에 탄소를 중심으로 하는 화합물이 지구상의 많은 물질을 형성하게 된다.

해 보기 5 조사 지각과 생명체를 이루는 화합물의 종류

목표
과학적 사고력

지각과 생명체를 구성하는 단위 성분의 화학 결합의 종류를 말할 수 있다.

결과/정리

1. 지각을 구성하는 화합물의 기본 단위 성분은 각각 무엇이며, 서로 어떤 차이가 있는지 다른 모둠의 조사 결과와 함께 비교해 보자.

    예시 지각과 우리 몸을 구성하는 기본 단위 성분인 Si−O 사면체와 우리 몸을 구성하는 단백질의 기본 단위 성분인 아미노산의 구조로부터, 이들의 중심에 14족 원소인 규소와 탄소가 있음을 알 수 있다. 14족 원소는 원자가 전자 수가 4로 원자 주위에 가장 많은 공유 결합을 형성할 수 있다.

과정

지각과 우리 몸은 다양한 물질로 이루어져 있다. 모둠별로 한 가지 주제를 정해서 이를 구성하는 물질을 조사하고, 이 물질을 구성하는 기본 단위 성분을 분석해 보자.

2. 이들 기본 단위의 성분은 어떤 결합으로 지각과 우리 몸을 구성하는 화합물을 형성할까?

    예시 Si−O 사면체나 아미노산($NH_2RCHCOOH$)은 비금속 원소로 이루어져 있으므로 공유 결합을 통해 지각과 우리 몸을 구성하는 화합물을 형성한다.

확인하기

1. 이해 다음을 전기 전도성이 있는 물질과 없는 물질로 나누어 보자.

    > ·수돗물　·증류수　·설탕　·염화 마그네슘 수용액　·질산 칼륨

    예시 ·수돗물: 수돗물에는 염화 이온 등 다양한 이온이 녹아 있으므로 전류가 흐른다.
    ·증류수: 순수한 물(H_2O)로만 이루어져 있으므로 전류가 흐르지 않는다.
    ·설탕: 설탕($C_{12}H_{22}O_{11}$)은 탄소, 수소, 산소의 공유 결합 물질이므로 전류가 흐르지 않는다.
    ·염화 마그네슘($MgCl_2$) 수용액: 염화 마그네슘이 물에 녹으면 염화 이온(Cl^-)과 마그네슘 이온(Mg^{2+})으로 나누어지고 물 속에서 이온이 자유롭게 움직이므로 전류가 흐른다.
    ·질산 칼륨(KNO_3): 질산 이온과 칼륨 이온으로 이루어져 있으나 이온 결합에 의한 3차원 배열을 하고 있어 고체 상태에서는 이온이 움직일 수 없으므로 전류가 흐르지 않는다.

2. 적용 재난 영화에서 해일이 밀려오면 이에 휩쓸리지 않으려고 바닷물에 젖은 전봇대에 오르는 장면을 볼 수 있다. 이 행동이 적절한 것인지 수용액의 전기 전도성과 관련지어 말해 보자.
    예시 바닷물에는 염화 나트륨과 같은 이온 결합 물질이 녹아 있으므로 전기 전도성이 있다. 따라서 바닷물에 젖은 전봇대에 올라가는 것은 감전될 수 있으므로 위험한 행동이다.

개념 확인 문제

1 액체 상태에서 이온 결합 물질과 공유 결합 물질의 전기 전도성은 어떻게 다른가?

2 액체 염화 나트륨에 전류를 흘렸을 때 (+)극으로 이동하는 것은 무엇인가?

 **학습 정리**

핵심 내용 정리하기

1 원자가 전자와 옥텟 규칙 교과서 40~41쪽

원자의 가장 바깥 전자 껍질에 채워져 있어 화학 반응에 참여하는 전자를 [**❶ 원자가 전자**]라고 한다. 원자가 가장 바깥 전자 껍질에 [**❷ 8**]개의 전자를 채워서 안정해지려고 하는 경향을 [**❸ 옥텟 규칙**](이)라고 한다.

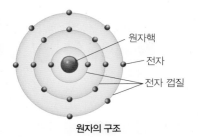

원자핵
전자
전자 껍질

원자의 구조

2 공유 결합과 이온 결합 교과서 42~47쪽

비금속 원자가 각각 전자를 내놓고 전자쌍을 공유하여 형성되는 화학 결합을 [**❹ 공유 결합**], 금속 원자와 비금속 원자가 이온을 형성한 후, 이온 사이의 전기적 인력에 의해 형성되는 화학 결합을 [**❺ 이온 결합**](이)라고 한다. 산소 기체는 [**❻ 공유**]결합으로, 염화 나트륨은 [**❼ 이온**] 결합으로 만들어진다.

공유 결합 물질
수용액
이온 결합 물질
수용액

공유 결합 물질과 이온 결합 물질

3 공유 결합과 이온 결합 물질의 성질 교과서 48~49쪽

(1) 공유 결합 물질은 고체, 액체, 수용액 상태에서 모두 전류가 [**❽ 흐르지 않고**], 이온 결합 물질은 고체에서는 전류가 [**❾ 흐르지 않고**], 액체와 수용액에서는 전류가 [**❿ 흐른다**].

(2) 이온 결합 물질은 물에 녹아 [**⓫ 양이온**](와)과 [**⓬ 음이온**](으)로 나누어지고, 이 이온들이 자유롭게 [**⓭ 이동할**] 수 있기 때문에 전기 전도성이 있다.

활동으로 확인하기

마그네슘(Mg)은 공기 중에서 산소(O_2)와 결합하여 산화 마그네슘(MgO)을 생성한다.

1 마그네슘과 산소 원자의 전자 배치를 각각 모형으로 나타내 보자.

마그네슘의 전자 배치   산소의 전자 배치

2 옥텟 규칙을 만족하려면 마그네슘과 산소 사이에 전자는 어떻게 이동해야 할지 말해 보자.

예시 마그네슘은 전자 2개를 잃고 2가 양이온이 되고, 산소는 전자 2개를 얻어 2가 음이온이 되면서 옥텟 규칙을 만족한다.

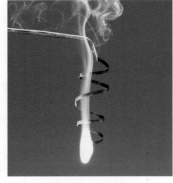

$2Mg + O_2 \rightarrow 2MgO$

3 산화 마그네슘을 생성하는 화학 결합의 종류를 말하고, 그렇게 생각한 까닭을 원자가 전자 수를 이용하여 설명해 보자.

예시 산화 마그네슘은 산소와 마그네슘, 즉 비금속 원소와 금속 원소 사이의 결합에 의한 화합물이므로 이온 결합 물질이다. 원자가 전자 수가 2개인 마그네슘은 전자 2개를 잃고, 마그네슘 이온(Mg^{2+})이 되고 원자가 전자 수가 6개인 산소는 전자 2개를 얻고 산화 이온(O^{2-})이 되어 정전기적 인력에 의해 이온 결합을 형성한다.

④단계 생각 넓히기 친환경 제설제를 찾아라!

💡 과학적 사고력 🔓 과학적 문제 해결력

물이 얼 때 물에 다른 물질이 섞여 있으면, 물에 녹아 있는 입자들에 의해 물 분자가 규칙적인 배열을 형성하는 데 방해를 받으므로 물이 얼기 어려워져서 0℃보다 더 낮은 온도에서 얼게 된다. 염화 칼슘($CaCl_2$)을 길에 뿌리면 염화 칼슘이 물에 녹으면서 염화 칼슘 수용액이 되고, 이 염화 칼슘 수용액에 들어 있는 칼슘 이온(Ca^{2+})과 염화 이온(Cl^-)이 물 분자들이 어는 것을 방해하므로 눈을 녹이는 제설제 역할을 한다. 그러나 염화 칼슘은 철로 된 자동차 차체와 도로의 부식을 촉진하고, 토양과 지하수에 흡수되어 토양을 산성화하며, 인체에 닿았을 경우 물집이 생기기도 하는 등의 문제점이 있다. 문제들을 해결하기 위해서 친환경 저부식 제설제를 개발했으나, 제설 효과와 경제적인 측면에서 아직 염화 칼슘을 뛰어넘지 못하고 있다.

염화 칼슘을 뿌린 곳에 쌓인 눈은 쉽게 녹는다.
염화 칼슘의 제설 작용

❶ 핵심 내용 파악

주어진 자료를 읽고 염화 칼슘을 제설제로 사용할 때 발생하는 문제점과 그러한 문제점이 나타나는 까닭을 조사해 보자.

예시 ① 문제점: 철로 된 자동차 차체와 도로의 부식을 촉진하고 토양과 지하수에 흡수되어 토양을 산성화시키며 인체에 유해하다.
② 문제점이 나타나는 까닭: 염화 칼슘은 이온 결합 물질로 물에 녹아 염화 이온과 칼슘 이온이 된다. 이온은 수용액 중에서 전기 전도성이 있으며 전자의 이동을 도우므로 금속의 부식을 촉진시킨다. 또한 염화 칼슘이 물에 녹을 때 다량의 열을 발생하므로 흡입하거나 인체에 닿았을 경우 식도, 피부 등에 화상을 일으킬 수 있다.

❷ 해결 방안 찾기

1. 염화 칼슘의 문제점과 제설제의 기본 원리를 바탕으로 새로운 제설제는 어떤 조건을 만족해야 할지 토의해 보자.

예시 어는점을 낮추어 눈을 녹이는 제설 작용이 효과적이어야 하고, 염화 칼슘에 비해 부식성이 낮고, 동식물에 주는 피해가 적으며, 토양의 산성화 등 환경 오염이 적어야 한다. 또한 반응이 빠르고, 지속적으로 효과를 내야 하며, 가격이 적당해야 한다.

2. 모둠별로 새로운 제설제의 조건을 만족하는 물질을 찾아 표에 기록해 보자.

물질 \ 기능	제설 효과	가격	환경 문제
염화 칼슘	조해성이 있음. 1g이 물에 녹을 때 약 700 J의 열 발생	적당하다	염화 이온에 의한 부식성, 환경 문제가 심각함.
염화 나트륨	물에 녹을 때 열을 흡수하고 어는점을 낮추는 정도가 약함	적당하다	염화 이온에 의한 부식성이 있음.
염화 칼륨	제설 효과는 염화 나트륨과 유사	비싸다	염화 칼슘보다 동식물에 대한 피해가 적음.
염화 마그네슘	제설 효과는 염화 칼슘과 유사, 제설 효과가 길다.	비싸다	염화 칼슘보다 부식성이나 동식물에 대한 피해가 적음.
초산 칼슘	제설 효과는 염화 칼슘과 유사	가장 비싸다	염화 이온이 없어 부식이나 산성화의 염려가 없음.

❸ 발표하기

모둠별로 염화 칼슘을 대체할 수 있는 물질에 대해 서로 의견을 나누고, 그 결과를 발표해 보자. **해설** 모둠별 조사 자료를 바탕으로 가장 효율적이라 생각하는 물질을 정한다.

❹ 더 해 보기

염화 칼슘과 염화 칼슘을 대체할 물질의 제설 효과를 비교할 수 있는 방법을 고안해 보자.

예시 제설 효과를 비교하기 위해서는 얼음에 제설제를 넣었을 때 녹는 시간과 얼음이 녹을 때의 온도를 측정하고, 같은 질량 사용시 일정 시간 녹은 물의 부피를 측정하여 비교할 수 있다.
(가) 비커 3개에 같은 모양과 질량의 얼음을 넣고 온도계를 꽂는다.
(나) (가)의 비커 3개 중 2개의 비커에 염화 칼슘과 대체 물질을 같은 질량 흩뿌려 넣는다.
(다) 3개의 비커에서 얼음이 녹기 시작하는 시간과 온도를 측정한다.
　일정한 시간이 지난 후 세 비커에서 녹은 물의 부피를 측정하여 비교한다.

수행평가 TIP

• 겨울철 제설에 사용할 염화 칼슘을 대체할 수 있는 친환경적 물질을 찾는다.

• 모둠 구성원과 협력하여 관련 자료를 조사한다.

• 친환경 제설제의 조건을 정확하게 파악하고 수집한 정보를 주제에 맞게 정리한다.

• 모둠에서 찾은 친환경 제설제의 유용성을 정리한다.

• 동료들을 설득할 수 있도록 논리적으로 발표한다.

기본 개념 정리하기

01 다음 물음에 답해 보자.
(1) 고온의 광원에서 나온 빛을 분광기에 통과시켰을 때 나타나는 여러 가지 색의 연속적인 띠를 무엇이라고 하는가?
연속 스펙트럼
(2) 우주를 구성하는 원소 중 가장 높은 비율을 차지하는 원소는 무엇인가? 수소
(3) 철보다 무거운 원소는 어떤 과정을 통해 만들어졌는가?
초신성 폭발
(4) 알칼리 금속을 물에 넣었을 때 발생하는 기체는 무엇인가? 수소 기체
(5) 주기율표에서 성질이 유사한 원소는 어떻게 배열되는가?
같은 세로줄(같은 족)
(6) 주기율표의 가로줄과 세로줄을 각각 무엇이라고 하는가?
주기, 족
(7) 원자의 가장 바깥 전자 껍질에 있어 화학 반응에 참여하는 전자를 무엇이라고 하는가? 원자가 전자
(8) 원소들이 비활성 기체처럼 가장 바깥 전자 껍질에 8개의 전자를 채워 안정해지려는 경향을 무엇이라고 하는가? 옥텟 규칙
(9) 물과 염화 나트륨은 각각 어떤 결합으로 형성되는가?
공유 결합, 이온 결합
(10) 고체에서는 전기 전도성이 없지만, 수용액이나 액체 상태에서 전기 전도성이 있는 물질은 무엇인가? 이온 결합 물질

02 다음과 같이 관찰되는 스펙트럼의 종류와 명칭을 연결해 보자.

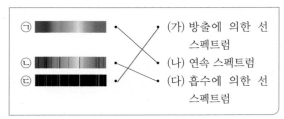

- ㉠ • • (가) 방출에 의한 선 스펙트럼
- ㉡ • • (나) 연속 스펙트럼
- ㉢ • • (다) 흡수에 의한 선 스펙트럼

03 다음 〈보기〉에서 원소와 그 원소가 만들어질 수 있는 환경을 바르게 연결한 것을 있는 대로 골라 보자.

┌ 보기 ┐
㉠ 수소 – 질량이 작은 별의 내부
✔㉡ 헬륨 – 태양과 비슷한 질량의 별 내부
㉢ 탄소 – 빅뱅 초기 우주
✔㉣ 규소 – 질량이 큰 별의 내부
✔㉤ 금 – 초신성 폭발 과정

해설 수소(H)는 빅뱅 직후의 우주에서 만들어졌고, 탄소(C)는 별 내부에서 헬륨 핵융합 반응으로 만들어진다.

04 주기율표에 대한 〈보기〉의 설명 중에서 옳은 것만을 있는 대로 골라 보자.

┌ 보기 ┐
㉠ 주기율표의 왼쪽에는 대체로 비금속 원소가 배열된다.
주기율표의 왼쪽에는 금속 원소가, 오른쪽에는 비금속 원소가 배열된다.
✔㉡ 알칼리 금속은 모두 1족 원소이다.
✔㉢ 2주기 원소의 원자가 전자는 모두 다르다. 0개
㉣ 비활성 기체의 원자가 전자는 모두 8개이다.
㉤ 주기율표에서 원소는 질량이 증가하는 순으로 배열된다.
원자 번호가

05 다음은 주기율표의 일부를 나타낸 것이다.

족 주기	1	2	13	14	15	16	17	18
1	H							He
2	Li	Be	B	C	(가)	O	F	(나)
3	(다)	Mg	Al	Si	P	S	(라)	Ar

(1) (가)~(라) 중에서 가장 양이온이 되기 쉬운 원소는 무엇인가? (다) 1족 원소
(2) (가)~(라) 중에서 가장 반응성이 작은 원소는 무엇인가? (나) 18족 원소

06 다음은 원소 X, Y, Z를 모형으로 나타낸 것이다. 단, X~Z는 임의의 원소 기호이다.

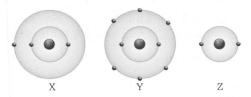

X   Y   Z

(1) 원소 X, Y, Z 중에서 족 또는 주기가 같은 원소는 무엇인가? X와 Y는 같은 주기 원소이다.
(2) 원소 X와 Y가 결합하여 화합물 X_2Y가 형성되는 과정을 설명해 보자. X는 전자 1개를 잃어 양이온이 되고, Y는 전자 2개를 얻어 음이온이 된 후 정전기적 인력으로 결합한다.

07 다음은 원자 X와 Y가 공유 결합하여 형성된 분자 XY_2를 모형으로 나타낸 것이다. 단, X, Y는 임의의 원소 기호이다.

(1) 분자 XY_2에서 공유 전자쌍은 모두 몇 개인가? 4개
(2) 원자 X와 Y의 원자가 전자는 각각 몇 개인가? 4개, 6개

08 다음 다섯 가지 물질을 이용하여 고체와 수용액 상태에서 전기 전도성을 측정하였다.

염화 나트륨, 설탕, 염화 칼슘, 포도당, 황산 구리(Ⅱ)

상태	전기 전도성 있음.	전기 전도성 없음.
고체	없음	염화 나트륨, 설탕, 염화 칼슘, 포도당, 황산 구리(Ⅱ) (가)
수용액	염화 나트륨, (나)염화 칼슘, 황산 구리(Ⅱ)	설탕, 포도당

(1) 표의 빈칸에 해당하는 물질을 써 보자.
(2) (가)와 (나)에 공통적으로 해당하는 물질의 공통점은 무엇인가? 이온 결합 물질이다.

핵심 개념 적용하기

09 그림은 빅뱅 우주론에서 설명하는 우주의 모형을 나타낸 것이다. 빅뱅 우주론에 관한 설명으로 옳은 것만을 〈보기〉에서 있는 대로 골라 보자.

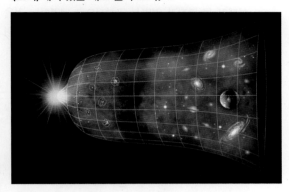

┤ 보기 ├
✔㉠ 우주가 팽창하면서 우주의 온도가 낮아진다.
✔㉡ 우주가 팽창하면서 우주의 밀도가 감소한다.
✔㉢ 빅뱅 직후의 우주 초기에 수소와 헬륨이 만들어졌다.

해설 빅뱅으로 우주의 시간과 공간이 시작되었다. 우주가 팽창함에 따라 우주의 크기가 커지면서 우주의 밀도가 감소하고 온도가 낮아졌다. 우주의 온도가 점점 낮아지면서 수소와 헬륨 원자핵이 만들어졌고, 이후 우주의 온도가 더 낮아지며 원자핵이 전자와 결합하여 수소와 헬륨 원자가 만들어졌다.

10 그림은 두 별 (가), (나)의 내부 구조를 나타낸 것이다. 이에 관한 설명으로 옳은 것만을 〈보기〉에서 있는 대로 골라 보자.

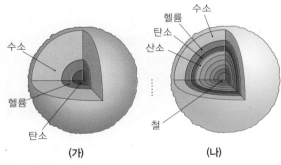

(가)   (나)

┤ 보기 ├
㉠ (가)의 중심핵에서는 수소 핵융합 반응이 일어나고 있다.
✔㉡ (나)의 최후에 초신성 폭발 과정에서 철보다 무거운 원소가 만들어질 수 있다.
✔㉢ (가)와 (나) 모두 중심부로 갈수록 무거운 원소가 존재한다.

해설 (가)는 별의 내부에 탄소의 중심핵이 있으므로, 중심핵에서 더 이상 수소 핵융합 반응이 일어나지 않는다.

11 그림은 화합물 XY_2를 모형으로 나타낸 것이다. 이에 관한 설명으로 옳은 것만을 〈보기〉에서 있는 대로 골라 보자. 단, X, Y는 임의의 원소 기호이다.

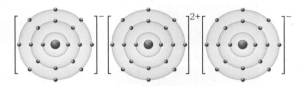

┤ 보기 ├
✔㉠ X는 금속 원소이다.
㉡ Y의 원자가 전자는 6개이다.
✔㉢ X와 Y_2가 XY_2를 형성할 때 이온 결합이 형성된다.

해설 X는 2가 양이온이므로 원자가 전자가 2개인 2족 원소이고 금속 원소이다. Y는 전자 1개를 얻어 1가 음이온이 되면서 옥텟 규칙을 만족하므로 원자가 전자가 7개인 17족 원소이다.
X는 전자를 잃고 X^{2+}이 되고 Y는 전자를 얻어 Y^-이 된 후 정전기적 인력에 의해 X^{2+}과 Y^-이 1:2의 개수비로 이온 결합한다.

12 그림 (가), (나)는 각각 물질 A, B를 물에 녹인 수용액 상태를 모형으로 나타낸 것이다. 이 수용액에 전원 장치를 연결했을 때 (가)는 전류가 흘렀으나 (나)는 흐르지 않았다. 물질 A, B에 관한 설명으로 옳은 것만을 〈보기〉에서 있는 대로 골라 보자.

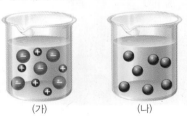

(가)   (나)

┤ 보기 ├
✔㉠ 수용액에서 전원 장치를 연결했을 때 입자가 이동하는 물질은 A이다.
㉡ 고체 상태에서 전기 전도성이 있는 물질은 한 가지이다.
㉢ 비금속 원소를 포함한 물질은 한 가지이다.

해설 물질 A는 수용액 상태에서 전하를 띠는 이온 입자가 이동할 수 있으므로 전기 전도성이 있다. 고체 상태에서는 입자가 움직일 수 없으므로 물질 A와 B 모두 전기 전도성이 없다. A의 음이온은 비금속 원소이고, B는 공유 결합 물질로 모두 비금속 원소로 이루어져 있다.

과학과 핵심 역량 기르기

💡 | 과학적 사고력 |

13 그림은 어떤 원소의 흡수에 의한 선 스펙트럼과 방출에 의한 선 스펙트럼을 나타낸 것이다. 스펙트럼을 '원소의 지문'이라고 할 수 있는 까닭을 이 그림을 토대로 설명해 보자.

흡수에 의한 선 스펙트럼

방출에 의한 선 스펙트럼

예시 원소마다 고유한 파장에서 선 스펙트럼이 나타나므로, 어떤 광원의 스펙트럼을 분석하면 그 구성 원소를 알아낼 수 있다.

🔓 | 과학적 문제 해결력 |

14 (가)는 게성운의 모습이고, (나)는 게성운에 관한 과거 기록이다. (나)의 내용을 바탕으로 게성운이 만들어진 원인이 무엇인지 설명하고, 게성운에 존재할 수 있는 원소에는 무엇이 있는지 예를 들어 보자.

(가)

(나) 송나라의 《송사천문지》에 '1054년 여름에 손님 별이 나타났는데 붉은 빛깔로 금성보다 밝았으며, 23일 동안은 대낮에도 볼 수 있었다. 그 후 차츰 어두워져서 1년쯤 지나서는 사라졌다.'라는 기록이 있다.

예시 매우 밝은 별이 갑자기 나타났다가 사라졌으므로 게성운은 초신성 폭발로 만들어진 것이라고 볼 수 있다. 초신성 폭발은 태양보다 약 10배 이상 무거운 별의 최후에 일어나므로, 별 내부에 존재하던 수소, 헬륨, 산소, 네온, 규소, 철 등의 원소와 초신성 폭발 과정에서 만들어진 구리, 금, 우라늄 등의 철보다 무거운 원소가 게성운에 존재할 것이다.

예시 (가) 시험관 4개에 증류수를 50 mL씩 넣고 설탕, 소금, 염화 칼슘, 모래를 각각 10 g씩 넣어 섞은 후 온도계를 꽂는다.

(나) 일정량의 얼음을 비커에 넣고, 얼음에 (가)의 시험관을 동시에 넣는다.

(다) 각 시험관에서 물이 얼기 시작하는 시간과 온도를 측정한다.

🔍 | 과학적 탐구 능력 |

15 눈이 내리면 도로에 제설제를 뿌린다. 제설제가 녹은 물은 어는점이 낮아져 0 ℃보다 낮은 온도에서도 쉽게 얼지 않는다. 물의 어는점이 낮아지는 것은 물에 녹아 있는 제설제 성분이 물 분자가 얼면서 규칙적으로 배열하는 것을 방해하기 때문이다. 그러면 다음 재료와 기구를 사용하여 제설 효과가 가장 큰 물질을 확인하는 실험을 설계해 보자.

실험 재료: 설탕, 소금, 염화 칼슘, 모래, 증류수
실험 기구: 비커, 시험관, 온도계, 얼음(한제), 저울, 약포지, 약숟가락, 눈금실린더

💬 | 과학적 의사소통 능력 |

16 수돗물의 불소화는 세계 각국에서 관심을 갖는 문제이며 우리 나라에서도 논란이 되고 있다. 다음 글을 읽고 수돗물의 불소화 사업에 관해 찬성 또는 반대 입장의 의견을 과학적 근거를 들어 제시해 보자.

(1) 불소는 17족 원소인 플루오린(F)을 말한다.
(2) 수돗물 불소화 사업은 정수장에 플루오린을 투입하는 것으로 약 1 ppm(물 1 L에 플루오린 1 mg 이 용해된 농도) 내외의 플루오린 농도를 유지하여 충치를 예방하려는 목적으로 시행한다.
(3) 플루오린은 치아 표면의 재생을 도우며, 특히 이렇게 재생된 치아 표면은 다시 충치가 발생할 확률이 적다.
(4) 충치 예방을 위해서는 플루오린이 치아에 직접 작용해야 하는데, 이때 플루오린을 직접 섭취할 필요는 없다. 또한 플루오린의 지속적인 섭취는 부작용을 초래할 수도 있다.

예시 **찬성:** 적절한 농도를 유지한 플루오린의 섭취는 충치 예방에 효과적이다. 단 것을 접하기 쉬운 현대 충치 발생과 사회적인 비용 손실을 감안하면 수돗물의 불소화는 꼭 필요하다.
반대: 17족 원소인 플루오린(불소)은 반응성이 매우 강한 물질로 기준치 이상의 플루오린 섭취는 인체에 독성이 있으며 과다 섭취하면 치아 불소증에 걸린다. 특히 플루오린을 섭취하는 것을 반드시 수돗물에 섞어서 해야 할 필요는 없다.

과학과 직업

물질의 성질을 탐구하는 화학 연구원

❶ 화학은 무엇을 배우는 학문인가요?

화학은 주로 물질을 탐구하는 학문으로, 세상에 존재하는 물질이 어떤 성분으로 이루어져 있으며 어떤 성질을 갖는지, 또 어떤 변화를 통해 새로운 물질이 만들어지는지 등에 관한 연구는 모두 화학의 영역이라고 할 수 있어요. 화학은 의약품, 신소재, 에너지, 반도체 등에 모두 관련된 생활과 밀접한 학문입니다.

❷ 화학을 전공하면 어떤 직업을 가질 수 있나요?

앞에서 말한 것처럼 화학은 실생활과 밀접한 관련이 있는 학문으로, 의약품·석유 화학 제품·화장품 개발 등 다양한 업종에 종사할 수 있어요. 또한, 대학에서 화학을 가르치거나 한국화학연구소나 한국화학시험원 등과 같은 연구소에서 화학과 관련된 분야를 연구할 수도 있죠. 특히, 최근에 주목받고 있는 신소재나 신재생 에너지, 그리고 신약 개발 및 환경 분야와 밀접한 관계가 있어서 앞으로 화학을 전공한 학생들에게는 꿈을 펼칠 기회가 많을 것입니다.

❸ 화학 연구원이 되기 위한 자질은 무엇인가요?

화학에 대한 관심이 있으면 누구나 화학 연구원이 될 수 있어요. 세상이 무엇으로 이루어져 있는지 궁금하고, 만들어 내고 싶은 새로운 소재가 있다면 화학 연구원이 되기 위한 자질을 갖추고 있다고 할 수 있죠.

❹ 화학 연구원은 주로 어떤 연구를 하나요?

화학의 연구 분야는 매우 넓어요. 제약 분야를 예로 들면, 현재 우리나라의 기술 수준을 고려할 때 신약 개발은 충분히 가능성이 있는 분야라고 할 수 있어요. 최근 국내 제약 회사가 신약 기술을 외국 대형 제약 회사에 수출한 성과를 바탕으로 신약 개발에 대한 관심이 높아지고 있죠. 2016년까지 개발된 국내 신약은 26개에 불과하지만, 현재 연구하고 있는 신약은 수백여 개에 이릅니다. 물론 신약 개발은 쉽게 성공하기 어려운 분야지만, 국내 제약 회사의 기술 수준과 과감한 투자로 우리나라도 머지않아 신약 기술 이전 국가 대열에 합류할 것으로 기대됩니다.

토의하기   모둠별로 조사하고 정리하여 발표 활동을 거쳐 공유하는 시간을 갖도록 한다.

1. 화학이라는 학문이 어떻게 발전해 왔는지 화학의 역사를 조사해 보자.

예시 화학은 불을 사용하여 음식을 익혀 먹는 활동에서부터 시작되었다. 불을 사용하면서 구리, 철, 금 등을 제련하여 이용할 수 있게 되었다. 그리스 철학자 아리스토텔레스는 물질을 이루는 근본 원소로 물, 불, 흙, 공기의 4원소설을 주장하였고 이후 약 2,000년간 화학 이론을 지배하였다. 연금술이 널리 퍼지면서 실험에 의해 물질을 분리하는 방법이 발달하였고 이를 바탕으로 18세기에 들어 근대 화학이 자리잡았다. 근대 화학의 기초를 구축한 사람은 연소를 물질이 산소와 결합하는 현상으로 해석한 라부아지에였고 이어 산소, 질소 등의 기체가 발견되었다. 19세기에 들어 돌턴의 원자설과 아보가드로의 입자설 등을 거치면서 화학이 크게 발전하였다.

2. 화학과 관련된 직업을 선택하여 구체적으로 어떤 일을 하는지 알아보자.

예시 무기 화학자–한국지질자원연구원: 무기화학은 유기 물질(탄소 화합물)이 아닌 무기 화합물의 성질, 합성 등을 연구하는 학문으로 최근 금속 이온이 중요한 역할을 하고 있는 생명 현상에서의 메커니즘이나 나노 기술이 접목된 새로운 고기능성 무기 소재 개발에 관한 연구가 활발히 진행되고 있다. 예를 들어 휴대폰 배터리에 사용되는 리튬은 외국에서 전량 수입하고 있는데, 이러한 리튬을 바닷물로부터 회수하는 국가 프로젝트가 진행되었고, 바닷물 속의 리튬을 선택적으로 흡착하여 분리, 회수할 수 있는 고성능 무기 흡착 소재를 개발하였다.

1-❶ 물질의 기원

01 그림 (가)~(다)는 서로 다른 광원의 스펙트럼을 나타낸 것이다.

(가)

(나)

(다)

이에 대한 설명으로 옳은 것만을 〈보기〉에서 있는 대로 고른 것은?

┌ **보기** ┐
ㄱ. 햇빛을 간이 분광기로 관찰하면 (가)를 볼 수 있다.
ㄴ. (나)는 방출에 의한 선 스펙트럼에 해당한다.
ㄷ. (나)와 (다)에 나타나는 선 스펙트럼은 같은 원소에 의해 형성되었다.

① ㄱ   ② ㄴ   ③ ㄱ, ㄷ
④ ㄴ, ㄷ   ⑤ ㄱ, ㄴ, ㄷ

02 다음은 우주를 구성하는 물질에 대한 설명이다.

> 과학자들이 우주에 존재하는 여러 천체의 ㉠스펙트럼을 분석한 결과, 우주에는 수소와 헬륨이 약 (㉡)의 질량비로 존재하며 이 두 원소가 우주 전체 원소의 약 98 %를 차지한다는 사실이 밝혀졌다. 이 두 원소의 대부분은 ㉢빅뱅 직후의 초기 우주에서 만들어졌다.

이에 대한 설명으로 옳은 것만을 〈보기〉에서 있는 대로 고른 것은?

┌ **보기** ┐
ㄱ. ㉠은 주로 연속 스펙트럼이다.
ㄴ. ㉡의 비는 3:1이다.
ㄷ. ㉢은 초신성 폭발 과정을 포함한다.

① ㄱ   ② ㄴ   ③ ㄱ, ㄷ
④ ㄴ, ㄷ   ⑤ ㄱ, ㄴ, ㄷ

03 그림 (가)~(다)는 우주, 지구, 사람을 구성하는 원소의 질량비를 순서 없이 나타낸 것이다.

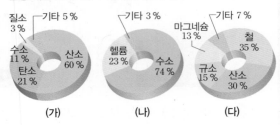

(가)   (나)   (다)

이에 대한 설명으로 옳은 것만을 〈보기〉에서 있는 대로 고른 것은?

┌ **보기** ┐
ㄱ. (가)에서 가장 많은 원소는 주로 별 내부의 핵융합 반응을 통해 만들어진다.
ㄴ. (다)는 지구를 구성하는 원소의 질량비를 나타낸 것이다.
ㄷ. (가), (나), (다)의 질량비가 모두 다른 까닭은 지구에서 새로운 원소가 계속해서 만들어지기 때문이다.

① ㄱ   ② ㄷ   ③ ㄱ, ㄴ
④ ㄴ, ㄷ   ⑤ ㄱ, ㄴ, ㄷ

04 그림 (가)와 (나)는 중심부의 핵융합 반응이 끝난 두 별의 내부 구조를 각각 나타낸 것이다.

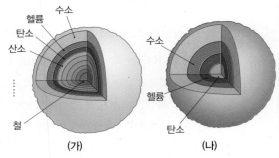

(가)   (나)

이에 대한 설명으로 옳은 것만을 〈보기〉에서 있는 대로 고른 것은?(단, 두 별의 실제 크기 차이는 고려하지 않는다.)

┌ **보기** ┐
ㄱ. 별의 질량은 (가)가 (나)보다 크다.
ㄴ. 중심핵의 온도는 (나)가 (가)보다 높다.
ㄷ. 별이 폭발하는 과정에서 금(Au)이 만들어질 수 있는 별은 (가)이다.

① ㄱ   ② ㄴ   ③ ㄷ
④ ㄱ, ㄴ   ⑤ ㄱ, ㄷ

05 그림은 성운으로부터 태양계가 형성되는 과정을 나타낸 것이다.

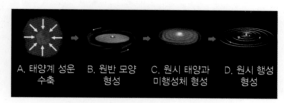

A. 태양계 성운 수축   B. 원반 모양 형성   C. 원시 태양과 미행성체 형성   D. 원시 행성 형성

이에 대한 설명으로 옳은 것만을 〈보기〉에서 있는 대로 고른 것은?

┌ 보기 ├

ㄱ. A의 성운은 초신성 폭발의 잔해를 포함한다.

ㄴ. B → C 과정에서 성운 중심부의 온도가 높아진다.

ㄷ. D에서 태양계 안쪽에는 주로 암석질 행성이 분포한다.

① ㄱ   ② ㄴ   ③ ㄱ, ㄷ

④ ㄴ, ㄷ   ⑤ ㄱ, ㄴ, ㄷ

1-❷ 원소의 주기성

06 다음은 금속 A, B를 이용한 실험이다.

(가) 증류수가 반쯤 든 두 개의 비커에 A, B 조각을 각각 넣었더니 격렬하게 반응하였다.

(나) (가)의 수용액에 페놀프탈레인 용액을 떨어뜨렸더니 붉게 변하였다.

(가)   (나)

이에 대한 설명으로 옳은 것만을 〈보기〉에서 있는 대로 고른 것은?

┌ 보기 ├

ㄱ. A, B는 알칼리 금속이다.

ㄴ. (가)에서 수소 기체가 발생한다.

ㄷ. (가)의 수용액은 전기 전도성이 있다.

① ㄱ   ② ㄷ   ③ ㄱ, ㄴ

④ ㄱ, ㄷ   ⑤ ㄱ, ㄴ, ㄷ

07 그림은 주기율표의 일부를 나타낸 것이다.

H								He
(가)	Be	B	C	N	O	(나)		(다)
	Mg	Al	Si	P	S			

이에 대한 설명으로 옳지 <u>않은</u> 것은?

① (가)의 원소는 같은 족이다.

② Ne은 (다)에 해당한다.

③ (가)~(다) 중 금속 원소는 (가)이다.

④ (가)~(다) 중 반응성이 가장 작은 원소는 (다)이다.

⑤ (가)와 (나)는 반응하여 공유 결합 물질을 형성한다.

08 다음은 3가지 원소 (가)~(다)의 성질에 대한 설명이다.

(가) 상처 소독약의 주성분이며 해조류에 많이 포함되어 있다. 부족하면 갑상선 기능에 이상이 생길 수 있다.

(나) 가볍고 높은 전압을 낼 수 있어 핸드폰과 노트북의 전지 재료로 사용되고 있으나, 반응성이 커서 폭발 위험이 있다는 단점이 있다.

(다) 충치 예방에 효과가 있어 대부분의 치약에 포함되어 있으며, 일부 지역에서 수돗물에 첨가되기도 한다.

(가)~(다)에 대한 설명으로 옳은 것만을 〈보기〉에서 있는 대로 고른 것은?

┌ 보기 ├

ㄱ. 모두 다른 족 원소이다.

ㄴ. (다)는 자연 상태에서 2원자 분자로 존재한다.

ㄷ. 원자가 전자 수가 가장 작은 것은 (가)이다.

① ㄱ   ② ㄴ   ③ ㄱ, ㄴ

④ ㄱ, ㄷ   ⑤ ㄱ, ㄴ, ㄷ

09 그림은 어떤 원자의 전자 배치를 모형으로 나타낸 것이다. 이 원자에 대한 설명으로 옳은 것은?

① 2족 원소이다.

② 전자 껍질 수는 2이다.

③ 원자가 전자 수는 8이다.

④ 질소와 같은 족 원소이다.

⑤ 6개의 전자를 잃으면 옥텟 규칙을 만족한다.

1–❸ 화학 결합과 물질의 형성

10 그림은 탄소 원자와 산소 원자의 전자 배치를 모형으로 나타낸 것이다.

탄소   산소

탄소 원자와 산소 원자가 결합하여 이산화 탄소를 형성할 때, 공유 전자쌍의 수로 옳은 것은?

① 2　　　② 3　　　③ 4　　　④ 5　　　⑤ 6

11 다음은 염화 나트륨이 형성되는 과정에 대한 설명이다.

> (가) ㉠과 ㉡의 형성
> • (㉠)의 형성: 전자 1개를 잃고 형성된다.
> • (㉡)의 형성: 전자 1개를 얻어 형성된다.
> (나) ㉢의 형성
> • (㉠)과 (㉡) 사이의 정전기적 인력에 의해 (㉢)이 형성된다.

㉠~㉢에 알맞은 말을 옳게 나타낸 것은?

	㉠	㉡	㉢
①	나트륨 이온	염화 이온	공유 결합
②	나트륨 이온	염화 이온	이온 결합
③	염화 이온	나트륨 이온	공유 결합
④	염화 이온	나트륨 이온	이온 결합
⑤	염화 이온	나트륨 이온	금속 결합

12 그림은 원소 A와 B로 이루어진 이온 결합 물질 A_2B의 전자 배치를 모형으로 나타낸 것이다.

이에 대한 설명으로 옳은 것만을 〈보기〉에서 있는 대로 고른 것은?

> **보기**
> ㄱ. A와 B는 같은 주기 원소이다.
> ㄴ. 원자가 전자 수는 B가 A의 6배이다.
> ㄷ. A_2B를 구성하는 입자는 모두 옥텟 규칙을 만족한다.

① ㄱ　　　② ㄴ　　　③ ㄱ, ㄴ
④ ㄴ, ㄷ　　　⑤ ㄱ, ㄴ, ㄷ

13 그림은 화합물 YX_2의 전자 배치를 모형으로 나타낸 것이다.

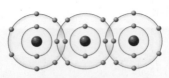

이에 대한 설명으로 옳지 <u>않은</u> 것은?

① X와 Y는 같은 주기 원소이다.
② X와 Y는 모두 비금속 원소이다.
③ 공유 전자쌍 수는 2이다.
④ 원자가 전자 수는 Y가 X보다 크다.
⑤ X_2Y에서 X와 Y는 모두 옥텟 규칙을 만족한다.

14 그림은 주기율표의 일부를 나타낸 것이다.

H							He
Li	Be	B	C	N	O	F	Ne
Na	Mg	Al	Si	P	S	Cl	Ar

이에 관한 설명으로 옳은 것은?

① 리튬과 산소는 공유 결합 화합물을 형성한다.
② 질소와 산소는 이온 결합 화합물을 형성한다.
③ 원자가 전자 수는 나트륨이 플루오린보다 크다.
④ 마그네슘이 1가 양이온이 되면 옥텟 규칙을 만족한다.
⑤ 마그네슘과 염소는 마그네슘 이온 : 염화 이온＝1:2의 개수비로 결합하여 화합물을 형성한다.

15 그림은 물질 (가)와 (나)를 모형으로 나타낸 것이다. (가)와 (나)는 염화 나트륨과 포도당 중 하나이다.

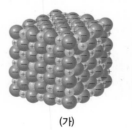 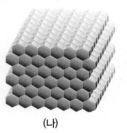

(가)   (나)

(가)와 (나)에 대한 설명으로 옳은 것만을 〈보기〉에서 있는 대로 고른 것은?

> **보기**
> ㄱ. (나)는 포도당이다.
> ㄴ. 고체 상태에서 전류가 흐르는 것은 1가지이다.
> ㄷ. (가)의 ⊖ 입자는 수용액 상태에서 (＋)극으로 이동한다.

① ㄱ　　　② ㄷ　　　③ ㄱ, ㄷ
④ ㄴ, ㄷ　　　⑤ ㄱ, ㄴ, ㄷ

16 다음은 빅뱅 이후의 초기 우주에서 일어난 주요 사건을 순서 없이 나타낸 것이다.

> • 수소 및 헬륨 원자핵 형성   • 전자와 기본 입자 형성   • 수소 및 헬륨 원자 형성

빅뱅 이후 위의 사건들이 일어나는 과정을 우주의 밀도 및 온도 변화와 함께 시간 순서에 따라 서술하시오.

》 과학적 사고력
빅뱅 초기 우주에서의 물질 생성

17 다음은 우주의 상태에 관한 두 과학자의 논쟁을 대화로 나타낸 것이다.

> • 아인슈타인: 우주에는 중력이 작용하는데, 중력과 크기가 같고 작용하는 방향이 반대인 미지의 우주 에너지가 있어서 우주는 정적인 상태를 유지하고 있습니다.
> • 프리드먼: 아닙니다. 아인슈타인 박사님의 일반 상대성 이론을 우주에 적용하면 우주는 팽창할 수도 수축할 수도 있는 동적인 상태입니다.

두 과학자 중 빅뱅 우주론과 가까운 내용을 주장한 과학자를 고르고, 그 과학자의 주장을 증명한 허블의 발견이 무엇인지 서술하시오.

》 과학적 사고력
빅뱅 우주론

18 다음은 알칼리 금속의 반응에 관한 글이다.

> • 알칼리 금속은 물과의 반응성이 크므로 공기 중 수분과의 접촉을 피하기 위해 석유나 벤젠과 같은 유기 용매에 보관해야 한다.
> • 리튬은 높은 반응성 때문에 폭발 위험이 있지만 큰 산화 경향과 가볍다는 이점 때문에 전지의 유용한 재료로 사용되고 있다.

알칼리 금속의 반응성이 큰 까닭을 원자가 전자와 관련지어 서술하시오.

》 과학적 탐구 능력
알칼리 금속의 반응성

19 그림은 주기율표의 일부를 나타낸 것이다.

(가)							He
Li	Be	B	C	N	O	F	Ne
(나)	Mg	Al	Si	P	S	(다)	Ar

위 주기율표에서 (가)~(다)의 원자로 형성될 수 있는 이온 결합 물질과 공유 결합 물질을 1가지씩 쓰고, 전자 배치를 그리시오.

》 과학적 사고력
이온 결합과 공유 결합

20 다음은 4가지 물질을 어떤 기준에 따라 분류하는 과정을 나타낸 것이다.

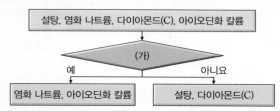

(가)로 적절한 분류 기준을 제시하고 그 까닭을 서술하시오.

》 과학적 문제 해결력
이온 결합 물질과 공유 결합 물질의 분류

2

자연의 구성 물질

도전, 지각과 생명체의 구성 성분 찾기

우리는 매일 흙이나 암석으로 이루어진 지각에서부터 수많은 동·식물에
이르기까지 다양한 사물과 마주한다. 지각은 다양한 광물로 이루어져 있으며,
생명체는 탄소 화합물을 기본으로 하여 만들어졌다.
이러한 광물과 탄소 화합물은 원소들의 화학 결합으로 만들어진다.
이 단원에서는 지각과 생명체를 이루는 물질들이
어떤 규칙에 따라 결합하고 있는지 확인해 볼 것이다.
또한, 자연에 존재하는 물질의 성질을 어떻게 변화시켜서
새로운 성질을 지닌 신소재를 개발할 수 있는지도 확인해 보자.

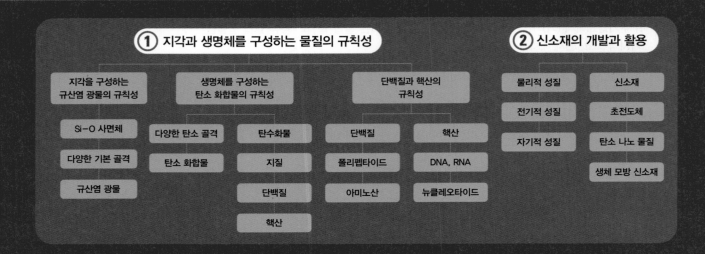

① 지각과 생명체를 구성하는 물질의 규칙성

- 지각을 구성하는 규산염 광물의 규칙성
  - Si−O 사면체
  - 다양한 기본 골격
  - 규산염 광물
- 생명체를 구성하는 탄소 화합물의 규칙성
  - 다양한 탄소 골격
  - 탄소 화합물
  - 탄수화물
  - 지질
  - 단백질
  - 핵산
- 단백질과 핵산의 규칙성
  - 단백질
  - 폴리펩타이드
  - 아미노산
  - 핵산
  - DNA, RNA
  - 뉴클레오타이드

② 신소재의 개발과 활용

- 물리적 성질
- 전기적 성질
- 자기적 성질
- 신소재
- 초전도체
- 탄소 나노 물질
- 생체 모방 신소재

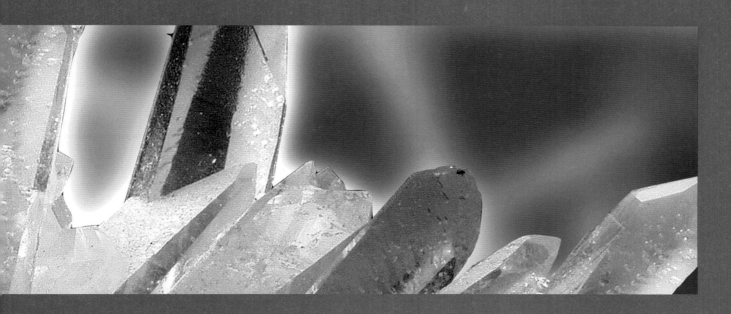

지각과 생명체를 구성하는 물질의 규칙성 ①
지각과 생명체를 이루는 물질은 어떤 규칙이 있을까?

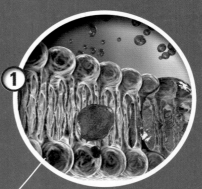

② **신소재의 개발과 활용**
어떤 신소재들이 개발·활용되고 있을까?

학습 계획 세우기

이 단원에서는 자연을 구성하는 다양한 물질이 특정한 규칙에 따라 결합하여 만들어지는 원리를 파악하고, 새로운 물질을 개발하는
사례를 학습한다. 각 소단원에서 학습할 내용을 미리 살펴보고 학습 계획을 세워 보자.

지구와 생명체를 구성하는 물질
　　→ 지각을 구성하는 물질이
　　　　만들어지는 규칙성
　　→ 생명체를 이루는 물질이
　　　　만들어지는 규칙성
→ 물질의 물리적 성질 → 전자기적 성질
　　　　　　　　　　　↘
　　　　　　　　신소재의 개발

지각과 생명체를 구성하는 물질의 규칙성 – ①

❶단계 생각 펼치기 지구와 생명체를 구성하는 물질은 무엇일까?

거대한 성운으로부터 태양계와 지구가 만들어진 후 지구에서는 지각, 대기, 해양이 만들어지고 생명체가 탄생했다. 생명체가 살기에 적합한 행성으로 진화한 지구의 특징을 이해하기 위해 지구를 구성하는 물질은 어떤 성분으로 이루어져 있는지 알아본다.

지각의 구성 성분

해수의 구성 성분

대기의 구성 성분   생명체의 구성 성분

토의하기

❶ 지각, 해수, 대기, 생명체를 각각 구성하는 성분 중 가장 많은 성분은 무엇인가?

예시 지각 – 장석(규산염 광물), 해수 – 물, 대기 – 질소(N_2), 생명체 – 물

❷ 지구(지각, 해수, 대기)와 생명체를 이루는 물질은 각각 어떻게 만들어졌는지 조사해 보자.

구분	구성 물질의 유래
지각	태양계 형성 초기에 뭉친 고체 물질❶이 모여서 지구가 만들어졌다. 이후 철과 같이 무거운 금속 물질은 핵으로 내려가고 비교적 가벼운 암석질 물질이 떠올라서 맨틀이 만들어졌고, 맨틀에서 지각이 만들어졌다.
해수	초기 지구의 활발한 화산 활동으로 지구 내부에서 방출된 기체 중의 수증기가 응결하여 비로 내리면서 바다가 만들어졌다.
대기	초기 지구의 화산 활동으로 방출된 수증기, 이산화 탄소 등이 대기를 이루었고, 바다가 만들어지며 수증기 농도가 감소하였다. 이산화 탄소가 바다에 용해되며 대기 중 농도가 감소하고, 식물의 광합성으로 산소 농도가 증가했다.
생명체	심해 열수구 등의 환경에서 단백질의 기본이 되는 아미노산과 핵산이 만들어졌고, 세포를 가진 생명체로 발전하여 다양한 종의 생물들로 진화했다.

■ 지각과 생명체를 구성하는 물질

(1) **지각의 구성 물질** 지각은 암석❷으로 구성되며, 암석은 주로 규산염 광물로 구성된다.
- 규산염 광물 산소(O), 규소(Si)와 여러 원소가 규칙적으로 결합하여 만들어진 화합물로, 장석, 석영, 휘석, 각섬석, 흑운모 등의 광물이다.

(2) **생명체의 구성 물질** 생명체는 단백질, 탄수화물, 지질 등으로 이루어져 있다.
- 탄소 화합물 단백질, 탄수화물, 지질 등의 물질은 탄소, 수소, 질소 등이 규칙적으로 결합하여 만들어진 탄소 화합물이다.

알고 있나요?

❶ 원소, 광물, 암석은 서로 어떤 관계인지 설명해 보자.

예시 광물은 원소가 결합하여 만들어지고, 광물이 모여 암석을 이룬다.

❷ 지각을 구성하는 주요 광물을 말해 보자.

예시 장석, 석영, 휘석, 각섬석, 흑운모 등

❸ 생명체를 구성하는 물질과 영양 성분에 관해 설명해 보자.

예시 생명체는 물과 단백질, 지방, 핵산 탄수화물 등으로 이루어져 있다.

❶ **지구를 이룬 고체 물질의 형성**
태양계 성운에서 태양 주위를 원반을 이루며 회전하던 물질이 작은 고체 알갱이로 응축하고, 이들이 서로 뭉쳐서 지름 1~10 km 규모의 미행성체를 형성하였다. 미행성체들이 서로 충돌하며 뭉쳐서 성장하여 지구가 만들어졌다.

❷ **지각을 구성하는 암석**
대륙 지각은 주로 화강암질 암석으로, 해양 지각은 주로 현무암질 암석으로 이루어졌다.

❷ 단계 해결하기 **1. 지각을 구성하는 광물은 어떤 규칙으로 만들어질까?**

컨테이너 조립식 주택은 컨테이너 1개를 기본 단위로 결합하여 만든 집이고, 플라스틱 블록 완구도 블록 1개가 기본 단위가 되어 집이나 장난감 등의 모양을 만든다. 감람석, 휘석, 각섬석, 흑운모 등 지각을 이루는 규산염 광물도 어떤 기본 단위가 결합하여 만들어진다. 규산염 광물을 구성하는 기본 단위는 규소(Si) 1개와 산소(O) 4개가 공유 결합한 Si−O 사면체인데, 이 사면체가 어떤 규칙으로 결합하여 다양한 광물이 만들어지는지 알아본다.

탐구 1 [모형 만들기] 규산염 광물의 결합 구조 모형 만들기

교과서 62~63쪽

 목표 과학적 탐구 능력, 과학적 의사소통 능력

모형 제작을 통해 광물이 만들어지는 규칙성을 알아낼 수 있다.

결과/정리

1. Si−O 사면체 종이 모형의 각 꼭짓점이 무엇을 나타내는지 말해 보자.

[예시] 산소 원자

2. 사면체 모형을 만들고 이어 붙이는 과정에서 발견한 규칙성을 말해 보자.

[예시] 모형을 규칙적으로 연결하면 점점 확장된 구조가 만들어진다. 사면체 여러 개를 연결하면 긴 사슬 모양이 만들어지고, 긴 사슬 모양끼리 연결하면 2겹의 사슬 모양이 만들어진다. 이 사슬을 연결하면 평면으로 넓게 이어진 모양이 만들어진다.

과정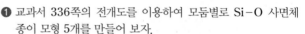

❶ 교과서 336쪽의 전개도를 이용하여 모둠별로 Si−O 사면체 종이 모형 5개를 만들어 보자.

❷ 과정 ❶의 사면체 모형 5개를 플라스틱 접착제로 이어 붙여 1줄로 길게 이어진 구조 모형을 만들어 보자.

❸ 두 모둠이 모여서 과정 ❷에서 만든 모형을 이어 붙여 2줄로 길게 이어진 구조 모형을 만들어 보자.

❹ 학급 전체가 모여서 과정 ❸에서 만든 모형을 이어 붙여 평면으로 넓게 이어진 구조 모형을 만들어 보자.

알아보기

그림은 대표적인 규산염 광물의 기본 결합 구조를 나타낸 것이다. 과정 ❶~❹에서 만든 모형이 각각 어느 광물의 결합 구조에 해당하는지 추론해 보자.

(가) 감람석   (나) 휘석   (다) 각섬석   (라) 흑운모

[예시] 과정 ❶의 사면체 1개로 이루어진 구조(독립 사면체형 구조)는 감람석, 과정 ❷의 사면체가 1줄로 길게 이어진 구조(단일 사슬형 구조)는 휘석, 과정 ❸의 사면체가 2줄로 길게 이어진 구조(2중 사슬형 구조)는 각섬석, 과정 ❹의 사면체가 평면으로 넓게 이어진 구조(판상형 구조)는 흑운모의 결합 구조에 해당한다.

탐구 분석

Si−O 사면체 종이 모형을 이용하여 규산염 광물의 결합 구조의 규칙성을 파악할 수 있다.

수행평가 TIP

탐구 수행	• 모둠에서, 두 모둠이 협력하여, 학급 전체가 모형을 만드는 과정에서 협력한다.	☆ ☆ ☆
	• 플라스틱 접착제를 사용할 때 화상에 주의하며 접착제를 손으로 만지지 않는다.	☆ ☆ ☆
탐구 결과	• 지각을 구성하는 규산염 광물의 기본 단위가 Si−O 사면체임을 이해한다.	☆ ☆ ☆
	• 감람석, 휘석, 각섬석, 흑운모로 갈수록 기본 구조가 점점 확장됨을 이해한다.	☆ ☆ ☆

1 지각을 구성하는 물질

(1) **지각을 구성하는 물질** 지각은 암석으로 이루어져 있으며, 암석의 대부분은 규산염 광물로 이루어져 있다.

(2) **규산염 광물** 규소와 산소를 주성분으로 하며 알루미늄, 철, 마그네슘 등을 포함하는 광물로, 장석(사장석, 정장석), 석영, 휘석 등이 있다.

조암 광물❶의 부피비

❶ 조암 광물
지각을 이루는 암석의 구성 광물을 조암 광물이라고 한다. 조암 광물의 대부분(약 90 %)은 규산염 광물이다.

2 지각을 구성하는 광물의 결합 규칙성

(1) **규산염 광물의 구조** 규산염 광물은 규소(Si)❷ 1개와 산소(O) 4개가 공유 결합을 이룬 Si−O 사면체를 기본 구조로 가진다.

Si−O 사면체

(2) **규산염 광물의 결합 규칙성**

① 규산염 광물의 기본 골격 Si−O 사면체가 이웃한 Si−O 사면체와 산소를 공유하며 결합하여 기본 골격을 형성한다.

독립 사면체 구조	단일 사슬 구조	2중 사슬 (복쇄상) 구조	판상 구조	망상 구조
— 산소 — 규소				
Si−O 사면체 1개가 기본 단위를 이룬다.	Si−O 사면체가 산소 2개를 공유하여 1줄로 길게 이어진 사슬 모양으로 결합한다.	Si−O 사면체가 2줄로 길게 이어진 사슬 모양으로 결합한다.	Si−O 사면체가 산소 3개를 공유하여 평면으로 넓게 이어진 얇은 판 모양으로 결합한다.	Si−O 사면체가 산소 4개를 모두 공유하여 망모양으로 결합한다.
감람석	휘석	각섬석	흑운모	석영

② 규산염 광물의 형성 Si−O 사면체가 이웃한 Si−O 사면체와 산소를 공유하며 결합하여 기본 골격을 형성하고 (공유 결합), 기본 골격 사이에 알루미늄(Al), 마그네슘(Mg), 철(Fe) 등 여러 가지 원소의 이온이 결합하여 (이온 결합) 규산염 광물이 만들어진다.

❷ 규소(Si) 원자의 전자 배치

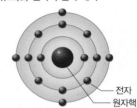

— 전자
— 원자핵

규소는 주기율표에서 14족 원소로, 원자가 전자가 4개이므로 최대 4개의 공유 결합을 형성할 수 있다.

• 확인하기

1. **이해** 규산염 광물은 주로 어떤 원소로 이루어져 있는지 말해 보자.
   예시 산소(O), 규소(Si), 알루미늄(Al), 철(Fe), 마그네슘(Mg) 등

2. **적용** 규산염 광물을 구성하는 원소가 어떤 규칙으로 결합하는지 설명해 보자.
   예시 규산염 광물은 규소 1개와 산소 4개의 공유 결합으로 만들어진 Si−O 사면체가 기본 단위가 되어 여러 가지 원소의 이온과 결합하여 만들어지거나(예: 감람석), 이러한 사면체가 이웃한 사면체들과 공유 결합하여 만들어진 하나의 사슬(예: 휘석) 또는 두 겹의 사슬(예: 각섬석), 판상(예: 흑운모)으로 결합된 기본 구조에 여러 가지 이온이 결합하여 만들어진다.

✔ 개념 확인 문제

1 규산염 광물의 가장 기본적인 골격을 이루는 구조는?

2 규산염 광물 중 Si−O 사면체가 평면으로 넓게 이어진 구조를 기본 골격으로 갖는 광물의 대표적인 예는?

② 단계 해결하기 2. 생명체를 구성하는 탄소 화합물은 어떤 규칙으로 만들어질까?

화성 탐사선 큐리오시티는 화성에 생명체가 존재하는지 알아보기 위해 탄소 성분을 분석하는 장비를 장착하고 있다. 현재까지 생명체가 존재하는 것으로 밝혀진 행성은 지구가 유일하며, 지구 상의 생명체는 모두 탄소 화합물로 이루어져 있다. 생명체를 구성하는 물질이 탄소 화합물로 만들어진 까닭과 생명체를 구성하는 탄소 화합물이 어떤 규칙으로 만들어지는지 알아본다.

탐구 2 [모형 만들기] 탄소 화합물의 골격 모형 만들기

교과서 64~65쪽

 목표 　　　　　　　　　　　　　　　과학적 탐구 능력

탄소 화합물의 골격 모형 제작을 통해 탄소 화합물이 만들어지는 규칙성을 알아낼 수 있다.

결과/정리

1. 과자 2개, 3개, 6개를 연결하여 각각 몇 가지 모형을 만들 수 있는가? 다른 모둠의 결과와 비교해 보자.

   예시 과자 2개를 연결하면 3가지 모형을, 과자 3개를 연결하면 6가지 모형을 만들 수 있다. 과자 6개를 연결하여 만들 수 있는 모형의 가짓수는 매우 많다.

2. 과자와 이쑤시개는 각각 무엇을 나타내는가? 과자 한 개에 4개의 이쑤시개를 꽂아 과자를 연결하는 것은 무엇을 의미하는지 추론해 보자.

   예시 과자는 탄소 원자를, 이쑤시개는 전자쌍을 나타낸다. 또한, 과자 한 개에 이쑤시개 4개를 꽂아 과자를 연결하는 것은 탄소의 원자가 전자가 4개이므로 옥텟 규칙을 만족하기 위해서 탄소 원자 한 개가 4개의 공유 결합을 형성해야 함을 의미한다.

과정

과자와 이쑤시개를 이용하여 다음 규칙에 따라 탄소 화합물의 골격 모형을 만들어 보자.

> [결합 규칙]
> • 규칙 1: 과자 1개에는 이쑤시개 4개를 꽂아야 한다.
> • 규칙 2: 이쑤시개를 사용하여 과자와 과자를 연결할 수 있다.
> • 규칙 3: 과자 한 개와 다른 과자 한개를 연결할 때에는 이쑤시개를 3개까지 사용할 수 있다.

❶ 과자 2개를 이쑤시개로 연결하여 골격 모형을 만들어 보자. 이때 가능한 모든 경우를 생각하여 모형으로 나타내어 보자.
❷ 과자 3개를 다양한 방법으로 연결하여 골격 모형을 만들어 보자.
❸ 과정 ❶과 ❷의 연결 방법으로 과자 6개를 연결하여 골격 모형을 만들어 보자.

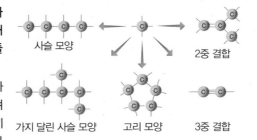

더 알아보기

다음은 실제 탄소 화합물의 기본 골격을 나타낸 그림이다. 과자로 만든 모형과 비교해 보고, 탄소 화합물이 다양한 모양으로 만들어질 수 있는 까닭이 무엇인지 토의해 보자.

예시 탄소는 4개의 공유 결합을 형성하면서 사슬 모양, 가지 달린 사슬 모양, 고리 모양 등 여러 가지 모양으로 결합할 수 있고, 탄소 원자끼리 단일 결합, 2중 결합, 3중 결합을 이루며 다양한 구조를 만들 수 있기 때문이다.

사슬 모양　　2중 결합

가지 달린 사슬 모양　　고리 모양　　3중 결합

탐구 분석

과자와 이쑤시개로 모형을 제작하여 탄소 화합물의 기본 골격이 다양한 모양으로 만들어지는 규칙성을 파악할 수 있다.

수행평가 TIP

탐구 수행	• 제시된 규칙을 준수하기 위해 모둠 구성원들과 논의하여 모형을 만든다.	☆ ☆ ☆
	• 이쑤시개의 끝이 뾰족하므로 찔리지 않기 위해 주의한다.	☆ ☆ ☆
탐구 결과	• 과자와 이쑤시개가 나타내는 것과 결합의 규칙성을 탄소 화합물과 관련지어 이해한다.	☆ ☆ ☆
	• 탄소 화합물이 생명체를 구성하는 물질로 적합한 까닭을 설명할 수 있다.	☆ ☆ ☆

1 탄소 화합물의 결합 규칙성

(1) 탄소 화합물

① 탄소 화합물 탄소(C)가 수소(H), 산소(O), 질소(N) 등과 공유 결합하여 만들어진 화합물로, 생명체를 구성하는 탄수화물, 단백질, 지질, 핵산 등은 모두 탄소 화합물이다.

② 탄소 원자의 전자 배치 탄소는 원자가 전자가 4개[1]이므로 옥텟 규칙을 만족하기 위해 4개의 공유 결합을 할 수 있다.

탄소 원자의 구조

(2) 탄소 화합물의 결합 규칙성

① 탄소 골격 형성 탄소는 다른 탄소와 규칙적으로 결합하여 다양한 탄소 골격을 만들 수 있다. 이때 단일 결합, 2중 결합, 3중 결합[2]이 가능하며, 사슬 모양, 가지 달린 사슬 모양, 고리 모양으로 결합할 수 있다.

| 사슬 모양 (단일 결합) | 가지 달린 사슬 모양 | 고리 모양 | 2중 결합 | 3중 결합 |

탄소 화합물의 결합 구조

② 탄소 화합물의 형성 탄소 원자가 다른 탄소와 규칙적으로 결합하거나, 산소(O), 수소(H), 질소(N), 인(P) 등의 다양한 원자와 결합하여 무수히 많은 종류의 탄소 화합물이 만들어진다.

❶ 탄소(C)와 규소(Si)
탄소와 규소는 모두 14족 원소로, 원자가 전자가 4개이다.

❷ 2중 결합과 3중 결합
2중 결합은 2개의 전자쌍을 공유하여 형성된 결합이고, 3중 결합은 3개의 전자쌍을 공유하여 형성된 결합이다.

 해 보기 1 〔자료 해석〕 **단위체의 결합으로 만들어진 탄수화물과 지질의 형성**   교과서 66쪽

목표   과학적 사고력

생명체를 구성하는 주요 탄소 화합물 중 탄수화물과 지질이 만들어지는 과정을 설명할 수 있다.

결과/정리

생명체를 구성하는 탄수화물과 지질이 만들어지는 과정을 설명해 보자.

〔예시〕 녹말과 글리코젠은 포도당이 단위체가 되어 여러 개가 한 방향으로 결합하여 만들어진다. 인지질은 글리세롤 1분자에 지방산 2분자가, 중성 지방은 글리세롤 1분자에 지방산 3분자가 결합하여 만들어진다.

💡 **탐구 분석** 탄수화물과 지질을 구성하는 단위체를 알아보고, 각 단위체가 결합하여 탄수화물과 지질이 만들어지는 과정을 설명한다.

과정

다음은 생명체를 구성하는 탄수화물과 지질을 나타낸 그림이다.

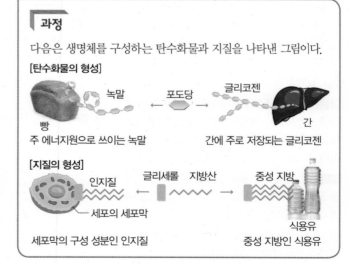

[탄수화물의 형성]

녹말 ← 포도당 → 글리코젠

빵
주 에너지원으로 쓰이는 녹말

간
간에 주로 저장되는 글리코젠

[지질의 형성]

인지질 ← 글리세롤 지방산 → 중성 지방

세포의 세포막

식용유

세포막의 구성 성분인 인지질   중성 지방인 식용유

---

2 생명체의 구성 물질

(1) 생명체의 구성 원소는 약 20종이 있으며 탄소(C), 수소(H), 산소(O), 질소(N)가 90 % 이상을 차지한다.

(2) 생명체를 구성하는 물질은 대부분 물이며, 그 외 단백질, 지질, 핵산, 탄수화물, 무기 염류 등이 있다.

3 생명체를 구성하는 탄소 화합물

탄소를 중심으로 여러 가지 단위체[3]가 만들어진 후 각 단위체가 다양한 형태로 결합하여 만들어진 것으로, 탄수화물, 지질, 단백질, 핵산 등이 있다.

(1) 탄수화물[4] 기본 단위는 **단당류**(포도당, 과당, 갈락토스)이다.
- 단당류 2개가 결합하여 이당류(엿당, 설탕, 젖당), 수백~수천 개가 결합하여 다당류(셀룰로스, 녹말, 글리코젠 등)가 만들어진다.
- 탄수화물의 종류

종류	단당류	이당류	다당류	
구조	탄수화물의 기본 단위 포도당	단당류 2개가 결합함. 엿당	수십~수천 개의 단당류가 결합하여 긴 사슬을 이룸. 녹말	글리코젠
예	포도당, 과당, 갈락토스	• 엿당: 포도당+포도당 • 설탕: 포도당+과당 • 젖당: 포도당+갈락토스	• 셀룰로스[5]: 식물 세포벽의 주성분 • 녹말: 식물의 저장 탄수화물 • 글리코젠: 동물의 저장 탄수화물	

(2) 지질 기본 단위는 **글리세롤**과 **지방산**이다.
- 글리세롤 1분자에 지방산 3분자가 결합하여 중성 지방을, 글리세롤 1분자에 지방산 2분자가 결합하여 인지질을 만든다.
- 지질[6]의 종류

종류	중성 지방	인지질
구조	• 탄소(C), 수소(H), 산소(O)로 구성 • 글리세롤 1분자와 지방산 3분자가 결합된 형태 글리세롤　지방산	• 탄소(C), 수소(H), 산소(O) 외에 인(P) 등을 포함 • 글리세롤 1분자와 지방산 2분자가 결합된 형태 친수성 머리 — 인산 소수성 꼬리 — 글리세롤 지방산
역할	저장 에너지원, 식용유의 주요 성분	세포막의 주요 구성 성분

(3) 단백질 기본 단위는 **아미노산**이다.
- 수십~수천 개의 아미노산이 결합하여 만들어지며, 아미노산의 배열 순서에 따라 단백질의 구조가 결정된다.

(4) 핵산 기본 단위는 **뉴클레오타이드**이다.
- 뉴클레오타이드는 염기 : 당 : 인산이 1:1:1로 결합한 것으로, 수많은 뉴클레오타이드가 결합하여 DNA나 RNA가 만들어진다.

· 확인하기

1. [이해] 생물체를 이루는 주요 탄소 화합물에는 어떤 것들이 있는지 말해 보자.
　[예시] 생명체를 이루는 주요 탄소 화합물에는 탄수화물, 단백질, 지질, 핵산 등이 있다.

2. [적용] 생명체의 주요 탄소 화합물을 이루는 단위체는 원소들이 어떠한 규칙으로 결합하고 있는지 설명해 보자.
　[예시] 탄소가 4개의 원자가 전자를 가지고 있어서 다른 원자와 4개까지 결합할 수 있으며, 탄소가 다른 탄소 원자와 결합할 때는 단일 결합, 2중 결합, 3중 결합을 할 수 있다. 따라서 사슬 모양, 고리 모양 등의 다양한 기본 골격을 이룰 수 있다. 이러한 기본 골격에 수소, 산소 등의 여러 원소가 결합하여 수많은 종류의 탄소 화합물이 만들어진다.

---

❸ 단위체
탄소 화합물에서 반복적으로 결합하여 구성단위 역할을 하는 작은 분자를 말한다. 단백질과 핵산은 단위체의 다양한 조합으로 형성된 고분자 물질이다.

❹ 탄수화물
화학식이 탄소와 물 분자로 이루어져 있는 것으로 보여 탄소의 수화물이라는 의미로 이름이 붙여졌다.

❺ 셀룰로스
식물의 세포벽 주성분으로 섬유소라고도 불린다. 식물의 목질부를 이루고 있다.

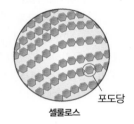

셀룰로스

❻ 스테로이드
지질의 한 종류로 4개의 탄소 고리로 구성되어 있다. 중성 지방과 인지질과는 다르게 탄소 고리로 되어 있어 지질 구조의 규칙성을 설명하기에 적합하지 않다.

스테로이드의 구조

✓ 개념 확인 문제

1 탄소가 다른 원자와 공유 결합하여 이루어진 고분자 물질을 무엇이라고 하는가?

2 중성 지방을 이루는 단위체에는 무엇이 있는가?

외계 생명체도 탄소 화합물로 이루어졌을까?

이 넓은 우주에 우리밖에 없다면 엄청난 공간의 낭비이다.

– 칼 세이건(Sagan. C., 1934~1996) –

지구는 현재까지 생명체가 존재하는 것이 확인된 유일한 행성이다. 그러나 인류는 가깝게는 태양계 내의 행성과 위성에서 생명체와 그 흔적을 찾기 위해 끊임없이 노력하고 있으며, 태양계 밖에서도 지구와 유사한 환경을 가졌을 것으로 추정되는 외계 행성을 찾고 있다. 만약 지구가 아닌 다른 천체에 생명체가 존재할 경우, 이 생명체도 지구의 생명체처럼 탄소 화합물로 이루어져 있을까?

과학자들이 외계 행성과 외계 생명체를 찾기 위해 노력하는 것과는 별개로 19세기 초부터 외계인과 외계 생명체를 소재로 하는 공상 과학(SF) 소설과 영화, 만화 등의 작품이 만들어졌다. 공상 과학(SF) 작품 속에서는 인류가 우주를 탐사하다가 낯선 행성과 생명체를 만나 그들과 교류하기도 한다. 또 어떤 작품에서는 고도로 발달한 문명을 가진 외계 생명체가 강력한 무기를 사용하여 지구를 침공하기도 한다. 작가의 과학적 상상력으로 그려진 외계 생명체는 그 모습은 물론 생명체를 구성하는 물질에 관해 많은 흥미를 불러일으킨다. 많은 작품에 등장하는 외계 생명체는 외모나 구성하는 물질이 인간과 유사한데, 그 까닭은 외계 생명체와 인간과의 교류와 소통을 다루는 이야기 전개에 유리하기 때문일 것이다.

그러나 몇몇 작품에서는 탄소 화합물이 아닌 다른 물질로 이루어진 외계 생명체의 모습을 그려내기도 했다. 그 대표적인 것이 규소를 기반으로 한 물질로 이루어진 생명체이다. 공상 과학(SF) 작가들이 규소 생명체가 우주에 존재할 가능성이 있다고 상상한 까닭이 무엇일까?

---

❶ 조사하기

1. 규소 생명체를 소재로 다룬 공상 과학(SF) 작품을 조사해 보자.

[예시] 엑스 파일 시리즈 '파이어워커', 스타 트렉 시리즈 '어둠 속의 악마', 영화 '퍼시픽 림', 그린(Green, J. L.)의 소설 '행성 간 양심' 등

2. 공상 과학(SF) 작품 속의 외계 생명체의 특징을 정리해 보자.

[예시] 공상 과학(SF) 작품에 등장하는 외계 생명체의 모습은 다양하다. 지적 생명체의 경우, 팔과 다리가 각각 2개이며 얼굴에 눈 2개와 코, 입이 있는 형태로 인간과 유사한 형태가 대부분이다. 또한, 팔과 다리의 수가 다르기도 하며 얼굴 생김새나 골격이 동물이나 곤충을 닮은 경우도 있고, 문어와 같은 연체동물 형태의 외계 생명체도 등장한다. 이러한 외계 생명체는 대부분 탄소 화합물 기반의 생명체이지만, 규소 기반의 생명체가 등장하는 작품도 있다. 식물과 동물이 결합된 생명체, 또는 개별 생명체들이 모여 의식을 공유하는 집단 생명체가 등장하는데, 각 작품 속에서 외계 행성의 환경에 부합하는 신체 구조와 생존 방식으로 설정되어 있다.

❷ 토의하기

1. 공상 과학(SF) 작품에서 규소 생명체를 소재로 다룬 까닭이 무엇인지 추론해 보자.

[예시] 탄소와 마찬가지로 규소 또한 원자가 전자가 4개이므로 규소 원자 한 개가 4개의 공유 결합을 형성하며 다양한 화합물을 만들 수 있기 때문이다.

2. 지구와 다른 우주 환경에서 탄소와 규소 중 어떤 원소가 생명체를 구성하는 물질로 적합한지 토의해 보자.

[예시] 지구와 같은 온도와 압력 조건에서는 탄소가, 지구와 다른 조건에서는 규소가 적합할 것이다. 탄소와 산소가 공유 결합하여 만들어진 물질은 실온에서 기체 상태이지만, 규소와 산소가 공유 결합하여 만들어진 물질은 실온에서 고체 상태이다. 따라서 지구와 같은 온도와 압력의 환경에서는 생명체의 물질대사 과정에서 탄소가 생명체를 구성하는 물질로 적합하지만, 지구에 비해 온도가 매우 높거나 낮은 환경에서는 탄소 화합물과 규소 화합물의 상태가 지구에서와는 다를 것이므로 규소가 생명체를 구성하는 물질로 적합할 수 있을 것이다.

❷단계 **해결하기** 　**3. 단백질과 핵산은 어떤 규칙으로 만들어질까?**

기차의 동력차 뒤에 객차를 연결하면 여객 열차가 되고, 기름을 실은 유조차나 화물차를 연결하면 화물 수송 열차가 된다. 기차도 단위체의 결합을 통해 전체의 쓰임새가 결정되고 '화물 수송 열차'와 같이 이름이 결정된다. 여기서는 이와 같이 우리 몸을 이루고 있는 단백질과 핵산도 단위체가 연결되어 구성되며, 각 단위체의 배열 순서에 따라 단백질의 입체 구조와 핵산의 유전 정보가 결정됨을 알아본다.

해 보기 2 　자료 해석 　**단백질의 구조와 규칙성** 　　　　교과서 68쪽

목표　　　　　　　　　　과학적 사고력

단백질의 구조와 규칙성을 설명할 수 있다.

결과/정리

1. 단백질을 구성하는 단위체가 무엇인지 말해 보자.

　예시 단백질을 구성하는 단위체는 아미노산이다.

2. 단위체가 단백질의 입체 구조를 만들기까지의 과정을 추론하여 모둠별로 설명해 보자.

　예시 아미노산이 펩타이드 결합으로 연결되어 폴리펩타이드를 만들고, 폴리펩타이드가 아미노산의 배열 순서에 따라 구부러지고 접혀 독특한 입체 구조를 갖는 단백질이 된다.

과정

다음은 단백질이 어떻게 구성되어 있는지를 나타낸 그림이다.

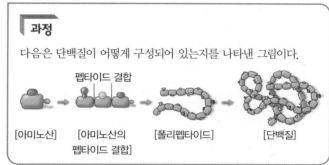

[아미노산]　[아미노산의 펩타이드 결합]　[폴리펩타이드]　[단백질]

---

1 **단백질의 구조와 규칙성**

(1) 아미노산 ── 탄소를 중심으로 아미노기, 카복실기, 수소 원자, 곁사슬(R)이 결합되어 있다.
곁사슬의 종류에 따라 아미노산의 종류가 달라진다.

• 단백질을 구성하는 단위체로, 탄소(C)를 중심으로 산소(O), 질소(N), 수소(H)가 결합한 구조이다.

• 생명체에서 사용하는 아미노산은 20가지가 있다.
　　　　　　　　　　　　　└ 곁사슬에 따라 20가지로 구분한다.

(2) 단백질의 형성

• **펩타이드 결합❶** 2개의 아미노산 사이에서 물 분자 1개가 빠져나오는 결합이다.

• **폴리펩타이드** 수많은 아미노산이 펩타이드 결합으로 연결되어 긴 사슬 모양의 폴리펩타이드를 형성한다.

• **단백질** 폴리펩타이드가 아미노산의 배열 순서에 따라 구부러지고 접혀 독특한 입체 구조❷를 가지게 된 것이다. ➡ 아미노산의 개수와 종류, 배열 순서에 따라 단백질의 입체 구조가 결정되고, 입체 구조에 따라 단백질의 기능이 결정된다.

(3) 단백질의 기능

• **몸의 구성 물질** 근육, 세포, 머리카락 등의 구성 물질이다.

• **생리 작용 조절** 효소, 호르몬, 항체 등의 성분으로 생명체 내 화학 반응과 생리 기능을 조절한다.

• **몸의 방어 작용** 항체의 성분으로 병원체에 대항하는 방어 작용을 한다.

• **에너지원** 생명 활동에 필요한 에너지원으로 이용된다.
　　　　　　　└ 1 g당 4 kcal의 열량을 낸다.

❶ 펩타이드 결합

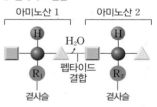

❷ 다양한 단백질의 입체 구조

단백질의 기능은 입체 구조에 의해 결정된다.

생명체와 단백질의 관계

목표
과학적 사고력

DNA 2중 나선 구조 모형을 만들고 관찰하여 DNA의 구조를 설명할 수 있다.

결과/정리

1. DNA 2중 나선 구조 모형에서 반복적으로 나타나는 단위체는 무엇인가?

   [예시] 흰색의 뼈대와 안쪽의 색을 가진 부분이 나타난다.

2. 완성된 DNA 입체 구조는 어떤 모양인가?

   [예시] 안쪽의 색을 가진 부분이 연결되어 오른 나선 모양으로 꼬여 있다.

3. DNA 2가닥이 서로 결합된 부분에서 어떤 규칙성이 관찰되는지 말해 보자.

   [예시] 흰색의 뼈대 안쪽의 색을 가진 부분이 연결되어 있으며, 색을 가진 부분에서 아데닌(A)은 타이민(T)과, 구아닌(G)은 사이토신(C)과 결합하고 있다.

💡 **탐구 분석** 모둠 구성원과의 토의를 통해 단위체를 찾고, 이의 연결을 통한 DNA 구조의 형성에 관하여 설명한다. 특히 서로 다른 가닥의 결합이 일어나는 규칙성을 파악한다.

과정

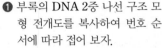
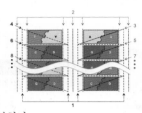

❶ 부록의 DNA 2중 나선 구조 모형 전개도를 복사하여 번호 순서에 따라 접어 보자.

❷ 1번은 산 모양 접기, 2번은 골짜기 모양 접기를 하고 3번부터 홀수는 골짜기 모양 접기, 4번부터 짝수는 산 모양 접기를 반복하자.

산 모양 접기   골짜기 모양 접기   산 모양과 골짜기 모양 접기를 마친 모습(한쪽 가장자리 맞추기)

산 모양과 골짜기 모양 접기 반복   산 모양과 골짜기 모양 접기 반복 후 펴기   양쪽 가장자리 펴기

수행평가 TIP

탐구 수행	• 모둠 구성원과 함께 DNA 입체 구조를 만들기 위해 자신의 역할을 맡아 적극 협력한다.	☆ ☆ ☆
	• 모둠별 발표에서 자신의 생각을 논리적으로 발표한다.	☆ ☆ ☆
탐구 결과	• DNA의 단위체를 구분한다.	☆ ☆ ☆
	• DNA 입체 구조의 특징을 정확하게 설명한다.	☆ ☆ ☆
	• 염기의 규칙적인 결합에 관하여 관찰한 내용을 설명한다.	☆ ☆ ☆

2 핵산

(1) **핵산** 생명체 내에서 유전 정보❸를 저장하거나 전달하는 물질이다.

(2) **종류** DNA와 RNA가 있다.

• DNA 유전 정보를 저장한다.

• RNA DNA의 유전 정보로부터 필요한 단백질을 합성할 때 이용된다.

• 다양한 생명 현상은 DNA에 저장된 유전 정보에 의해 일어난다.

(3) **뉴클레오타이드**

• 핵산을 구성하는 단위체이다.

• 인산 : 당 : 염기가 1 : 1 : 1로 결합한 것이다.

• 염기는 아데닌(A), 타이민(T), 유라실(U), 구아닌(G), 사이토신(C)으로 5종류가 있고, 당은 디옥시리보스와 리보스로 2종류가 있다.

RNA에만 있는 염기이다.

❸ 유전 정보
유전자의 정보는 DNA에 염기 서열로 저장되어 있다.

• DNA와 RNA의 뉴클레오타이드 비교

구분	당	염기
DNA	디옥시리보스	아데닌(A), 타이민(T), 구아닌(G), 사이토신(C)
RNA	리보스	아데닌(A), 유라실(U), 구아닌(G), 사이토신(C)

• **폴리뉴클레오타이드** 수많은 뉴클오타이드가 결합하여 만들어진 것으로, 뉴클레오타이드의 종류와 수, 배열 순서에 따라 서로 다른 폴리뉴클레오타이드가 만들어진다.

❹ 폴리
'많은'이라는 뜻으로, 단일한 물질에 대해 여러 개라는 뜻을 가진다.

아데닌(A)　타이민(T)　구아닌(G)　사이토신(C)
뉴클레오타이드

❹**폴리뉴클레오타이드**

(4) DNA와 RNA의 비교

DNA	구분	RNA
디옥시리보스	당	리보스
아데닌(A), 타이민(T), 구아닌(G), 사이토신(C)	염기	아데닌(A), 유라실(U), 구아닌(G), 사이토신(C)
폴리뉴클레오타이드 두 가닥이 꼬여 있는 2중 나선 구조	분자 구조	폴리뉴클레오타이드 한 가닥으로 구성된 단일 가닥 구조
유전 정보 저장	기능	유전 정보 전달, 단질 합성에 관여

❺ 상보결합
염기 간 결합은 분자 구조상 아데닌(A)은 타이민(T)과만 결합하며, 구아닌(G)은 사이토신(C)과만 결합하도록 되어 있는데, 이를 상보결합이라고 한다.

염기의 상보결합

(5) DNA 구조의 규칙성
• DNA는 두 가닥의 폴리뉴클레오타이드가 서로 마주 보며 꼬여 있는 2중 나선 구조이며, 염기 간 상보결합❺으로 연결되어 있다.
• 폴리뉴클레오타이드의 염기 배열이 다르면 서로 다른 유전 정보를 가진다.

• 확인하기

1. [이해] DNA를 구성하는 물질이 결합하는 규칙성을 말해 보자.
   [예시] DNA를 구성하는 물질은 단위체인 뉴클레오타이드가 연결되어 폴리뉴클레오타이드를 이루고, 이들이 상보결합하여 2중 나선을 만든다.

2. [적용] 단백질과 DNA 구조를 이루는 규칙의 공통점과 차이점을 설명해 보자.

구분	단백질	DNA
공통점	단백질과 DNA는 각 단위체가 다양한 조합으로 결합하여 구조와 기능이 복잡한 구조물을 만든다.	
차이점	• 단위체: 아미노산 • 수많은 아미노산이 펩타이드 결합으로 연결되어 폴리펩타이드를 만들며, 폴리펩타이드는 아미노산의 배열 순서에 따라 구부러지고 접혀 독특한 입체 구조를 갖고 기능이 다른 단백질이 된다.	• 단위체: 인산, 당, 염기가 하나씩 결합한 뉴클레오타이드로, 염기에(A, T, G, C) 따라 네 종류가 있다. • 구조적으로 같은 구조물을 갖지만, 네 종류 염기의 배열 순서에 따라 서로 다른 정보를 저장한다.

✓ 개념 확인 문제

1 단백질을 구성하는 단위체는 무엇인가?

2 핵산을 구성하는 단위체는 무엇인가?

3 핵산의 단위체를 구성하는 3가지 물질의 이름을 모두 쓰시오.

핵심 내용 정리하기

❶ 지각을 구성하는 광물이 만들어지는 규칙성 교과서 62~63쪽

지각을 구성하는 [❶ 규산]염 광물은 규소 1개와 산소 [❷ 4]개로 이루어진 [❸ Si-O 사면체]을/를 기본 단위로 다양한 결합을 하여 만들어진다.

Si-O 사면체의 구조

❷ 생명체를 구성하는 탄소 화합물이 만들어지는 규칙성 교과서 64~67쪽

탄소 원자는 사슬 모양, 고리 모양 등의 다양한 기본 골격을 이루며 무수히 많은 종류의 [❹ 탄소 화합물]을/를 만든다.

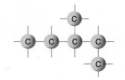

탄소 화합물의 기본 골격

❸ 단백질과 핵산이 만들어지는 규칙성 교과서 68~71쪽

(1) 단백질을 구성하는 단위체는 [❺ 아미노산]이며 단위체가 펩타이드 결합으로 연결되어 [❻ 폴리펩타이드]을/를 만든다.

(2) DNA의 단위체는 [❼ 뉴클레오타이드]이며, 이 단위체가 연결되어 DNA 사슬을 형성한다.

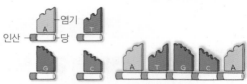

뉴클레오타이드와 폴리뉴클레오타이드

활동으로 확인하기

다음은 단백질이 만들어지는 과정의 모식도이다.

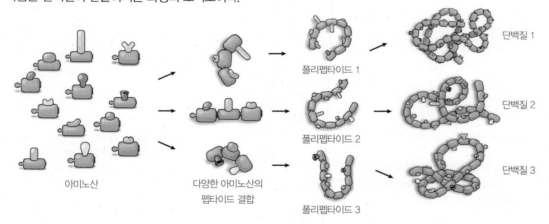

아미노산 / 다양한 아미노산의 펩타이드 결합 / 폴리펩타이드 1 / 폴리펩타이드 2 / 폴리펩타이드 3 / 단백질 1 / 단백질 2 / 단백질 3

❶ 서로 다른 단백질을 구성하는 폴리펩타이드의 아미노산 순서에 관하여 말해 보자.

예시 그림에서 서로 다른 단백질을 구성하는 폴리펩타이드는 아미노산의 순서가 서로 다르다.

❷ 단백질의 입체 구조가 다른 것은 세포의 유전 물질에서 어떤 부분이 다른 것 인지 추론해 보자.

예시 단백질의 입체 구조가 다른 것은 세포의 유전 물질인 DNA의 염기 배열 순 서가 다르기 때문이다.

❹단계 생각 넓히기   단백질 입체 구조와 방사광 가속기

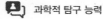 과학적 탐구 능력

2012년 노벨 화학상은 방사광 가속기를 이용해 세포막 단백질의 하나인 G 단백질의 입체 구조를 밝힌 미국의 레프코위츠(Lefkowitz, R., 1943~)와 코빌카(Kobilka, B., 1955~)에게 돌아갔다.

단백질의 입체 구조를 파악하면 암세포에만 작용하는 신약을 개발할 수 있어, 암을 유발하는 표적 단백질에만 작용하는 효과적인 약물을 개발할 수 있다. 이에 많은 연구자가 단백질의 입체 구조 파악에 노력하고 있다.

2016년 준공된 우리나라의 4세대 방사광 가속기는 미국, 일본에 이어 세계에서 세 번째로 만들어졌다. 전자가 길이 1.1 km에 이르는 방사광 가속기를 거치면 가속돼 강한 빛이 나오며, 이 빛을 통해 머리카락 두께의 수십만분의 일에 해당하는 나노 물질의 움직임을 관측할 수 있다. 특히 4세대 방사광은 3세대보다 1억 배나 밝아, 물질이 붙고 떨어지는 순간까지 포착할 수 있어 꿈의 빛이라고 불리고 있다. 단백질 구조 분석을 위해 3세대 방사광 가속기를 이용할 때는 불순물이 없는 결정을 만든 후 이를 이용하여 연구를 진행하는 번거로운 과정을 거쳐야 했으나, 4세대 방사광 가속기를 이용하면 결정을 만들 필요 없이 바로 입체 구조를 파악할 수 있어 우리나라의 신약 개발 사업에 새로운 전환기를 마련하고 있다.   (출처: 《경북일보》, 2016. 8. 26.)

방사광 가속기 전경(포항가속기연구소)

❶ 핵심 내용 파악

단백질의 입체 구조를 파악하고자 노력하는 까닭을 정리해 보자.

예시 단백질의 입체 구조를 파악하면 암세포에서 암을 유발하는 표적 단백질에만 작용하는 신약을 개발할 수 있다.

❷ 조사하기

단백질의 구조를 파악하는 것이 신약 개발에서 중요한 까닭과 단백질의 입체 구조를 파악하는 데 방사광 가속기의 빛이 어떻게 사용되는지 조사해 보자.

예시 일반적인 항암제는 독성이 강해 암세포뿐 아니라 분열 중인 정상 세포에도 나쁜 영향을 주어 부작용을 일으킨다. 암세포만 가지고 있는 특정 구조의 단백질이 존재하므로 이와 결합하는 신약이 개발되면 항암제의 부작용을 줄일 수 있다. 4세대 방사광 가속기의 강한 빛은 단백질 구조 분석을 위해 결정을 만들 필요 없이 바로 입체 구조를 파악할 수 있도록 해준다.

❸ 글쓰기

세포막 단백질에 결합하는 새로운 항암제를 개발하고자 한다. 이 단원에서 배운 단백질 구조의 규칙성을 바탕으로 단백질의 입체 구조의 다양성에 관해 말하고, 이를 약물 개발과 연결하여 새로운 약물을 어떻게 개발할 수 있는지 자신의 생각을 써 보자.

예시 단백질은 아미노산의 배열 순서에 따라 다양한 입체 구조를 가진다. 암세포 역시 단백질이 주요 구성 물질이며, 세포막에 특이적으로 존재하는 단백질이 있다. 이 입체 구조를 파악하면 이 부분에서만 결합하는 새로운 약물을 개발하여 적용할 수 있다.

❹ 토의하기

작성한 글을 모둠 구성원과 함께 읽고 더 알고 싶은 내용을 토의해 보자.

예시 우리 모둠은 암세포의 단백질에 결합하는 신약을 합성하는 과정을 더 알고 싶다.

＊방사광 가속기
전자를 빠르게 가속시켜 만든 빛인 방사광으로 물질의 미세 구조와 현상을 관찰하는 거대하고 정교한 현미경이다. 방사광 가속기를 통해 단백질 결합 구조를 밝혀 내어 신종 플루 치료제 등을 개발하였다.

– ❷ 신소재의 개발과 활용

교과서 74~75쪽

❶단계 생각 펼치기 인류가 만들어 사용한 새로운 물질에는 무엇이 있을까?

선사 시대 사람들은 뗀석기와 같이 자연에서 얻은 물질을 그대로 사용하거나 모양을 변형하여 사용했다. 이후 문명이 발달하면서 물질의 성질을 변화시켜 새로운 물질을 만들어내기 시작했다. 진흙에 열을 가하여 토기를 만들거나 광석에 열을 가하여 청동이나 철을 얻어 내고, 이를 통해 여러 가지 도구를 만들어 사용하였다. 또한 플라스틱이나 반도체와 같은 현대의 신소재도 이처럼 인류의 삶을 편리하게 하는데 도움을 주고 있다는 사실을 쉽게 떠올릴 수 있다. 여기서는 이러한 새로운 물질들의 물리적 성질을 알아보는 과정을 통해 새로운 소재의 이용이 인류의 문명 발전에 기여한 과정을 추론해 본다.

뗀석기

빗살무늬 토기

인류는 자연에 존재하는 물질의 특성을 변화시켜 사용해 왔다. 선사 시대의 역사를 석기, 청동기, 철기 시대로 나누는 것은 새로운 물질이 인류의 삶에 얼마나 큰 영향을 미쳤는지를 보여 주고 있다. 이러한 현상은 고대에만 있었던 것은 아니다. 20세기 이후에도 플라스틱과 같은 새로운 소재가 개발되면서 인류의 삶은 훨씬 편리해졌다.

토의하기

❶ 토기[1], 청동기[2], 철기를 구성하는 물질은 원재료와 성질이 어떻게 다를까?

구분	원재료	원재료와의 성질 차이
토기	점토	물에 녹지 않으며 단단하다.
청동기	광석[3]	구리, 주석, 아연 등 금속 물질만 추출되어 원하는 형태로 만들기 쉬우며 단단하다.
철기	광석	금속 물질만 추출되어 원하는 형태로 만들기 쉬우며, 고온에서 추출되어 청동기보다 더 단단하다.

❷ 자연에서 얻은 물질을 토기, 청동기, 철기로 변화시키기 위해 어떤 방법을 사용했는가?

예시 점토를 원하는 모양으로 만든 후 열을 가하면 화학 반응을 거쳐 토기가 만들어진다. 청동기와 철기는 금속 성분을 포함한 광석을 녹는점 이상으로 가열하여 얻을 수 있다.

❸ 토기, 청동기, 철기의 등장은 인류 문명에 어떤 영향을 주었을까?

예시 토기의 등장으로 음식물의 운반, 조리가 쉬워짐에 따라 삶의 영역이 확대되었으며, 청동기와 철기를 통해 원하는 모양으로 만들기 쉬우며 튼튼한 도구의 제작이 가능함에 따라 과거에 불가능했던 일을 할 수 있게 되어 인류 문명은 더욱 발전하게 된다.

알고 있나요?

❶ 전기가 잘 통하는 물질과 통하지 않는 물질의 예를 하나씩 말해 보자.

예시 전기가 잘 통하는 물질: 은, 구리, 철 등과 같은 금속
전기가 통하지 않는 물질: 고무, 유리, 플라스틱 등

❷ 물질의 특성[4]에는 어떤 것이 있는지 아는 대로 써 보자.

예시 밀도, 용해도, 녹는점, 전기 전도도 등

❶ 토기
토기 제작은 점토를 가열해서 물에 용해되지 않는 용기로 변화시키는 것으로 인류가 화학적 변화를 응용한 사건으로 인류 역사에서 획기적인 발명품 중 하나이다.

❷ 청동기
청동으로 만든 도구를 모두 일컫는다. 청동은 구리(Cu)에 주석(Sn)이 10 % 이상 포함된 합금으로 인류가 최초로 이용한 합금이다. 주석의 함유 비율을 조정하면 잘 변형되지 않고 물에 부식되지 않아서 무기나 종, 동상 등의 재료로 많이 사용된다.

❸ 광석
지구의 지각은 금속 성분을 포함한 다양한 광물들로 구성되어 있는데, 채굴, 제련을 통해 상업적인 이용이 가능한 정도의 금속을 함유한 것을 광석이라 한다.

❹ 물질의 특성
물리적 성질은 물체의 측정 가능한 모든 성질을 의미한다. 부피, 질량, 강도, 온도, 밀도 등이 이에 해당된다. 화학적 성질은 화학 반응을 전제로 정의되는 성질이며, 일반적으로 물리적 성질과의 구분이 명확하지 않다. 물질의 특성은 물리적 성질과 화학적 성질을 모두 포함하고 있다.

② 단계 해결하기 **1. 물질의 물리적 성질을 어떻게 이용할 수 있을까?**

드라이버 끝부분이 자성을 띠게 하면, 나사못이 드라이버에 붙어 있어서 드라이버로 나사못을 돌리기가 쉽다. 이처럼 우리는 일상생활에서 다양한 물질들을 사용하며, 이때 그 물질이 가지고 있는 물리적 성질을 이용하는 경우가 많다. 다양한 물질이 가지고 있는 물리적 성질에는 어떤 것들이 있는지 생각해 보고, 그러한 물리적 성질은 어떻게 사용되고 있는지 알아본다.

 탐구 1 **조사** **물질의 물리적 성질과 이용**

목표
과학적 탐구 능력

물질의 전자기적 성질을 알고 이를 이용하는 예를 말할 수 있다.

과정

(가) 물리적 성질 알아보기

❶ 그림은 물질의 물리적 성질을 조사하여 만든 마인드맵이다. 물질의 물리적 성질에는 어떤 것이 있는지 조사하여 마인드맵을 완성해 보자.

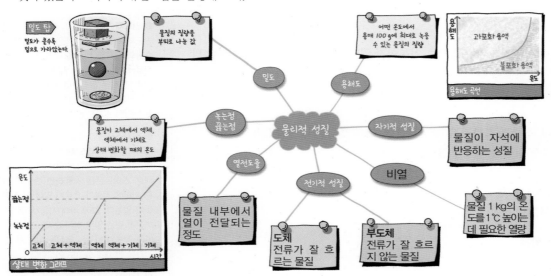

(나) 물질의 전기적, 자기적 성질을 이용한 예 알아보기

❷ 물질의 성질 중 전기적, 자기적 성질을 이용하고 있는 소재 두 개를 고르고, 그 소재가 주로 어디에 사용되고 있는지 조사해 보자.

물리적 성질	소재	활용 사례
전기적 성질	구리	저항이 작아 전기가 잘 통하므로 전선에 이용한다.
	플라스틱	저항이 커서 전기가 잘 통하지 않으므로 전선 피복, 전자 제품의 겉면 등에 이용하여 감전 등을 방지한다.
자기적 성질	철	전자석을 만들어 전동기에 이용한다.
	네오디뮴*	다른 금속과 합금을 만들면 강한 자성을 띠므로, 강력 모터와 같이 강한 자석이 필요할 때 이용한다.

*네오디뮴(Nd)
란타넘족에 속하며 원자 번호 60번인 원소로서, 철, 붕소와 합금을 만들면 지구상에서 현재 사용되는 자석 중 자기장이 가장 강하게 발생하는 자석을 만들 수 있다. 또한 투명 물질에 일부 첨가하여 적외선 레이저로 만드는 데도 이용하고 있다.

결과/정리

1. 물질의 물리적 성질에는 어떤 것이 있는지 말해 보자.

   예시 밀도, 용해도, 녹는점, 끓는점, 열전도율, 비열, 전기적 성질, 자기적 성질 등이 있다.

2. 우리 주변에서 전기적, 자기적 성질을 이용하는 제품에는 어떤 것이 있는지 말해 보자.

> **예시** • 전기적 성질을 이용한 제품: 전선, 액정, 전선 피복, 반도체를 이용한 소자, 발광 다이오드(LED)
>
> • 자기적 성질을 이용한 제품: 자기 부상 열차, 하드 디스크의 헤드를 움직이는 장치, 강력 모터, 자기 공명 영상 장치(MRI)

3. 물질의 성질을 이용하면 우리 생활에 어떤 도움을 주는지 토의해 보자.

> **예시** 우리 생활 속 다양한 분야에 유용한 새로운 제품을 만들 가능성을 제공하므로 기술 발전에 중요한 역할을 한다.

탐구 분석

물질의 전기적, 자기적 성질을 중심으로 물질이 가지고 있는 여러 가지 물리적인 성질을 정리할 수 있다. 이때 사용하려는 용도에 따라 서로 다른 물리적 성질을 이용한다.

수행평가 TIP

탐구 수행	• 탐구 수행의 구체적인 계획을 세워야 한다.	☆ ☆ ☆
	• 역할 분담을 통해 다양한 정보를 수집한다.	☆ ☆ ☆
탐구 결과	• 다양한 물리적 성질들을 잘 분류해야 한다.	☆ ☆ ☆
	• 전기적, 자기적 성질을 잘 이해해야 한다.	☆ ☆ ☆
	• 물질이 가지는 다양한 성질을 활용하고 있음을 이해해야 한다.	☆ ☆ ☆

1 물리적 성질

(1) **물리적 성질** 물질은 원자들의 결합으로 이루어져 있다. 따라서 원자의 종류, 결합 방법, 결합의 규칙성, 물질의 크기, 형태 등이 물질의 물리적 성질을 결정한다.

(2) **전기적 성질**

① **도체** 전류가 잘 흐르는 물체이다. 대부분의 금속이 이에 해당된다.

② **절연체(부도체)** 전류가 흐르지 않는 물체이다. **예** 고무, 유리, 플라스틱

③ **반도체❶** 전기적 성질이 도체와 절연체의 중간 정도인 물체이다. **예** 규소, 저마늄

(3) **자기적 성질**

① **자석에 잘 붙는 물질** 영구 자석의 원료로도 사용된다. **예** 철, 니켈, 코발트

② **자석에 잘 붙지 않는 물질** **예** 알루미늄, 구리, 플라스틱

2 물리적 성질의 활용

(1) **터치스크린❷** 손으로 화면을 건드리면 손과 스크린 사이에 미세하게 전류가 흘러 손이 화면에 닿은 위치를 알 수 있다.

(2) **자기 부상 열차** 열차가 전자석❸과 레일의 자석 사이에 작용하는 자기력에 의해 레일에서 뜬 상태로 운행하는 열차이다. 레일과 열차 사이에 마찰이 없어 조용하며, 에너지 손실이 적다.

(3) **전선** 전선은 구리, 은과 같이 전류가 잘 흐르는 도체로 만들고, 전선 피복은 플라스틱, 고무와 같이 전류가 잘 흐르지 않는 부도체로 만든다.

❶ 반도체

반도체에 불순물을 약간 섞으면 그 불순물의 종류와 비율에 따라 전기적 성질을 쉽게 조절할 수 있다는 것도 반도체의 또 다른 특징이다. 이러한 특징을 이용하여 컴퓨터나 전자 회로에 이용되는 다양한 소자를 반도체로 만든다.

❷ 터치스크린

스마트폰의 터치스크린은 전기적 성질의 변화를 인식한다. 따라서 장갑을 낀 채로 스마트폰을 사용하면 손과 스크린 사이에 전류가 흐르지 않아 잘 작동하지 않는다. 그에 비해 자동차 내비게이션과 같은 일부 터치스크린은 압력에 따라 전류가 바뀌는 물질을 이용하므로 장갑을 낀 채로 눌러도 인식한다.

❸ 전자석

전류가 흐르는 전선 주위에 자기장이 생기는 원리를 이용하여 전선을 원통형으로 감아 전류가 흐를 때 자기장이 형성되는 자석이다.

✔ 개념 확인 문제

1 대부분의 금속은 도체, 반도체, 절연체 중 어디에 속하는가?

2 자석을 가까이 할 때 철은 자석에 붙지만 플라스틱은 자석에 붙지 않는다. 이러한 성질을 무엇이라고 하는가?

• 확인하기

1. **이해** 물질의 물리적 성질에는 어떤 것이 있는지 말해 보자.

> **예시** 밀도, 용해도, 녹는점과 끓는점, 열전도율, 전기적 성질, 자기적 성질 등이 있다.

2. **적용** 전기가 잘 통하는 물질과 잘 통하지 않는 물질이 사용된 예를 일상생활에서 찾아보자.

> **예시** 전기가 잘 통하는 물질은 전선에, 잘 통하지 않는 물질은 이를 감싸는 피복에 이용된다.

❷ 단계 해결하기 **2. 어떤 신소재가 개발되고 있을까?**

자석이라고 하면 딱딱한 금속 자석이 먼저 생각나지만, 휘어지기도 하고 자를 수도 있는 고무 자석도 있다. 고무 자석은 철 성분이 들어 있는 금속 분말에 고무를 섞고, 거기에 1~5 mm 정도의 촘촘한 간격으로 N극과 S극이 번갈아 가며 나타나게 만들어서 고무의 성질과 자석의 성질이 함께 들어가 있도록 한 것이다. 고무 자석은 자기장의 크기가 일반 자석에 비해 약하지만, 철판에 부착시키기에는 충분하며, 대신 잘 휘어져서 다양하게 이용할 수 있다는 장점 때문에 널리 사용되고 있다. 여기서는 현재 개발되고, 사용되는 신소재에 무엇이 있는지 알아본다.

 탐구 2 **신문 만들기** **신소재 신문 만들기**

목표 과학적 의사소통 능력 / 과학적 참여와 평생 학습 능력

전기적, 자기적 성질을 변화시켜 만든 신소재를 조사하고 신문으로 만들어 발표할 수 있다.

과정

❶ 신문의 기사를 읽고 기사의 제목을 지어 빈칸에 써 보자.

예시 세상을 바꾼 신소재, 초전도체/꿈의 신소재 그래핀

결과/정리

1. 다른 모둠의 발표를 듣고 가장 많이 등장한 신소재의 장단점을 토의해 보자.

예시 • 초전도체는 전류가 흐르더라도 열이 발생하지 않아 열손실이 없으며, 큰 전류를 통해 강한 자기장을 만들 수 있다. 다만, 낮은 온도를 유지하기 위해 많은 비용과 에너지가 소모되기 때문에 아직 상용화되지 못하고 있다.

• 그래핀은 전기 전도성과 열전도성*이 아주 뛰어나고, 매우 얇아서 빛이 투과되는 장점이 있다. 또한 강도가 높으면서도 휘거나 구부릴 수 있다. 반면에 대량 생산이 어려우며, 반도체처럼 전기적 성질을 변화시키기 어렵다는 단점이 있다.

2. 다른 모둠의 신문에서 잘 작성된 기사를 고르고 그렇게 생각한 까닭을 말해 보자.

예시 신소재의 특징과 활용 분야에서 요구하는 성질을 얼마나 잘 설명하고 있는지를 보고 신소재의 장단점을 잘 평가한 모둠을 뽑으면 된다.

3. 앞으로 개발되어 일상생활에서 사용된다면 가장 기대되는 신소재는 무엇인지 모둠별로 토의해 보자.

예시 그래핀을 이용하여 현재보다 훨씬 더 빠르게 작동하는 컴퓨터, 구부러지는 디스플레이, 전자 종이 등을 만들 수 있다. 또한 야간 투시용 콘택트렌즈를 만들 수도 있다.

> *** 전기 전도성, 열전도성**
> 각각 물질 내에서 전류가 얼마나 잘 흐르는지와 열이 전도의 형태로 얼마나 잘 전달되는지를 나타내는 물리적 성질이다.

> **💡 탐구 분석**
> 전기적, 자기적 성질을 활용하는 다양한 신소재를 조사하여 신소재 신문을 만들어 본다. 조사한 신소재의 성질을 이해하고, 실제로 이러한 성질이 어떻게 활용되고 있는지 자세히 설명할 수 있을 정도로 조사한다. 대부분의 신문에서 광고란이 있듯이 조사한 신소재들을 활용하여 창의적인 발명품을 생각해 보고 이를 광고하는 광고란도 만들어 본다.

수행평가 TIP		☆ ☆ ☆
탐구 수행	• 신문의 구성을 전체적으로 계획해야 한다.	☆ ☆ ☆
	• 역할 분담을 통해 다양한 정보를 수집한다.	☆ ☆ ☆
탐구 결과	• 조사한 신소재의 전기적, 자기적 성질을 설명할 수 있어야 한다.	☆ ☆ ☆
	• 신소재가 활용될 분야와 신소재의 성질 사이의 관계를 잘 이해해야 한다.	☆ ☆ ☆
	• 신소재를 활용한 발명품을 창의적으로 설계해야 한다.	☆ ☆ ☆

1 초전도체

(1) **성질** 온도가 임계 온도보다 낮아지는 순간, 전기 저항이 0이 되며[1], 내부의 자기장을 밀어낸다(마이스너 효과).

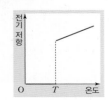
초전도체를 임계 온도 이하로 냉각시키면 전기 저항이 0이 된다.

초전도체를 자석 위에 올리면 자기장을 밀어내면서 자석 위에 뜬다.

(2) **활용 분야** 전기 저항이 0이므로 초전도체 도선을 이용하면 에너지 손실 없이 전력을 수송할 수 있으며, 큰 전류가 흐르게 되면 이에 의해 강한 전자석을 만들 수 있어 자기 부상 열차, 의료 기기 등에 활용될 수 있다.[2]

초전도체로 케이블을 만들면 전력의 손실이 없이 송전이 가능하다.

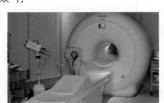
자기 공명 영상 장치[3]는 강한 자기장이 필요하므로 초전도체를 이용해 강한 전류를 흘려주어 자기장을 만든다.

(3) **단점** 임계 온도가 낮아 초전도 상태를 유지하는데 별도의 에너지가 필요하다.

2 그래핀

(1) **성질** 탄소 원자가 벌집 모양으로 결합된 평면 구조물이며, 전류가 잘 흐르고, 열이 잘 전달되며, 빛이 잘 통과하며, 강도와 탄성이 뛰어나다.

(2) **활용 분야** 반도체 정보 처리 속도를 획기적으로 높여 줄 뿐만 아니라 고성능 태양 전지 개발, 휘어지거나 투명한 디스플레이 등 다양한 분야에서 활용 가능하다.

(3) **단점** 강도가 좋은 만큼 제조 과정이 복잡하다. 전기적 성질을 변화시키기가 어렵다.

3 탄소 나노 튜브

(1) **성질** 그래핀이 원통 모양으로 말려 있는 구조이며, 강도가 높고 전류가 잘 흐르며, 열전도율과 탄성이 좋다.[4]

(2) **활용 분야** 강도가 높으면서도 어느 정도까지는 휘어지기 때문에 다양한 소재의 원료로 활용될 수 있으며, 전류가 흐르면 효율적으로 빛을 방출하기도 하므로 디스플레이로 사용되기도 한다.

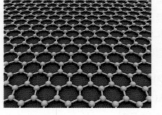

(3) **단점** 강도가 좋은 만큼 제조 과정이 복잡하다.

4 반도체

(1) **성질** 전기 저항이 도체와 부도체의 중간 정도이다. 규소(Si)와 같이 순수한 반도체[5]에 인, 비소, 붕소와 같은 불순물을 소량 첨가하면 전기적인 성질을 조절할 수 있다.

---

❶ 전류의 열작용
일반적인 도선에 전류가 흐르면 도선의 저항에 의해 전기 에너지가 열에너지로 전환되어 도선에 열이 발생하게 된다. 따라서 큰 전류가 흐르면 전선의 온도가 높아져 결국 녹아 버린다.

❷ 고온 초전도체
임계 온도가 질소의 끓는점(−173 ℃)보다 높은 초전도체로 1980년대에 처음 발견되었다. 액체 질소는 값이 싸기 때문에 임계 온도 이하로 유지하는데 비용이 적게 드는 장점이 있으나, 현재까지 알려진 고온 초전도체는 대부분 도자기와 비슷한 세라믹 재질이기 때문에 잘 휘어지지 않고 가공하기 어렵다는 단점이 있다.

❸ 자기 공명 영상 장치(MRI)
인체에 강한 자기장을 작용한 뒤 전자기파를 쏘면 인체 내에 가장 많은 원소인 수소(H) 원자핵의 움직임이 달라지는데 이 때문에 발생하는 자기장의 변화를 측정하여 분석하면 단면을 얻을 수 있어서 수술 없이 인체 내부를 촬영할 수 있다.

❹ 탄소 나노 물질
그래핀, 탄소 나노 튜브와 같은 탄소 나노 물질을 구성하는 탄소 원자는 공유 결합으로 결합되어 있다. 공유 결합은 화학 결합 중에서 가장 강한 결합이므로 탄소 나노 물질이 높은 강도를 가진다. 하지만 그만큼 원하는 모양으로 제조 방법이 어렵기도 하다. 현재는 쉽게 대량으로 생산할 수 있는 방법에 관한 연구가 활발하게 이루어지고 있다.

(2) **활용 분야** 전기적인 성질을 다양하게 만들 수 있다는 성질을 이용하여 다이오드, 트랜지스터와 같은 소자를 만들 수 있다. 이를 소형화해 집적 회로(IC)로 만든 소자들을 이용해 컴퓨터, 스마트폰과 같은 각종 전자 기기에 들어가는 CPU, 메모리 등 핵심 부품들을 만들고 있으며, LED, OLED와 같이 영상 장치에도 활용되고 있다.

휴대 전화의 내부에는 여러 가지 반도체 소자들이 들어있다.

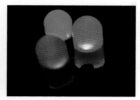

발광 다이오드(LED)는 전류가 흐를 때 빛이 발생하는 원리를 이용한 반도체 소자이다.

(3) **단점** 전기적 성질이 온도에 민감하다. 따라서 소자로 활용할 때 전류의 열작용으로 기기가 너무 뜨거워지면 오작동을 일으킬 수 있으므로 적절히 열을 배출해주어야 한다. 컴퓨터에 작은 팬이 달려 있는 것이 이 때문이다.

5 액정

(1) **성질** 3차원 중 한, 두 방향으로만 분자의 배열이 규칙적이어서 고체와 액체의 중간 상태를 띤다. 액정은 일반적으로 전압에 따라 분자의 배열이 바뀐다.
(2) **활용 분야** 액정 중에는 전압에 따라 빛의 투과량이 변하는 물질이 있는데 이를 이용하여 영상 장치인 LCD(Liquid Crystal Display)를[6] 만든다.

초기에는 LCD가 전자계산기 디스플레이 등에 활용되었다.

LCD를 이용해 작은 픽셀들을 만들어 모니터, 텔레비전 등의 영상 장치에 활용한다.

6 네오디뮴 자석

(1) **성질** 철에 네오디뮴과 붕소를 섞어 $Nd_2Fe_{14}B$를 이루는 합금이다. 자석에 잘 붙는 철에 이들 원소를 첨가하면 자기장의 방향이 한쪽으로 정렬되어 고정되는 효과 때문에 자기장이 강해진다. 다만 깨지기 쉬워서 보통 표면을 니켈 등으로 도금한다.

헤드

(2) **활용 분야** 하드 디스크의 헤드를 움직이는 장치, 강력 모터 등

헤드를 움직이는 장치

• 확인하기

1. **이해** 전기적 성질을 활용하여 개발 중인 신소재의 예를 써 보자.
   예시 그래핀, 탄소 나노 튜브, 초전도체 등이 있다.

2. **적용** 신소재의 개발이 우리 생활에 어떤 영향을 미치게 될지 말해 보자.
   예시 기존의 소재로는 불가능했거나 어려웠던 일이 가능해져서 인류의 생활 방식과 인류 문명의 발전에 영향을 준다.

⑤ 반도체 물질
순수하게 반도체의 성질을 띠는 물질은 14족 원소인 탄소, 규소, 저마늄 등이 있다. 이중 규소가 지각을 이루는 물질 중 가장 흔한 물질이어서 반도체 소자로 가장 많이 이용되고 있다. 그 외에도 15족 원소와 13족 원소의 화합물인 갈륨 비소(GaAs)도 반도체의 성질을 띠는데 전기적 성질이 규소와 약간 다르기 때문에 갈륨 비소도 반도체로 활용되고 있다.

⑥ LCD의 원리
LCD는 전압을 걸어 주면 액정의 분자 배열이 바뀌며 빛이 투과량이 변하게 만들 수 있는 성질을 이용한 것이다. 따라서 액정은 반도체 소자인 LED, OLED와 달리 스스로 빛을 내지는 못하기 때문에, LCD의 뒤에 별도의 조명을 켜준다. 이를 보통 백라이트라고 한다. (현재는 백라이트로 LED를 사용하는 경우가 많다.) 전자계산기 같은 초기 형태의 LCD는 백라이트 없이 빛이 반사판을 통해 반사되지 못하는 성질을 이용한다.

수직 편광판 액정층
수평 편광판
광원 빛 차단
전압 액정 컬러 필터 빛 통과

✓ 개념 확인 문제

1. 초전도체의 전기적 성질에는 무엇이 있는가?

2. 투명하면서 전류가 잘 흐르는 그래핀의 성질을 활용할 수 있는 방법에는 어떤 것이 있는가?

핵심 내용 정리하기

① **물질의 활용** 교과서 74~75쪽

역사적으로 새로운 물질의 등장은 인류의 생활에 커다란 변화를 가져왔다. 인류의 역사를 **❶ 석기** , **❷ 청동기** , **❸ 철기** 시대로 나누는 것은 새로운 물질이 인류의 삶에 얼마나 큰 영향을 주었는지 보여 주는 사례이다.

② **물리적 성질** 교과서 76~77쪽

물질을 구성하는 원자의 종류, 결합 방법, 결합 규칙성 등에 따라 물질의 **❹ 물리적 성질** 이/가 결정된다. 이러한 요인들을 변화시켜 새로운 물질을 만들 수 있다.

③ **다양한 물리적 성질을 활용한 신소재** 교과서 78~79쪽

물리적 성질에는 전기가 잘 통하거나 그렇지 않은 것과 관련된 **❺ 전기적 성질** 과/와 자석에 대해 반응하는 정도를 나타내는 **❻ 자기적 성질** 이/가 있다. 이러한 성질을 활용한 신소재에는 **❼ 초전도체** , **❽ 그래핀** 등이 있다.

인간의 생활에 커다란 변화를 준 물질들

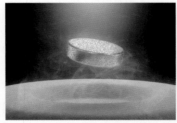

초전도체는 자기장을 밀어내므로 자석 위에서 뜬다.

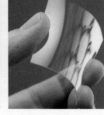

그래핀은 전류가 잘 흐르며 휘어진다.

활동으로 확인하기

다음은 그래핀의 성질과 그래핀이 이용되는 분야를 나타낸 그림이다.
아래 그림의 빈칸을 채워 보고 이를 참고하여 초전도체, 탄소 나노 튜브, 탄소 섬유 등 다른 신소재에 관한 그림을 그려 보자.

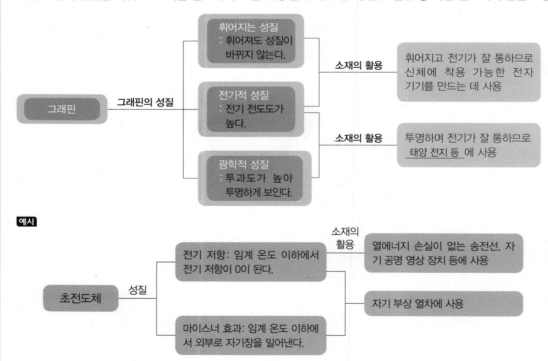

그래핀 — 그래핀의 성질
- 휘어지는 성질 : 휘어져도 성질이 바뀌지 않는다. — 소재의 활용 — 휘어지고 전기가 잘 통하므로 신체에 착용 가능한 전자 기기를 만드는 데 사용
- 전기적 성질 : 전기 전도도가 높다.
- 광학적 성질 : 투과도가 높아 투명하게 보인다. — 소재의 활용 — 투명하며 전기가 잘 통하므로 태양 전지 등 에 사용

예시

초전도체 — 성질
- 전기 저항: 임계 온도 이하에서 전기 저항이 0이 된다. — 소재의 활용 — 열에너지 손실이 없는 송전선, 자기 공명 영상 장치 등에 사용
- 마이스너 효과: 임계 온도 이하에서 외부로 자기장을 밀어낸다. — 자기 부상 열차에 사용

❹단계 생각 넓히기 생체 모방 신소재

🔓 과학적 문제 해결력

생물은 오랜 시간 동안 환경에 적응할 수 있도록 구조와 소재를 스스로 변화시키면서 진화해 왔다. 인간은 이렇게 진화한 생물의 생체 소재를 모방해 여러 가지 도구를 만들어 활용하고 있다.

현재 활발하게 연구되고 있는 것 중 하나가 게코 도마뱀의 발바닥을 모방하는 기술이다. 발바닥의 구조를 모방해 수직의 벽을 오르는 로봇, 붙인 방향의 반대 방향으로만 뗄 수 있는 테이프 등을 발명했다. 또한, 탄소 나노 튜브를 비롯해 여러 물질을 혼합한 신소재로 게코 도마뱀의 발바닥 구조를 모방해 접착제가 필요 없는 전도성 접착 패드를 만들어 생체 정보를 측정하는 기술도 개발했다.

이 외에도 다양한 생물들을 모방하는 기술이 연구 개발되고 있다.

❶ 상어의 특이한 비늘	❷ 파리의 빠른 비행	❸ 홍합의 질긴 족사	❹ 공작의 화려한 깃털
상어는 특수한 모양의 비늘을 가지고 있어 물의 저항을 최소화할 수 있다. 상어의 비늘을 모방한 수영복을 만들어 마찰력을 줄인다.	파리의 움직임이 날렵한 까닭는 파리의 날개짓과 그에 따른 공기의 움직임 때문이다. 현재 이를 모방한 소형 로봇의 개발이 진행 중이다.	홍합의 족사가 강한 접착력을 갖고 있다는 점을 활용해 지혈 주삿바늘을 만들었다. 족사의 카테콜아민이라는 성분을 키토산과 결합시켜 이를 주삿바늘에 코팅했다. 이 주삿바늘이 피부로 들어가는 순간 코팅된 성분이 혈액과 결합하면서 출혈을 방지하는 원리이다.	공작의 깃털의 색은 깃털의 구조에 의해 나타나는 색이다. 이는 화려한 색이 보이는 비눗방울과 같이 빛의 성질을 이용한 원리이다. 이를 이용하면 광원이 필요 없는 디스플레이가 가능하다. 전력이 적게 들고 햇빛이 강한 야외에서도 잘 보인다.

❶ 조사하기

1. 홍합의 족사, 공작의 깃털이 가진 특징과 이 특징을 모방하여 개발 중이거나 개발한 제품을 조사해 보자.

예시 위의 그림 ③, ④번의 설명 참조

2. 생체 모방은 생물체의 구조를 모방하는 방법, 구성 성분을 모방하는 방법, 기능을 흉내 내는 방법 등 다양한 방법으로 이루어진다. 앞에서 조사한 사례는 어떤 방법에 해당하는지 분류해 보고, 각 방법의 장점과 한계점을 조사해 보자.

예시 1. 구조를 모방하는 경우: • 상어의 비늘(돌기 모양으로 물의 저항을 최소화할 수 있으나 제작이 어려워 단가가 높다.)
　　　　　　　　　　　　　　• 공작의 깃털(빛의 성질을 이용하여 다양한 색을 만들 수 있으나 미세한 두께 조정이 쉽지 않다.)
　　　2. 성분을 모방하는 경우: 홍합의 족사(강한 접착력을 보이며, 물에서도 사용할 수 있지만, 대량 생산을 위해서는 더 연구가 필요하다.)
　　　3. 기능을 모방하는 경우: 파리의 빠른 비행(여러 방향으로 전환이 가능하지만, 크게 만들기는 어렵다.)

❷ 논술하기

앞으로의 신소재 개발은 어떤 방향으로 이루어져야 할지 조사 내용을 토대로 자기 생각을 써 보자.

예시 과학기술은 분명히 인류 대부분의 삶을 물질적으로 윤택하게 해주었으나 그에 못지않게 많은 사회·경제·환경 문제들을 일으킨 것도 사실이다. 인간은 자연의 일부이지만, 인간은 자연과는 정반대로의 행보였으므로, 더 이상 인간의 서식지를 지속하기에는 한계에 다다랐다. 인간은 지구에 적응을 해야 하며, 막강한 기술의 방향을 자연으로 향해야만 한다. 자연을 앞지르거나 조종하기 위해 자연에 관해 배우는 것이 아니라 자연과 영원한 조화를 이루면서 자연으로부터 배워나가야 한다. 이러한 생각을 바탕으로 신소재의 개발 과정에서도 이처럼 자연을 연구하면 새로운 물질의 개발 방향을 터득할 수 있을 것이며 자연에 맞는 물질을 개발할 수 있을 것이다.

📄 **기본 개념 정리하기**

01 다음 ( )에 알맞은 말을 넣거나, 물음에 답해 보자.

(1) 지각에서 가장 많은 비율을 차지하는 광물은 (규산)염 광물이며, 규소와 산소는 Si – O (사면체)을/를 만들어 이러한 광물의 기본 골격을 이룬다.

(2) 탄소는 (원자가) 전자가 4개이므로 최대 4개의 (공유) 결합을 할 수 있다.

(3) 단백질, 지질, 탄수화물은 모두 중심 원소가 (탄소)인 골격으로 이루어진 (탄소) 화합물이다.

(4) 폴리펩타이드를 구성하는 단위체는 (아미노산)이다.

(5) 단백질은 생체 효소와 각종 호르몬, 질병에 대항하는 (항체)(으)로 사용되고 있다.

(6) 포도당이 선형으로 결합하면 식물에서 에너지원으로 사용되는 (녹말)이/가 된다.

(7) DNA를 구성하는 단위체는 (뉴클레오타이드)이다.

(8) 물질의 물리적 성질에 영향을 주는 요인을 써 보자.
원자들의 결합 방법, 물질의 크기나 형태 등

(9) 물질의 물리적 성질을 변화시켜 만든 물질로 지금까지 없었던 새로운 물질을 무엇이라고 하는가? 신소재

(10) 자석에 반응하는 정도에 따른 물리적 성질을 무엇이라고 하는가? 자기적 성질

02 다음 〈보기〉의 각 광물과 그 기본 골격에 해당하는 결합 구조를 서로 연결해 보자.

┌ 보기 ┐

㉠ 감람석 • • (가) Si – O 사면체가 2줄로 길게 이어진 구조

㉡ 휘석 • • (나) Si – O 사면체 1개로 이루어진 구조

㉢ 각섬석 • • (다) Si – O 사면체가 평면으로 넓게 이어진 구조

㉣ 흑운모 • • (라) Si – O 사면체가 1줄로 길게 이어진 구조

03 그림은 여러 개의 탄소 원자가 결합한 모습을 나타낸 것이다. 이 중에서 탄소 화합물의 기본 골격이 될 수 있는 것만을 있는 대로 골라 보자.

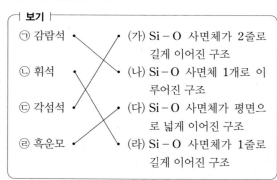

✔㉠ 사슬 모양   ✔㉡ 가지 달린 사슬 모양   ✔㉢ 고리 모양

해설 탄소 화합물은 단일 결합, 2중 결합, 3중 결합의 공유 결합을 통해 사슬 모양, 가지 달린 사슬 모양, 고리 모양 등의 다양한 기본 골격을 이룰 수 있다.

04 단백질에 관한 설명으로 옳은 것만을 〈보기〉에서 있는 대로 골라 보자.

┌ 보기 ┐

✔㉠ 소화 효소의 주성분은 단백질이다.

✔㉡ 단백질은 다양한 아미노산의 펩타이드 결합을 통해 만들어진다.

㉢ 단백질은 생명의 유전 정보를 저장하는 기능을 가지고 있다.

해설 ㉢ 생명의 유전 정보를 저장하는 기능을 가지고 있는 것은 핵산이다.

05 핵산에 관한 설명으로 옳은 것만을 〈보기〉에서 있는 대로 골라 보자.

┌ 보기 ┐

✔㉠ 대표적인 핵산에는 DNA와 RNA가 있다.

✔㉡ DNA 염기 서열에는 단백질을 구성하는 아미노산 배열 순서가 담겨 있다.

✔㉢ DNA 한 가닥은 4종류의 뉴클레오타이드가 결합하여 만들어진다.

㉣ DNA를 구성하는 염기 서열이 달라도 길이가 같으면 같은 유전 정보를 가지고 있다.

해설 ㉣ DNA의 길이가 같아도 염기 서열이 다르면 서로 다른 유전 정보를 가지고 있다.

06 생명체를 구성하는 주요 탄소 화합물과 그 특징을 서로 연결해 보자.

(1) 녹말 • • ㉠ 단당류가 기본 단위이다.

(2) 단백질 • • ㉡ 지방산과 글리세롤의 조합으로 만들어진다.

(3) 지방 • • ㉢ 실타래처럼 얽힌 구조물을 풀면 아미노산의 펩타이드 결합으로 이루어진 구조가 나온다.

07 그림은 물리적 성질을 활용한 도구이다.

(가) 나침반   (나) 전선   (다) 전동기

(1) 전기적 성질을 주로 활용한 것은 무엇인가? (나)

(2) 자기적 성질을 주로 활용한 것은 무엇인가? (가)

(3) 전기적 성질과 자기적 성질을 모두 활용한 것은 무엇인가? (다)

해설 전동기는 전류가 흐르면 자기장이 발생하는 성질을 이용한 것이므로 전기적 성질과 자기적 성질을 모두 활용한 것이다.

핵심 개념 적용하기

08

그림 (가)와 (나)는 각각 생명체와 지각을 구성하는 물질의 기본 골격 중 하나를 나타낸 것이다. 이에 관한 설명으로 옳은 것만을 〈보기〉에서 있는 대로 골라 보자.

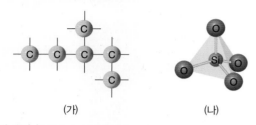

(가)   (나)

┌ **보기** ├
✔㉠ (가)의 탄소는 이웃한 탄소와 공유 결합을 하고 있다.

✔㉡ (나)는 감람석의 기본 골격이 될 수 있다.

㉢ (가)의 탄소, (나)의 규소는 모두 원자가 전자가 2개인 원소이다.

해설 ㉠ 탄소 화합물의 탄소 골격에서는 탄소가 이웃한 탄소와 공유 결합을 형성한다.

㉡ 감람석은 (나)와 같은 Si−O 사면체 1개를 기본 구조로 하는 규산염 광물이다.

㉢ 탄소 화합물의 기본 골격의 중심 원소인 탄소와 규산염 광물의 기본 구조인 Si−O 사면체의 중심 원소인 규소 모두 원자가 전자가 4개인 원소이다.

09

그림은 단백질 1과 2가 만들어지는 과정을 나타낸 것이다. 이에 관한 설명으로 옳은 것만을 〈보기〉에서 있는 대로 골라 보자.

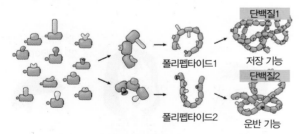

┌ **보기** ├
㉠ 폴리펩타이드 중에는 아미노산이 아닌 포도당이 기본 단위로 결합된 것이 있다.

✔㉡ 서로 다른 기능을 하는 단백질은 서로 다른 구조를 가진다.

✔㉢ 서로 다른 단백질은 구성하고 있는 아미노산 서열이 서로 다르다.

해설 ㉠ 폴리펩타이드는 모두 아미노산이 기본 단위이다.

㉡ 서로 다른 기능을 하는 단백질은 서로 다른 입체 구조를 가지고 있다.

10

그림은 DNA의 구성을 나타낸 것이다. 이에 관한 설명으로 옳은 것만을 〈보기〉에서 있는 대로 골라 보자.

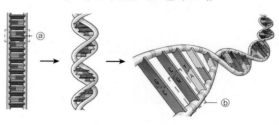

┌ **보기** ├
✔㉠ ⓐ에서 발견되는 염기는 최대 4종류이다.

✔㉡ ⓑ는 뉴클레오타이드이다.

✔㉢ DNA는 가닥 2개가 모여 2중 나선 구조를 이룬다.

해설 ㉠ DNA의 뉴클레오타이드는 서로 다른 염기 4종류로 구분되므로, ⓐ에서 발견되는 염기는 최대 4종류이다.

㉡ ⓑ는 DNA의 단위체인 뉴클레오타이드이다.

㉢ DNA는 폴리뉴클레오타이드 2가닥이 결합하여 2중 나선 구조를 이룬다.

11

그림 (가), (나)는 구리선과 피복으로 이루어진 전선과 네오디뮴 자석으로 만든 전동기를 나타낸 것이다. 이에 관한 설명으로 옳은 것만을 〈보기〉에서 있는 대로 골라 보자.

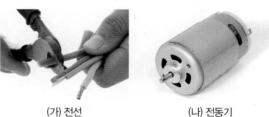

(가) 전선   (나) 전동기

┌ **보기** ├
✔㉠ (가)의 피복은 전기적 성질을 활용한 것이다.

✔㉡ (나)의 네오디뮴 자석은 자기적 성질을 활용한 것이다.

✔㉢ (나)에서 자석의 자기장이 클수록 전동기의 회전력이 커진다.

해설 ㉠ 피복은 전기가 통하지 않는 성질을 이용한 것이다.

㉡, ㉢ 네오디뮴 자석은 자기장이 강해서 같은 전류가 흘러도 전동기의 회전력을 높여 준다.

🔖 **과학과 핵심 역량 기르기**

💡 | 과학적 사고력 |

12 그림은 주기율표의 일부를 나타낸 것이다. 지각과 생명체를 구성하는 물질의 기본 구조를 이루는 원소로 각각 규소와 탄소가 유리한 까닭을 주기율표와 관련지어 써 보자.

족 주기	1	2	13	14	15	16	17	18
1	H							He
2	Li	Be	B	C	N	O	F	Ne
3	Na	Mg	Al	Si	P	S	Cl	Ar
4	K	Ca						

예시 탄소와 규소 모두 14족 원소로, 원자가 전자가 4개이다. 이로 인해 탄소와 규소 모두 4개의 공유 결합을 할 수 있고, 다른 원소들과 다양한 결합을 할 수 있다.

해설 탄소와 규소는 모두 주기율표에서 14족 원소에 해당하여 원자가 전자가 4개이므로 최대 4개의 공유 결합을 할 수 있다. 탄소는 단일 결합, 2중 결합, 3중 결합을 할 수 있으며, 사슬 모양, 고리 모양 등의 기본 골격을 이루며 결합하여 무수히 많은 종류의 탄소 화합물을 만들 수 있다. 규소는 산소 4개와 공유 결합을 이루어 $Si-O$ 사면체를 형성하고, 이를 기본 단위로 하여 여러 가지 기본 골격을 형성하면서 다양한 규산염 광물을 만들 수 있다.

🔒 | 과학적 문제 해결력 |

13 그림은 생명체에서 발견되는 주요 탄소 화합물을 나타낸 것이다. (가)와 (나)는 각각 단백질과 DNA 중 하나이다.

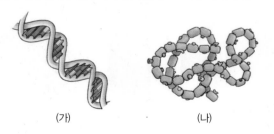

(가)   (나)

(1) (가)와 (나)는 각각 무엇인지 말하고, 그렇게 생각한 까닭을 말해 보자.

예시 (가)는 DNA, (나)는 단백질이다. (가)는 2중 나선 구조를 이루고 있고, (나)는 서로 다른 단위체가 선을 이루고 있다.

(2) (가)와 (나)의 공통점과 차이점을 설명해 보자.

예시 • 공통점: (가)와 (나)는 모두 단위체가 선으로 연결되어 거대 분자를 이루고 있다.
• 차이점: (가)에서는 단위체의 결합 순서가 달라져도 입체 구조가 변하지 않지만, (나)에서는 단위체가 결합하는 순서에 따라 입체 구조가 달라진다.

🔍 | 과학적 탐구 능력 |

14 그림은 생명체의 구성 성분을 나타낸 것이다.

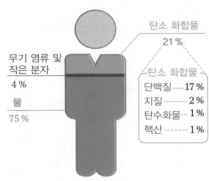

탄소 화합물
21 %

무기 염류 및
작은 분자
4 %

물
75 %

탄소 화합물
단백질 ---- 17 %
지질 ------ 2 %
탄수화물 -- 1 %
핵산 ------ 1 %

(1) 주요 탄소 화합물의 단위체가 공통으로 가지는 원소들은 무엇이 있는지 말해 보자.

탄소(C), 수소(H), 산소(O)

(2) 탄수화물의 한 종류인 녹말과 글리코젠의 형성 과정에 공통으로 나타나는 규칙을 설명해 보자.

예시 녹말과 글리코젠은 포도당이 단위체가 되며, 수많은 포도당이 결합하여 탄소 화합물을 이룬다.

💬 | 과학적 의사소통 능력 |

15 그림은 신소재에 대한 세 학생의 대화이다. 자신이 민수라고 가정하고, 재훈과 규리의 의견 중 타당하다고 생각되는 것을 선택하여 근거와 함께 설득하는 글을 써 보자.

새로운 소재들이 기존 소재를 대체하면 기존 소재는 쓸모가 없어져.

하지만 지금도 오래 전에 사용하던 도자기를 많이 사용하고 있어.

규리의 말처럼 새로운 소재들이 발명되어도 기존의 소재를 완전히 대체하지는 않아. 기존의 소재도 장점이 있기 때문이지.

재훈   규리   민수

예시 신소재가 개발되었을 때, 기존 소재와의 비교를 통해 장단점을 평가하게 된다. 따라서 기존 소재보다 좋은 점이 있는 부분은 신소재가 기존의 소재를 대체하지만, 기존 소재가 더 나은 부분에서는 여전히 예전의 소재를 사용한다. 다만 예전에 비해서 기존 소재가 사용되는 비중은 줄어들게 될 것이며, 신소재의 장점이 월등한 경우에는 거의 완전히 대체되는 경우도 있다. 따라서 재훈과 규리의 주장은 모두 일견 타당한 측면이 있다.

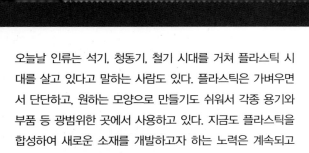

오늘날 인류는 석기, 청동기, 철기 시대를 거쳐 플라스틱 시대를 살고 있다고 말하는 사람도 있다. 플라스틱은 가벼우면서 단단하고, 원하는 모양으로 만들기도 쉬워서 각종 용기와 부품 등 광범위한 곳에서 사용하고 있다. 지금도 플라스틱을 합성하여 새로운 소재를 개발하고자 하는 노력은 계속되고 있다. 이처럼 플라스틱은 우리 생활에 없어서는 안 되는 주요 소재로 자리 잡았다.

하지만 플라스틱에는 여러 가지 단점도 있다. 버려진 플라스틱이 썩어서 분해되는 데 오랜 시간이 걸린다는 것이다. 더구나 플라스틱 제품은 일회용으로 사용되고 버려지는 것이 많다. 2016년 세계 경제 포럼의 발표에 따르면 플라스틱의 95 %가 재활용되지 않고 버려지고 있으며, 전체 플라스틱의 33 %는 바다로 떠내려간다고 한다. 현재의 추세대로라면 2050년쯤에는 바다에 물고기보다 플라스틱이 더 많아질 것이라고 주장하는 사람도 있다.

현재는 플라스틱에 의한 환경 오염을 줄이기 위해 자연에서 쉽게 분해되는 플라스틱을 개발하고 플라스틱을 재활용하는 등 여러 가지 노력을 하고 있다. 하지만 전 세계적으로 플라스틱의 사용량이 막대한 만큼 더 적극적인 연구 개발과 재활용 참여가 필요한 상황이다.

조사하기

1. 플라스틱으로 인한 문제점에는 또 어떤 것이 있는지 조사해 보자.

   예시 플라스틱은 대부분 원료가 석유로부터 나온다. 즉 석유를 정제할 때 나오는 나프타를 통해 에틸렌이 얻어지며 이를 합성하여 만드는 것이 플라스틱이다. 따라서 석유 자원이 고갈되면 현재처럼 나프타를 통해 플라스틱을 쉽게 만들어낼 수 없으므로 플라스틱 생산이 불가능해지거나 가격이 상승한다.
   또한 사용 과정에서 환경 호르몬이 배출되기도 한다. 환경 호르몬이란 화학 물질 중에서 체내에 들어가서 호르몬과 비슷하게 작용하면서 환경에 혼란을 준다. 따라서 환경 호르몬이 인체나 동·식물의 생태에 서서히 악영향을 줄 수 있다.

2. 우리 생활을 바꾼 플라스틱처럼 현재 개발되고 있는 나노 물질도 여러 장점을 가지고 있어 다양한 분야에서 사용될 것으로 기대하고 있다. 나노 물질의 사용이 증가했을 때 나타날 수 있는 문제점에는 어떤 것이 있는지 조사해 보자.

   예시 나노 물질은 단위 분자의 크기가 수십 나노미터 단위로 매우 작기 때문에 일반적인 필터 등으로 걸러내기가 어려우며, 인체에 들어갈 경우 석면 피해와 비슷한 방식으로 여러 가지 위험성이 발생할 가능성이 있다고 예측되고 있다. 하지만 신소재이기 때문에 아직 유해성에 관한 임상적인 연구 데이터가 축적되어 있지 않다는 문제점이 있다.

토의하기

1. 플라스틱 사용으로 발생하는 문제점을 해결하기 위해 어떤 노력을 해야 하는지 토의해 보자.

   예시 플라스틱 쓰레기의 처리 문제, 플라스틱의 이용 과정에서의 환경 호르몬 유출 문제, 석유 고갈 시 대체 물질 개발 등 다양한 문제를 해결하기 위해 개인적으로 필요한 노력(분리수거, 사용량 감소 등)과 사회적으로 필요한 노력(플라스틱 쓰레기 수거 대책 마련, 재처리 시설 확충, 처리 비용의 부담 문제 등), 과학적으로 필요한 노력(대체 물질 개발, 플라스틱 쓰레기 관련 기술 개발 등)으로 나눠 생각해 볼 수 있다.

2. 새로운 소재가 개발되었을 때, 합리적이고 안전한 사용법은 무엇인지 토의해 보자.

   예시 새로운 소재가 개발되었을 때 안전하게 사용하기 위해서는 그에 관한 정보가 필요하므로 신소재의 연구 과정에서부터 소재의 특성뿐 아니라 위험성에 관해서도 연구가 병행될 필요가 있다. 아울러 활용 과정에서도 처음에는 제한적으로 사용하며, 인체 및 환경에 미치는 영향을 계속 모니터하여야 한다. 이외에도 다양한 방안에 관해 토의를 나눌 수 있다.

3. 신소재 개발 과정에서 과학자가 환경적, 사회적, 윤리적으로 노력해야 할 점은 무엇인지 토의해 보자.

   예시 신소재의 개발 및 보급 과정에서 과학자는 장점뿐 아니라 단점과 문제점 역시 계속해서 모니터하여 인류와 환경에 미칠 영향을 고려하여야 한다. 과학자들은 새로운 물질에 부정적인 영향이 예상될 경우 이를 은폐하지 말고 적극적으로 밝혀서 인류 문명과 환경을 지켜야 할 윤리적인 의무 또한 가지고 있다. 석면, DDT, 클로로플루오로탄소(CFC)와 같이 장점만 알고 널리 사용되다가 과학자들에 의해 차츰 문제점이 알려지면서 현재는 사용이 금지된 물질들을 통해 과학자들이 이러한 노력도 기울여야 함을 깨달을 수 있다.

2-① 지각과 생명체를 구성하는 물질의 규칙성

01 그림 (가)~(다)는 각각 지각, 대기, 생명체를 구성하는 물질의 성분비를 나타낸 것이다.

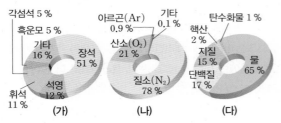

이에 대한 설명으로 옳은 것만을 〈보기〉에서 있는 대로 고른 것은?

┤ 보기 ├
ㄱ. (가)의 대부분을 차지하는 것은 규산염 광물이다.
ㄴ. (나)에서 질소와 산소의 대부분은 지구가 탄생한 시기부터 존재했다.
ㄷ. (다)에서 물을 제외한 물질의 대부분은 탄소 화합물에 해당한다.

① ㄱ ② ㄴ ③ ㄱ, ㄷ
④ ㄴ, ㄷ ⑤ ㄱ, ㄴ, ㄷ

02 다음은 사면체 모형을 만들어 지각을 구성하는 물질의 기본 결합 구조를 알아보기 위한 과정의 일부이다.

(가) 전개도를 이용하여 Si−O 사면체 종이 모형을 만든다.
(나) (가)의 사면체 모형을 이어붙여서 한 줄로 길게 이어진 구조 모형을 만든다.

이에 대한 설명으로 옳은 것만을 〈보기〉에서 있는 대로 고른 것은?

┤ 보기 ├
ㄱ. (가)에서 사면체의 각 꼭짓점은 규소(Si) 원자를 의미한다.
ㄴ. (나)에서 사면체와 사면체를 연결하는 것은 실제 광물에서 이온 결합을 의미한다.
ㄷ. (가)와 (나)를 기본 결합 구조로 하는 광물은 모두 규산염 광물에 해당한다.

① ㄱ ② ㄴ ③ ㄷ
④ ㄱ, ㄴ ⑤ ㄱ, ㄷ

03 다음은 탄소 화합물의 골격 모형을 만들어 탄소 화합물의 다양한 구조를 알아보기 위한 준비물과 규칙이다.

[준비물]
구슬 모양 과자, 이쑤시개

[규칙]
(가) 과자 1개에는 이쑤시개 4개를 꽂아야 한다.
(나) 이쑤시개를 이용하여 과자와 과자를 연결한다.
(다) 과자 1개와 다른 과자 1개를 연결할 때에는 이쑤시개를 3개까지 사용할 수 있다.

이에 대한 설명으로 옳은 것만을 〈보기〉에서 있는 대로 고른 것은?

┤ 보기 ├
ㄱ. 과자는 탄소 원자를, 이쑤시개는 전자쌍을 나타낸다.
ㄴ. 규칙 (다)는 탄소가 다른 탄소 원자와 결합할 때 3중 결합까지 형성할 수 있음을 의미한다.
ㄷ. 과자 3개를 연결하여 만든 모형의 가짓수는 2개를 연결하여 만든 모형의 가짓수의 1.5배이다.

① ㄱ ② ㄴ ③ ㄷ
④ ㄱ, ㄴ ⑤ ㄱ, ㄷ

04 그림 (가)는 탄소 원자의 전자 배치를, (나)는 메테인의 결합 구조를 나타낸 것이다.

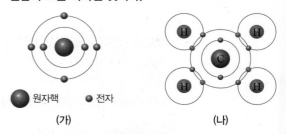

● 원자핵 ● 전자

(가) (나)

이에 대한 설명으로 옳은 것만을 〈보기〉에서 있는 대로 고른 것은?

┤ 보기 ├
ㄱ. (가)의 원자가 전자는 6개이다.
ㄴ. 메테인은 탄소 화합물에 해당한다.
ㄷ. (나)에서 탄소는 이웃한 수소와 모두 공유 결합하고 있다.

① ㄱ ② ㄷ ③ ㄱ, ㄴ
④ ㄴ, ㄷ ⑤ ㄱ, ㄴ, ㄷ

05 그림 (가)~(다)는 서로 다른 3가지 화합물의 결합 구조를 나타낸 것이다.

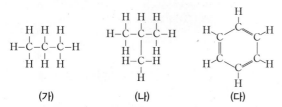

이에 대한 설명으로 옳은 것만을 〈보기〉에서 있는 대로 고른 것은?(단, 원소 기호 사이의 막대(—)는 전자쌍을 의미한다.)

보기
ㄱ. (가)에서 탄소는 옥텟 규칙을 만족하고 있다.
ㄴ. (다)에서 탄소는 고리 모양의 골격을 이룬다.
ㄷ. (가)~(다)와 같은 탄소 원자의 결합 방식으로 다양한 탄소 화합물이 만들어질 수 있다.

① ㄱ   ② ㄴ   ③ ㄷ
④ ㄱ, ㄴ   ⑤ ㄱ, ㄴ, ㄷ

06 그림 (가)와 (나)는 생명체의 구성 물질의 구조를 나타낸 것이다. (가)와 (나)는 각각 녹말과 글리코젠 중 하나이다.

이에 대한 설명으로 옳은 것은?
① (가)는 식물 세포벽의 주성분이다.
② (가)는 에너지원으로 사용되지 않는다.
③ (가)의 단위체는 인산, 당, 염기로 구성되어 있다.
④ (나)에서는 규칙성을 발견할 수 없다.
⑤ (나)는 동물세포의 에너지 저장 물질이다.

07 지질에 대한 설명으로 옳은 것만을 〈보기〉에서 있는 대로 고른 것은?

보기
ㄱ. 인지질은 글리세롤과 지방산으로 구성된다.
ㄴ. 인지질과 중성 지방은 모두 생명체에서 주된 저장 에너지원으로 이용된다.
ㄷ. 1개의 중성 지방은 1개의 인지질보다 지방산을 더 많이 가진다.

① ㄴ   ② ㄷ   ③ ㄱ, ㄴ
④ ㄱ, ㄷ   ⑤ ㄴ, ㄷ

08 그림은 단백질의 형성 과정을 나타낸 것이다.

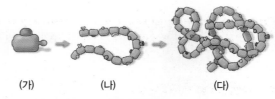

이에 대한 설명으로 옳은 것은?
① (가)가 결합하여 (다)가 만들어진다.
② (가)는 모두 같은 구조와 모양을 가지고 있다.
③ 생명체를 구성하는 (나)는 20가지이다.
④ (나)의 길이가 같으면 (다)의 구조도 같다.
⑤ (다)의 기능에 따라 (가)의 수가 결정된다.

09 단백질에 대한 설명으로 옳은 것은?
① 아미노산은 아미노기에 따라 20가지가 있다.
② 단백질의 기능은 펩타이드 결합 수로 결정된다.
③ 펩타이드 결합은 물 한 분자가 첨가되는 반응이다.
④ 아미노산의 기본 구조는 다르지만 곁사슬 부분이 같다.
⑤ 같은 입체 구조를 가진 단백질은 같은 아미노산 서열을 가진다.

10 그림은 DNA 2중 나선을 구성하는 어떤 폴리뉴클레오타이드의 일부를 나타낸 것이다.

이에 대한 설명으로 옳은 것만을 〈보기〉에서 있는 대로 고른 것은?

보기
ㄱ. 그림에는 당이 5개 있다.
ㄴ. 이 폴리뉴클레오타이드가 이루는 DNA 2중 나선에서 아데닌(A)과 타이민(T)의 비율은 같다.
ㄷ. 이 폴리뉴클레오타이드에 상보적으로 결합하는 염기 서열은 왼쪽부터 TACGT이다.

① ㄴ   ② ㄷ   ③ ㄱ, ㄴ
④ ㄱ, ㄷ   ⑤ ㄱ, ㄴ, ㄷ

2-② 신소재의 개발과 활용

11 그림은 전자석을 사용하는 자기 부상 열차가 레일에서 뜨는 원리를 나타낸 것이다.

이 자기 부상 철도에 대한 설명으로 옳은 것만을 〈보기〉에서 있는 대로 고른 것은?

┤ 보기 ├
ㄱ. 레일은 강도가 높고 자성이 약한 텅스텐으로 만드는 것이 좋다.
ㄴ. 레일과 전자석 사이에는 서로 밀어내는 힘이 작용한다.
ㄷ. 열차의 탑승 인원이 많아지면 전자석에 흐르는 전류의 세기는 증가한다.

① ㄱ   ② ㄷ   ③ ㄱ, ㄴ
④ ㄴ, ㄷ   ⑤ ㄱ, ㄴ, ㄷ

12 그림 (가)는 초전도체 위에 자석이 떠 있는 모습, (나)는 온도에 따른 전기 저항을 나타낸 것이다.

 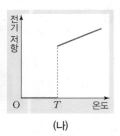

(가)   (나)

이에 대한 설명으로 옳은 것만을 〈보기〉에서 있는 대로 고른 것은?

┤ 보기 ├
ㄱ. (가)의 초전도체는 강한 자성을 띠고 있다.
ㄴ. (가)의 초전도체는 온도가 (나)의 T보다 낮다.
ㄷ. 초전도체로 강한 전자석을 만드는 것은 초전도체의 특성 중 (가)와 같은 특성을 이용한 것이다.

① ㄱ   ② ㄴ   ③ ㄱ, ㄴ
④ ㄴ, ㄷ   ⑤ ㄱ, ㄴ, ㄷ

13 그림 (가), (나)는 탄소 원자로 이루어진 탄소 나노 물질의 구조를 나타낸 것이다.

 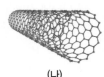

(가)   (나)

이에 대한 설명으로 옳은 것만을 〈보기〉에서 있는 대로 고른 것은?

┤ 보기 ├
ㄱ. (가)는 탄소 나노 튜브이다.
ㄴ. (가), (나)는 전기 전도성이 뛰어나다.
ㄷ. (가)는 빛의 투과성이 좋아 태양 전지의 전극에 사용될 수 있다.

① ㄱ   ② ㄷ   ③ ㄱ, ㄴ
④ ㄴ, ㄷ   ⑤ ㄱ, ㄴ, ㄷ

14 그림은 네오디뮴 자석의 모습이다. 이에 대한 설명으로 옳은 것만을 〈보기〉에서 있는 대로 고른 것은?

┤ 보기 ├
ㄱ. 물질의 자기적 성질을 활용한 예이다.
ㄴ. 철과 네오디뮴을 섞어 강한 자기장을 만든다.
ㄷ. 전동기에 활용될 수 있다.

① ㄱ   ② ㄴ   ③ ㄱ, ㄴ
④ ㄴ, ㄷ   ⑤ ㄱ, ㄴ, ㄷ

15 그림 (가)~(다)는 인간이 신소재를 개발하는 과정에서 모방한 생물의 생체 소재를 나타낸 것이다.

(가) 상어의 비늘   (나) 홍합의 족사   (다) 공작의 깃털

이에 대한 설명으로 옳은 것만을 〈보기〉에서 있는 대로 고른 것은?

┤ 보기 ├
ㄱ. (가)는 마찰이 적은 수영복 개발에 활용되었다.
ㄴ. (나)는 접착력이 강한 접착제로 이용된다.
ㄷ. (나), (다)는 구조를 모방한 생체 소재이다.

① ㄱ   ② ㄷ   ③ ㄱ, ㄴ
④ ㄴ, ㄷ   ⑤ ㄱ, ㄴ, ㄷ

16 그림 (가)~(다)는 각각 대표적인 규산염 광물인 감람석, 휘석, 흑운모의 결정과 기본 결합 구조를 나타낸 것이다.

>> 과학적 사고력
규산염 광물의 기본 결합 구조

（가）　　　　（나）　　　　（다）

규산염 광물이 어떤 규칙성을 가지고 만들어지는지 그림을 바탕으로 서술하시오.

17 그림은 DNA 2중 나선 구조 모형 만들기 탐구에 사용된 모형의 일부를 나타낸 것이다. 이 자료로부터 알 수 있는 염기의 상보결합에 대하여 서술하시오.

>> 과학적 탐구 능력
DNA 2중 나선 구조

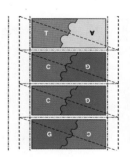

18 다음은 물체 A의 전기적, 자기적 성질을 알아보기 위한 실험이다.

>> 과학적 탐구 능력
물질의 전기적, 자기적 성질

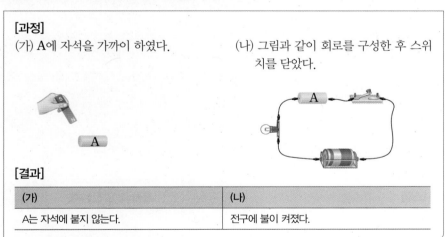

[과정]

(가) A에 자석을 가까이 하였다.

(나) 그림과 같이 회로를 구성한 후 스위치를 닫았다.

[결과]

(가)	(나)
A는 자석에 붙지 않는다.	전구에 불이 켜졌다.

과정 (가), (나)는 각각 무엇을 측정하기 위한 것인지 설명하고, A가 될 수 있는 물질의 예를 2가지만 서술하시오.

19 자연을 모방하여 만든 신소재의 사례를 1가지만 쓰고, 그 소재가 자연의 어떠한 성질을 모방하였는지를 서술하시오.

>> 과학적 문제 해결력
생체 모방 신소재

3

역학적 시스템

시스템이란 우리가 살고 있는 세상을 유지하는 체제이다.

자연에는 여러 가지 힘이 작용하는데,
이러한 힘이 자연의 시스템을 유지하는 데 중요한 역할을 한다.
특히, 지구상의 모든 물체에 작용하는 중력은 시스템 유지에
반드시 필요하다. 이 단원에서는 중력이 지구상의
시스템 유지에 어떤 역할을 하는지 확인하고, 여러 가지
힘과 운동에 관한 이해를 바탕으로 일상생활에서
안전사고를 예방할 수 있는 장치를 고안해 보자.

① 중력과 역학적 시스템
시스템을 유지하는 데 중력은 어떻게 작용하고 있을까?

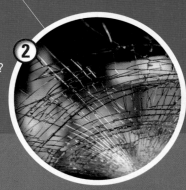
② 충돌과 안전장치
안전장치는 어떻게 만들까?

학습 계획 세우기

이 단원에서는 시스템을 유지하는 힘인 중력과 일상생활에서의 힘의 작용으로 인한 충돌 상황을 알아보고 안전 사고를 예방할 수 있는 방법을 탐구한다. 각 소단원에서 학습할 내용을 미리 살펴보고 학습 계획을 세워 보자.

```
                마찰력
                  ↕
        ┌──→   중력    →  중력의 작용  →  중력의 영향
        │         ↕
역학적    │       부력
시스템
        └──→   충돌 상황에서 힘의 작용  →  안전장치의 고안
```

3 - ❶ 중력과 역학적 시스템

교과서 88~89쪽

❶단계 생각 펼치기 자연에는 어떤 힘이 존재하고, 이 힘은 어떻게 작용할까?

인류는 오래전부터 하늘을 날고 싶어 했지만, 그 꿈을 쉽게 이룰 수 없었다. 지구상의 모든 물체에는 중력이 작용하기 때문이다. 그렇지만 결국 비행기를 발명하여 하늘을 날 수 있게 되었다. 이처럼 자연에 존재하는 힘을 적절히 이용하면 원하는 움직임을 만들어 낼 수 있다. 이 단원에서는 중력이 어떻게 작용하는지와 중력이 지구 시스템과 생명 시스템에 어떤 영향을 미쳤는지를 알아본다.

하늘을 나는 새, 물속을 헤엄치는 물고기, 수직 벽을 오르는 도마뱀과 같은 동물들은 중력을 극복하고 원하는 움직임을 만들어내기 위해 마찰력, 부력과 같이 자연에 존재하는 여러 가지 힘을 이용하고 있다.

토의하기

❶ 그림에서 동물들이 공통으로 받고 있는 힘은 무엇인가?

예시 지구 위에서 상호 작용❶ 하는 모든 물체에는 중력이 작용한다. 따라서 그림의 모든 동물들 역시 중력을 받고 있다.

❷ 각 그림에서 동물들이 원하는 대로 움직이기 위해 어떤 힘을 이용하는지 찾아보자.

예시 (가) 날아서 이동하는 날다람쥐: 중력에 의해 낙하하며 속력이 점점 커지지만, 몸을 비스듬히 넓게 폄으로써 공기의 저항력을❷ 효과적으로 제어하여 원하는 운동 방향과 속력으로 움직일 수 있다.

(나) 바다에서 헤엄치는 고래: 중력을 받아 점점 가라앉게 되지만, 부력에 의해 어느 정도 떠 있을 수 있다. 몸을 적절히 움직여 헤엄치는 것은 물의 저항력을 이용한 것이다.

(다) 나무를 오르는 도마뱀: 나무에 붙은 도마뱀도 중력 때문에 아래쪽으로 미끄러져 내려가게 될 것 같지만, 실제로는 발과 나무 사이의 마찰력을 이용하여 나무에 매달려 있거나 기어서 위로 올라갈 수도 있다.

❸ 인간이 비행기를 만들어 하늘을 날게 된 것처럼 과거에 할 수 없었던 움직임을 만들어낸 사례와 그 사례에서 작용한 힘을 조사해 보자.

예시 로켓: 연료를 뒤로 강력하게 배출할 때 발생하는 반작용을❸ 이용하여 앞으로 진행한다.

헬리콥터: 날개를 회전시킬 때 발생하는 공기 저항력을 이용하여 하늘을 난다.

암벽 등반: 수직에 가까운 벽을 오르기 위해 마찰력이 매우 큰 신발을 신고 암벽을 등반한다.

잠수함: 부력과 중력을 이용하여 물속 깊은 곳까지 내려갈 수 있게 하며, 물의 저항력을 이용하여 자유자재로 움직일 수 있다.

알고 있나요?

❶ 중력에 관하여 자신이 알고 있는 내용을 써 보자.

예시 • 중력은 질량이 원인이 되어 나타나는 힘이므로, 질량이 있는 모든 물체에 작용한다.
• 질량이 클수록 중력이 크고, 지표면에서 중력은 물체의 무게와 같다.

❷ 주변에서 중력이 작용한 사례들을 찾아 말해 보자.

예시 • 중력에 의해 빗방울이 떨어진다.
• 물은 높은 곳에서 낮은 곳으로 흐른다.
• 계단을 올라갈 때가 내려갈 때보다 힘들다.

❶ 상호 작용
둘 이상의 물체가 서로 영향을 주고받는 것을 말한다.

❷ 물의 저항력
헤엄칠 때 물의 저항력은 몸이 앞으로 나아가는 것을 방해한다. 그렇지만 팔이나 다리로 물을 저을 때, 팔과 다리가 뒤쪽으로 이동하는 것을 방해하는 물의 저항력으로 몸이 앞으로 나아갈 수 있다.

❸ 반작용
손뼉을 칠 때 손바닥을 마주쳐야 소리가 나듯이, 힘은 반드시 상호 작용한다. 따라서 한 물체에 힘을 가하면 반드시 같은 크기의 힘을 되돌려 받게 된다. 이처럼 작용한 힘에 의해 되돌려 받는 힘을 반작용이라고 한다.

❷ 단계 해결하기 | **1. 중력은 시스템에서 어떻게 작용할까?**

다이빙할 때 도움닫기 후 다이빙대를 발로 힘껏 밀면서 뛰어내리면 제자리에서 가만히 뛰어내리는 것보다 앞쪽으로 더 멀리 갈 수 있다. 그러나 뛰어내리는 방법에 상관없이 중력은 똑같이 연직 아래 방향으로 작용하고 있다. 따라서 다이빙 선수가 물로 떨어지는 운동은 힘이 작용하고 있는 수직 운동과, 힘이 작용하지 않는 수평 운동으로 나누어 생각해 볼 수 있다. 여기서는 자유 낙하 하는 물체와 수평으로 던진 물체의 운동을 분석하여 중력이 어떻게 작용하는지 알아본다.

탐구 1 [실험] 낙하 운동의 비교

교과서 90~92쪽

 목표   과학적 탐구 능력

자유 낙하 하는 물체와 수평으로 던진 물체의 운동을 비교해 중력의 작용을 설명할 수 있다.

과정

(가) 자유 낙하 하는 물체의 운동

시간(s)	0	$\frac{1}{30}$	$\frac{2}{30}$	$\frac{3}{30}$	$\frac{4}{30}$	$\frac{5}{30}$	$\frac{6}{30}$
위치(cm)	0	0.5	2.2	4.9	8.7	13.6	19.6
이동 거리(cm)		0.5	1.7	2.7	3.8	4.9	6.0
속도(m/s)		0.15	0.51	0.81	1.14	1.47	1.80

(나) 수평 방향으로 던진 물체의 운동

㉠ 수평 방향 운동

시간(s)	0	$\frac{1}{30}$	$\frac{2}{30}$	$\frac{3}{30}$	$\frac{4}{30}$	$\frac{5}{30}$	$\frac{6}{30}$
위치(cm)	0	7.9	15.8	24	31.9	40.1	48
이동 거리(cm)		7.9	7.9	8.2	7.9	8.2	7.9
속도(m/s)		2.37	2.37	2.46	2.37	2.46	2.37

㉡ 수직 방향 운동

시간(s)	0	$\frac{1}{30}$	$\frac{2}{30}$	$\frac{3}{30}$	$\frac{4}{30}$	$\frac{5}{30}$	$\frac{6}{30}$
위치(cm)	0	0.5	2	4.7	8.7	13.5	19.5
이동 거리(cm)		0.5	1.5	2.7	4.0	4.8	6.0
속도(m/s)		0.15	0.45	0.81	1.20	1.44	1.80

과정

❶~❸ 모눈종이를 도화지에 붙인 다음 실험대 옆면에 고정하고, 자의 끝부분과 실험대 끝에 각각 동전을 올린 다음, 카메라 렌즈를 눈금판에 향하도록 고정한다.

❹ 동영상 촬영을 시작하고 자의 중앙 부분을 손가락으로 누르면서 자 끝을 친다.

❺ 두 개의 동전이 각각 하나는 수직으로, 하나는 옆으로 날아가는 모습을 촬영한 다음 이를 컴퓨터에 옮기고 동영상 재생 프로그램으로 분석한다.

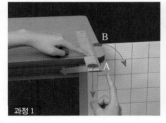
과정 1

과정 4

❻ 프레임 간격으로 재생하면서 동전의 위치를 기록하여 속도를 구한다.

탐구 분석

자유 낙하 운동은 아래쪽으로 1초에 약 9.8 m/s씩 빨라지며, 수평 방향으로 던진 물체는 수평 속도가 일정하고, 수직 방향 속도는 자유 낙하 운동과 비슷하게 1초에 약 9.8 m/s씩 빨라진다. 따라서 동전에는 연직 아래 방향으로 일정하게 중력이 작용하고 있음을 실험을 통해 확인할 수 있다.

결과/정리

1. 자유 낙하 하는 동전과 수평으로 던진 동전의 시간에 따른 속도를 그래프로 그려보자.

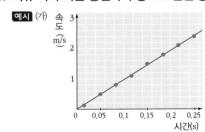

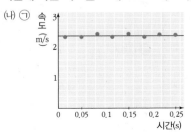

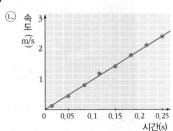

2. 자유 낙하 하는 동전의 운동을 분석하여 동전에 작용하는 중력의 방향과 크기를 말해 보자.

예시 연직* 아래쪽으로 일정하게 빨라진다. 따라서 중력의 방향은 연직 아래 방향이고 크기는 일정하다.

*연직
실에 추를 달아 늘어뜨릴 때 실이 나타내는 방향을 연직이라고 한다.

3. 수평으로 던진 동전의 운동을 분석하여 수평 방향으로 힘이 작용하는지 설명해 보자.

예시 (나)의 왼쪽 그래프를 보면 대략적으로 동전의 수평 속도가 변하지 않고 일정하게 유지되므로 수평 방향으로는 힘이 작용하지 않는다고 할 수 있다.

4. 자유 낙하 하는 동전과 수평으로 던진 동전의 수직 방향의 운동을 비교하여, 낙하하는 물체에 작용하는 중력의 방향과 크기에 관해 토의해 보자.

예시 (나)의 오른쪽 그래프를 보면 수평으로 던진 동전의 수직 방향 운동은 자유 낙하 하는 동전의 운동과 거의 같다. 수직 속도는 일정하게 빨라지는 것으로 보아 수평으로 던진 동전의 경우에도 중력은 아래 방향으로 작용하며, 중력의 크기 또한 자유 낙하 하는 동전에서와 같다. 동전의 운동 모습과 상관없이 중력의 작용은 일정하다고 결론 내릴 수 있다.

수행평가 TIP

탐구 수행	• 모둠 구성원과 협력하여 탐구를 수행한다.	☆ ☆ ☆
	• 두 개의 동전이 최대한 동시에 떨어지도록 실험을 여러 번 수행한다.	☆ ☆ ☆
	• 동영상을 프레임 별로 분석하여 동전의 위치를 알아낸다.	☆ ☆ ☆
탐구 결과	• 표를 정확하게 기입할 수 있어야 한다.	☆ ☆ ☆
	• 추세선 그리는 방법을 참조하여 그래프를 직선으로 그린다.	☆ ☆ ☆
	• 운동을 분석하여 중력의 방향과 크기를 설명할 수 있어야 한다.	☆ ☆ ☆

1 자유 낙하

(1) 자유 낙하 공기 저항을 무시하면 가만히 떨어뜨린 공이 바닥에 떨어질 때까지 받는 힘은 중력뿐이다. 이와 같이 중력만 받는 물체의 운동을 자유 낙하라고 한다.

(2) 가만히 떨어뜨린 물체의 운동 높은 곳에서 물체를 가만히 놓으면 속력이 1초에 9.8 m/s씩 일정하게 증가하는 운동❶을 한다.

시간(초)	0	1	2	3	4	5	6
위치(m)	0	4.9	19.6	44.1	78.4	122.5	176.4
구간 속력(m/s)		4.9	14.7	24.5	34.3	44.1	53.9	
구간 속력의 차(m/s)		9.8	9.8	9.8	9.8	9.8		

❶ 가만히 떨어뜨린 물체의 속력−시간 그래프

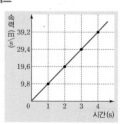

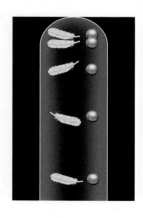

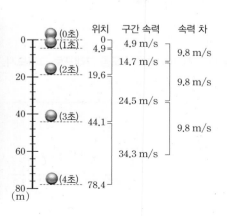

(3) **수평 방향으로 던진 물체의 운동**

① 수평 방향 속력이 일정한 운동[2]을 한다.

② 연직 방향 가만히 떨어뜨린 물체와 똑같이 속력이 1초에 9.8 m/s씩 일정하게 증가하는 운동[3]을 한다.

2 중력과 역학적 시스템

(1) **중력** 질량이 있는 모든 물체 사이에 상호 작용하는 힘으로 당기는 힘만 작용한다.

• 지구에서의 중력 지구가 물체를 잡아당기는 힘으로 흔히 무게라고 표현한다. 지구 상의 물체는 지구 중심을 향하는 방향으로 중력이 작용한다.

$$중력의 크기(N) = 질량(kg) \times 중력 가속도[4] (m/s^2)$$

(2) **지구 표면 근처에서의 중력[5]**

① 수평 방향 수평 방향으로 던진 물체의 수평 속력이 일정하다. 따라서 수평 방향으로는 중력이 작용하지 않는다.

② 연직 방향 수평 방향으로 던진 물체의 연직 속력이 1초에 9.8 m/s씩 일정하게 증가하므로, 질량이 1 kg인 물체에는 연직 아래 방향으로 크기가 9.8 N으로 일정한 힘이 작용한다.

③ 중력은 질량에 비례한다. 따라서 질량이 m인 물체에 작용하는 중력은 연직 아래 방향으로 크기가 $9.8 \times m$이다.

(3) **역학적 시스템**

① 시스템 각 구성 요소들이 일정한 규칙에 따라 상호 작용하면서 균형을 유지하는 집합

② 역학적 시스템 상호 작용에 힘이 필수적인 시스템.

(4) **뉴턴의 사고 실험** 물체를 수평 방향으로 던지면 지구가 둥글기 때문에 지면이 시작점보다 점점 낮아지므로 더 멀리 날아가다 땅에 닿는다. 따라서 속도를 점점 빠르게 던지다가 특정한 빠르기가 되면 바닥에 닿지 않고 지구를 한 바퀴 돌아 제자리로 돌아올 수 있다.

• 인공위성과 달의 원리 인공위성이나 달은 지구의 중력을 받지만 속력이 빨라서 지구로 떨어지지 않고 지구 주위를 일정한 속력으로 원운동을 한다.

수평 방향으로 던짐

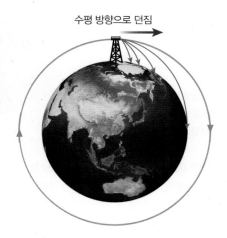

❷ 등속(도) 운동
속력이 일정한 운동을 등속 운동 또는 등속도 운동이라고 부르기도 한다.

❸ 등가속도 운동
속력이 점점 빨라지거나 점점 느려지는 운동을 가속도 운동이라고 부르기도 하며, 이때 특히 속력이 일정하게 변화하는 경우를 등가속도 운동이라고 한다. 등가속도 운동은 물체에 힘이 일정한 크기로 작용할 때 발생한다.

❹ 중력 가속도
지표면에서 공기 저항을 무시하면 모든 물체는 연직 아래 방향으로 1초당 9.8 m/s씩 빨라지는 운동을 한다. 이때 9.8 m/s²을 중력 가속도라고 부른다.

❺ 지구 표면에서의 중력
중력은 두 물체 사이의 거리가 멀어질수록 작아진다. 지구 표면 근처에서는 지구의 반지름에 비해 고도의 차이가 무시할 수 있을 정도로 작기 때문에 중력이 거의 일정하지만, 매우 높이 올라가면 지구의 중력은 작아진다.

✔ 개념 확인 문제

1 공을 수직 위로 던졌다가 다시 받았다. 그 과정에서 공에 작용하는 중력의 방향은?

2 자유 낙하 하는 물체의 속력이 점점 빨라지는 까닭은 무엇 때문인가?

• 확인하기

1. **이해** 수평으로 던진 물체에 작용하는 중력의 방향을 말해 보자.

   예시 수평으로 던진 물체에도 중력은 수직 아래 방향으로 작용한다.

2. **적용** 수평 방향으로 속력 5 m/s로 공을 던졌더니 3초 후 공이 바닥에 떨어졌다. 공이 바닥에 떨어질 때까지 수평 방향으로 이동한 거리는 얼마인지 계산해 보자.

   예시 수평 방향으로는 중력이 작용하지 않으므로 5 m/s의 속력을 유지하며, 등속 직선 운동을 한다. 공이 바닥에 떨어질 때까지 3초가 걸렸으므로 수평 방향 이동 거리는 5 m/s × 3 s = 15 m이다.

초식 공룡의 화석 중에는 그림과 같이 몸길이가 20 m가 넘는 목이 긴 것도 있다. 목이 길면 목을 세웠을 때 심장에서 머리까지 혈액을 공급하기 위해 높은 압력이 필요하므로, 목이 긴 동물들은 혈압이 높다. 특히 용각류에 속하는 초식 공룡과 같이 목이 매우 긴 공룡들은 혈압이 매우 높아야 하는데, 이렇게 높은 혈압을 유지할 수 있었는지는 지금까지도 미스터리다. 여기서는 중력이 지구 시스템과 생명 시스템에 미친 영향을 알아본다.

 해 보기 1 [자료 해석] **중력과 지구 시스템**   교과서 93쪽

┃목표┃   과학적 사고력

자료를 통해 중력이 지구 시스템에 미치는 영향을 설명할 수 있다.

┃결과/정리┃

1. [자료 1]에서 중력이 어떻게 영향을 미치는지 설명해 보자.

[예시] 낮에는 태양 복사 에너지에 의해 육지가 바다보다 더 빨리 가열되므로 육지 쪽 공기가 바다 쪽 공기보다 기온이 높아 밀도가 작다. 따라서 바다 쪽 공기보다 작용하는 중력이 작아서 육지 쪽 공기는 상승하고 바다 쪽 공기는 하강한다. 그 결과 바다에서 육지로 해풍이 분다.

밤에는 반대로 육지 쪽 공기가 먼저 식으므로 육지 쪽 공기가 밀도가 더 크다. 따라서 육지 쪽 공기에 작용하는 중력이 더 커서 육지 쪽 공기는 하강하고 바다 쪽 공기는 상승하여, 육지에서 바다로 육풍이 분다.

2. [자료 2]에서 중력이 영향을 미치는 때는 언제일지 설명해 보자.

[예시] 강에서 바다로 물이 흘러갈 때 높은 곳에서 낮은 곳으로 흐르는 것은 중력 때문이다. 공기 중의 물이 비, 눈으로 내리는 까닭은 물방울이 수직 아래 방향으로 중력을 받기 때문이다.

┃과정┃

❶ 자료를 통해 지구에서 벌어지는 여러 현상에 중력이 어떻게 영향을 미치는지 생각해 본다.

[자료 1] 해풍과 육풍의 발생

[자료 2] 물의 순환

3. 중력이 지구 시스템에 영향을 미치는 다른 예는 무엇이 있는지 토의해 보자.

[예시] 빙하가 중력에 의해 아래로 이동하면서 주위 지형을 침식하여 좁고 깊은 U자 모양의 골짜기 피오르(fjord)를 만들었으며, 이 부분에 바닷물이 들어와 세계적으로 유명한 여러 피오르 해안을 형성하였다.

물과 공기의 대류는 작용하는 중력의 차이 때문에 나타난다. 물이나 공기가 식어서 밀도가 커지면 중력에 의해 아래로 내려오고, 가열되어 밀도가 작아지면 위로 밀려 올라가게 된다.

지구에 대기가 존재할 수 있는 이유는 적당한 중력이 있기 때문이다. 또한 지구 대기는 지구 밖에서 들어오는, 생명체에 치명적인 우주선을 차단하는 중요한 역할도 한다.

💡 **탐구 분석**

해륙풍과 물의 순환은 중력이 지구 시스템에 영향을 주는 대표적인 예이다. 수권과 기권의 운동에 중력이 영향을 주고 있음을 탐구를 통해 파악할 수 있다.

1 중력과 지구 시스템

(1) **중력과 지구 시스템** 지구를 구성하는 모든 물체에는 지속적으로 중력이 작용하고 있다. 따라서 중력은 지구 시스템의 형성과 유지에 필수적이다.

(2) **해풍과 육풍** 공기가 가열되면 부피가 팽창하여 밀도가 작아지므로 단위 부피 당 작용

하는 중력이 감소하여 상승하게 되며, 주변의 공기는 하강하게 된다. 따라서 공기의 상승과 하강은 중력과 밀접한 관계가 있으며, 해안가에서는 낮과 밤에 상승하거나 하강하는 부분이 바뀌기 때문에 낮에는 해풍이, 밤에는 육풍이 분다.

① 해풍 낮에는 육지가 먼저 가열되어 육지의 공기가 상승하므로, 바다에서 육지로 해풍이 분다.

② 육풍 밤에는 육지가 먼저 냉각되므로 육지의 공기가 하강한다. 따라서 육지에서 바다로 육풍이 분다.❶

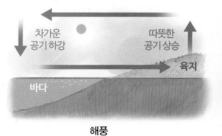

해풍

육풍

❶ 겨울철 새벽에 서해안에 눈이 자주 내리는 까닭
겨울철 우리나라의 서해안에는 지형적인 영향으로 다른 지역보다 새벽에 눈이 자주 내린다. 그 까닭은 밤이 되면 바다에서 수증기를 머금은 따뜻한 공기가 상승하면서 위쪽의 차가운 공기와 만나 눈구름을 형성하게 되는데, 이 구름이 상층부에서 육지로 부는 바람과 계절풍에 의해 해안가로 밀려 들어오게 되기 때문이다.

(3) **물의 순환** 비가 아래로 떨어지는 현상이나 물이 높은 곳에서 낮은 곳으로 이동하는 현상은 모두 중력 때문이다. 따라서 중력은 물의 순환에서 매우 중요한 역할을 한다.

(4) **그 외에 중력이 지구 시스템에 미치는 영향**

① 지구에 존재하는 대기 지구 대기에 산소와 질소가 주로 분포하는 까닭 중 하나가 지구의 중력 때문이다. 만약 중력이 현재보다 더 작았다면 이들 기체를 대기권에 잡아 두지 못하고 우주로 날아가 버렸을 것이며, 더 컸다면 수소와 헬륨❷같이 가벼운 원소들도 대기에 존재했을 것이다.

② 밀물과 썰물의 생성 지구와 달 사이에 작용하는 중력 때문에 밀물과 썰물이 하루에 약 2번씩 바뀐다.

③ 거의 구형을 유지하며 자전 및 공전하고 있는 지구 자전과 공전 과정에서 회전의 영향을 받아 적도가 더 뚱뚱해지지 않고 거의 구형을 유지하는 까닭 중 하나가 지구의 중력 때문이다.

④ 침식 지형 중력에 의해 물이나 빙하가 아래로 흘러가며 토지도 침식된다. 그에 따라 피오르❸와 같은 침식 지형이 형성된다.

❷ 지구에서의 헬륨
물(H_2O)과 같이 각종 화합물의 구성 물질을 이루어 지구에 존재하는 수소와 달리 헬륨은 비활성 기체이므로 화합물로 존재하지 않는다. 대기 중에 헬륨이 방출되면 지구의 중력으로는 헬륨을 잡을 수 없기 때문에 우주로 날아가 버린다. 따라서 현재 지구에서는 방사능 붕괴 과정에서 발생하는 헬륨이 천연가스 속에 섞여 있는 것을 추출하여 얻는다.

❸ 피오르(fjord)
오래 전에 빙하로 인해 U자형 계곡이 생성된 다음 바닷물이 들어온 지형을 의미한다. 노르웨이나 아이슬란드, 캐나다, 알래스카와 같이 북극해 인근 지역에서 주로 볼 수 있다.

우주에서 바라본 지구는 거의 구형을 유지하고 있다.

노르웨이의 피오르는 침식을 통해 U자 모양의 계곡을 이루었다.

목표

과학적 사고력

여러 가지 자료를 해석하여 중력이 생명 시스템에 주는 영향을 설명할 수 있다.

과정

❶ [자료 1]과 [자료 2]를 통해 중력이 생명 시스템에 주는 영향을 알아본다.

[자료 1] 여러 생물의 체중과 혈압 관계　　　**[자료 2] 정맥의 판막 단면**

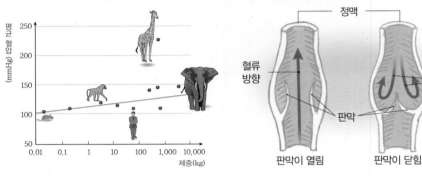

결과/정리

1. 기린의 혈압이 다른 포유류보다 높은 까닭을 기린의 신체적 특징과 관련지어 설명해 보자.

　예시　 [자료 1]을 보면 체중이 클수록 대체로 평균 혈압도 높게 나타나지만, 기린과 코끼리를 비교해 보면 체중이 가장 큰 코끼리보다 기린의 평균 혈압이 훨씬 높게 나타남을 알 수 있다. 이를 통해 체중보다 중요한 요소가 키라는 것을 유추할 수 있다. 기린의 긴 목은 뇌와 심장 사이의 거리를 멀게 하는 요인이다. 혈액을 뇌로 공급하는 것은 생명 유지에 필수적인 작용이다. 기린의 심장은 높은 곳까지 혈액을 보내기 위해 그 크기가 매우 크고, 강력한 근육으로 이루어져 있다. 하지만 이렇게 강한 심장과 큰 키는 다리에 매우 높은 혈압을 유발하는 원인이 될 것이다.

2. 심장 위쪽에 분포한 정맥에는 없는 판막이 심장 아래쪽에 분포한 정맥에는 꼭 필요한 까닭을 토의해 보자.

　예시　 정맥을 흐르는 혈액은 심장을 향하게 된다. 심장 위쪽에 분포한 정맥은 혈액이 아래 방향으로 흐르게 되는데, 이는 중력의 방향과 일치하므로 중력의 영향은 혈액의 자연스러운 흐름을 만들어 낸다. 그러나 심장 아래쪽에 분포한 정맥은 혈액이 위쪽으로 흐르게 되는데*, 이는 중력의 방향과 반대 방향이므로 혈액이 아래로 역류할 가능성이 있다. 판막은 혈액의 역류를 막는 기능을 하므로* 역류의 우려가 없는 심장 위쪽 정맥에는 필요하지 않을 것이다.

3. 인체에서 중력의 영향을 받아 나타나는 현상에는 무엇이 있는지 토의해 보자.

　예시　 발은 인체에 작용하는 모든 무게를 지탱해야 하는 부분이다. 발 안쪽의 뼈는 아치(arch) 구조를 이루고 있어 인체의 무게를 효과적으로 지탱하게 한다.

＊팔정맥과 판막
팔은 절반가량이 심장 위에 있지만, 혈액이 심장으로 향하기 위해서는 일단 어깨까지 올라가야 한다. 따라서 팔정맥에도 판막이 존재한다. 게다가 동물은 대부분 4족 보행을 하므로 사람의 팔이 앞발에 해당한다. 따라서 진화론적으로 그때의 판막이 아직 남아 있다고 볼 수도 있다.

＊하지 정맥류
정맥의 판막에 문제가 생겨서 혈액의 역류를 제대로 차단하지 못하게 되어 혈관이 울퉁불퉁하게 튀어나오는 질병이다. 주로 오래 서 있는 직업을 가진 사람들이 걸리는 것으로 알려져 있다.

💡 탐구 분석

모든 생명체는 지구상에서 살아가며, 따라서 중력의 영향을 받는다. 따라서 생명체는 중력의 영향에 맞게 생명 활동을 할 수 있도록 맞추어져 있음을 탐구를 통해 파악할 수 있다.

---

2 중력과 생명 시스템

(1) **중력과 생명 시스템** 지구의 생명체들은 지구 중력에 적응하면서 진화해 왔다. 따라서 중력은 생명체의 탄생 및 진화와 밀접한 관계가 있다.

(2) **목이 긴 동물들의 혈압**

① 목이 긴 동물들은 중력을 극복하고 높은 곳까지 혈액을 공급하기 위해 높은 혈압이 필요하다.

❹ 혈압
혈액이 혈관 속을 흐를 때, 혈관 벽에 미치는 압력. 보통 동맥 내 혈압을 의미한다.

② 기린의 혈압은 현존하는 포유류 중에서 가장 높다.

③ 중생대에 살았던 목이 긴 공룡들은 머리에 혈액을 공급하기 위해 혈압이 매우 높았을 것으로 추정되는데, 이렇게 높은 혈압으로 생존할 수 있었다는 것은 아직도 풀리지 않은 미스터리이다.

(3) 정맥의 판막

① 다리나 팔의 정맥[5]에서는 중력에 의해 피가 역류할 위험이 있으므로, 이러한 위험을 막기 위해 판막이 존재한다.

② 심장보다 높은 머리 쪽에 있는 정맥에서는 혈액이 중력에 의해 자연스럽게 심장으로 이동할 수 있다. 따라서 머리에 있는 정맥에는 판막이 존재하지 않는다.

(4) 조류의 뼈

① 중력을 극복하고 하늘을 날기 위해서는 뼈가 가벼워야 한다.

② 조류의 뼈는 속이 비도록 진화하여 다른 동물 뼈에 비해 가볍다.

목이 긴 공룡

조류의 뼈

(5) 그 외에 중력이 생명 시스템에 미치는 영향

① 굴지성 식물이 자랄 때 뿌리는 중력이 작용하는 연직 아래 방향으로 자라고, 줄기는 중력의 반대 방향인 연직 위쪽 방향으로 자란다. 비스듬히 놓인 곳의 식물이 생장할 때 뿌리와 줄기가 휘어지는 것을 통해 중력의 영향임을 알 수 있다.

② 전정 기관 사람의 귀에는 중력을 감지하여 인체의 균형을 유지해주는 전정 기관이 있다. 전정 기관 내부에 있는 이석[6]이 중력에 의해 움직이는 것을 감지하여 몸의 방향을 방지한다.

③ 육상 생물은 땅에 버틸 수 있는 부위인 다리와 뿌리가 발달되어 있으며, 안정적으로 중력을 이기기 위해 대체로 아래쪽이 더 굵고 튼튼하다.

굴지성 때문에 나무가 휘어져서 자란다.

무거운 코끼리는 중력을 이기고 몸체를 버티기 위해 다리 뼈가 발달되어 있다.

• 확인하기

1. **이해** 고생물학자들이 목이 긴 공룡의 존재를 해결되지 않은 문제로 생각하는 까닭은 무엇인지 말해 보자.
   예시 공룡의 머리와 목에 작용하는 중력을 고려해 볼 때, 그렇게 큰 중력을 견뎌낼 수 있을 정도의 뼈와 근육의 구조를 현대 생물에서는 찾아보기 힘들기 때문이다.

2. **적용** 지구에서 향을 피우면 연기가 위로 올라간다. 그렇다면 중력이 거의 작용하지 않는 우주 공간에서 향을 피우면 어떻게 될지 말해 보자.
   예시 연기가 위로 올라가는 까닭은 연기와 공기와의 밀도 차이 때문일 것이다. 중력이 거의 작용하지 않는 우주 공간에서는 밀도 차이에 의한 상하 흐름이 없으므로 발생한 연기는 주변으로 천천히 확산할뿐 한쪽으로 올라가지 않을 것이다.

❺ 정맥
몸의 각 부분으로부터 심장으로 혈액을 보내는 혈관.

❻ 이석
칼슘 성분으로 된 자갈, 또는 모래 모양의 성분으로 몸을 움직이면 중력 방향으로 끌리면서 주위에 있는 젤라틴 상태의 물질을 끌어당기게 되고, 이를 인식하여 몸의 평형을 인식하게 한다.

✔ 개념확인 문제

1 해안가에서 밤에는 바람이 어느 방향으로 불게 되며, 그 까닭을 서술하시오.

2 머리의 정맥에는 판막이 없는데 다리의 정맥에는 판막이 있는 까닭을 서술하시오.

❸ 단계 생각 모으기

핵심 내용 정리하기

❶ 역학적 시스템과 중력의 작용 교과서 90~92쪽

자유 낙하 하는 물체와 수평으로 던진 물체는 **❶ 연직 방향** 으로 중력을 받아 떨어지는 데 걸리는 시간이 **❷ 같다** . 아래로 떨어지는 물체의 속도는 1초에 **❸ 9.8 m/s** 씩 **❹ 증가** 한다. 물체의 수평 방향의 속도는 **❺ 변하지 않는다** .

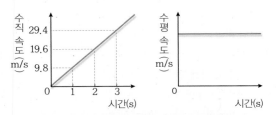

수평으로 던진 물체의 수직 방향과 수평 방향 운동 그래프

❷ 중력의 영향 교과서 93~95쪽

중력은 지구 상의 모든 물체에 작용하는 힘으로 **❻ 지구 시스템** 과 **❼ 생명 시스템** 이 유지되는 데 중요한 역할을 한다. 우리가 걸을 때 필요한 힘인 마찰력과 물이나 공기에 작용하여 뜰 수 있게 해 주는 힘인 부력도 중력의 영향을 받는다. 이러한 힘이 상호 작용 하는 시스템을 **❽ 역학적 시스템** 이라고 한다.

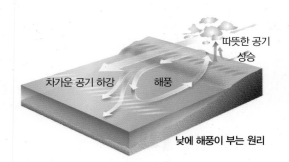

낮에 해풍이 부는 원리

활동으로 확인하기

학급 친구들끼리 서바이벌 게임을 하고 있다. 수비팀이 가지고 있는 사과를 공격팀이 물감총을 쏘아 맞추면 상대를 탈락시키게 된다. 게임 중 두 팀의 선수가 맞은 편 언덕에서 마주하게 되었다. 이때 수비팀 선수가 공격을 피하기 위해 사과를 언덕 아래로 떨어뜨렸다. 같은 높이에서 공격팀 선수는 동시에 물감총을 쏘아 사과를 맞추려고 한다.

❶ 어디를 조준해야 사과를 맞출 수 있을까?

예시 처음 사과가 있는 위치를 조준한다.

❷ 그렇게 생각한 까닭은 무엇인가?

예시 가만히 놓은 사과는 자유 낙하 운동을 한다. 수평으로 발사된 물감은 수평 방향으로는 등속도 운동을, 수직 방향으로는 자유 낙하 운동과 같은 운동을 하므로 처음 사과가 있는 위치를 조준하여 물감을 발사하면 물감과 사과는 항상 같은 높이에 위치하게 된다. 따라서 정확하게 사과가 떨어지는 것과 동시에 물감총을 발사한다면 물감으로 사과를 맞출 수 있다.

④ 단계 생각 넓히기 중력의 영향은 어디까지 미칠까? 🔆 과학적 사고력

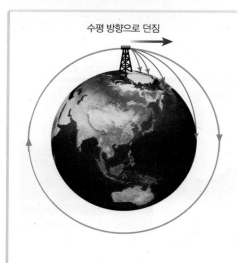
수평 방향으로 던짐

물체를 수평 방향으로 세게 던질수록 멀리 이동하지만 결국 땅으로 떨어지는 데 걸리는 시간은 자유 낙하 할 때와 같다. 그렇다면 충분히 높은 높이에서, 충분히 빠른 속도로 수평 운동을 하며 떨어진다면 어떻게 될까? 만약 지구가 편평하다면 높은 곳에서 물체의 수평 운동이 아무리 빨라도 결국엔 땅으로 떨어질 것이다. 하지만 지구는 둥글어서 둥근 면을 따라 지면이 시작점보다 점점 낮아지기 때문에 그림과 같이 바닥에 닿지 않고 계속해서 같은 높이를 유지할 수 있다.

이러한 운동을 하는 물체가 바로 달이다. 달이 지구 주위를 돌고 있는 운동은 다시 말하면 1초에 1.3 mm씩 지구 쪽으로 낙하하는 운동을 하고 있다고 말할 수 있다. 달보다 가까이에서 지구 주위를 돌고 있는 인공위성도 계속해서 지구 쪽으로 떨어지고 있다. 모두 지구의 중력 때문에 끊임없이 지구로 떨어지며 지구 주위를 돌고 있다.

뉴턴(Newton, I., 1643~1727)이 사과가 떨어지는 것을 보고 지구 중력을 알아냈다고 하는 일화는 매우 유명하다. 지구에 사는 사람들에게 당연한 현상인 사과가 떨어지는 원인을 밝혀낸 것도 중요한 발견이지만 이 사실로부터 뉴턴은 결국 달도 사과와 똑같이 지구를 향해 떨어지고 있다는 사실을 발견했다. 지구에서의 물체의 운동과 지구 밖 천체의 운동이 결국 같은 자연의 법칙을 따르고 있음을 밝혀낸 것이다.

❶ 조사하기

1. 뉴턴 이전 시대의 사람들은 달의 움직임을 어떻게 설명했는지 조사해 보자.

예시 뉴턴 이전 시대는 중력(만유인력) 법칙이 확립되지 않았다. 이 시대의 사람들은 지상에서의 운동과 천상의 운동(천체의 운동)은 서로 다른 자연법칙이 적용된다고 믿었으며, 달이 지구를 중심으로 원운동 한다고 믿었다. 실제 지구를 중심으로 할 때 달의 운동은 원에 가까운 타원 운동이므로 뉴턴 이전 시대 사람들의 생각이 완전히 틀렸다고는 할 수 없지만, 이 운동을 중력 법칙과 같은 운동 법칙으로 설명한 것이 아니라, 천상의 운동이란 완벽하고 이상적인 모양(원)을 추구한다고 생각하는 등 지상에서 관찰한 물체의 운동과는 완전히 별개로 생각하였다. 뉴턴 운동 법칙과 중력 이론이 성립된 이후에는 달이 지구 주위를 도는 운동을 자유 낙하 운동, 즉 달이 지구를 향해 영원히 떨어지는 운동으로 설명하게 되었다.

2. 지구의 중력이 작용해 달이 지구 주위를 도는 것처럼 달의 중력도 지구에 작용하고 있다. 달의 중력 때문에 지구에서 어떤 일이 일어나는지 조사해 보자.

예시 조석 현상은 달의 중력이 지구의 바다에 영향을 주어 바다의 수면 높이가 변하며 조류를 만들어 내는 것을 말한다. 따라서 바다에서는 하루에 약 2회씩 (정확히는 약 12시간 25분을 주기로) 밀물과 썰물이 반복된다.

❷ 토의하기

태양계의 여러 행성 탐사와 같이 인류는 우주로 활동 영역을 확대하고 있다. 이때 중력은 어떤 역할을 하며, 중력을 이해하고 이용하는 것이 어떤 의미가 있는지 토의해 보자.

예시 태양계 행성 탐사를 위해서는 지구의 중력을 벗어나 아주 먼 곳까지 우주선을 보내는 기술이 필요하다. 즉, 지구의 중력을 극복해야만 하는 것이다. 하지만 다른 행성의 중력을 이용하면 이러한 어려움을 극복하는 데 도움이 되기도 한다. 목표지점까지 도달하기 위해 다른 행성의 중력(인력)을 이용하여 우주선의 속력을 크게 한 후 행성을 스치듯이 지나가는 방식으로 필요한 에너지를 얻을 수 있다. 이를 스윙바이라고 한다.

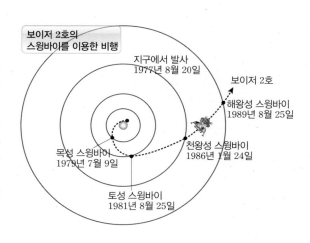
보이저 2호의 스윙바이를 이용한 비행
지구에서 발사 1977년 8월 20일
보이저 2호
해왕성 스윙바이 1989년 8월 25일
천왕성 스윙바이 1986년 1월 24일
목성 스윙바이 1979년 7월 9일
토성 스윙바이 1981년 8월 25일

(출처: 한국항공우주연구원)

③-② 충돌과 안전장치

❶단계 생각 펼치기 충돌로부터 안전을 지켜주는 장치에는 어떤 것이 있을까?

산업 현장이나 스포츠, 교통수단의 이용과 같은 일상생활에서 발생하는 충돌 사고를 대비하기 위해서는 안전장치 착용을 생활화해야 한다. 산업 현장에서 안전모를 착용하고 자동차를 탈 때는 안전띠를, 오토바이를 탈 때는 헬멧을 착용하는 것은 안전을 지키기 위해 반드시 실천해야 한다. 이 단원에서는 일상생활에서 발생하는 충돌과 관련된 안전사고를 알아보고, 안전을 지켜 주는 장치들의 원리를 파악해 본다.

스키장 충돌 사고

자동차 충돌 사고

우리가 즐기는 운동이나 편리하게 이용하는 교통수단에는 항상 충돌 사고의 위험이 있다. 따라서 사고가 일어났을 때 우리 몸을 보호하기 위해 안전띠, 헬멧, 정강이 보호대 등 필요한 안전장치들을 상황에 맞게 반드시 사용해야 한다.

토의하기

❶ 각 상황에서 충돌로 인한 부상을 줄이기 위해 어떤 안전장치가 사용되는지 말해 보자.

예시 • 가 : 헬멧, 고글, 충격을 흡수할 수 있는 경기복
• 나 : 털모자, 고글, 장갑, 충격을 흡수할 수 있는 스키복
• 다 : 자동차 범퍼, 안전띠, 에어백, 범퍼, 크럼플 존❶

❷ 일상생활에서는 안전모를 쓰지 않는데, 인라인스케이트나 자전거를 탈 때는 반드시 안전모를 착용해야 한다. 그 까닭을 토의해 보자.

예시 인라인스케이트나 자전거를 이용하면 걸어 다닐 때와 비교해 빠른 속력으로 이동하므로 충돌 사고가 발생하여 머리에 충격을 받을 때 매우 위험할 수 있기 때문이다.

❸ 이 외에 일상생활에서 충돌 때문에 발생하는 안전사고에는 어떤 사례가 있는지 조사해 보자.

예시 • 복도에서 뛰다가 친구들과 충돌하여 사고가 발생할 수 있다.
• 축구 경기에서 공을 차려고 하다가 상대 선수를 차는 사고가 발생할 수 있다.
• 농구 경기에서 점프 후 착지하다가 부상을 당할 수 있다.
• 높은 곳에 있던 물체가 떨어져서 아래에 서 있던 사람과 부딪히는 사고가 발생할 수 있다.

알고 있나요?

다음 단어의 뜻을 아는 대로 설명해 보자.

• 힘	• 속력	• 질량	• 운동	• 이동 거리

예시 • 힘: 물체의 모양이나 운동을 변화시키는 원인. 중력, 마찰력, 탄성력, 부력, 전기력, 자기력 등이 있다.
• 속력: 이동한 거리를 걸린 시간으로 나눈 값.
• 질량: 물체가 무거운 정도를 나타내는 고유한 값. 질량이 클수록 중력이 크며, 운동 상태를 변화시키기 어렵다.
• 운동: 물체가 공간을 가로질러 이동하는 것.
• 이동 거리: 물체가 이동한 경로의 길이.

❶ 범퍼와 크럼플 존
자동차 충돌 사고가 발생할 때 충격을 잘 흡수할 수 있도록 자동차의 앞쪽과 뒤쪽에 설치한 장치. 또한 범퍼 이외에도 자동차의 앞쪽에 있는 엔진 룸이나 트렁크는 충돌 사고 시 잘 찌그러지도록 설계하여 충격을 흡수할 수 있도록 만드는데 이를 크럼플 존이라고 한다.

❷ 단계 해결하기 **1. 충격을 흡수하는 안전장치의 원리는 무엇일까?**

야구 선수들이 공을 잡을 때는 글러브를 이용한다. 이때 포수들이 착용하는 글러브는 다른 선수들이 착용하는 글러브보다 두껍다. 빠른 공을 던지는 투수의 공을 받아야 하므로 충격을 더 잘 흡수하기 위해 두꺼운 글러브를 사용하면 공을 잡을 때 좀 더 오랜 시간동안 멈추게 되어 충격이 흡수된다. 여기서는 운동량과 충격량의 개념을 이용하여 충격을 흡수하는 안전장치의 원리를 알아본다.

탐구 1 [추론] 자동차 안전장치의 원리

 목표   과학적 사고력

자동차의 안전장치를 알아보는 탐구를 통해 충격을 흡수하는 원리를 알 수 있다.

결과/정리

1. [자료 1]의 그림과 디딤 자료를 이용하여 안전띠가 충돌 사고에서 부상 위험을 줄여주는 까닭을 말해 보자.

예시 달리는 자동차가 충돌하면 자동차의 속력은 갑자기 0이 되지만 사람의 몸은 관성에 의해 앞으로 계속 운동하려고 하므로 몸이 앞으로 튕겨 나가며 앞 유리나 핸들 바, 앞 좌석 등에 몸이 충돌하여 다칠 수 있다. 안전띠는 관성에 의해 몸이 앞으로 쏠리는 것을 잡아주는 역할을 한다.

2. [자료 2]에서 에어백이 작동할 때와 작동하지 않을 때 운전자가 받는 충격량과 평균 힘의 크기를 비교해 보자.

예시 에어백은 자동차 핸들에 비해 푹신하므로 운전자가 받는 평균 힘은 작을 것이다. 그러나 운전자의 처음 속력과 나중 속력(정지했으므로 0)은 에어백 유무와 관계없이 같으므로 운동량의 변화량도 같고, 따라서 충격량의 크기도 같다.

3. 에어백이 작동할 때와 작동하지 않을 때 충돌 시 운전자가 정지하는 데까지 걸린 시간은 같을지 다를지 근거를 들어 설명해 보자.

예시 에어백이 작동하지 않는다면 운전자는 핸들처럼 단단한 곳에 직접 충돌할 것이고, 모양이 변하지 않으므로 충돌 시간도 매우 짧다. 그러나 에어백이 작동하는 경우에는 푹신한 에어백에 파묻히고 동시에 에어백이 푹 꺼지면서 에어백의 모양이 변하는 동안 지속적으로 힘을 받게 된다. 이 경우 충돌 시간이 길어지므로 운전자가 정지하는 데까지 걸린 시간도 길다.

4. 에어백이 작동했을 때 운전자의 부상 위험을 줄여주는 까닭은 무엇인지 디딤 자료를 참고하여 말해 보자.

예시 운동량의 변화량은 충격량과 같고, 충격량은 힘과 충돌 시간의 곱으로 정의된다. 에어백이 작동하면 충돌 시간이 길어지므로 운전자에 작용하는 평균 힘의 크기가 작아진다.

과정

❶ 교과서 102~103쪽의 내용을 통해 관성, 운동량, 충격량의 개념을 익힌다.
❷ 그림을 보고 안전장치가 부상을 줄여주는 원리를 파악한다.

안전띠의 착용과 미착용

에어백의 작동과 미작동

💡 탐구 분석

안전띠는 관성에 의해 몸이 앞으로 튕겨 나가는 것을 방지해 줌으로써 안전에 큰 도움을 주며, 에어백은 충돌 사고 시 힘을 받는 시간을 증가시켜 힘의 크기를 크게 줄여 줌으로써 안전에 큰 도움을 준다.

수행평가 TIP		
탐구 수행	• 디딤 자료를 꼼꼼히 읽는다.	☆ ☆ ☆
	• 디딤 자료의 내용을 바탕으로 안전띠와 에어백에서 일어나는 현상을 설명한다.	☆ ☆ ☆
탐구 결과	• 안전띠의 원리를 바르게 설명할 수 있어야 한다.	☆ ☆ ☆
	• 에어백이 힘의 크기를 줄이는 까닭을 바르게 설명할 수 있어야 한다.	☆ ☆ ☆

1 관성

(1) **관성** 물체가 외부의 힘을 받지 않을 때[1] 운동 상태를 계속 유지하려는 성질
  ① **정지 관성** 정지하고 있는 물체는 계속 정지하려고 한다.
    예 자동차가 급출발하면 사람의 몸이 뒤로 쏠린다. 널어놓은 이불을 막대로 치면 이불의 먼지를 털 수 있다.
  ② **운동 관성** 운동하고 있는 물체는 등속 직선 운동을 계속하려고 한다.
    예 자동차가 급제동하면 사람의 몸이 앞으로 쏠린다. 달리기하다 돌부리에 발이 걸리면 넘어지기 쉽다.
  ③ **관성의 성질** 질량이 클수록 물체의 관성이 크다.
    예 차가 고장 나 뒤에서 밀 때 사람이 타고 있으면 차를 밀기가 더 힘들다.

버스가 정지할 때   버스가 출발할 때

2 운동량과 충격량

(1) **운동량** 물체가 운동하는 정도를 나타내는 물리량으로, 물체의 질량과 속도를 곱한 값과 같다. 운동량의 단위로는 **kg·m/s**를 사용한다.

$$운동량 = 질량 \times 속도 \Rightarrow p = mv, \ (단위: \text{kg·m/s})$$

  ① **운동량의 크기** 물체의 질량이 클수록, 속력[4]이 빠를수록 운동량의 크기가 크다.

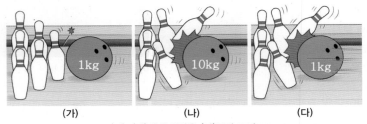

(가)   (나)   (다)

(나), (다)의 운동량은 (가)보다 크다.

  ② **운동량의 방향** 운동량의 방향은 속도의 방향과 같으므로 운동 방향과 같다.

(2) **충격량** 물체가 받은 충격의 정도를 충격량이라고 하며, 물체에 작용한 힘과 힘이 작용한 시간을 곱한 값과 같다. 충격량의 단위로는 **N·s**를 사용한다.[5]

$$충격량 = 힘 \times 시간 \Rightarrow I = F \Delta t, \ (단위: \text{N·s})$$

  ① **충격량의 크기** 작용한 힘의 크기가 클수록, 힘이 작용한 시간이 길수록 충격량의 크기가 크다.
  ② **충격량의 방향** 충격량의 방향은 물체에 작용한 힘의 방향과 같다.
  ③ **힘-시간 그래프와 충격량** 힘-시간 그래프 아래의 넓이는 충격량과 같다.

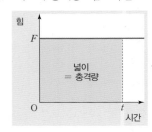
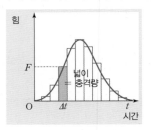

---

❶ 외부의 힘을 받으나 받지 않을 때와 같은 상황인 경우
한 물체에 여러 힘이 작용할 때 크기가 같고 방향이 반대인 힘이 작용하는 경우에는 힘이 상쇄되어 외부에서 힘을 받지 않는 것과 같은 상황이 될 수 있다. 예를 들어 줄다리기할 때 두 팀이 반대 방향으로 같은 힘을 주고 있으면 줄은 움직이지 않는다.

❷ 운동 상태 유지의 의미
정지하고 있는 물체는 속도가 0인 운동을 하고 있다고 생각할 수 있다. 따라서 정지하고 있는 물체는 속도가 계속 0인 운동을 하려고 하므로 멈춰 있으려고 한다.

❸ 기차에서는 안전띠를 매지 않는 까닭
고속철도의 경우 보통 차량의 2배가 넘는 속력으로 다닌다. 그런데 열차는 차량이 무거워서 관성이 크기 때문에, 급정거를 하더라도 수백 m를 미끄러진 다음에야 멈출 수 있다. 따라서 열차는 자동차보다 긴급 상황에 대처하기 어려우므로 열차가 지날 때는 건널목을 미리 통제해서 차량이나 사람이 지나다니지 못하게 막는다. 그래서 열차에서 사람들이 앞으로 튀어나갈 일이 생길 가능성이 매우 적으므로 기차에서는 안전띠를 매지 않는다.

❹ 속도와 속력
속력이란 방향에 상관없이 움직이는 빠르기를 나타내는데 비해, 속도는 방향을 고려하는 빠르기를 나타낸다. 어느 한 순간, 속도의 크기는 속력과 같다.

❺ 운동량과 충격량의 단위
$N = \text{kg·m/s}^2$이므로 충격량의 단위 N·s는 운동량의 단위 kg·m/s와 같다.

$$\text{N·s} = \text{kg·m/s}$$

(3) **운동량과 충격량의 관계** 충격량은 운동량의 변화량과 같다.

$$\text{충격량}=\text{운동량 변화량} \Rightarrow I=\Delta p=mv-mv_0$$

① **힘이 일정하게 계속 작용할 때** 힘을 받는 시간이 길수록 충격량의 크기가 크다.
   예 스포츠에서 팔로 스루⁶가 중요하다. 소총은 권총보다 총신이 길기 때문에 더 오랜 시간 동안 힘을 받아 더 멀리 있는 표적을 정확하게 맞힐 수 있다.
② **충격량이 같을 때** 힘을 받는 시간이 길어질수록 작용하는 힘의 크기가 작다.
   예 같은 높이에서 달걀이 떨어질 때 콘크리트 바닥에 떨어진 달걀은 깨지지만, 푹신한 이불 위에 떨어진 달걀은 깨지지 않는다.

❻ **팔로 스루**
공을 치거나 던지고 난 뒤 스윙을 끝까지 이어가는 동작. 공에 힘이 작용하는 시간을 증가시켜 더 큰 충격량을 작용함으로써. 운동량을 많이 변화시켜 공을 더 멀리 또는 더 빠르게 보낼 수 있다.

3 충격 흡수 안전장치의 원리

(1) **관성과 안전장치**
① **관성에 의한 부상** 달리던 자동차가 충돌 사고 때문에 갑자기 정지하면, 자동차를 타고 있던 사람은 관성에 의해 앞으로 튕겨 나가 큰 부상으로 이어지거나 심하면 목숨을 잃을 수 있다.
② **안전띠** 안전띠는 자동차를 타고 있던 사람이 앞으로 튕겨 나가는 것을 방지해 주므로, 사고가 발생할 때 안전에 큰 도움을 준다.

안전띠 착용   안전띠 미착용

(2) **충격 흡수 안전장치의 원리**
① **충돌하는 동안 받는 힘** 충격량을 시간으로 나눈 값과 같다.

$$\text{충격량}=\text{힘}\times\text{시간} \Rightarrow \text{힘}=\frac{\text{충격량}}{\text{시간}}$$

② **충돌하는 동안 받는 충격량** 충돌하는 동안 받는 충격량은 운동량의 변화량과 같다.
③ **충돌할 때** 충돌 시간을 길게 하면 충격력을 감소시킬 수 있다.
(3) **에어백의 원리** 에어백이 작동하지 않으면 사람은 매우 큰 충격력을 받게 된다. 그런데 에어백이 작동하면 에어백이 수축하면서 충돌 시간이 증가하므로 충격력의 크기는 크게 감소한다.❼ 이처럼 에어백은 충돌 시간을 증가시켜 평균 힘을 작게 함으로써 사고가 날 때 위험을 줄여준다.

❼ **에어백이 받는 힘**

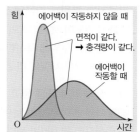

• 확인하기

1. 이해 주변에 충돌 시간을 늘리는 안전장치에 어떤 것이 있는지 찾아보자.
   예시 모서리 보호대는 탄성이 있는 재질로 만들어져 각진 모서리에 부착하여 충돌 시 충돌 시간을 늘려준다. 그 외에도 에어백, 권투 글러브, 소방용 매트리스 등이 있다.

2. 적용 자동차의 속도가 빨라지면 충돌 시 운전자가 받는 충격량의 크기는 어떻게 되는지 말해 보자.
   예시 운동량의 크기는 질량과 속도의 곱으로 정의된다. 자동차가 점점 빠르게 운행하면, 충돌 전 운동량의 크기도 커지고, 따라서 충돌 시 운동량의 변화량도 커진다. 운동량의 변화량이 충격량과 같으므로 충격량의 크기도 커진다.

✔ **개념 확인 문제**

1 물체의 외부에서 힘이 작용하지 않을 때 운동하고 있는 물체는 어떠한 운동 상태를 보이게 되는가?

2 질량이 60 kg인 사람이 1 m/s의 속도로 달리기를 하고 있다면 이 사람의 운동량은?

축구 선수들은 경기 도중 정강이를 걷어차이거나 정강이끼리 부딪히며 큰 부상을 입을 수 있기 때문에 정강이 보호대를 착용하여 부상을 예방한다. 휴대 전화를 떨어뜨려 바닥에 충돌해 휴대 전화 화면의 유리가 깨지는 것을 막기 위해 휴대 전화에 보호 케이스를 장착하고 사용하는 사람들도 많다. 이런 식으로 스포츠에서나 일상생활에서는 다양한 안전장치들이 사용된다. 앞에서 배운 운동량, 충격량, 관성 등의 과학적 개념을 이용하여 안전장치의 원리를 탐색하고, 이를 고안해 본다.

탐구 2 고안하기 운동 관련 안전장치 고안하기

교과서 104~105쪽

목표   과학적 참여와 평생 학습 능력

운동 경기에서 사용하는 충돌 관련 안전장치를 응용하여 독창적이고 실용적인 안전장치를 고안할 수 있다.

결과/정리

1. 태권도와 야구에서 사용하는 안전장치의 공통점과 차이점은 무엇인지 말해 보자.
   예시 • 공통점: 신체와 접촉하는 부분은 푹신한 재질로 만들어 충돌로부터 신체를 보호한다.
   • 차이점: 태권도에 사용되는 안전장치는 모두 신체와 접촉하므로 딱딱한 부분이 거의 없다. 그러나 포수용 마스크의 겉면은 야구공을 막아야 하므로 철과 같은 딱딱한 재질을 사용한다.

2. 각각의 안전장치는 어떤 원리로 충돌 시 부상의 위험을 줄여 주는지 설명해 보자.
   예시 푹신한 부분은 충돌 시간을 길게 하여 충격력을 감소시킴으로써 안전에 도움을 주며, 포수 마스크의 딱딱한 겉면은 야구공으로부터 받는 충격을 마스크 전체로 분산시킴으로써 좁은 영역에 큰 힘이 작용하는 것을 방지해 준다.

3. 착용하는 부위는 같은데 안전장치가 다른 까닭을 토의해 보자.
   예시 태권도의 헤드기어의 바깥 부분은 상대 선수의 발과 접촉할 수 있으므로 상대 선수의 부상을 방지하기 위해 푹신한 재질로 만든다. 그러나 포수 마스크의 바깥 부분은 야구공을 막아야 하므로 딱딱한 재질이 더 효과적이다.

4. 다른 모둠의 발표를 듣고 독창성과 실용성 측면에서 가장 우수한 안전장치를 선정해 보자.
   예시 다른 조의 발표를 보면서 독창적인지, 실제로 실용성이 있는지, 정교하게 설계하였는지 등을 중심으로 평가하면 된다.

과정

❶ 태권도와 야구에서 사용되는 머리 보호용 안전장치를 통해 어떤 원리가 사용되었는지 살펴본다.

태권도 헤드기어   야구 헬멧   포수 마스크

❷~❸ 안전장치를 고안한 운동 분야를 정하고, 과학 원리를 적용하여 안전장치를 고안해 발표한다.

💡 탐구 분석

같은 부위에 사용하는 안전장치라고 해도 충돌하는 상황에 따라 서로 특징이 다를 수 있다. 따라서 충격 흡수 안전장치를 고안할 때는 충돌 상황, 독창성, 실용성, 과학적 원리 등을 고려해야 한다.

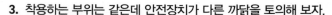

수행평가 TIP		
탐구 수행	• 태권도와 야구에서 사용하는 머리 보호용 안전장치의 원리 조사에 적극적으로 임한다.	☆ ☆ ☆
	• 안전장치의 특징 토의와 안전장치 선정에 적극적으로 참여한다.	☆ ☆ ☆
탐구 결과	• 독창적이고 실용적인 안전장치를 고안한다.	☆ ☆ ☆
	• 충돌 상황을 고려하여 관성, 운동량, 충격량, 충격력 등의 과학적 원리를 적절히 적용해야 한다.	☆ ☆ ☆

1 다양한 충격 흡수 안전장치

(1) 모서리 보호대 인체가 뾰족한 모서리에 충돌하여 발생하는 부상의 위험을 줄인다.

① 충격 시 받는 평균 힘을 줄이기 위해 충돌 시간을 길게 늘려야 한다.

② 스펀지와 같이 수축하는 데 걸리는 시간이 긴 재질을 사용한다.

(2) 선박 보호용 타이어 배가 딱딱한 나무, 쇠, 돌 등에 충돌할 때 충돌 시간을 길게 하여 충격 시 받는 평균 힘을 감소시킨다.

(3) 포장재 뽁뽁이

① 포장재에 포함된 공기주머니가 충돌 시간을 늘려줌으로써 평균 힘을 감소시킨다.

② 공기주머니가 힘을 넓게 분산시킴으로써, 힘이 한쪽에만 집중적으로 가해졌을 때도 특정 부분이 파손되는 것을 방지한다.

모서리 보호대

선박 충돌 피해를 줄이기 위한
타이어

내용물을 보호해 주는
포장재 뽁뽁이

2 충격 흡수 안전장치 고안

(1) 충격 흡수 안전장치의 특징 조사

① 태권도에서 사용되는 헤드기어는 머리뿐만 아니라 가격하는 사람의 손이나 발도 보호해야 하므로 푹신한 재질로 만든다.

② 포수가 사용하는 마스크의 앞면은 야구공을 막아야 하므로 철과 같은 딱딱한 재질로 만들고, 마스크 뒷면은 얼굴에 접촉하는 부분이므로 스펀지와 가죽 등 푹신한 재질로 만든다.

(2) 충격 흡수 안전장치 고안 충돌 상황, 독창성, 실용성, 과학적 원리 등을 고려하여 안전장치를 고안해야 한다.

① **충돌 상황** 다음과 같은 상황을 고려한다.

• 인체와 인체, 인체와 물체, 물체와 물체 중 어떤 충돌인지 고려한다.

• 인체 충돌인 경우, 충돌 부위를 고려한다.

• 충돌이 일어날 때, 얼마나 강하게 충돌하는지 고려한다.

② **독창성** 완전히 독창적인 장치를 고안하기는 매우 어렵다. 따라서 다음과 같은 방법을 이용하여 독창적인 장치를 고안한다.

• 여러 장치들의 특징을 조합하여 기존에 없던 장치를 고안한다.

• 다른 용도로 사용되는 특징을 충격 흡수에 이용하여 장치를 고안한다.

③ **과학적 원리** 관성, 운동량, 충격량 등의 과학적 원리를 고려한다.

· 확인하기

1. 이해 충돌 시 충격을 흡수하는 안전장치의 공통점은 무엇인지 말해 보자.

예시 푹신한 재질로 만들어져 충돌 시간을 늘려주거나, 단단한 재질을 사용하여 신체의 넓은 부위를 고르게 감싸 충돌하는 면적을 늘려 힘을 분산시킨다.

2. 적용 우리 학교에 안전장치 설치가 필요한 곳이 있는지 찾아보고 어떤 장치를 설치하는 것이 좋을지 말해 보자.

예시 학교 계단에 천장이 낮은 곳이 있을 경우 학생들이 계단을 내려가다 머리를 부딪쳐 다치지 않도록 푹신한 재질의 보호대를 덧댄다. 철봉의 바닥에 푹신한 재질의 바닥을 설치한다.

✔ 개념 확인 문제

1 휴대 전화 보호 케이스의 겉면을 말랑말랑한 재질로 만드는 까닭을 서술하시오.

2 충격량이 같을 때 물체가 받는 평균 힘을 작게 하려면 어떻게 해야 하는지 서술하시오.

 **❸단계 생각 모으기**

핵심 내용 정리하기

❶ 관성 법칙 [교과서] 102쪽

모든 물체는 처음 운동 상태를 그대로 유지하려는 성질이 있다. 이런 성질을 [❶관성](이)라고 한다. [❶관성] 법칙에 의하면 운동하던 물체는 계속 [❷등속 직선] 운동을 하려 하는데, 이 때문에 충돌 시 안전사고가 발생하게 된다.

(가) 버스가 정지할 때   (나) 버스가 출발할 때

버스에서 느낄 수 있는 관성

❷ 운동량과 충격량 [교과서] 102~103쪽

운동량은 [❸질량]과/와 [❹속도]의 곱으로 나타내는 값으로, 운동의 정도를 나타낸다. 충격량은 운동량의 변화량과 같으며, [❺힘]과/와 [❻시간]의 곱으로 나타낼 수 있다.

충격을 흡수해 주는 매트

❸ 충돌 관련 안전사고 예방 [교과서] 104~105쪽

운동량의 변화가 클수록 충격량이 크므로 충돌이 빈번히 일어나는 곳에서는 속력을 줄여 운동량을 작게 해 안전사고를 예방한다. 같은 충격량을 받을 때는 [❼충돌 시간]을/를 길게 하면 힘의 크기를 줄일 수 있어 충격 흡수에 효과적이다.

활동으로 확인하기

그림은 생활 속에서 볼 수 있는 안전장치를 나타낸 것이다.

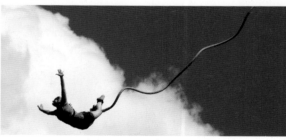

(가) 번지 점프

(나) 놀이방

❶ (가)와 (나)에서 각각 어떤 안전장치가 사용되었는가?

[예시] (가)에서는 줄이 팽팽해진 다음 힘이 작용하는 시간이 길어지도록 늘어나는 줄을 사용하였다. (나)에서는 놀이방 바닥에 깔린 매트가 안전장치로 사용되었다.

❷ 각 안전장치가 충격을 흡수하는 원리는 무엇인가?

[예시] (가)에서는 늘어나는 줄을 사용하였다. 늘어나지 않는 줄의 경우 충돌 시간이 매우 짧아 사람이 순간적으로 큰 힘을 받아 위험하지만, 늘어나는 줄을 사용하면 늘어나는 시간만큼 충돌 시간이 길어져 힘의 크기를 줄일 수 있다. (나)에서는 어린이가 바닥에 넘어질 때 놀이방 바닥에 깔린 매트가 충돌 시간을 길게 하는 역할을 한다. (가)와 (나)의 안전장치는 충격을 흡수하는 원리가 같다.

④ 단계 생각 넓히기 안전사고를 예방하는 방법　　　　　 과학적 사고력

충돌로 인해 발생하는 안전사고는 관성 법칙과 충격량과 같은 과학 원리를 이용하여 어느 정도 예방이 가능하다. 충돌의 순간에 작동하여 안전을 지켜 주는 방법도 있지만 사고가 발생하기 전에 예방하는 방법도 있다. 다음은 우리 주변에서 볼 수 있는 안전사고 예방책들이다. 어떤 원리를 이용한 것인지 알아보고, 효과적으로 사고를 예방하는 방법은 무엇인지 토의해 보자.

(가) **과속 방지 턱**: 좁은 골목길이나 사람들의 이동이 많은 지역에는 과속 방지 턱을 설치한다. 차들은 과속 방지 턱을 지나갈 때 속력을 줄인다.

(나) **전방 추돌 경보 시스템**: 자동차 전방에 카메라와 센서를 부착해 앞차와의 거리를 감지하고 추돌의 위험이 있을 만큼 가까워지면 운전자에게 경보를 울려 알려 주는 안전 시스템이다.

(다) **어린이 보호 구역**: 유치원이나 초등학교 등 어린이들이 이용하는 시설 주변은 어린이 보호 구역으로 지정한다. 이 구역에서는 자동차의 속도를 시속 30 km 이하로 제한한다.

안전사고를 예방하기 위한 여러 가지 방법

❶ 조사하기

이 밖에도 안전사고를 예방하기 위해 설치하는 장치나 시행하는 정책에는 무엇이 있는지 조사해 보자.

예시 화물 트럭과 같이 무거운 짐을 실을 수 있는 자동차의 경우 일반 승용차와 같은 속도로 달리더라도 질량이 크므로 운동량이 매우 크다. 따라서 사고 발생 시 피해가 크므로 같은 고속도로를 달리더라도 대형 화물차가 달릴 수 있는 지정차로 제도를 운용하고 있으며, 속도 제한 장치 부착을 의무화하고 있다. 그 외에도 도로마다 법정 최고 속도를 지정하여 과속을 예방하고 있고, 안전거리 확보*를 통해 갑자기 정지한 앞차와 사고를 예방하고 있다.

❷ 토의하기

1. 그림의 사례와 조사한 장치, 정책에는 어떤 효과가 있는지 토의해 보자.

예시 (가) 과속 방지 턱을 빠른 속력으로 지나면 자동차가 덜컹거리면서 탑승자들이 불편을 겪는다. 따라서 운전자는 속력을 줄이게 되는데, 운동량은 질량과 속도의 곱이므로 자동차의 속도를 줄이면 운동량의 크기를 줄이는 효과가 있다.

(나) 전방 추돌 경보 시스템은 앞차와의 거리가 가까워졌을 때 속력을 줄이고 안전거리를 유지하도록 하여 안전사고를 예방한다.

(다) 어린이 보호 구역의 제한 속도는 자동차의 속도를 줄이게 하여 충돌 시 운동량의 크기를 줄이는 효과가 있다. 앞에서 조사한 화물차 정책의 효과 역시 속도를 줄여 운동량을 작게 하는 것이다.

2. 지금 사용하고 있는 장치와 정책에 보완해야 할 점은 무엇인지 토의해 보자.

예시 어린이 보호 구역에서 자동차들이 속도를 줄일 수 있는 더 실질적인 대책이 필요하다. 실제로 안전에 관련하여 체험했던 문제점이나 개선 대책 같은 것들을 생각해서 답을 하면 된다.

❸ 고안하기

안전사고 예방을 위해 필요하다고 생각하는 새로운 장치나 정책을 고안해 보자.

예시 사고가 자주 일어나는 곳에 구간별 과속 단속 장치를 설치하여 운전자들이 과속하지 않고 안전하게 운전할 수 있도록 한다.

* 안전거리 확보
앞차에 돌발 상황이 발생했을 때 급제동을 하게 되면 차의 관성에 의해 앞으로 계속 운동하려고 하므로 일정한 거리를 더 움직인 다음에 멈추게 된다. 따라서 사고를 예방하려면 속도가 빠를수록 앞차와의 간격을 넓게 하는 것이 필요하다.

📓 기본 개념 정리하기

01 다음 물음에 답해 보자.

(1) 처음 속력이 0인 상태에서 지표면을 향해 떨어지는 물체의 운동을 무엇이라고 하는가?　자유 낙하

(2) 물체가 낙하할 때 지면과 수직 방향으로는 어떤 힘을 받는지 말해 보자.　중력

(3) 수평으로 던진 물체에는 어떤 힘이 작용할까?
　　　　　　　　　수직 아래 방향으로 중력이 작용한다.

(4) 지구 시스템이 중력의 영향을 받는 예를 한 가지 말해 보자.　물이 순환할 때 비나 눈이 되어 내린다.

(5) 물체의 운동량은 어떤 값에 따라 달라지는가?
　　　　　　　　　　　　물체의 속도와 질량

(6) 운동량과 충격량은 어떤 관계가 있는가?
　　　　　　　　　충격량은 운동량의 변화와 같다.

(7) 물체가 충돌했을 때 힘을 적게 받으려면 어떻게 해야 할까?　충돌하는 시간을 늘려준다.

(8) 물체가 자신의 운동 상태를 유지하려고 하는 성질을 무엇이라고 하는가?　관성

(9) 충돌을 대비해서 안전장치를 착용하는 까닭은 무엇인가?　충돌 시 충돌하는 시간을 늘려 힘을 적게 받도록 해서 부상의 위험을 줄이기 위해

(10) 일상생활 속에서 사용하고 있는 안전장치에는 어떤 것이 있는가?　(예) 헬멧, 매트, 에어백 등

02 자유 낙하 하는 물체에 작용하는 힘과 물체의 운동에 대한 설명으로 옳으면 ○표, 틀리면 ×표 해 보자.

(1) 물체의 속력은 점점 빨라진다. (○)

해설 자유 낙하 하는 물체는 중력의 작용에 의해 속력이 점점 빨라진다.

(2) 물체에 작용하는 힘의 크기는 점점 증가한다. (×)

해설 중력의 크기는 질량과 $9.8 \, m/s^2$의 곱으로써, 물체의 질량이 변하지 않는 한 항상 일정하다.

(3) 1초 동안 증가하는 속력은 일정하다. (○)

해설 1초 동안 증가하는 속력은 $9.8 \, m/s$로 일정하다.

03 지면에서 수평으로 던진 물체의 운동에 대해 다음 물음에 답해 보자.

(1) 수평 방향으로는 어떤 운동을 할까?
등속 운동과 같은 운동을 한다.

(2) 수직 방향으로는 어떤 운동과 똑같은 운동을 할까?
자유 낙하와 같은 운동을 한다.

04 다음 빈칸에 알맞은 말을 써 보자.

> 구성 요소들이 일정한 규칙에 따라 상호 작용 하면서 균형을 유지하는 집합을 ㉠(시스템)(이)라고 하고, 상호 작용에 힘이 필수적인 ㉠(시스템)을/를 ㉡(역학적 시스템)(이)라고 한다.

05 그림은 직선 위에서 운동하는 물체 A, B, C의 질량과 속도를 나타낸 것이다. A, B, C의 운동량의 크기는 각각 몇 kg·m/s인가?

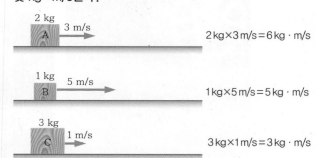

$2 \, kg × 3 \, m/s = 6 \, kg·m/s$

$1 \, kg × 5 \, m/s = 5 \, kg·m/s$

$3 \, kg × 1 \, m/s = 3 \, kg·m/s$

06 그림은 질량 2 kg인 물체가 속도 3 m/s로 등속 직선 운동을 하다가 A 구간을 통과한 후 속도 5 m/s로 등속 직선 운동을 하는 물체를 나타낸 것이다. 물체의 운동 방향은 일정하고, 물체는 A 구간에서만 힘을 받았다. 다음 물음에 답해 보자.

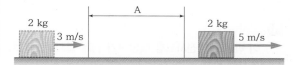

(1) A 구간에서 변한 운동량의 크기는 몇 kg·m/s인가?　$2 \, kg × 5 \, m/s - 2 \, kg × 3 \, m/s = 4 \, kg·m/s$

(2) A 구간에서 물체가 받은 충격량의 크기는 몇 N·s인가?　$4 \, N·s$

해설 운동량의 변화량은 충격량과 같으므로 충격량의 크기는 $4 \, kg·m/s = 4 \, N·s$이다.

07 그림은 질량 0.1 kg인 장난감 자동차가 속도 4 m/s로 등속 직선 운동하다가 벽에 충돌하면서 정지한 것을 나타낸 것이다. 장난감 자동차가 벽에 닿는 순간부터 정지할 때까지 걸린 시간은 0.01초이다. 물음에 답해 보자.

(1) 장난감 자동차가 벽으로부터 받은 충격량의 크기는 몇 N·s인가?　$0.4 \, N·s$

해설 장난감 자동차의 운동량 변화량은 $0.1 \, kg × 4 \, m/s = 0.4 \, N·s$이고, 이 값은 충격량과 같다.

(2) 장난감 자동차가 벽에 충돌하는 동안 벽으로부터 받은 힘의 크기는 몇 N인가?　40 N

해설 충돌 시간은 0.01초이고, 충격량은 힘과 충돌 시간의 곱으로 나타나므로 $0.4 \, N·s = 힘 × 0.01초$에서 힘의 크기는 40 N이다.

핵심 개념 적용하기

08 그림은 수평면 위에서 속력이 일정하게 증가하는 물체의 위치를 0.1초 간격으로 나타낸 것이다. 물체의 운동과 작용하는 힘에 관한 설명으로 옳은 것만을 〈보기〉에서 있는 대로 골라 보자(단, 공기의 저항은 무시한다.).

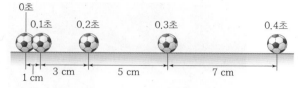

┌ **보기** ┐
✔㉠ 0초에서 0.4초까지 평균 속력은 0.4 m/s이다.
✔㉡ 1초에 속력이 2 m/s씩 빨라진다.
㉢ 물체에 작용하는 힘의 크기는 점점 증가한다.

해설 ㉠ $\frac{16\,cm}{0.4\,s}$ =40 cm/s=0.4 m/s
㉡ 처음 0.1초 동안의 평균 속력은 0.1 m/s, 0.1초에서 0.2초까지의 평균 속력은 0.3 m/s, 그 다음은 0.5 m/s이므로 0.1초 동안의 속도 변화량은 0.2 m/s로 일정하고 따라서 1초 동안의 속도 변화량은 2 m/s이다.
㉢ 속력이 일정하게 증가하고 있으므로, 물체에 작용하는 힘의 크기는 일정하다.

09 그림은 질량이 각각 $2m$, m 인 물체 A, B를 같은 높이에서 동시에 수평 방향으로 던졌을 때, A, B의 운동 경로를 나타낸 것이다. A, B가 지면에 떨어질 때까지 수평 방향으로 이동한 거리는 각각 d, $2d$ 이다. A, B에 작용하는 힘과 운동에 관한 설명으로 옳은 것만을 〈보기〉에서 있는 대로 골라보자(단, 공기의 저항은 무시한다.).

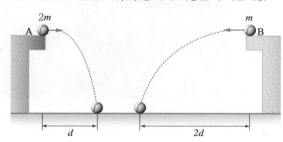

┌ **보기** ┐
✔㉠ A에 작용하는 중력의 크기가 B에 작용하는 중력의 크기보다 크다.
㉡ A가 B보다 지면에 먼저 떨어진다.
✔㉢ 물체를 던질 때, B의 속력이 A의 속력보다 크다.

해설 ㉠ 질량이 클수록 중력이 크다.
㉡ A와 B는 똑같이 1초에 9.8 m/s씩 속력이 증가하는 운동을 하므로 지면에 동시에 떨어진다.
㉢ 같은 시간동안 수평 방향으로 더 많은 거리를 이동한 B의 처음 속력이 A의 처음 속력보다 크다.

10 그림 (가)는 마찰이 없는 수평면에 질량이 각각 m, $2m$ 인 물체 A, B를 놓고 수평 방향으로 힘을 작용하는 것을 나타낸 것이다. 그림 (나)는 A, B에 작용한 힘의 크기를 시간에 따라 나타낸 것이다. 이에 관한 설명으로 옳은 것만을 〈보기〉에서 있는 대로 골라 보자.

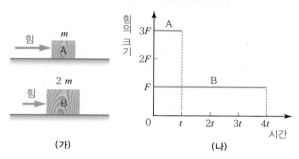

(가)   (나)

┌ **보기** ┐
✔㉠ 시간이 t일 때 운동량의 크기는 A가 B보다 크다.
✔㉡ 0에서 $4t$까지 물체가 받은 충격량의 크기는 B가 A보다 크다.
✔㉢ 시간이 $4t$일 때 속력은 A가 B보다 크다.

해설 ㉠ (나)에서 t초 동안 받은 충격량은 A의 경우 $3F \times t$이고 B의 경우 $F \times t$이므로 운동량의 크기는 A가 B보다 크다.
㉡ A는 t까지만 힘을 받으므로 t까지의 충격량이 $4t$까지의 충격량과 같다. 따라서 $4t$일 때 충격량은 각각 $3Ft$와 $4Ft$이다.
㉢ A의 경우 $3Ft=m \times v_A$, B의 경우 $4Ft=2m \times v_B$이므로 $4t$일 때 속력은 A가 B보다 크다.

11 그림과 같이 같은 높이에서 질량이 같은 물체 A, B를 가만히 놓았더니, A, B는 바닥에 충돌한 후 튀어 오르지 않고 정지하였다. 표는 A, B가 바닥에 닿는 순간부터 정지할 때까지 걸린 시간과 바닥으로부터 받은 힘의 크기를 나타낸 것이다. A, B가 바닥에 닿는 순간부터 정지할 때까지에 관한 설명으로 옳은 것만을 〈보기〉에서 있는 대로 골라 보자.

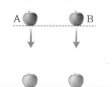

	A	B
힘의 크기	F	$2F$
시간	t	(가)

┌ **보기** ┐
㉠ 바닥으로부터 받는 충격량은 B가 A보다 크다.
✔㉡ (가)는 0.5t이다.
㉢ 운동량 변화량의 크기는 B가 A보다 크다.

해설 두 물체는 충돌 전 속력과 충돌 후 속력이 같아서 충격량이 같다. 따라서 충격량=힘×시간에서 힘의 크기가 $2F$인 B의 충돌 시간은 0.5t이다.

과학과 핵심 역량 기르기

12 | 과학적 탐구 능력 |
표는 지구 중력의 크기를 1이라고 했을 때 태양계의 행성 중 지구와 가까운 행성의 중력을 상대적인 크기로 나타낸 것이다. 행성의 특징을 조사하여 행성의 중력이 각 행성의 환경에 어떤 영향을 미쳤을지 설명해 보자.

행성	수성	금성	지구	화성	목성
중력의 크기	0.38	0.90	1	0.38	2.37

예시 행성의 중력은 행성 대기의 구성 성분에 영향을 미친다. 수소, 헬륨과 같은 가벼운 기체는 행성의 중력이 클수록 행성의 대기에 많이 존재할 수 있으며, 질소, 산소, 이산화 탄소와 같은 무거운 기체는 행성의 중력이 비교적 작아도 행성의 대기에 존재할 수 있다. 지구 대기에는 수소, 헬륨과 같은 기체가 거의 없으므로 중력의 크기가 지구보다 작은 행성의 대기에서는 수소, 헬륨과 같은 기체가 거의 없고, 중력의 크기가 큰 행성에서는 수소, 헬륨과 같은 기체가 많을 것이다.
사실 실제로는 행성의 표면 온도가 높을수록 기체 분자를 잡아 두기 힘들어 더 큰 중력이 필요하다. 중력만으로 대기의 구성 성분을 완벽하게 설명할 수는 없다.

13 | 과학적 문제 해결력 |
다트 게임에서 이기기 위해서는 다트가 정확한 위치에 맞도록 던져야 한다. 게임에서 이기기 위한 전략을 세워 보자. 표적의 중심과 던지는 위치는 같은 높이에 있으며, 던지는 위치에서 표적까지의 거리는 3 m이다.

(1) 표적의 중심을 향해 수평 방향으로 10 m/s의 속도로 다트를 던질 때 표적에 맞는 위치를 계산해 보자.
예시 다트는 수평 방향으로 3 m의 거리를 10 m/s의 속력으로 이동하므로 $\frac{3\,m}{10\,m/s} = \frac{3}{10}$ s 후에 다트에 도착한다. 이 시간동안 수직 방향으로는 자유 낙하 운동을 하므로 다트의 중앙보다 낮은 위치에 맞을 것이다.

(2) 어떻게 다트를 던져야 표적의 중앙에 정확하게 맞힐 수 있을지 말해 보자.
예시 (1)의 결과에 의해, 다트를 표적의 중앙에 맞추기 위해서는 다트를 수평 방향으로 던지지 말고 수평 방향보다 살짝 위로 비스듬히 던져야 중앙에 맞출 수 있을 것이다.

14 | 과학적 참여와 평생 학습 능력 |
에어백은 자동차에 필수적으로 들어가는 안전장치이다. 하지만 안전띠를 착용하지 않으면 충돌 사고가 발생했을 때 에어백이 터지는 것이 더 위험할 수 있다고 한다. 왜 그런지 까닭을 설명해 보자.

FO4305OZ02

예시 에어백이 부풀어 오르는 방향은 사람을 향하는 방향이며, 짧은 시간 동안 매우 빠르게 부피가 팽창하므로 사람으로 다가오는 속력도 클 것이다. 만약 안전띠를 착용하지 않았을 때 사고가 발생하면 사람의 몸은 관성에 의해 앞으로 계속 운동하려 할 것이므로 에어백과 충돌하는 상대적인 속력이 안전띠를 착용했을 때보다 훨씬 커진다.

15 | 과학적 사고력 |
그림은 태권도 선수가 송판을 격파하고 있는 것을 나타낸 것이다. 격파를 잘하는 방법에 관한 두 학생의 설명을 보고 자기 생각을 써 보자(단, 선수가 격파하는 동작의 모양은 같다고 가정한다.).

민수: 격파하는 송판에 가해지는 충격량이 늘어나야 하니까 격파 시간을 늘려야 더 많은 송판을 깨뜨릴 수 있어.
지수: 송판에 닿는 시간이 짧을수록 송판이 받는 힘의 크기가 커지니까 격파 시간을 짧게 해야 더 많은 송판을 깨뜨릴 수 있어.

예시 송판이 격파되기 위해서는 송판에 충분한 힘이 작용해야 한다. 격파 시간을 늘리는 것은 힘의 크기를 작게 하므로 적절하지 못하다. 아주 작은 힘으로 오래 누르고 있다고 해서 송판이 부서지는 것은 아니기 때문이다. 송판을 격파하려면 일정 크기 이상의 힘을 주어야 하므로 지수의 방법이 격파를 더 잘하는 방법이라고 할 수 있다.

과학과 견학 — 안전 체험 속 과학 원리

안전 체험관을 방문해서 안전의 중요성을 알고 과학의 유용성에 대해 생각해 보자.

사고는 항상 예기치 못한 순간에 일어난다. 그러므로 각종 상황에 대비한 훈련들을 미리 해 두어야 위급 상황에서 침착하게 대처할 수 있다. 화재나 교통사고 등의 사고에서부터 지진이나 해일과 같은 자연재해까지 대비해야 하는 상황은 많이 있다. 안전 훈련을 받을 수 있는 체험관을 찾아 체험해 보고 그중 과학 원리를 설명할 수 있는 요소를 찾아 원리를 설명해 보자.

안전 체험관은 주로 각 시·도의 소방본부에서 운영하고 있다. 각 지역별로 기관명이 소방재난본부, 소방안전본부 등으로 약간씩 다르므로 소방본부로 검색한 뒤, 해당 지역의 소방본부에 문의하면 된다.

▶ 안전 체험관

체험하기

1. **목적:** 안전 체험을 해 보고 그 속의 과학 원리를 찾을 수 있다.
2. **계획 세우기:** 자신이 사는 지역 가까이에 있는 안전 체험관을 검색해 보고 견학 날짜와 시간을 예약한다.
3. **견학하기**
   준비물: 카메라, 필기도구
   - 안전 체험은 실제 상황처럼 진지한 태도로 임하자.
   - 각 상황에서 사용되는 안전장치 등에서 알고 있는 과학 원리가 적용된다면 기록해 두자.
   - 제공되는 자료가 있다면 모아 두고, 필요한 내용은 사진을 찍어 기록하자.

지진 대피 체험

보고서 작성하기

- 체험 목적, 날짜와 시간, 장소 등을 기록하자.
- 체험 과정 중에서 한 요소를 골라 체험에 대한 소개와 관련 과학 원리를 정리해 보자.
- 체험을 통해 느낀 점을 쓰고, 더 안전한 방법이 있다면 개선할 사항을 제안해 보자.
- 안전과 과학이 어떤 관계가 있는지 생각해 보고 과학의 역할과 과학 학습의 의미를 써 보자.

3-❶ 중력과 역학적 시스템

01 다음은 지구상의 역학적 시스템에서 일어나는 현상이다.

> (가) 잠수함이 물속에서 위아래로 움직인다.
> (나) 스키 선수가 빗면을 타고 미끄러져 내려온다.
> (다) 트램펄린 위에 올라간 어린이가 공중으로 뛰
> 며 놀고 있다.

(가)~(다)에서 중력과 주로 상호 작용하고 있는 힘을 옳게 짝 지은 것은?

	(가)	(나)	(다)
①	마찰력	탄성력	전기력
②	부력	마찰력	탄성력
③	전기력	마찰력	부력
④	탄성력	전기력	탄성력
⑤	부력	탄성력	전기력

[02~03] 그림은 질량이 같은 공 A, B를 3 m/s의 같은 속력으로 수평으로 동시에 던진 모습을 나타낸 것이다. (단, 공기 저항은 무시한다.)

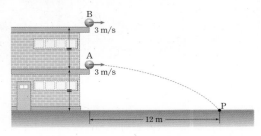

02 공 A가 점 P에 닿을 때까지 걸린 시간은?

① 3초 ② 4초 ③ 6초
④ 12초 ⑤ 36초

03 공 B는 공 A보다 2배 더 높은 곳에서 던졌으나, 떨어진 곳까지의 수평 거리는 24 m보다 더 짧았다. 이에 대한 설명으로 옳은 것만을 〈보기〉에서 있는 대로 고른 것은?

> **보기**
> ㄱ. 수직 방향으로 속도가 점점 빨라지는 운동을
>   하기 때문이다.
> ㄴ. 지면에 닿을 때까지 걸린 시간이 A의 2배보다
>   작기 때문이다.
> ㄷ. B에 작용한 중력의 크기가 A보다 더 크기 때
>   문이다.

① ㄱ ② ㄴ ③ ㄷ
④ ㄱ, ㄴ ⑤ ㄱ, ㄷ

04 그림은 진공 상태에서 깃털과 공이 운동하는 모습을 나타낸 것이다. 이에 대한 설명으로 옳은 것만을 〈보기〉에서 있는 대로 고른 것은? (단, 깃털보다 공의 질량이 더 크다.)

> **보기**
> ㄱ. 두 물체에는 같은 크기의 중력이 작용하고 있다.
> ㄴ. 속력이 일정하게 빨라지는 운동을 하고 있다.
> ㄷ. 두 물체에는 중력 이외의 다른 힘이 작용하고
>   있지 않다.

① ㄱ ② ㄷ ③ ㄱ, ㄴ
④ ㄴ, ㄷ ⑤ ㄱ, ㄴ, ㄷ

05 그림은 직선상을 운동하고 있는 물체의 시간에 따른 이동 거리를 나타낸 그래프이다.

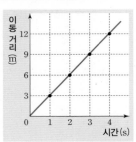

이 물체의 운동에 대한 설명으로 옳은 것만을 〈보기〉에서 있는 대로 고른 것은?

> **보기**
> ㄱ. 이 물체에는 운동하는 방향으로 일정한 크기의
>   힘이 작용하고 있다.
> ㄴ. 4초 뒤 이 물체의 속력은 3 m/s이다.
> ㄷ. 이 물체는 등속도 운동을 하고 있다.

① ㄱ ② ㄴ ③ ㄷ
④ ㄱ, ㄴ ⑤ ㄴ, ㄷ

06 뉴턴은 그림과 같이 지구에서 수평으로 공을 점점 빨리 던지면 결국은 지구를 한 바퀴 돌아서 다시 제자리로 돌아올 것이라는 사고 실험을 하였다. 이에 대한 설명으로 옳은 것만을 〈보기〉에서 있는 대로 고른 것은?

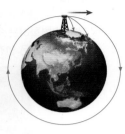

┌ 보기 ├
ㄱ. 지구에 공기 저항이 존재하기 때문에 발생하는 현상이다.
ㄴ. 중력이 지구 중심 방향으로 잡아당기는 힘과 공의 운동 방향이 다르기 때문에 발생한다.
ㄷ. 인공위성을 발사할 때 이와 비슷한 원리를 이용하게 된다.

① ㄴ　　　　② ㄷ　　　　③ ㄱ, ㄴ
④ ㄱ, ㄷ　　⑤ ㄴ, ㄷ

07 지구상에서 벌어지는 여러 가지 현상은 중력에 의한 영향을 받고 있다. 만약 지구상에서의 중력이 현재의 절반이라면 나타나게 될 현상으로 옳은 것만을 〈보기〉에서 있는 대로 고른 것은? (단, 공기 저항은 무시한다.)

ㄱ. 대기 중에 산소가 없거나 부족해서 생명체가 현재보다 숨을 쉬기가 어려울 것이다.
ㄴ. 사람의 혈액이 머리 쪽으로 더 많이 공급되어 얼굴이 현재보다 더 부어 보일 것이다.
ㄷ. 돌멩이를 수평으로 던지면 속도에 관계없이 땅에 떨어지지 않을 것이다.

① ㄱ　　　　② ㄱ, ㄴ　　③ ㄱ, ㄷ
④ ㄴ, ㄷ　　⑤ ㄱ, ㄴ, ㄷ

3-❷ 중력과 안전 장치
08 물체 A, B, C의 운동 상태가 다음과 같을 때, 세 물체의 운동량을 가장 큰 것부터 옳게 비교한 것은?

• 질량이 18 kg인 컬링 스톤 A가 2 m/s의 속력으로 빙판을 미끄러지고 있다.
• 투수가 질량이 150 g인 야구공 B를 던져 일정한 속력으로 18 m 떨어진 포수 미트에 들어가기까지 0.6초가 걸렸다.
• 질량이 6 kg인 볼링공 C가 볼링핀에 부딪히기 직전 속력이 10 m/s였다.

① A > B > C　　　② A > C > B
③ B > A > C　　　④ B > C > A
⑤ C > A > B

09 후추가 담긴 양념통을 흔들면 통이 멈출 때 후춧가루가 통에서 빠져나와 음식에 뿌릴 수 있다. 이와 같은 원리로 설명할 수 있는 것만을 〈보기〉에서 있는 대로 고른 것은?

┌ 보기 ├
ㄱ. 버스 손잡이를 잡지 않은 승객이 버스가 급정거할 때 앞으로 넘어졌다.
ㄴ. 스피드 스케이팅 선수가 결승점을 지났음에도 멈추지 못하고 경기장을 돈다.
ㄷ. 물풍선을 받을 때 몸을 숙이면서 받으면 풍선을 터트리지 않고 받을 수 있다.

① ㄱ　　　　② ㄱ, ㄴ　　③ ㄱ, ㄷ
④ ㄴ, ㄷ　　⑤ ㄱ, ㄴ, ㄷ

10 질량이 각각 1 kg인 두 개의 물체 A, B를 같은 높이에서 자유 낙하 시켰더니, A는 바닥에 충돌한 후 튀어 오르지 않고 정지하였으나, B는 튀어 올라갔다.

이에 대한 설명으로 옳은 것만을 〈보기〉에서 있는 대로 고른 것은? (단, 공기 저항은 무시한다.)

┌ 보기 ├
ㄱ. 지면에 닿기 직전 두 물체의 운동량은 같다.
ㄴ. 충돌 과정에서 두 물체가 받은 충격량은 같다.
ㄷ. 두 물체는 같은 크기의 중력이 작용한다.

① ㄱ　　　　② ㄱ, ㄴ　　③ ㄱ, ㄷ
④ ㄴ, ㄷ　　⑤ ㄱ, ㄴ, ㄷ

11 질량이 350 kg인 물건을 싣고 질량이 500 kg인 트럭 A가 30 km/h의 일정한 속도로 운행하고 있는데, 그 옆을 질량이 250 kg인 자동차 B가 60 km/h의 일정한 속도로 지나갔다. 이때 A의 운동량은 B의 몇 배인가? (단, 두 자동차에는 각각 질량이 50 kg인 운전자만 탑승하고 있다.)

① 0.5배　　② 1배　　③ 1.5배
④ 2배　　　⑤ 3배

[12~13] 질량이 50 g으로 같은 2개의 달걀이 같은 높이에서 자유 낙하 하였다. 이때 마룻바닥에 떨어진 달걀은 깨지는데 방석 위로 떨어진 달걀은 깨지지 않았다. (단, 방석의 두께와 낙하 도중의 공기 저항은 무시한다.)

마룻바닥   방석

12 이러한 현상이 나타난 까닭으로 옳은 것은?

① 방석에 떨어진 달걀에만 관성이 작용하기 때문
② 방석에 떨어진 달걀의 충돌 시간이 더 길기 때문
③ 방석에 떨어진 달걀이 충돌하기 직전 운동량이 더 작기 때문
④ 방석에 떨어진 달걀이 충돌할 때 받는 충격량이 더 작기 때문
⑤ 방석에 떨어진 달걀이 충돌할 때 받는 평균 힘이 더 크기 때문

13 방석에 떨어진 달걀이 자유 낙하 하여 방석에 떨어질 때까지 걸린 시간이 1초, 방석에 충돌하여 멈출 때까지 걸린 시간이 0.5초라면 방석에 의해 달걀이 받은 평균 힘의 크기는?

① 0.49 N   ② 0.98 N   ③ 1.96 N
④ 4.9 N   ⑤ 9.8 N

14 얼음판에 정지해 있던 질량 6 kg인 물체에 그림과 같이 한쪽 방향으로 힘을 작용하여 움직이게 하였다.

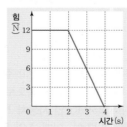

4초 후 이 물체의 속력은? (단, 공기 저항 및 얼음판과 물체 사이의 마찰은 무시한다.)

① 3 m/s   ② 6 m/s   ③ 9 m/s
④ 12 m/s   ⑤ 30 m/s

15 무거운 객차 여러 개를 연결해서 운행하는 열차는 위험 상황을 발견해도 즉각 멈추기가 어렵다. 따라서 속도가 갑자기 변화하는 경우가 극히 드물기 때문에 열차에 탑승한 승객들은 안전띠를 착용하지 않는다.

이와 같은 까닭으로 원리를 설명할 수 있는 안전장치만을 〈보기〉에서 있는 대로 고른 것은?

┌ 보기 ┐
ㄱ. 자동차 충돌 시 운전자를 보호하기 위해 안전띠를 착용한다.
ㄴ. 야구공에 머리를 맞아 다치지 않도록 타자는 헬멧을 쓰고 타석에 들어간다.
ㄷ. 화물차나 대형 버스에 속도 제한 장치를 부착한다.

① ㄴ   ② ㄱ, ㄴ   ③ ㄱ, ㄷ
④ ㄴ, ㄷ   ⑤ ㄱ, ㄴ, ㄷ

16 자동차에는 사고 발생을 예방하고, 사고 시 탑승자의 피해를 줄이기 위한 여러 가지 안전장치들이 장착되고 있다. 대표적인 안전장치로 안전띠와 에어백이 있다.

안전띠   에어백

안전띠와 에어백에 공통적으로 적용되는 원리만을 〈보기〉에서 있는 대로 고른 것은? (단, 자동차에 장착된 안전띠는 사고 발생 시 약간 풀리다가 멈춘다.)

┌ 보기 ┐
ㄱ. 충돌 시간을 늘려주어 탑승자가 받는 힘을 감소시킨다.
ㄴ. 이들 안전장치를 이용하면 사고 발생 시 충격량이 감소한다.
ㄷ. 사고가 발생하면 탑승자는 관성에 의해 몸이 앞으로 쏠린다.

① ㄴ   ② ㄱ, ㄴ   ③ ㄱ, ㄷ
④ ㄴ, ㄷ   ⑤ ㄱ, ㄴ, ㄷ

[17~18] 그림과 같이 동전 A, B를 각각 자 위와 자 옆에 올려두고 자를 쳐서 동전을 떨어뜨리는 실험을 하였다.

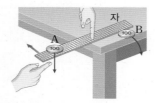

17 공기 저항은 없으며, A와 B는 동시에 떨어지기 시작한다고 가정할 때, 동전 A와 동전 B가 각각 어떤 운동을 하게 되며, 그 까닭은 무엇인지 다음 용어를 모두 사용하여 서술하시오.

> 관성, 자유 낙하, 중력, 등속

》과학적 탐구 능력
자유 낙하 운동과 수평으로 던진 물체의 운동

18 어떤 모둠에서 실제로 실험한 결과 동전 A가 동전 B보다 바닥에 더 먼저 떨어졌다고 한다. A가 B보다 먼저 떨어지게 된 원인으로 생각해 볼 수 있는 것을 A와 B의 운동 상태를 비교하며 1가지만 서술하시오.

》과학적 탐구 능력
자유 낙하 운동과 수평으로 던진 물체의 운동

19 다음은 유아보호용 안전장구에 관한 설명이다.

》과학적 사고력
안전장치, 관성

안전띠는 사고 발생 시 탑승자의 안전을 지키기 위한 필수 장비이다. 그런데 이 안전띠가 영유아에게는 오히려 위험할 수도 있다. 흔히 쓰는 3점식 안전띠의 경우 아직 상체가 발달하지 못한 영유아가 착용하였을 때 사고 발생 시 몸이 앞으로 쏠리면서 가슴띠에 의해 목이 질식할 우려가 있기 때문이다. 그렇다고 안전띠를 착용하지 않는 것은 더 위험하다. 같은 사고가 발생하더라도 영유아는 몸이 가볍기 때문에 앞으로 훨씬 더 잘 날아간다. 특히 엄마가 아이를 안고 타는 경우가 있는데, 이 경우 아이가 마치 에어백과 같은 역할을 해서 엄마는 멀쩡한데 아이는 큰 부상을 당할 수 있다. 따라서 영유아를 태우고 운전할 때는 반드시 유아보호용 안전장구를 안전띠에 설치하고 그 안에 아이가 타도록 하여야 한다. 하지만 아직까지 유아용 안전장구의 보급률이 높지 못한 것이 문제이다.

뒷 좌석에서 안전장구에 타고 있거나 안전띠를 착용하지 않고 있던 아이가 급정거 시 앞으로 튀어나가는 까닭을 과학적으로 설명하고, 이때 발생할 수 있는 위험성을 2가지만 서술하시오.

20 빨대와 셀로판 테이프, 종이 만을 이용하여 10 m 높이에서 달걀을 자유 낙하 시켰을 때 달걀이 시멘트 바닥에서 깨지지 않도록 구조물을 제작하여 시연하는 달걀 낙하 대회에 출전하려고 한다. 이 때 구조물을 어떻게 만들어야 할지를 과학적 원리를 이용하여 서술하시오.

》과학적 문제 해결력
충격량, 운동량

4

지구 시스템

생명체를 위한 최적의 환경, 지구 시스템

지구는 태양계라는 시스템의 구성원인 동시에 생명체가 살 수 있는 유일한 행성이다.
지구에서는 태양으로부터 받은 에너지와 지구 내부의 에너지가
각 권을 이동하고 물질이 순환하면서 다양한 자연 현상이 발생한다.
이 단원에서는 지구 환경 변화를 지구 시스템 내부의 상호 작용으로 이해하고,
이러한 변화가 우리에게 미치는 영향을 탐구해 보자.

① 지구 시스템과 상호 작용

지구 시스템의 구성 요소	지구 시스템 구성 요소의 상호 작용

지권, 수권, 기권, 생물권, 외권	각 권의 상호 작용	물질과 에너지의 순환

각 권의 특징과 층상 구조	다양한 자연 현상

② 지권의 변화와 그 영향

판 경계와 지진대, 화산대	판 이동으로 나타나는 지진과 화산 활동

판 이동의 원동력	지진의 영향	화산 활동의 영향

판 경계의 분류

지구 시스템과 상호 작용 ①
지구 시스템은 어떻게 작동할까?

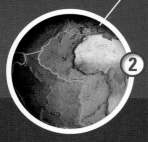

지권의 변화와 그 영향 ②
지진과 화산 활동은 왜 일어날까?

학습 계획 세우기

이 단원에서는 지구 시스템에서 일어나는 다양한 자연 현상을 각 권의 상호 작용으로 이해하며, 지권의 변화를 판 구조론적 관점에서 해석하고 지권의 변화가 지구 시스템에 미치는 영향을 탐구한다. 각 소단원에서 학습할 내용을 미리 살펴보고 학습 계획을 세워 보자.

지구 시스템의 구성 요소 ⟶ **지구 시스템의 상호 작용**

　　　　　⟶ **지권의 변화** ⟶ **지진과 화산 활동이 발생하는 원인**

　　　　　　　　　⟶ **지진과 화산 활동의 영향**

4 – ❶ 지구 시스템과 상호 작용

❶ 단계 생각 펼치기 지구 시스템이란 무엇일까?

태양계 탐사선 보이저 1호가 지구로부터 60억 km 떨어진 곳에서 찍은 사진에서 지구의 모습은 작은 한 점으로 보인다. 이렇게 멀리 떨어져서 보면 지구는 작은 한 점에 불과하지만 지구에 사는 우리에게는 특별한 의미가 있다. 태양계의 다른 행성과 지구의 공통점과 차이점이 무엇인지 살펴보고, 태양계라는 시스템의 구성원으로서 지구는 어떤 의미를 가지는지 알아본다.

토의하기

❶ 태양계의 다른 행성과 지구의 공통점과 차이점이 무엇인지 토의해 보자.

> **예시** • 공통점: 모양이 구형이다. 태양 주위를 공전한다.
> • 차이점: 물과 대기가 있다. 생명체가 존재한다. 식물과 동물이 있다.

❷ '지구를 구성하는 요소'를 생각하는 대로 하나씩 붙임쪽지에 써 보자. 그리고 붙임쪽지에 적은 것들을 비슷한 것끼리 4개의 묶음으로 분류해 보자.

> **예시** 땅, 하늘, 모래, 흙 / 바다, 강, 호수 / 하늘, 공기, 구름 / 사람, 새, 고양이

❸ 모둠별로 분류한 결과와 그 기준이 무엇인지 발표하고, 다른 모둠의 결과와 비교해 보자.

> **예시** 무생물과 생물, 육지에 있는 것과 바다에 있는 것 등

■ 태양계와 지구

(1) 태양계

- **태양계** 태양과 태양의 중력에 의해 태양 주변을 돌고 있는 지구를 비롯한 행성, 왜소행성,❶ 혜성, 유성 등의 천체와 이들 천체로 이루어진 공간을 말한다.
- 태양계의 여러 천체는 태양 중력의 영향을 받아서 일정한 궤도로 태양 주위를 공전하므로 태양계는 태양을 중심으로 한 역학적 시스템이다.

(2) 지구 시스템

- **지구 시스템** 지구는 태양계의 한 구성 요소이면서, 지구를 구성하는 요소들이 상호 작용하는 하나의 시스템이다.
- **지구 시스템의 구성 요소** 지구 시스템은 기권, 지권, 수권, 생물권, 외권으로 구성된다.

> ❶ 왜소행성
> 태양 주위를 공전하는 구형의 천체로, 행성보다는 크기와 질량이 작다. 기존에 행성으로 분류되던 명왕성이 왜소행성으로 재분류되었다.

알고 있나요?

❶ 태양계를 구성하는 행성의 이름을 말해 보자.

> **예시** 수성, 금성, 지구, 화성, 목성, 토성, 천왕성, 해왕성

❷ 지구 시스템의 구성 요소는 무엇인지 말해 보자.

> **예시** 지권, 수권, 기권, 생물권, 외권

❷ 단계 해결하기 **1. 지구 시스템은 무엇으로 이루어져 있을까?**

자동차는 매우 복잡한 부품으로 이루어져 있는 하나의 시스템이다. 자동차의 작은 부품 하나의 문제가 자동차가 멈춰 서는 큰 문제로 이어질 수 있듯, 시스템은 그 구성 요소가 유기적으로 상호 작용 한다. 지구도 하나의 시스템인데, 지구 시스템은 어떤 요소로 이루어져 있으며 각각의 요소 는 어떤 특징이 있는지, 각 구성 요소의 층상 구조는 어떻게 구분되는지 알아본다.

탐구 1 **모형 만들기** **지구 시스템 모형 만들기**

교과서 116~117쪽

목표 **과학적 사고력**

지구 시스템의 구성 요소와 그 층상 구조를 이해하고 창의적인 모형으로 표현할 수 있다.

과정

(가) 지구 시스템의 구성 요소 정리하기

❶ 교과서 118~119쪽의 '디딤 자료'를 읽고, 다음 그림의 빈칸에 지구 시스템을 구성하는 각 권의 특징을 요약하여 정리해 보자.

예시

기권
• 지구를 덮고 있는 대기층
• 대류권, 성층권, 중간권, 열권으로 구분함.
• 대류권: 기상 현상이 나타남.
• 성층권: 오존층에서 자외선을 흡수함.

생물권
• 지구에 사는 생물과 생물이 서식하는 영역
• 지권, 수권, 기권 모두에 걸쳐 분포함.
• 태양계 행성 중 지구에만 있는 특징

수권
• 지표에 물이 존재하는 영역
• 해수와 담수로 구분함.
• 해수: 혼합층, 수온 약층, 심해층으로 구분함.
• 담수: 빙하, 지하수, 호수, 강 등에 분포함.

외권
• 지구를 둘러싸고 있는 기권 의 바깥 영역
• 외권에서 들어오는 태양 복 사 에너지는 지구의 생명체 가 살아가는 근원이 됨.

지권
• 암석과 흙으로 이루어진 지 표와 지구 내부
• 지각(대륙 지각, 해양 지각), 맨틀, 내핵, 외핵으로 구분 함.

❷ 지구 시스템의 각 권의 층상 구조에 관해 정리해 보자.

구분	층상 구조
지권	지각, 맨틀, 외핵, 내핵으로 구분한다.
수권	해수는 깊이에 따른 수온 분포로 혼합층, 수온 약층, 심해층으로 구분한다.
기권	높이에 따른 기온 분포로 대류권, 성층권, 중간권, 열권으로 구분한다.

(나) 지구 시스템 각 권의 층상 구조를 모형으로 나타내기

❸ 모둠별로 토의하여 다음 조건에 따라 지구 시스템 각 권의 층상 구조를 나타내는 모형을 창의적으로 만들어 보자.

• 다양한 재료를 사용하여 지구 시스템의 각 권을 모두 입체적으로 표현한다.
• 지구 시스템 각 권의 층상 구조가 드러나게 표현하며, 각 층의 이름과 특징을 적어 넣는다.

❹ 모둠별로 지구 시스템 모형을 전시하고, 어떤 점을 창의적으로 표현했는지 발표해 보자.

결과/정리

1. 각 권을 층상 구조로 나눈 기준이 무엇인지 설명해 보자.

예시 지권은 구성 성분과 물질의 상태(고체, 액체)로 구분하고, 수권은 깊이에 따른 수온 분포로, 기권은 높이에 따른 기온 분포로 구분한다.

2. 각 모둠이 만든 모형의 장점을 이야기해 보자.

예시 각 권의 층상 구조를 쉽게 알아볼 수 있고, 지구 내부를 입체적으로 표현하였다.

탐구 분석

지구 시스템의 각 권에 관한 디딤 자료를 읽고 이해하여 각 권의 특징과 층상 구조를 정리한 후, 다양한 재료를 사용하여 지구 시스템의 각 권을 입체적으로 표현하는 모형으로 제작한다.

수행평가 TIP		
탐구 수행	• 지구 시스템의 각 권에 관한 자료를 읽고 각 권의 특징과 층상 구조를 요약하여 정리한다.	☆ ☆ ☆
	• 지구 시스템의 모형을 제작하는 과정에서 모둠 구성원과 활발하게 의사소통하고 협력한다.	☆ ☆ ☆
탐구 결과	• 지구 시스템을 구성하는 각 권의 특징과 층상 구조를 파악하여 체계적으로 정리한다.	☆ ☆ ☆
	• 지구 시스템의 구성 요소를 입체적으로 나타내는 모형을 창의적으로 제작한다.	☆ ☆ ☆

1 지구 시스템

(1) **지구 시스템** 지권, 기권, 수권, 생물권, 외권이 서로 영향을 주고받으면서 하나의 시스템을 이루고 있는 것을 지구 시스템이라고 한다.

(2) **지구에 생명체가 존재하는 까닭** 태양으로부터의 거리가 적절해서 액체 상태의 물이 존재하며, 적절한 두께와 성분의 대기로 인해 온도가 적절하게 유지되고 자기장이 태양풍을 차단하여 생명체가 존재할 수 있다.

2 지구 시스템의 구성 요소

(1) **기권** 지구를 둘러싸고 있는 약 1000 km 두께의 대기층을 기권이라고 한다.

① **기권의 성분** 대부분 질소와 산소❶로 이루어져 있다.

② **기권의 층상 구조** 높이에 따른 기온 분포를 기준으로 대류권, 성층권, 중간권, 열권의 4개의 층으로 구분한다.

열권	• 높이 올라갈수록 기온이 상승❷한다. • 공기가 희박하여 기온의 일교차가 매우 크다. • 오로라가 발생한다.
중간권	• 높이 올라갈수록 기온이 낮아진다. • 대류 현상은 일어나지만, 수증기가 없어서 기상 현상은 일어나지 않는다.
성층권	• 높이 올라갈수록 기온이 상승한다. • 높이 20~30 km에 오존층이 존재한다.
대류권	• 높이 올라갈수록 기온이 낮아진다. • 대류 현상과 눈, 비, 구름 등의 기상 현상이 나타난다.

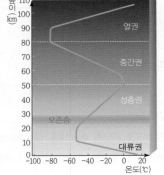

③ 기권의 역할
• 태양으로부터 오는 자외선을 차단하고, 지구 밖에서 유입되는 유성체를 차단하여 지표의 생물을 보호한다.
• 온실 효과를 일으켜서 생물이 살기에 적절한 온도를 유지하고, 대기 중 산소와 이산화 탄소가 생물의 호흡과 광합성에 이용된다.
• 기상 현상을 일으키고, 지표를 변화시킨다.

❶ **지구 대기의 구성 성분(부피비)**
지구 대기는 질소가 약 78 %, 산소가 약 21 %를 차지한다.

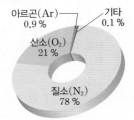

❷ **높이에 따라 기온이 달라지는 까닭**
• 열권: 대기 분자가 태양 복사 에너지를 직접 흡수하기 때문에 높이 올라갈수록 기온이 상승한다.
• 성층권: 오존층에서 자외선을 흡수하기 때문에 높이 올라갈수록 기온이 상승한다.
• 대류권: 높이 올라갈수록 지표가 방출하는 지구 복사 에너지가 적게 도달하기 때문에 기온이 낮아진다.

(2) **지권** 암석과 흙으로 이루어진 지구 표면과 지구 내부를 포함하는 영역이다.

　　└ 깊이가 약 6400 km이다.

　① **지권의 층상 구조** 구성 성분과 상태에 따라 지각, 맨틀, 외핵, 내핵으로 구분한다.

지각	• 규산염질 암석으로 구성된다. • 대륙 지각과 해양 지각❸으로 구분한다.
맨틀	• 규산염질 암석으로 이루어져 있으며, 고체 상태이지만 유동성이 있다. • 지구 부피의 약 80 %를 차지한다.
핵　외핵	• 철과 니켈 등의 금속 물질로 구성된다. • 액체 상태의 외핵과 고체 상태의 내핵으로 구분한다.
내핵	└ 액체 상태의 금속 물질인 외핵이 대류하며 지구 자기장이 만들어진다.

　② **지권의 역할**

　　• 태양 복사 에너지를 흡수하고 지구 복사 에너지로 방출하여 기온을 유지시키며, 생물의 서식처를 제공하고 생물이 살아가는 데 필요한 물질을 공급한다.

　　• 수륙 분포는 대기와 해수의 순환에, 화산 활동은 기후에 영향을 미친다.

(3) **수권** 해수, 지하수, 강, 호수 등 지표상의 모든 물과 빙하를 포함한다.

　① **수권의 분포**❹ 수권의 대부분은 해수이고, 육수의 대부분은 빙하이다.

　② **해수의 층상 구조** 해수는 깊이에 따른 수온 분포를 기준으로 혼합층, 수온 약층, 심해층으로 구분한다.

혼합층	• 태양 복사 에너지를 흡수하여 수온이 높고, 바람에 의해 해수가 혼합된다. • 바람이 강할수록 두꺼워지고, 계절과 장소에 따라 두께가 달라진다.
수온 약층	• 수심이 깊어질수록 수온이 급격히 낮아진다. • 안정한 층으로, 해수의 연직 운동이 일어나지 않는다.　└ 혼합층과 심해층 사이의 물질과 　　　에너지 교환을 차단한다.
심해층	• 태양 복사 에너지가 거의 도달하지 못하여 수온이 매우 낮다. • 위도나 계절에 관계없이 수온이 거의 일정하다.

　③ **수권의 역할**

　　• 태양 복사 에너지를 흡수하여 지구 전체에 고르게 분산시키며, 흡수한 태양 복사 에너지를 저장하여 지구의 온도를 일정하게 유지시킨다.

　　• 생물의 서식처를 제공하고, 생물이 살아가는 데 필요한 물질을 공급한다.

(4) **생물권** 지구 상에 살고 있는 모든 생물과 생물이 서식하는 영역을 포함한다.

　① **분포 영역** 기권, 지권, 수권에 걸쳐 분포한다.　풍화 작용 ─── 광합성과 호흡

　② **생물권의 역할** 지표면을 변화시키고, 대기 조성에 영향을 미친다.

　　　　　　　　　　　　　　　　　　└ 기권 밖의 태양계의 천체 및 태양계 바깥의 은하 등을 모두 포함한다.

(5) **외권** 지구를 둘러싸고 있는 기권 밖의 우주 공간이다.

　① 지구와 물질의 교환은 거의 없으나, 에너지는 끊임없이 주고받는다.❺

　② **외권의 역할** 태양 복사 에너지는 지구의 가장 중요한 에너지원이며, 지구 자기장에서 우주선이나 태양풍❻의 고에너지 입자를 차단하여 생명체를 보호한다.

• 확인하기

1. **이해** 지구 시스템의 구성 요소가 무엇인지 말해 보자.
　정답 지권, 수권, 기권, 생물권, 외권

2. **적용** 층상 구조를 이루고 있는 권의 각 층을 구분하여 설명해 보자.
　예시 지권은 지각(대륙 지각과 해양 지각으로 구분), 맨틀, 외핵, 내핵으로, 수권의 해수는 혼합층, 수온 약층, 심해층으로, 기권은 대류권, 성층권, 중간권, 열권으로 구분한다.

---

❸ **대륙 지각과 해양 지각**
대륙 지각은 상대적으로 밀도가 낮은 화강암질 암석으로, 해양 지각은 상대적으로 밀도가 높은 현무암질 암석으로 이루어져 있다.

❹ **지구 상의 물의 분포**

❺ **외권과 지구의 물질과 에너지 교환**
외권에서 지구로 운석이 유입되지만 그 양이 매우 적다. 지구는 외권의 태양으로부터 태양 복사 에너지를 받고, 지구 복사 에너지를 외권으로 방출한다.

❻ **우주선과 태양풍**
우주선은 우주에서 지구로 쏟아지는 고에너지의 입자와 방사선 등을 말하며, 태양풍은 태양의 표면과 대기에서 우주로 방출되는 양성자, 전자 등의 대전 입자이다.

✓ 개념 확인 문제

1 지구 시스템의 구성 요소 중 밀도가 가장 큰 물질로 이루어진 권역은?

2 기권의 층상 구조 중에서 기상 현상이 나타나는 곳은?

국제 우주 정거장에서 바라본 지구는 파란 바다 위를 하얀 구름이 뒤덮은 모습이 인상적이다. 지표에 존재하는 물이 하늘 위의 구름으로 만들어지는 과정을 비롯하여 지구에서 발생하는 다양한 자연 현상이 지구 시스템의 어느 권 사이의 상호 작용으로 일어나는 현상인지 살펴본다.

 탐구 2 자료 해석 **지구 시스템의 상호 작용과 다양한 자연 현상**

교과서 120~121쪽

목표

과학적 의사소통 능력

다양한 자연 현상을 통해 지구 시스템 각 권의 상호 작용을 이해할 수 있다.

과정

(가) 구름의 발생

❶ 다음은 구름이 발생하는 과정을 설명한 글과 그림이다. 빈칸에 알맞은 말을 써넣어 보자.

> 지구에 <u>태양 복사 에너지</u> 이/가 입사하면 지표의 물은 증발하여 수증기가 된다. 수증기를 포함한 공기 덩어리가 지표에서 가열되거나 산을 향해 바람이 불어 위로 올라가면 공기 덩어리의 부피가 커져 단열 팽창하면서 온도가 낮아진다.
>
> 상승하는 공기 덩어리의 온도가 점차 낮아져 이슬점 이하로 내려가면 수증기가 물방울로 <u>응결</u> 한다. 이렇게 <u>응결</u> 한 물방울이 모여 높이 떠 있는 것이 바로 구름이다.

❷ 구름은 지구 시스템의 어느 권 사이의 상호 작용으로 발생하는지 토의해 보자.

예시 구름은 외권, 수권, 기권의 상호 작용으로 발생*한다. 외권의 태양 복사 에너지를 받아서 지표의 물(수권)이 대기 중으로 증발하여 수증기(기권)가 되기 때문이다.

(나) 다양한 자연 현상

❸ 다음은 우리 주변에서 볼 수 있는 다양한 자연 현상의 모습이다. 각 현상은 지구 시스템의 어느 권이 어느 권에 영향을 미친 것인지 설명해 보자.

(ㄱ) 해안 침식　　　　(ㄴ) 황사　　　　(ㄷ) 지진 해일　　　　(ㄹ) 대기 오염

예시 (ㄱ) 해안 침식: 파도가 암석을 침식하는 것이므로 수권이 지권에 영향을 미친 것이다.
(ㄴ) 황사*: 사막 지역의 모래가 바람을 타고 이동하므로 지권이 기권에 영향을 미친 것이다.
(ㄷ) 지진 해일: 지진으로 해일이 발생한 것이므로 지권이 수권에 영향을 미친 것이다.
(ㄹ) 대기 오염: 인간의 활동으로 배출된 물질이 대기를 오염시키는 것이므로 생물권이 기권에 영향을 미친 것이다.

*구름의 발생
수권과 기권의 상호 작용이라고 설명할 수도 있으나, 태양 복사 에너지를 포함하면 외권과도 상호 작용 한다고 볼 수 있다.

*황사
지권과 기권의 상호 작용으로 볼 수 있으나, 황사가 사람들에게 피해를 주므로 지권, 기권, 생물권의 상호 작용으로 해석할 수도 있다.

결과/정리

1. 지표의 물이 증발하고 공기 덩어리가 상승하여 구름이 발생하는 과정에서 작용한 근본적인 에너지는 무엇인지 말해 보자.
   예시 태양 복사 에너지

2. 지진 해일이나 대기 오염 등 지구 시스템의 균형이 깨지는 현상이 발생했을 때 인간 생활에 어떤 영향을 미치는지 토의해 보자.

> **예시** ・지진 해일이 인간 생활에 미치는 영향: 도로, 제방, 가옥 등 기반 시설 파괴, 인명 피해, 지역 사회 경제 붕괴 등
> ・대기 오염이 인간 생활에 미치는 영향: 호흡기 관련 질병 발생 증가, 산성비로 인한 농작물의 피해, 야외 활동 일수 감소 등

3. 지구 시스템에서 각 권이 상호 작용 하여 일어나는 다양한 자연 현상의 예를 더 찾아보자.

> **예시** 생물의 호흡 및 광합성(생물권과 기권의 상호 작용), 태풍의 발생(외권, 수권, 기권의 상호 작용), 빙하 지역의 피오르(수권과 지권의 상호 작용) 등

☀ 탐구 분석

구름의 발생과 해안 침식, 황사, 지진 해일, 대기 오염 등의 다양한 자연 현상이 발생을 지구 시스템 각 권의 상호 작용의 결과로 설명할 수 있다.

수행평가 TIP

탐구 수행	・다양한 자연 현상을 지구 시스템 각 권의 상호 작용으로 설명한다.	☆ ☆ ☆
	・토의하는 과정에서 모둠 구성원과 협력하고 상대방의 의견을 존중한다.	☆ ☆ ☆
탐구 결과	・해안 침식, 황사 등의 여러 가지 자연 현상이 어느 권이 어느 권에 영향을 미치는 것인지 분석한다.	☆ ☆ ☆
	・지구 시스템의 각 권이 상호 작용 하여 일어나는 자연 현상의 다른 예를 제시한다.	☆ ☆ ☆

---

1 지구 시스템 구성 요소의 상호 작용

(1) 지구 시스템의 상호 작용
- 지구 시스템의 각 권은 상호 작용 하며, 이 과정에서 물질의 순환과 에너지의 교환이 일어난다.
- 지구 시스템의 상호 작용은 각 권 내에서도 일어나고 서로 다른 권 사이에서도 일어난다.

(2) 지구 시스템 구성 요소의 상호 작용의 예

① 기권이 다른 권과 상호 작용 하는 경우
- 바람에 의한 풍화, 침식 작용으로 바위가 깎여 나간다. ➡ 기권 ↔ 지권
- 해수면 위에 부는 바람의 영향으로 해류가 발생한다. ➡ 기권 ↔ 수권
- 식물의 광합성에 필요한 이산화 탄소와 생물의 호흡에 필요한 산소를 제공한다.
  ➡ 기권 ↔ 생물권

② 지권이 다른 권과 상호 작용 하는 경우
- 화산 활동으로 화산재와 화산 가스가 방출되며 기후가 변한다. ➡ 지권 ↔ 기권
- 모래가 상층의 기류를 타고 이동하면서 황사가 발생한다. ➡ 지권 ↔ 기권
- 해저의 급격한 지각 변동에 의해 지진 해일이 발생한다. ➡ 지권 ↔ 수권
- 생물의 서식처와 생명 활동에 필요한 영양분을 제공한다. ➡ 지권 ↔ 생물권

③ 수권이 다른 권과 상호 작용 하는 경우
- 해양과 대기의 상호 작용으로 태풍❶ 등 다양한 기상 현상이 일어난다. ➡ 수권 ↔ 기권
- 파도의 침식 작용으로 해안 절벽과 해식 동굴이 만들어진다. ➡ 수권 ↔ 지권
- 지하수가 석회암 지대를 녹여서 석회 동굴이 만들어진다. ➡ 수권 ↔ 지권
- 생물의 서식처와 생명 활동에 필요한 물을 제공한다. ➡ 수권 ↔ 생물권

④ 생물권이 다른 권과 상호 작용 하는 경우
- 생물의 호흡과 광합성으로 대기 조성이 변화된다. ➡ 생물권 ↔ 기권
- 식물이 자라면서 암석의 풍화 작용을 일으킨다. ➡ 생물권 ↔ 지권
- 수중 생물이 수권에 용해된 여러 가지 성분을 흡수❷한다. ➡ 수권 ↔ 생물권
- 산호, 조개 등의 생물의 유해가 해저에 퇴적되어 석회암이 만들어진다. ➡ 생물권 ↔ 지권

❶ 태풍의 발생
태풍은 저위도의 따뜻한 바닷물이 증발하여 만들어지는 열대 저기압의 한 종류이다.

❷ 수중 생물과 탄산 칼슘
산호와 조개 등의 수중 생물은 바닷물에 녹아 있는 칼슘 이온과 탄산 이온을 흡수하여 탄산 칼슘으로 껍질을 만든다. 이후 이러한 생물의 유해가 해저에 쌓여 석회암이 만들어진다.

⑤ 외권이 다른 권과 상호 작용 하는 경우
- 성층권에 분포하는 오존층이 태양에서 방출된 유해한 자외선을 흡수하고 차단한다. ➡ 외권 ↔ 기권
- 태양 복사 에너지를 흡수하여 식물이 광합성을 한다. ➡ 외권 ↔ 생물권
- 유성체가 지구 중력에 이끌려 지구 대기로 들어오면서 공기와의 마찰로 타면서 빛을 내는 유성이 나타난다. ➡ 외권 ↔ 기권
- 태양에서 방출된 대전 입자의 일부가 지구 대기로 들어오면서 대기 상층부의 기체 분자와 반응하여 빛을 내는 오로라[3]가 발생한다. ➡ 외권 ↔ 기권
- 지구 자기장[4]에서 유해한 우주선과 태양에서 방출되는 고에너지 입자를 차단하여 지구의 생명체를 보호한다. ➡ 외권 ↔ 생물권

영향\근원	기권	지권	수권	생물권
기권	• 기단 사이의 상호 작용	• 풍화, 침식 작용으로 지표 변화	• 해파(파도)와 해류의 발생	• 호흡과 광합성에 사용하는 기체 제공
지권	• 화산 활동으로 화산재와 화산 가스가 분출하여 기온 변화	• 판이 이동하며 판 경계에서 지각 변동 발생	• 해저에서 급격한 지각 변동에 의해 지진 해일 발생	• 생물의 서식처 제공, 영양분 공급
수권	• 수증기 공급 • 다양한 기상 현상 발생 • 태풍 발생	• 침식 작용으로 해안 절벽과 해식 동굴 형성 • 지하수가 석회암 지대를 녹여서 석회 동굴 형성	• 해수의 순환	• 수중 생물의 서식처 제공 • 생명 활동에 필요한 물 공급
생물권	• 생물의 호흡과 광합성으로 대기 조성 변화	• 생물에 의한 풍화 작용	• 수권에 용해된 물질 흡수	• 먹이 사슬 유지

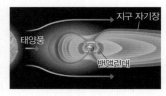

지구 자기장 / 태양풍 / 밴앨런대

2 지구 시스템의 각 권이 생명 유지에 기여하는 원리

권역	생명 유지에 기여하는 원리
기권	• 생명체에 유해한 자외선을 차단하고, 우주에서 유입되는 유성체를 차단한다. • 생물이 호흡하는 산소와 광합성을 할 때 이용되는 이산화 탄소를 제공한다. • 강수 현상을 통해 지권의 생물에 물을 공급한다.
지권	• 생물의 서식처를 제공한다. • 대륙이 이동하며 기후가 다양해지면서 다양한 생물이 출현하게 되었다.
수권	• 생물체의 생명 유지에 필요한 물을 공급하고, 물에 여러 가지 물질이 녹아서 운반되면서 생명 활동이 가능하게 한다. • 열에너지를 흡수하고 보관하여 지구의 온도가 일정하게 유지되게 한다. • 초기 지구 대기의 이산화 탄소를 흡수하여 과도한 온실 효과를 억제하여서 생명체가 살기 적절한 온도를 유지하게 한다.
외권	• 태양과의 거리가 적당하여 생명체가 살기 알맞은 온도를 유지하게 한다. • 지구 자기장에서 우주선과 태양풍을 차단하여 생명체를 보호한다.

과제 1

오로라는 지구 시스템의 어느 권들의 상호 작용으로 나타나는 현상인지 조사해 보자.

예시 오로라는 태양에서 날아온 대전 입자가 지구 대기 분자와 충돌하면서 만들어지는 것으로, 외권과 기권의 상호 작용으로 나타나는 현상이다.

목표

과학적 사고력

물이 지구 시스템의 각 권을 순환하는 원리와 그 결과 나타나는 자연 현상을 설명할 수 있다.

과정

(가) 물의 순환 모형 만들기

❶ 교과서 338쪽의 전개도를 복사하여 오린 후 접어 붙여서 물의 순환 모형을 만들어 보자.

❷ 모형의 각 부분에 다음 중 알맞은 말을 골라 써 넣자.

> • 구름   • 강수   • 수증기   • 증발   • 응결   • 지하수   • 강물
> • 바다   • 태양 복사 에너지   • 식물의 흡수   • 식물의 증산 작용

❸ 물의 순환 과정에서 태양 복사 에너지가 어떻게 작용하는지 토의해 보자.

> **예시** 지표의 물이 태양 복사 에너지를 흡수하여 증발하여 수증기가 되고, 이 수증기는 다시 대기 중에서 응결하며 에너지를 방출한다.

물의 순환 모형

(나) 물의 순환 과정에서 나타나는 자연 현상

다음은 물의 순환 과정에서 나타나는 자연 현상의 사례를 나타낸 그림이다.

❹ 그림 (ㄱ)과 같이 지표가 풍화, 침식되는 과정을 지구 시스템 각 권의 상호 작용으로 설명해 보자.

 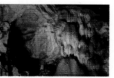

(ㄱ) 동강(강원도 영월)   (ㄴ) 용연동굴(강원도 태백)

> **예시** 강물이 흐르면서 지표가 침식 되어 계곡이 만들어지므로 수권과 지권의 상호 작용이다.

❺ 그림 (ㄴ)과 같이 석회 동굴이 만들어지는 과정*을 조사하여 지구 시스템 각 권의 상호 작용으로 설명해 보자.

> **예시** 대기 중의 이산화 탄소(기권)가 빗물에 녹으면(수권) 산성을 띠고 탄산 칼슘으로 이루어진 석회암(지권)을 녹여서 석회 동굴이 만들어지므로 기권, 수권, 지권의 상호 작용이다.

＊석회 동굴의 생성 과정

대기 중의 이산화 탄소가 빗물에 녹으면 산성을 띠고, 탄산 칼슘으로 이루어진 석회암을 녹인다.

$$CaCO_3 + H_2O + CO_2 \rightleftharpoons Ca(HCO_3)_2$$

오른쪽으로 진행되는 반응이 석회 동굴이 만들어지는 과정이고, 왼쪽으로 진행되는 반응은 종유석, 석순, 석주 등이 만들어지는 과정이다.

결과/정리

1. 비, 눈, 태풍 등의 다양한 기상 현상이 발생하는 과정에서 에너지와 물질이 어떻게 순환하는지 토의해 보자.

> **예시** 에너지는 외권 → 수권 → 기권으로, 물질은 수권 → 기권 → 수권으로 이동한다. 지표의 물이 태양 복사 에너지를 흡수하여 증발한 후에 대기 중에서 다시 응결하면서 에너지를 방출하고, 지표의 물이 증발하여 구름이 되었다가 비나 눈으로 내리면서 지표로 이동하기 때문이다.

2. 풍화, 침식, 지하 동굴의 생성 등 지표의 변화가 발생하는 과정을 에너지와 물질의 순환으로 설명해 보자.

> **예시** 지표의 암석이 태양 복사 에너지, 조력 에너지로 인해 풍화, 침식된 후 유수, 바람, 빙하, 중력 등에 의해 운반된다. 지하로 스며든 지하수의 작용으로 암석이 녹아 지하에 동굴이 만들어진다.

탐구 분석

모형 제작을 통해 물이 순환하는 과정에서 물질과 에너지가 어떻게 순환하는지 알아보고, 물의 순환 과정에서 나타나는 자연 현상의 사례를 지구 시스템 각 권의 상호 작용으로 설명한다.

수행평가 TIP

탐구 수행	• 물의 순환 과정에서 나타나는 자연 현상에 관해 모둠 구성원과 토의할 때 상대방의 의견을 존중한다.	☆ ☆ ☆
탐구 결과	• 물의 순환 과정에서 물질과 에너지의 순환을 파악하여 지구 시스템 각 권의 상호 작용으로 설명한다.	☆ ☆ ☆

3 지구 시스템의 에너지 흐름과 물질 순환

(1) 지구 시스템의 에너지원 태양 복사 에너지, 지구 내부 에너지, 조력 에너지가 있다.

① **태양 복사 에너지** 태양 내부의 수소 핵융합 반응으로 발생한 에너지이다.
- 지구 시스템의 에너지원 중 가장 많은 양을 차지한다.
- 대기와 해수의 순환, 기상 현상, 풍화·침식 작용 등의 여러 가지 자연 현상을 일으키는 근원적인 에너지이다.
- 식물의 광합성❺을 통해 생명 활동에 필요한 에너지로 이용된다.

② **지구 내부 에너지** 지구 내부의 방사성 원소가 붕괴하며 발생하는 에너지이다.
- 맨틀 대류를 일으켜서 판이 이동하게 하는 근원적인 에너지이다.
- 지진과 화산 활동을 일으킨다.

③ **조력 에너지** 달과 태양이 지구에 작용하는 인력에 의한 에너지이다.
- 밀물과 썰물을 일으키며, 갯벌을 형성하는 에너지이다.

(2) 지구 시스템의 에너지와 물질 순환 에너지와 물질이 지구 시스템의 각 권을 이동하며 다양한 자연 현상을 일으킨다.

① **물의 순환** 물이 고체, 액체, 기체로 상태가 변하면서❻ 지구 시스템의 각 권을 이동하며 물질과 에너지가 순환한다.

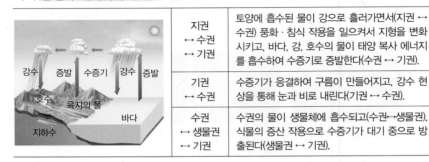

지권 ↔ 수권 ↔ 기권	토양에 흡수된 물이 강으로 흘러가면서(지권 ↔ 수권) 풍화·침식 작용을 일으켜서 지형을 변화시키고, 바다, 강, 호수의 물이 태양 복사 에너지를 흡수하여 수증기로 증발한다(수권 ↔ 기권).
기권 ↔ 수권	수증기가 응결하여 구름이 만들어지고, 강수 현상을 통해 눈과 비로 내린다(기권 ↔ 수권).
수권 ↔ 생물권 ↔ 기권	수권의 물이 생물체에 흡수되고(수권↔생물권), 식물의 증산 작용으로 수증기가 대기 중으로 방출된다(생물권 ↔ 기권).

② **탄소 순환** 탄소가 여러 가지 형태❼로 지구 시스템의 각 권을 이동하면서 물질과 에너지가 순환한다.

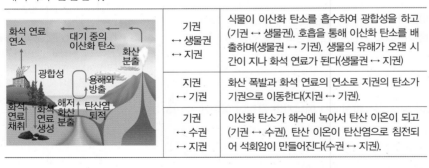

기권 ↔ 생물권 ↔ 지권	식물이 이산화 탄소를 흡수하여 광합성을 하고(기권 ↔ 생물권), 호흡을 통해 이산화 탄소를 배출하며(생물권 ↔ 기권), 생물의 유해가 오랜 시간이 지나 화석 연료가 된다(생물권 ↔ 지권)
지권 ↔ 기권	화산 폭발과 화석 연료의 연소로 지권의 탄소가 기권으로 이동한다(지권 ↔ 기권).
기권 ↔ 수권 ↔ 지권	이산화 탄소가 해수에 녹아서 탄산 이온이 되고(기권 ↔ 수권), 탄산 이온이 탄산염으로 침전되어 석회암이 만들어진다(수권 ↔ 지권).

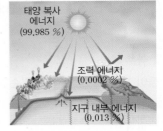

지구 시스템의 에너지원

❺ **광합성**
식물이 물과 이산화 탄소를 포도당과 산소로 만드는 과정으로, 식물이 흡수한 빛 에너지는 화학 에너지 형태로 전환된다.

❻ **물의 상태 변화 과정에서의 열 출입**
액체 상태의 물이 증발하여 기체 상태의 수증기가 될 때 열을 흡수하고, 수증기가 물로 응결할 때 열을 방출한다.

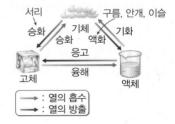

❼ **탄소의 분포 형태**
- 기권: 이산화 탄소(CO_2), 메테인(CH_4)
- 지권: 석회암(탄산염, $CaCO_3$), 화석 연료
- 수권: 탄산 이온(HCO_3^-)
- 생물권: 탄소 화합물

· 확인하기

1. **이해** 지구 시스템에서 물이 순환하는 데 주로 작용하는 에너지원은 무엇인지 말해 보자.
   예시 태양 복사 에너지

2. **적용** 지구 시스템의 균형이 깨져 나타나는 자연 현상의 사례를 찾고 인간 생활에 미치는 영향을 설명해 보자.
   예시 · 지진으로 지진 해일이 발생하면 해안 저지대가 침수되어 피해를 입는다.
   · 화산이 폭발하면서 화산 가스와 화산재가 분출하고, 화산 가스에 포함된 이산화 탄소가 빗물에 녹아서 산성비가 내리며 화산재는 기상 이변을 일으킨다.

✔ 개념 확인 문제

1 지진 해일은 ( )권과 ( )권의 상호 작용으로 발생한다.

2 물이 순환하며 지표가 풍화·침식 되는 현상은 수권과 ( )의 상호 작용의 결과이다.

창의 융합

탄소의 여행

지구 시스템에서 탄소는 탄수화물, 지방, 단백질 등 생명체를 이루는 물질의 기본이 되는 원소이며, 암석이나 토양, 그리고 대기 중에도 존재한다. 탄소는 한 생명체에서 다른 생명체로, 그리고 지각과 대기로 끊임없이 지구 시스템의 각 권을 순환한다. 탄소는 지구 시스템에서 어떻게 순환하는 것일까?

식물은 대기 중의 이산화 탄소를 이용한 광합성으로 탄소 화합물을 생산하며, 이러한 식물을 동물이 섭취하면서 탄소는 동물로 이동한다. 식물과 동물은 모두 호흡을 통해 이산화 탄소를 대기 중으로 방출한다. 한편 생물이 죽어 사체가 분해되면 이산화 탄소가 기권으로 들어가고, 일부 탄산 칼슘을 포함한 생물의 사체가 석회암이 되어 지권에 포함되기도 한다. 또한, 동물과 식물의 사체가 쌓여 오랜 시간이 지나 석유나 석탄 등의 화석 연료가 만들어지기도 한다.

지구 시스템의 각 권을 순환하는 탄소의 여행을 따라가 보자.

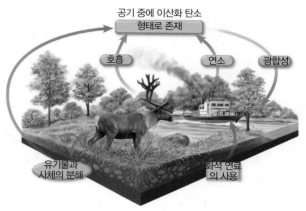

▲ 탄소의 순환

---

1 탄소의 여행 체험하기

1. 다음과 같은 과정으로 산업 혁명 이전 탄소의 여행을 체험해 보자.

① 교과서 339~340쪽의 '탄소 여행 주사위 전개도'를 복사한 후 오려서 접어 붙여 탄소 여행 주사위를 만든다.

② 기권, 수권, 생물권, 지권을 나타내는 '여행지' 책상 4개를 준비하자.

③ 각 여행지에 해당하는 주사위를 올려 둔다. 이때 지권 주사위는 '산업 혁명 이전' 지권 주사위를 사용한다.

④ 학급 인원은 네 모둠으로 나누어 각 여행지에 위치한다.

⑤ 각자 자신의 위치를 표에 기록한다.

⑥ 한 명씩 주사위를 굴려서 나오는 여행지로 이동하고, 이동하는 과정을 표에 써넣자.

⑦ 모든 인원이 이동하면 사회자가 '종료'를 외칠 때까지 ⑤~⑥의 과정을 반복한다.

2. 지권 주사위를 '산업 혁명 이후' 주사위로 바꾼 후, 위와 같은 과정으로 산업 혁명 이후 탄소의 여행을 체험해 보자.

단계	여행지 (각 권)	이동하는 과정
1	생물권	
2	기권	생물의 호흡, 사체의 분해
⋮		

2 토의하기

1. 산업 혁명 이전 여행을 마친 후, 가장 많은 인원이 모인 여행지는 어디인가? 이를 바탕으로 탄소가 지구 시스템의 어느 권에 주로 분포하는지 설명해 보자.

예시 가장 많은 인원이 모인 여행지는 지권이다. 탄소는 퇴적암, 퇴적물 속의 유기물, 화석 연료 등의 형태로 지권에 가장 많이 분포한다.

2. 산업 혁명 이후 여행을 마친 후 가장 많은 인원이 모인 여행지는 어디인가? 산업 혁명 이전과 비교하고 차이가 있다면 그 까닭이 무엇인지 토의해 보자.

예시 가장 많은 인원이 모인 여행지는 지권이지만, 산업 혁명 이전과 비교하면 그 수가 줄어들었다. 그 까닭은 지권의 탄소가 화석 연료의 연소 과정을 통해서 기권으로 방출되기 때문이다.

핵심 내용 정리하기

1 지구 시스템의 구성 요소 교과서 116~119쪽

지구 시스템을 구성하는 하위 요소에는 지권, 수권, 기권, [❶ 생물권], [❷ 외권]이/가 있다. 지권에서는 지표에서 내부로 가면서 [❸ 지각], 맨틀, [❹ 외핵], 내핵이 분포한다. 수권에서 가장 큰 비중을 차지하는 물은 [❺ 해수]이다. 기권은 높이에 따른 [❻ 기온] 분포에 따라 대류권, 성층권, 중간권, 열권으로 구분할 수 있다.

2 지구 시스템의 상호 작용 교과서 120~123쪽

구름은 태양 복사 에너지를 받아 물이 증발하여 만들어지므로 [❼ 외권], [❽ 수권], [❾ 기권]의 상호 작용의 결과이다. 지진 해일은 [❿ 지권]과/와 [⓫ 수권]의 상호 작용의 결과로 만들어진다. 물의 순환 과정에서 비나 눈과 같은 [⓬ 기상] 현상이 일어나며 풍화, 침식에 의해 [⓭ 지표]의 변화가 일어난다.

활동으로 확인하기

다음은 태풍의 발생과 발달 과정을 나타낸 것이다.

> 태풍은 수온이 27 ℃ 이상인 따뜻한 열대 해상에서 발생한다. ㉠ 바닷물의 활발한 증발로 대기 중에 수증기가 증가하고 저기압의 중심으로 모여든 공기가 상승하면서 수증기가 응결하여 키가 큰 구름으로 발달한다.
> 강한 상승 기류와 많은 양의 수증기로 강력해진 태풍은 대개 포물선을 그리며 북상한다. 그 과정에서 강한 바람이 불고 많은 양의 비가 내리다가 ㉡ 태풍이 육지에 상륙하면 지면의 마찰과 수증기의 공급 감소로 급격히 약화한다.

1 ㉠은 지구 시스템의 하위 요소 중 어느 요소 간의 상호 작용에 해당하는가?

예시 수권과 기권의 상호 작용

2 ㉡은 지구 시스템의 하위 요소 중 어느 요소 간의 상호 작용에 해당하는가?

예시 기권과 지권의 상호 작용

3 태풍으로 에너지와 물질이 이동하는 과정을 지구 시스템의 상호 작용으로 설명해 보자.

예시 태풍은 열대 지방에서 태양 복사 에너지를 흡수하여 데워진 바닷물이 증발하며 만들어진다. 이 과정에서 물과 에너지는 수권에서 기권으로 이동하며, 열대 바다에서 생성된 태풍은 중위도 바다 위를 지나 육지에 상륙하면서 많은 양의 비를 뿌리고, 에너지를 공급받지 못하게 되면서 급격하게 약해져 소멸한다. 이 과정에서 물질과 에너지가 저위도 지방에서 중위도 지방으로 이동한다.

4 태풍으로 지구 시스템의 균형이 일시적으로 깨졌을 때 인간 생활에 어떤 영향을 미치는지 설명해 보자.

예시 태풍은 보통 강한 바람과 비를 동반한다. 강풍으로 인해 나무가 뽑히거나, 전봇대가 부러지는 등의 피해가 발생하며, 폭우로 인해 수해를 입기도 한다. 그러나 태풍 이전에 오랫동안 비가 오지 않아 가물었을 때는 태풍이 가뭄 해갈에 도움을 주기도 한다.

 **④단계 생각 넓히기** **지구 시스템의 각 권은 생명 유지에 어떻게 기여할까?** 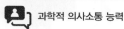 과학적 의사소통 능력

　지구는 현재 태양계에서 생명체가 존재하는 유일한 행성이다. 지구에서 생명체가 번성할 수 있었던 것은 지구 시스템의 각 권이 다양한 방법으로 생명 유지에 기여하고 있기 때문이다.

　수권에 존재하는 물은 지구의 대기압에서는 고체, 액체, 기체의 세 가지 형태로 존재한다. 액체 상태의 물이 얼어서 고체인 얼음이 될 때 밀도가 작아진다. 그 결과 얼음이 물 위에 뜨며, 겨울에 호수나 강물이 얼어도 얼음이 위로 떠올라서 그 아래쪽에 물고기와 여러 생물이 겨울을 날 수 있다.

　액체 상태의 물이 증발하여 기체인 수증기가 되어 지구 곳곳으로 이동하며 구름이 만들어지고 비가 내린다. 이로 인해 바다나 강뿐만 아니라 육지에 사는 여러 생물이 물을 섭취하며 살아갈 수 있고, 여러 가지 기상 현상으로 지구 시스템의 에너지 분포의 균형을 이룬다.

　또한, 물에는 여러 가지 물질이 녹을 수 있다. 식물은 물에 녹은 양분을 흡수하여 줄기와 잎으로 운반하고, 동물은 세포와 혈액에 포함된 물에 여러 영양소와 호르몬 등이 녹아 있어 생명 활동이 가능하다.

　이처럼 지구 시스템의 수권은 지구의 생물이 살아가는 데 큰 역할을 한다. 또한, 지권, 기권 등 지구 시스템의 각 권이 생명 유지에 기여하며 지구에는 다른 행성과 달리 수많은 생명체가 살 수 있는 환경이 만들어진다.

❶ 자료 조사

기권, 지권이 지구의 생명 유지에 각각 어떻게 기여하는지 서적과 인터넷 등을 이용하여 조사해 보자.

　예시 ·기권: 성층권의 오존층이 생명체에 해로운 자외선을 차단하며, 대기 중의 온실 기체가 지구 복사 에너지를 흡수하고 재방출하는 온실 효과로 생명체가 사는 데 적절한 온도가 유지된다.

　　·지권: 생명체의 서식지를 제공하며, 토양에 포함된 물과 영양분을 식물이 흡수하여 생장한다.

❷ 과학 글쓰기

지구 시스템의 어떤 권이 생명 유지에 가장 크게 기여한다고 생각하는가? 자신의 주장과 이를 뒷받침할 수 있는 근거를 논리적으로 서술해 보자.

　예시 기권, 지권, 수권, 외권 모두 생명 유지에 기여하고 있으며, 모든 권이 중요하다고 생각한다. 수권, 지권, 기권뿐만 아니라 외권에서도 지구 자기장에서 태양풍을 차단하는 등의 역할을 하고 있고, 어느 한 권이라도 없어진다면 지구에 생명체가 살 수 없어질 것이기 때문이다.

❸ 토의하기

지구 시스템의 각 권이 상호 작용 하며 균형을 이루고 있는데, 이 균형이 깨지면 생명체에 어떤 영향을 미칠까? 지구 시스템의 균형을 이루기 위해 어떤 노력을 해야 할지 토의해 보자.

　예시 지구 시스템의 모든 권이 생명 유지에 기여하고 있으며 각 권이 상호 작용 하므로 균형이 깨지면 생물권에도 큰 영향을 미칠 것이다. 지구 시스템의 균형을 유지하기 위해 환경을 보호하고 자원을 아껴 쓰는 등의 개인적, 국가적, 국제적 노력이 필요하다.

수행평가 TIP

· 모둠 구성원과 협력하여 자료를 조사한다.

· 주장에 관한 근거를 논리적으로 제시하며 글을 쓴다.

· 토의하는 과정에서 상대방의 의견을 존중한다.

4 - ❷ 지권의 변화와 그 영향

교과서 128~129쪽

 ❶단계 생각 펼치기 지진과 화산은 주로 어디에서 일어날까?

2011년 일본 동북부에서 규모 9.0의 강진이 발생했다. 이 지진으로 엄청난 지진 해일이 발생하여 원자력 발전소가 가동을 멈추며 최악의 방사능 누출 사고로까지 이어졌다. 우리나라에서는 지진과 화산 활동이 비교적 드물게 발생하는데 일본에서는 자주 발생하는 까닭이 무엇일까? 지진과 화산 활동이 자주 발생하는 지역은 어디이고, 그 분포는 어떤 특징이 있는지 살펴본다. 이를 토대로 지진과 화산 활동이 판의 운동과 관련이 있음을 파악해 본다.

2011년 일본 지진 발생 시 지진 해일 피해

토의하기

❶ **지진과 화산 활동이 주로 발생하는 지역의 분포에서 어떤 특징을 발견할 수 있는가?**
   [예시] 지진과 화산 활동이 주로 발생하는 지역은 거의 일치하며, 띠 모양으로 연결되어서 나타난다.

❷ **지진과 화산 활동이 주로 발생하는 지역은 판 경계와 어떤 관련이 있다고 생각하는가?**
   [예시] 지진과 화산 활동이 주로 발생하는 지역은 판 경계와 거의 일치한다. 따라서 지진과 화산 활동의 발생은 판의 움직임과 관련 있을 것이다.

■ 지진대, 화산대와 판 경계

(1) **지진대와 화산대** 지진대와 화산대의 분포는 거의 일치한다.
   ① 지진대 지진이 자주 발생하는 곳을 연결하였을 때 나타나는 띠 모양의 지역이다.
   ② 화산대 화산 활동이 자주 발생하는 곳이 분포하는 띠 모양의 지역이다.
   ③ 지진대와 화산대의 분포 지진대와 화산대의 분포❶는 거의 일치하며, 주로 대륙 주변부에서 띠 모양으로 나타난다.
      └─ 지진이 발생하는 곳에서 반드시 화산 활동이 일어나지 않는다.

(2) **지진대, 화산대와 판 경계** 지구 표면은 여러 개의 판❷으로 이루어져 있는데, 지진대와 화산대는 대부분 판 경계와 일치한다.

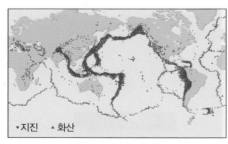
화산대와 지진대의 분포
•지진 ▲화산

판 경계

유라시아판 / 아라비아판 / 북아메리카판 / 필리핀판 / 태평양판 / 아프리카판 / 인도-오스트레일리아판 / 나스카판 / 남아메리카판 / 남극판

❶ 지진대와 화산대의 분포
지진대와 화산대는 대륙 중앙부에는 거의 분포하지 않는다. 태평양 주변을 따라 분포하는 환태평양 지진대와 화산대는 지구 전체 화산 활동의 약 80 %가 일어난다.

❷ 지구 내부 구조와 판
상부 맨틀의 일부와 지각을 포함한 지구 겉 부분을 판(암석권)이라고 하며, 그 두께가 약 100 km이다. 연약권은 암석권 아래 부분으로, 맨틀이 부분적으로 용융되어 있다.

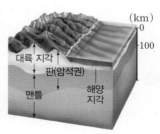
(km) 0 / 100 / 대륙 지각 / 판(암석권) / 맨틀 / 해양 지각

알고 있나요?

❶ **대륙이 이동하는 증거는 무엇인지 말해 보자.**
   [예시] 대륙의 해안선 일치, 빙하 흔적의 일치, 지질 구조의 연속성 등

❷ **지구의 내부는 어떤 구조로 이루어져 있는지 설명해 보자.**
   [예시] 지각, 맨틀, 외핵, 내핵으로 이루어져 있다.

② 단계 해결하기 | **1. 지진과 화산은 왜 판의 경계에서 발생할까?**

지진, 화산 활동과 같은 지권의 변화를 설명하는 판 구조론은 베게너의 대륙 이동설을 토대로 발전하였다. 그러나 베게너는 대륙이 이동하는 원동력을 밝혀내지 못하였고, 대륙 이동설은 당시 학자들에게 인정받지 못하였다. 베게너가 설명하지 못했던 대륙 이동의 원동력을 판 구조론으로 어떻게 이해할 수 있을까? 지구 표면을 이루는 거대한 판을 움직이게 하는 원동력을 유추해 보고, 판 경계를 어떻게 구분할 수 있는지, 판 경계에서 어떤 지각 변동이 발생하는지 알아본다.

 해 보기 1 **자료 해석** **판 이동의 원동력 유추하기**

교과서 130쪽

목표

과학적 탐구 능력

맨틀과 판의 움직임을 비유한 실험 동영상을 통해 판 이동의 원동력을 유추할 수 있다.

과정

다음은 냄비에 우유를 붓고 표면에 코코아 가루를 뿌린 후 가열하면서, 이때 일어나는 변화를 나타낸 것이다.

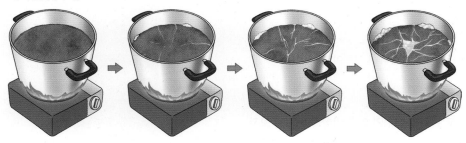

결과/정리

1. 냄비를 가열하면 우유 표면의 코코아 가루는 어떤 변화를 보이는가?

예시 우유 표면의 코코아 층이 갈라지면서 그 틈으로 우유가 끓어오르고, 코코아 층이 몇 개의 조각으로 나뉘어서 서로 멀어지는 방향으로 이동한다.

2. 우유가 가열되면서 그 안에서 어떤 움직임이 일어날 것으로 생각하는가?

예시 냄비 밑바닥에서 데워진 우유가 표면으로 올라오며 대류*할 것이다.

> *대류
> 액체나 기체 상태의 분자가 직접 이동하면서 열을 전달하는 현상이다.

3. 이 실험은 지구 내부의 맨틀과 판의 움직임을 비유한 것이다. 실험의 요소는 각각 실제 지구의 어떤 부분을 비유한 것인지 연결해 보자.

실험 요소	지구 내부의 맨틀과 지각의 움직임
우유	판
열원	맨틀
코코아 가루	지구 내부 에너지
상승하는 뜨거운 우유	판 경계
코코아층이 갈라지는 부분	상승하는 맨틀 물질

4. 판이 움직이는 원리를 추론하여 짧은 글로 써 보자.

예시 냄비에 우유를 붓고 가열하면 밑바닥에서 가열된 우유가 표면으로 올라오면서 대류하고, 우유 표면의 코코아 층이 갈라지면서 몇 개의 조각으로 나뉘어 이동한다. 이처럼 지구 내부 에너지로 맨틀의 아래쪽이 가열되고, 뜨거워진 맨틀이 위로 올라오면서 대류하고, 맨틀 위에 떠 있는 단단한 판이 갈라지면서 움직일 것이다.

> **탐구 분석**
>
> 우유 위에 코코아 가루를 뿌리고 가열하였을 때 나타나는 변화를 관찰하고, 우유가 대류하면서 코코아 가루가 갈라져 움직이는 것과 같은 원리로 지구 내부의 맨틀이 대류하면서 판이 갈라져서 이동한다는 것을 유추한다.

1 판 구조론

(1) **판 구조론** 지구 표면이 여러 개의 판❶으로 이루어져 있고, 판이 이동하면서 판 경계에서 지진이나 화산 활동, 조산 운동 등의 지각 변동이 일어난다는 이론이다.

(2) **판 이동의 원동력** 연약권의 맨틀이 대류하면서 판(암석권)이 움직인다.

① **맨틀 대류** 지구 내부 에너지로 가열된 맨틀이 밀도가 작아져서 상승하고, 온도가 낮은 부분은 밀도가 커져서 하강하며 대류❷한다.

② **판의 이동** 연약권이 대류하면서 그 위에 놓인 암석권(판)이 이동한다.

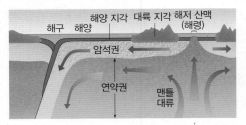

❶ 지구 표면을 이루는 판
지각과 상부 맨틀의 일부를 포함하는 단단한 부분을 암석권(판)이라고 한다. 판은 여러 조각으로 나뉘어 있으며, 포함하는 지각의 종류에 따라 해양판과 대륙판으로 구분한다.

❷ 연약권의 대류
연약권은 맨틀이 부분적으로 용융된 상태이므로 유동성이 있고, 맨틀 상부와 하부의 온도 차이로 대류가 일어난다.

 해 보기 2 〔자료 해석〕 **판 경계 구분하기**

교과서 131쪽

목표

과학적 탐구 능력

판의 상대적인 이동 방향에 따라 판 경계를 3가지로 구분할 수 있다.

과정

다음은 지구의 주요 판과 그 상대적인 이동 방향을 나타낸 그림이다.

결과/정리

1. 그림에서 다음 두 판의 경계를 찾고, 두 판의 상대적인 이동 방향을 비교해 보자.

판과 판의 경계	두 판의 상대적인 이동 방향
태평양판과 인도-오스트레일리아판	두 판이 서로 가까워지는 방향으로 이동한다.
남아메리카판과 아프리카판	두 판이 서로 멀어지는 방향으로 이동한다.

2. 판 경계를 판과 판의 상대적인 이동 방향에 따라 분류해 보자. 그림에서 두 판이 서로 멀어지는 경계는 붉은색으로, 서로 모이는 경계는 푸른색으로 표시해 보자.

3. 태평양판과 북아메리카판의 경계에 검은색 원으로 표시한 지역에서 두 판의 움직임을 설명해 보자.

〔예시〕 판 경계 양쪽의 두 판이 서로 어긋나면서 반대 방향으로 스쳐 지나간다.

4. 판 경계를 판의 상대적인 이동 방향에 따라 크게 몇 가지로 구분할 수 있는지 말해 보자.

〔예시〕 3가지(판과 판이 멀어지는 경계, 두 판이 모이는 경계, 두 판이 서로 어긋나는 경계)

☞ 탐구 분석

실제 지구 상의 주요 판이 이동하는 방향을 나타낸 자료를 해석하여 판 경계를 판과 판이 멀어지는 경계, 두 판이 모이는 경계, 두 판이 서로 어긋나는 경계로 구분할 수 있음을 이해한다.

목표

과학적 사고력

판 경계의 유형에 따른 지각 변동의 특징을 파악할 수 있다.

과정

그림은 여러 가지 판 경계에서 발생하는 현상을 나타낸 것이다. 그림을 보고 아래 표의 빈칸에 알맞은 말을 써 보자.

결과/정리

구분	경계 양쪽에 위치하는 판	두 판의 이동	지진과 화산활동
(가)	필리핀판과 유라시아판	두 판이 서로 모이며 한 판이 다른 판 아래로 들어간다.	판이 내려가는 곳에서 지진이 발생하고 위쪽에 위치한 판에서 화산활동이 발생한다.
(나)	북아메리카판과 유라시아판	두 판이 서로 멀어진다.	판 경계에서 지진과 화산 활동이 발생한다.
(다)	유라시아판과 인도-오스트레일리아판	두 판이 서로 모이며, 판과 판이 충돌하는 곳에서 한 판이 다른 판 아래로 깊이 내려가지 않는다.	판 경계에서 지진이 발생한다.
(라)	남아메리카판과 아프리카판	두 판이 멀어지는 경계 사이에서 두 판이 서로 어긋난다.	판 경계에서 지진이 발생한다.

2 판 경계의 지각 변동

(1) **판 경계의 유형** 판 경계는 판의 상대적인 이동 방향에 따라 3가지로 구분한다.

① 판과 판이 멀어지는 경계(발산 경계) 두 판이 서로 멀어지는 방향으로 이동한다.

② 두 판이 모이는 경계(수렴 경계) 두 판이 서로 모이는 방향으로 이동하며 충돌한다.

③ 두 판이 서로 어긋나는 경계(보존 경계) 판 경계 양쪽의 두 판이 서로 멀어지거나 충돌하지 않고 어긋나는 방향으로 이동한다.

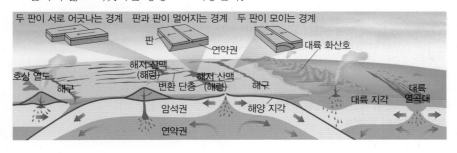

(2) 판 경계에서 발생하는 지각 변동 판이 이동[3]하며 판 경계에서 지각 변동이 일어난다.

① 판과 판이 멀어지는 경계(발산 경계) 새로운 지각이 생성되며 지진과 화산 활동이 발생한다.
└─ 마그마가 상승하여 판이 갈라진 틈 사이로 분출하며 새로운 지각이 만들어진다.

판의 이동	나타나는 현상	모식도
해양판과 해양판이 서로 멀어진다.	• 판 경계에서 해저 산맥(해령)이 형성되고, 새로운 해양 지각이 만들어진다. • 마그마가 상승하며 지진과 화산 활동이 발생한다. • 예 동태평양 해령(태평양판 – 나스카판)	
대륙판과 대륙판이 서로 멀어진다.	• 판 경계에서 대륙 열곡대가 형성되며, 새로운 해양 지각이 만들어진다. • 지진과 화산 활동이 발생한다. • 예 동아프리카 열곡대(아프리카판 내부)	

② 두 판이 모이는 경계(수렴 경계) 판이 소멸하며 지각 변동이 일어난다.

판의 이동	나타나는 현상	모식도
대륙판과 해양판이 충돌한다.	• 판 경계에서 해양판이 대륙판 아래로 들어가고, 해구와 산맥(대륙 화산호)이 만들어진다. • 지진[4]과 화산 활동이 활발하게 일어난다. • 예 안데스산맥(나스카판–남아메리카판)	
해양판과 해양판이 충돌한다.	• 판 경계에서 밀도가 더 큰 해양판이 다른 해양판 아래로 들어가고, 해구와 호상 열도가 만들어진다. • 지진과 화산 활동이 활발하게 일어난다. • 예 마리아나 군도(태평양판–필리핀판)	
대륙판과 대륙판이 충돌한다.	• 두 대륙판이 충돌하며 습곡 산맥을 형성한다. 이때 대륙판은 다른 대륙판 아래로 들어가지 않는다.[5] • 지진이 일어나지만, 화산 활동은 발생하지 않는다. • 예 히말라야산맥(인도판–유라시아판)	

③ 두 판이 서로 어긋나는 경계(보존 경계) 판 경계 양쪽의 두 판이 서로 어긋나는 방향으로 이동하며 지진이 발생한다.

판의 이동	나타나는 현상	모식도
판과 판이 서로 스쳐 지나간다.	• 두 개의 해령에서 만들어지는 판이 서로 반대 방향으로 이동할 때, 해령과 해령 사이에 수직으로 변환 단층이 만들어진다. • 변환 단층을 따라 지진이 발생한다. • 예 해령을 따라 형성되는 여러 변환 단층들(남아메리카판–아프리카판), 산안드레아스단층(태평양판–북아메리카판)	

확인하기

1. **이해** 지진과 화산 활동이 자주 발생하는 곳은 판 경계와 어떤 관련이 있는지 설명해 보자.
   예시 지진과 화산 활동이 자주 발생하는 곳은 대부분 판 경계와 일치한다.

2. **적용** 판 경계를 크게 3가지로 분류하고 각각의 특징을 말해보자.
   예시 판과 판이 멀어지는 경계에서는 새로운 지각이 만들어지며 지진과 화산 활동이 발생하고, 두 판이 모이는 경계에서는 판과 판이 충돌하며 지진과 화산 활동이 일어난다. 두 판이 어긋나는 경계에서는 판이 생성되거나 소멸하지 않으며, 지진이 발생한다.

---

❸ **판의 이동**
판의 이동 속도는 1~10 cm/년으로 매우 느리지만, 판 이동이 오랜 시간 동안 누적되면서 판 경계에서 크고 작은 규모의 지각 변동이 일어난다.

❹ **해양판이 대륙판이나 해양판 아래로 들어갈 때 발생하는 지진**
해양판이 대륙판 아래로 내려가거나 다른 해양판 아래로 내려갈 때는 해구 쪽에서는 천발 지진이 발생하고, 판이 내려가면서 점점 더 깊은 곳에서 심발 지진이 발생한다.

❺ **대륙판과 대륙판의 충돌**
대륙판은 밀도가 작아서 맨틀 속으로 가라앉을 수 없기 때문에 다른 대륙판 아래로 내려가지 않는다. 단, 두 대륙판 사이에 존재하던 해양판은 다른 대륙판 아래로 들어간 상태로 존재한다.

✔ 개념 확인 문제

1 판 경계를 3가지 유형으로 구분하는 기준이 무엇인가?

2 두 판이 서로 어긋나는 경계에서 발생하는 지각 변동은 무엇인가?

②단계 해결하기   2. 지권의 변화는 지구 환경과 인간 생활에 어떤 영향을 미칠까?

1800년대 영국의 화가 윌리엄 터너의 〈일몰〉은 붉은 노을이 인상적인 그림이다. 이 그림의 노을이 유난히 붉은 까닭은 인도네시아의 탐보라 화산이 폭발하여 화산재가 전 세계로 퍼져 나갔기 때문이라고 한다. 인도네시아의 화산 폭발이 어떻게 지구 반대편에 위치한 영국의 노을을 더 붉게 물들였을까? 화산 활동과 지진이 지구 환경과 인간 생활에 어떤 영향을 미치는지 지구 시스템 상호 작용의 관점에서 알아본다.

탐구 1 [토의] 화산 폭발의 영향

 목표

과학적 사고력, 과학적 의사소통 능력

화산 폭발이 지구 환경과 인간 생활에 미치는 영향을 지구 시스템 상호 작용으로 설명할 수 있다.

과정

다음은 1815년에 폭발한 탐보라 화산에 관한 글이다.

> 1815년 인도네시아의 탐보라 화산 폭발은 인류 역사상 큰 피해를 가져온 화산 폭발 중 하나이다. 약 150억 톤으로 추정 되는 화산재가 분출하며 주변 지역의 하늘을 뒤덮었고, 사흘 동안 어둠이 이어졌다. 또한, 황 산화물이 포함된 수백만 톤의 화산 가스가 성층권까지 올라가서 극 지방의 상공까지 퍼졌다. 그 결과 지구의 평균 기온이 0.4~0.7 ℃ 정도 내려갔다. 이듬해인 1816년은 여름철에도 눈과 서리가 내리는 등, 기상 이변이 발생했다. 이로 인해 북유럽과 미국, 캐나다 지역의 곡물 생산량이 크게 줄어 사람과 가축들이 기근에 시달렸다. 식량 가격이 치솟아 폭동이 일어났으며 전염병까지 창궐하였다. 그 여파로 유럽에 대규모의 경제 공황이 불어닥쳤고, 이는 유럽인들의 신대륙 이주로 이어져 미국의 인구가 이전의 두 배로 증가하였다.

❶ 탐보라 화산 폭발이 지구 환경에 미친 영향과 인간 생활에 미친 사회적, 경제적 영향을 설명해 보자.

구분		화산 폭발이 미친 영향
지구 환경에 미친 영향		화산재가 하늘을 뒤덮어서 사흘 동안 어둠이 이어짐. 화산 가스가 성층권까지 올라가서 지구의 평균 기온이 0.4~0.7 ℃ 낮아짐. 1816년 여름철에도 눈이 내리는 등의 기상 이변이 발생함.
인간 생활에 미친 영향	사회적 영향	북유럽, 미국, 캐나다 지역의 곡물 생산량이 급감하여 사람과 가축이 기근에 시달림. 폭동이 발생하고, 전염병이 창궐함. 유럽인의 신대륙 이주로 미국의 인구가 증가함.
	경제적 영향	유럽에 대규모 경제 공황 발생. 식량 가격 폭등

❷ 지구 역사에서 일어난 대규모 화산 폭발의 사례를 모둠별로 한 가지씩 선택하여 화산 폭발로 인한 환경, 사회, 경제적 피해를 조사해 보자.

예시 미국 세인트헬렌스 화산 폭발: 1980년 5월 18일에 대규모로 폭발했으며, 엄청난 양의 화산 쇄설물이 쏟아져 내렸고, 고온의 화쇄류가 휩쓸고 간 호수와 강물이 순식간에 기화해 폭발했다. 화산재가 화산 주변에 약 50 cm 두께로 쌓였고 전 세계로 퍼졌다. 수많은 사상자가 발생하였고, 수백만 마리의 물고기와 야생 동물이 생명을 잃었다.

1. 탐보라 화산 폭발 이듬해에 전 지구적으로 기온이 내려간 까닭을 지구 시스템 각 권의 상호 작용 측면에서 추론해 보자.

   예시 지권의 화산 폭발로 기권으로 방출된 다량의 화산재가 햇빛을 가리고, 화산재가 응결핵으로 작용하여 구름이 형성되면서 햇빛을 반사해서 전 지구적으로 기온이 내려간다.

2. 다음과 같은 주장에 대해 어떻게 생각하는지 토의해 보자.

   > 지구 시스템의 각 권이 상호 작용하기 때문에 지구의 한 곳에서 발생한 화산 폭발의 영향이 전 지구적으로 나타난다. 인간을 포함한 생물계에도 연쇄적인 피해가 발생하므로 우리나라도 화산 폭발로 인한 피해를 줄이기 위한 대책을 수립해야 한다.

    탐구 분석

   탐보라 화산 폭발이 지구 환경과 인간 생활에 미친 영향에 관한 자료를 해석하여 지권의 변화가 기권, 생물권, 수권과 상호 작용 하며 여러 가지 영향을 미치는 과정을 이해한다.

   예시 탐보라 화산 폭발이 전 세계에 영향을 미친 것처럼 다른 나라의 화산 폭발이 우리나라에도 영향을 미칠 수 있고, 백두산이 과거에 활동했던 기록이 있으므로 여러 가지 연구를 통해 대책을 마련해야 한다.

수행평가 TIP

탐구 수행	• 주어진 자료에서 탐보라 화산 폭발이 지구 환경과 인간 생활에 미친 영향을 분석하여 정리한다.	☆ ☆ ☆
	• 모둠 구성원과 함께 대규모 화산 폭발의 사례를 조사할 때 맡은 역할을 성실히 수행한다.	☆ ☆ ☆
탐구 결과	• 화산 폭발과 같은 지권의 변화가 미친 영향을 지구 시스템 상호 작용으로 설명한다.	☆ ☆ ☆
	• 화산 폭발의 대책을 마련해야 하는 까닭을 지구 시스템 상호 작용의 관점으로 설명한다.	☆ ☆ ☆

 해 보기 4 **조사·토의** 지진의 영향

교과서 136쪽

목표

과학적 탐구 능력

지진의 영향을 지구 시스템의 상호 작용의 관점에서 설명할 수 있다.

결과/정리

1. 모둠별로 최근 큰 피해를 가져온 지진에 관한 뉴스와 신문 기사를 검색해 보자. 지진이 지구 시스템과 인간 생활에 미치는 영향을 다음 그림과 같이 마인드맵으로 정리해 보자.

예시 화재와 가스 폭발 등이 발생하며 기권에 영향을 미침

기권에 미치는 영향

수권에 미치는 영향

지구 시스템에 미치는 영향

생물권에 미치는 영향

지진 해일 발생

산사태, 화재, 건물 붕괴 등으로 피해 발생

지진 해일, 산사태, 단층 생성, 지반 균열

환경적 영향

인간 생활에 미치는 영향

사회적 영향 대규모 인명 피해, 문화재 파손, 사회 불안, 도로 파손으로 지역 간 통행 단절

경제적 영향

주택, 도로 파손, 산업체의 생산 시설 파괴, 복구 비용 지출 증가 등

2. 지진에 대처하기 위한 인류의 노력에는 어떤 것들이 있는지 조사해 보자.

   예시 건물에 내진 설계를 하고, 지진 발생 시 실시간으로 재난 안내 방송을 하여 사람들이 대피하도록 하며, 지진 해일 발생 예상 지역에 경보를 내리는 등 피해를 최소화하기 위해 노력한다.

1 화산 폭발의 영향

(1) 화산 폭발 마그마가 지각을 뚫고 상승하며 지구 내부의 물질과 에너지가 방출되는 현상이다.
지구 내부 에너지

(2) 화산 분출물 화산이 폭발할 때 분출되는 물질로, 화산 가스(기체), 용암(액체), 화산 쇄설물(고체)로 구분한다.

- **화산 가스** 대부분 수증기(70~90 %)로 이루어져 있으며, 이산화 탄소, 이산화 황 등을 포함하는 기체 물질이다.
- **용암** 지표로 분출한 마그마에서 가스 성분이 빠져나가고 남은 고온의 액체 물질이다.
- **화산 쇄설물❶** 화산 폭발에 의한 충격이나 화산 가스의 침식 등으로 부서져서 방출된 크고 작은 암석 조각으로, 화산재와 화산탄 등이 있다.

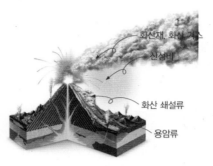

화산의 내부 구조와 화산 분출물

(3) 화산 폭발의 영향

① 부정적 영향(피해)
- 고온의 용암과 화산 쇄설물이 빠르게 흘러내려 화산 주위를 휩쓸고, 화산 쇄설물과 물이 섞인 물질이 쏟아져 내리며 큰 피해가 발생한다.
화산 이류
- 화산재, 화산 가스가 대기 중으로 유입되며 화산에서 멀리 떨어진 곳까지 퍼져 나가고, 화산 가스가 빗물에 녹아 산성비가 내리며 피해가 발생한다.
- 대규모 화산 폭발로 분출된 화산재와 화산 가스는 기후에 영향을 미친다.

② 긍정적 영향
- 온천, 관광지, 지열 발전 등으로 활용되며, 금, 은, 구리 등의 광상에서 광물 자원을 얻을 수도 있고, 화산재가 토양을 비옥하게 만든다.

2 지진의 영향

(1) 지진 지층에 오랜 시간 동안 누적된 에너지가 급격하게 방출되며 지구 표면이 흔들리는 현상이다.

(2) 지진의 영향

① 부정적 영향(피해)
- 규모가 큰 지진이 발생하면 지반의 균열이 일어나면서 건물과 도로 등의 시설물이 붕괴되며, 가스 누출, 누전 등으로 인한 화재가 발생한다.
- 산간 지역에서는 산사태가 발생하고, 해저 지진으로 지진 해일❷이 발생한다.

② 긍정적 영향
- 지진파를 이용하여 지구 내부 구조를 파악할 수 있다.

(3) 지진의 대응책 건물에 내진 설계를 적용하고, 각 지역에 지진계를 설치하며 지진 조기 경보 시스템을 구축한다.

• 확인하기

1. 이해 지진과 화산 활동이 발생하는 원인으로 작용하는 에너지원은 무엇인지 말해 보자.
예시 지구 내부 에너지

2. 적용 지진은 큰 피해를 가져올 수 있으므로 국가적인 대비가 필요하다. 지진에 대처하기 위한 제도적 정책은 무엇이 있는지 말해 보자.
예시 건물에 내진 설계를 의무화한다.

---

❶ 화산 쇄설물
화산 쇄설물은 크기에 따라 화산탄, 화산암괴, 화산력, 화산재, 화산진 등으로 나눈다. 화산 쇄설물이 화산 가스와 뒤섞여서 화산 사면을 타고 내리는 것을 화산 쇄설류 또는 화쇄류라고 한다.

✔ 개념 확인 문제

1 화산 폭발 시 (   )와 화산 가스가 화산에서 멀리 떨어진 지역까지 퍼져 나간다.

2 지진 발생 시 (   )를 통해 지구 내부 구조를 알아낼 수 있다.

학습 정리

핵심 내용 정리하기

1 지진과 화산 활동의 발생과 판의 경계 교과서 130~133쪽

지진과 화산 등의 지권의 변화를 판의 운동으로 설명하는 이론을 **❶ 판 구조론**(이)라 한다. 판과 판이 서로 **❷ 멀어지는** 경계에서는 새로운 지각이 만들어지며, 대륙판과 대륙판이 충돌하는 경계에서는 히말라야산맥과 같은 **❸ 습곡 산맥**이/가 만들어진다. 또한 해양판과 대륙판이 충돌하면 판 경계에서 **❹ 지진**과/와 **❺ 화산** 활동이 발생한다.

2 지진과 화산 활동의 영향 교과서 134~136쪽

화산이 폭발하여 화산재와 화산 가스 등의 화산 분출물이 분출하고, 대규모의 화산이 폭발하면 지권과 **❻ 기권**의 상호 작용으로 지구의 기온이 내려가기도 한다. 지진은 건물과 도로의 붕괴, **❼ 지진 해일**, 산사태 등의 피해를 일으키지만, **❽ 지진파**를 통해 지구 내부 구조를 파악할 수 있게 해 준다.

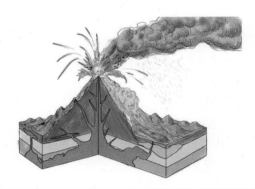

활동으로 확인하기

우리나라는 지진이 비교적 드물게 발생하지만 지진은 예고 없이 찾아오기 때문에 많은 피해를 줄 수 있다. 따라서 지진 피해를 최소화하기 위해서는 다음과 같은 지진 발생 시 행동 요령을 평소에 익히고, 실제 지진 발생 시 침착하게 대처하는 것이 중요하다.

〈 지진 발생 시 국민 행동 요령 〉
- 지진으로 건물이 흔들리는 동안은 책상 밑에 들어가 몸을 보호한다.
- 전기·가스불을 꺼서 화재를 예방하고, 문을 열어 출구를 확보한다.
- 진동이 멈추면 계단을 이용하여 건물 밖으로 대피한다.
  (※엘리베이터 안에 있으면 모든 층의 버튼을 눌러 내린 후 계단을 이용한다.)
- 건물 밖으로 나오면 가방이나 손으로 머리를 보호한다.
- 낙하물에 유의하여 신속하게 공원, 운동장 등 넓은 공터로 대피한다.
- TV, 라디오나 방재 기관에 의한 올바른 정보에 따라 행동한다.

❶ 지진 발생 시 건물 밖으로 대피했을 경우에도 안전에 유의해야 하는 까닭이 무엇인가?

예시 건물과 담장 등이 무너져 내리거나, 간판이나 자동판매기 등 지면에 단단하게 고정되지 않은 물체들이 넘어지며 다칠 수 있기 때문이다. 따라서 가방이나 손 등으로 머리를 보호하는 것이 중요하며, 건물에서 멀리 떨어지도록 한다.

❷ 지진이 일어났을 때 바다와 산에서는 어떤 이차적인 피해가 발생할 수 있는가? 이를 바탕으로 바다와 산에 있을 경우 어떻게 행동해야 할지 토의해 보자.

예시 바닷가에서는 지진 해일이 발생하거나 산에서 산사태가 발생할 수 있다. 따라서 바다나 산에 있을 때 지진이 발생하였을 경우에는 재난 안내 방송 등의 정보에 따라 신속히 안전한 곳으로 대피해야 한다.

 **4 단계 생각 넓히기** **화산 폭발의 영향은 어떻게 확산될까?** 🔍 과학적 탐구 능력

2014년 4월 14일, 아이슬란드의 에이야퍄들라이외퀴들 화산이 폭발했다. 이때 막대한 양의 화산재가 폭발적으로 분출하며 6~11 km 상공까지 치솟았다. 이로 인해 유럽의 항공기 운항이 전면 중단되는 사태가 벌어졌다. 국제항공운송협회 (IATA)는 "이번 항공 대란의 피해액이 적어도 17억 달러(1조 8,800억 원)에 달한다. 전 세계 항공편의 29 %가 결항되어 하루 120만 명의 승객이 불편을 겪었다."라고 발표했다. 이번 공항 폐쇄는 제2차 세계 대전 이후 최대 규모이다.

그런데 아이슬란드 화산 폭발은 왜 유례없는 항공 대란을 불러온 것일까? 화산재는 지름이 2 mm 이하로 모래와 비슷하거나 점토처럼 고운 알갱이로 이루어졌다. 막대한 양의 공기를 빨아들이는 비행기 엔진으로 화산재가 빨려 들어가면, 화산재에 포함된 규소가 1400 ℃에 달하는 비행기 엔진에서 녹아 버린다. 또한, 외부 공기가 유입되는 비행기의 계기판이 작동을 멈추고, 화산재가 비행기 창문과 전조등에 달라붙어 시야를 가린다.

지금 이 순간에도 전 세계 20여 개의 화산이 활동하고 있다. 화산 폭발의 피해를 최소화하기 위해 그 영향을 예측하고 대응하는 것이 중요하다.

에이야퍄들라이외퀴들 화산 폭발

1 자료 해석하기

다음은 에이야퍄들라이외퀴들 화산 폭발 이틀 후인 2014년 4월 16일에 화산재가 퍼진 지역을 나타낸 그림이다. 이 시각, 노르웨이에서는 화산재로 인해 어떤 영향이 나타날지 생각해 보고, 이를 지구 시스템의 각 권에 미치는 영향으로 구분하여 정리해 보자.

예시 노르웨이의 하늘이 화산재로 뒤덮이고 화산재가 지표면에 쌓였을 것이다. 화산재가 강과 호수 등으로 유입되면서 지표수가 오염되고, 공기 중에 미세한 화산재로 인해 호흡기 질환이 발생하였을 것이다. 또한, 화산재가 햇빛을 가려서 식물의 광합성이 저해되었을 것이다.

	기권	수권	생물권
화산재의 영향	하늘이 화산재로 뒤덮임.	강, 호수 등 지표수 오염	호흡기 질환 발생, 식물의 광합성 저해

2 자료 해석하기

다음은 에이야퍄들라이외퀴들 화산 폭발 이후 화산재가 확산하는 범위를 나타낸 그림이다. 타슈켄트 지역은 언제 화산재의 영향을 받았을지 화산재의 이동 방향과 확산 속도를 고려하여 추정해 보자.

예시 타슈켄트 지역은 4월 22일~24일에 화산재의 영향을 받았을 것이다. 18일 21시와 19일 21시에 화산재가 확산한 범위를 비교하면 화산재의 확산 속도를 추정할 수 있고, 화산재가 타슈켄트 지역까지 확산되는 데 약 3~5일 정도 걸릴 것으로 예상되기 때문이다.

3 토의하기

타슈켄트 지역에서는 인간 생활과 생물권에 미치는 피해를 줄이기 위해 어떤 대응책을 마련해야 할지 토의해 보자.

예시 화산재는 항공기의 안전에 치명적이므로 모든 항공기의 운항을 중단해야 한다. 또한, 화산재 경보를 발령하여 호흡기 질환자나 노약자 등은 외출을 자제하도록 권고해야 하며, 지표에 노출된 물은 식수로 사용하지 않아야 한다.

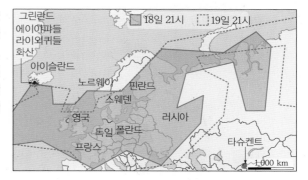

📋 **기본 개념 정리하기**

01 다음 물음에 답해 보자.

(1) 지구 시스템의 구성 요소는 무엇인가?

지권, 수권, 기권, 생물권, 외권

(2) 지구를 덮고 있는 대기층을 무엇이라 하는가? **기권**

(3) 지구 수권의 대부분을 차지하는 것은 무엇인가? **해수**

(4) 지권의 층상 구조 중 지구 부피의 대부분을 차지하고 있는 것은 무엇인가? **맨틀**

(5) 기상 현상과 지표의 변화를 일으키는 궁극적인 에너지 원은 무엇인가? **태양 복사 에너지**

(6) 화산 활동과 지진이 자주 발생하는 곳을 연결했을 때 나타나는 띠 모양을 각각 무엇이라 하는가?

화산대, 지진대

(7) 화산 활동, 지진 등 지권의 변화를 지구의 표면을 이루는 판의 운동으로 설명하는 이론은 무엇인가? **판 구조론**

(8) 판 경계 중 마그마가 분출하여 새로운 지각이 만들어지는 경계는 무엇인가? **판과 판이 멀어지는 경계**

(9) 화산 분출물 중 농사짓기 좋은 토양이 만들어지도록 영향을 주는 것은 무엇인가? **화산재**

(10) 지구 내부 구조를 파악하는 데 활용되는 자료는 무엇인가? **지진파**

02 다음 〈보기〉 중 시스템인 것을 모두 골라 보자.

┌ 보기 ┐
✔• 태양계 ✔• 지구 ✔• 사람
└────────┘

해설 태양계, 지구, 사람 모두 시스템이다.

03 지권과 수권의 상호 작용으로 나타나는 자연 현상의 예를 3가지 적어 보자.

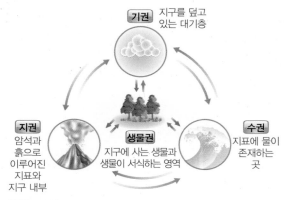

예시 해안 절벽, 석회 동굴, 갯벌
해설 파도가 치며 해안가의 암석이 침식되어 해안 절벽이 만들어지고, 산성을 띤 빗물이 석회암 지대를 녹여서 석회 동굴이 만들어지며, 밀물과 썰물로 인해 갯벌이 만들어진다.

04 전 세계의 지진대와 화산대는 일치하는 곳이 많으며 특정한 지역에서 주로 형성된다. 그 까닭이 무엇인가?

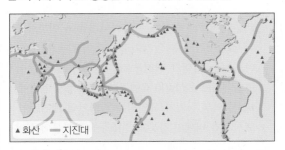

▲ 화산　── 지진대

예시 판이 이동하면서 판 경계에서 지진과 화산 활동이 발생하기 때문이다.

05 그림은 두 판이 모이는 경계의 내부 구조를 나타낸 것이다. 두 경계가 다른 모습으로 형성되는 까닭을 설명해 보자.

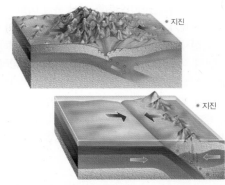

예시 대륙판과 해양판이 충돌하면 밀도가 큰 해양판이 아래로 내려가지만, 대륙판과 대륙판이 충돌하면 판이 아래로 내려가지 않기 때문이다.
해설 해양판은 연약권으로 섭입할 수 있을만큼 밀도가 크지만, 대륙판은 상대적으로 밀도가 작아서 연약권으로 섭입하지 못한다.

06 화산이 폭발하면 다양한 피해가 발생하는데, 화산과 가까운 지역뿐만 아니라 화산에서 멀리 떨어진 지역에서도 피해를 입는다. 그 까닭을 화산 분출물과 관련지어 설명해 보자.

예시 지권과 기권의 상호 작용으로 화산재가 바람을 타고 멀리 퍼져 나가기 때문이다.
해설 화산재와 화산 가스 등이 바람을 타고 멀리까지 퍼져 나간다.

핵심 개념 적용하기

07 그림 (가)는 높이에 따른 기권의 층상 구조를, (나)는 깊이에 따른 수권의 층상 구조를 나타낸 것이다. 이에 관한 설명으로 옳은 것만을 〈보기〉에서 있는 대로 골라 보자.

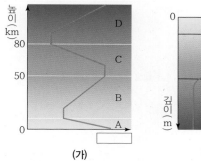 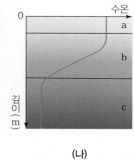

(가)　　　　(나)

┌ 보기 ┐
✔ㄱ 그림 (가)의 ☐☐☐ 안에 들어갈 알맞은 말은 기온이다.
ㄴ 기상 현상이 나타나며 생물이 주로 분포하는 곳은 C이다.
✔ㄷ B와 같이 안정한 층을 형성하는 것은 b이다.

해설 ㄴ 기상 현상이 나타나며 생물이 주로 분포하는 곳은 A의 대류권이다.
ㄷ B는 성층권으로 상층의 온도가 하층보다 높아 안정하며, 수권에서는 b의 수온 약층이 안정한 층을 이룬다.

08 그림은 물의 순환을 나타낸 것이다. 이에 관한 설명으로 옳은 것만을 〈보기〉에서 있는 대로 골라 보자.

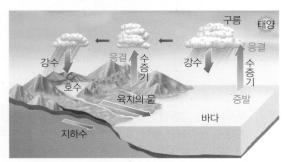

┌ 보기 ┐
ㄱ 물의 순환 과정을 통해 물질만 이동한다.
ㄴ 바닷물이 증발하여 만들어진 구름은 바다에만 비를 내린다.
✔ㄷ 물의 순환 과정에서 일어나는 지표면의 변화는 수권과 지권의 상호 작용에 의한 것이다.

해설 ㄱ 물이 순환하는 과정에서 물과 에너지가 함께 이동한다.
ㄴ 바다에서 만들어진 구름은 육지에도 비를 내린다.

09 그림은 세계 주요 판의 분포와 판의 이동 방향을 나타낸 것이다. 이에 관한 설명으로 옳은 것만을 〈보기〉에서 있는 대로 골라 보자.

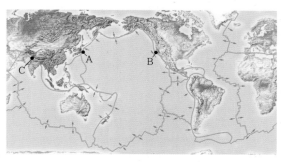

┌ 보기 ┐
✔ㄱ 세계 주요 화산대와 지진대는 판 경계에 분포한다.
ㄴ A와 C 경계 부근에서 같은 종류의 지형이 형성된다.
ㄷ B에서는 화산 활동과 지진이 활발하게 일어난다.

해설 ㄴ A와 C는 모두 두 판이 모이는 경계(수렴 경계)이지만, A에서는 해구와 호상 열도가 형성되는 반면, C에서는 습곡 산맥이 형성된다.
ㄷ B는 두 판이 서로 어긋나는 경계(보존 경계)로 변환 단층이 나타나며 화산 활동은 발생하지 않는다.

10 그림은 지진과 화산 활동으로 나타나는 현상과 피해이다. 이에 관한 설명으로 옳은 것만을 〈보기〉에서 있는 대로 골라 보자.

(가) 지진 해일　　(나) 화산재　　(다) 도로 파손

┌ 보기 ┐
✔ㄱ (가)는 지진이 수권에 영향을 미쳐서 2차적인 재해를 발생시킨 것이다.
✔ㄴ (나)는 인명 피해뿐만 아니라 항공기 결항과 같은 경제적인 피해도 유발한다.
✔ㄷ (다)는 인간 생활에 사회적, 경제적 손실을 가져오며, 피해 지역의 복구가 지연되는 원인이 된다.

해설 ㄱ 지진 해일은 지권과 수권의 상호 작용으로 일어난다.
ㄴ 화산 폭발 시 지권과 기권의 상호 작용으로 화산재가 확산되며, 인명 피해와 경제적인 피해가 발생한다.
ㄷ 지진이 발생하며 인간 생활에 여러 가지 영향을 미친다.

| 과학적 사고력 |

11 그림은 구름이 발생하는 과정을 나타낸 것이다.

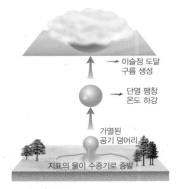

이슬점 도달
구름 생성

단열 팽창
온도 하강

가열된
공기 덩어리

지표의 물이 수증기로 증발

(1) 물이 증발하는 과정과 물방울이 응결하는 과정에서 열의 출입은 어떻게 되는지 설명해 보자.

예시 지표의 물이 수증기로 증발할 때는 열을 흡수하고, 수증기가 물방울로 응결할 때는 열을 방출한다.

(2) 지구에 들어온 태양 복사 에너지가 구름 발생 과정에서 어떻게 이동하는지 설명해 보자.

예시 태양 복사 에너지는 지표의 물에 흡수되어 물을 수증기로 증발시키고, 수증기가 물방울로 응결할 때 방출되며 기권으로 이동한다.

해설 지표의 물(수권)에 태양 복사 에너지가 흡수되어 물의 상태 변화를 일으키며, 기권으로 이동한 수증기가 물로 응결할 때 열이 방출되며 에너지가 이동한다.

| 과학적 탐구 능력 |

12 그림은 지구 시스템의 구성 요소인 기권의 층상 구조를 나타낸 것이다.
대류권과 중간권은 높이에 따른 기온 분포 경향이 비슷하다. 그런데 대류권에서는 기상 현상이 활발

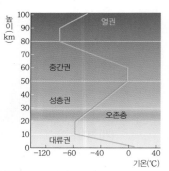

하게 일어나지만 중간권에서는 기상 현상이 거의 일어나지 않는다. 그 원인이 무엇일지, 기상 현상은 물의 순환과 함께 일어난다는 점에 착안하여 가설을 세워 보자.

예시 대류권에는 대기 중에 수증기가 존재하지만, 성층권에는 수증기가 희박하기 때문에 기상 현상이 발생하지 않는다.

해설 기상 현상이 일어나기 위한 조건으로는 대류 현상과 수증기가 존재해야 한다. 대류 현상은 하층의 공기가 상층보다 따뜻하여 상승하는 것이므로, 대류권과 중간권은 모두 대류 현상이 일어날 수 있다. 그러나 대기를 이루는 분자의 대부분이 대류권에 분포하기 때문에 대류권에는 수증기가 존재하지만 중간권에는 수증기가 희박하다.

| 과학적 문제 해결력 |

13 그림은 아이슬란드의 에이야퍄들라이외퀴들 화산 폭발 이틀 후인 2014년 4월 16일에 화산재가 확산된 지역을 나타낸 것이다.

유럽 화산재 피해 지역
16일 오전 9시(영국 시간) 현재

아이슬란드

에이야퍄들
라이외퀴들
화산

노르웨이
스웨덴
핀란드
러시아
영국
독일
폴란드
프랑스

1,000 km

(1) 화산 폭발 이틀 후 화산재가 그림과 같은 확산 양상을 보인 까닭이 무엇인지 설명해 보자.

예시 이 지역에서는 서풍이 불기 때문이다.

(2) 아이슬란드의 화산 폭발에 의한 피해를 최소화하기 위해 주변 국가에 권장할 수 있는 대책을 수립해 보자.

예시 아이슬란드의 동쪽에 위치한 국가에서는 화산 폭발 경보 시스템을 연계하고, 공항에서는 항공기 운항을 중지해야 한다.

해설 북반구 중위도 지방에는 편서풍이 부는데, 이로 인해 화산재가 서쪽에서 동쪽으로 확산된다. 따라서 아이슬란드의 동쪽에 위치한 국가에서 화산재의 확산에 대비하는 대책을 수립해야 한다.

| 과학적 의사소통 능력 |

14 우리나라는 그동안 지진이 자주 발생하지 않아 지진 안전 지대로 생각되어 왔다. 하지만 2016년 9월 경주 지방에서 규모 5.8의 지진이 발생하며 지진 발생 시 대피 요령과 재난 가방을 준비하는 것이 화제가 되었다. 재난 발생 시 2~3일 동안 독자적으로 생존하는 데 필요한 물품들을 챙겨서 가방에 넣어 놓으면 간단하게 재난 가방을 만들 수 있다. 자신이 살고 있는 지역의 특성을 고려하여 어떤 물품이 필요할지 서로 의견을 나누어 보고 재난 가방에 들어갈 물품 목록을 만들어 보자.

예시 재난 가방 물품 목록: 식수, 식료품, 비상약, 정수용 알약, 의복, 신발, 방수 성냥, 손전등, 양초, 라디오, 마스크, 침낭, 응급 보온포 등

과학과 **직업**

지진과 화산을 예측할 수는 없을까?
지진학자, 화산학자의 꿈!

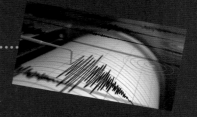

과학의 발전을 거듭하며 인류는 자연재해를 이겨 내기 위해 끊임없이 노력했다.
오늘날 일기 예보를 통해 날씨를 예측하며 많은 기상 재해를 대비하여 인명과 재산을 보호할 수
있다. 지진과 화산은 그 피해가 매우 큰데도 불구하고 예측이 쉽지 않지만, 지진학자와 화산학자들
은 끊임없이 연구를 계속하고 있다.

〈지진학자〉

지진은 지구 내부에서 암석에 축적된 탄성 에너지가 일시에
방출되어 나타나는 현상이다. 지진학자는 지진파(지진에 의해
지구 내부 또는 표면을 따라 전파되는 파동)를 분석하여 지진
이 발생한 곳의 위치와 그 깊이를 알아낸다. 또한 지진학자는
지진을 발생시키는 지구 내부의 움직임과 지진파의 전파 경로
및 지진파가 도달하는 지층의 특성 등을 연구한다.

지진파 분석

〈화산학자〉

화산은 지구 내부에서 액체 상태의 마그마가 지표의 약한 틈
을 뚫고 분출하는 현상이다. 화산학자는 실험실에서 과거 분
출했던 화산의 자료를 분석하기도 하지만, 화산 분화구 가까
이 접근하여 용암과 화산 쇄설물을 직접 채취하고 흐르는 용
암의 온도를 측정하기도 한다. 화산 분출의 정확한 시점을 알
기가 쉽지 않지만, 화산학자들은 화산 폭발 전에 작은 규모의
지진이 발생하거나 지하수의 온도와 pH가 변하고 화산 가스
가 조금씩 새어 나오는 등의 징후를 분석하여 화산 분출의 가
능성을 예측하고자 노력하고 있다.

화산에 접근하여 용암을 채취하는 화산학자

조사하기

지진학자와 화산학자들은 위험한 자연재해인 지진과 화산의 발생 원리를 파악하고 실제 현장에서 획득한 자
료를 분석한다. 이를 통해 지진과 화산의 발생 가능성을 예측하여 이들 현상에 의한 피해를 줄이는 데 필요한
정보를 제공하는 중요한 역할을 한다. 지진학자와 화산학자가 하는 일을 자세히 조사해 보자.

예시
- 지진학자: 지진과 지진파 등을 연구하며, 기상청, 연구소, 일반 기업 등 다양한 곳에서 일하고 있다. 지진학자
는 지진을 신속히 탐지하고 정밀하게 분석하며, 우리나라 주변의 지진 위험 지역의 특성을 연구하여 지진 발생 조
기 경보 시스템을 개발하고 있다.
- 화산학자: 화산, 용암, 마그마 등을 연구하며, 우리나라에는 활화산이 없지만, 백두산, 제주도, 울릉도 등의 화산을
연구한다. 화산학자는 화산으로 들어가서 암석과 용암을 채취하는 위험한 일을 하기도 하며, 화산 폭발을 예측하
고자 노력하고 있다.

4-① 지구 시스템과 상호 작용

01 지구 시스템에 대한 설명으로 옳은 것만을 〈보기〉에서 있는 대로 고른 것은?

┤ 보기 ├
ㄱ. 역학적 시스템인 태양계의 구성 요소이다.
ㄴ. 지권, 수권, 기권, 외권으로 이루어져 있다.
ㄷ. 각 권이 상호 작용 하며 균형을 이루고 있다.

① ㄴ　　　　② ㄷ　　　　③ ㄱ, ㄴ
④ ㄱ, ㄷ　　　⑤ ㄱ, ㄴ, ㄷ

02 그림은 높이에 따른 기온 분포를 나타낸 것이다.

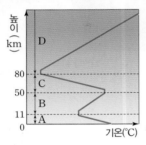

A~D층에 대한 설명으로 옳지 <u>않은</u> 것은?

① A는 대류권, B는 성층권이다.
② A와 C에서 대류 현상이 나타난다.
③ A와 C에서 기상 현상이 나타난다.
④ B에 분포하는 오존층이 자외선을 흡수한다.
⑤ D에서 외권과의 상호 작용으로 오로라가 발생한다.

03 그림은 지권의 층상 구조를 나타낸 것이다. A~D층에 대한 설명으로 옳은 것만을 〈보기〉에서 있는 대로 고른 것은?

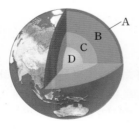

┤ 보기 ├
ㄱ. A는 대륙 지각과 해양 지각으로 구분한다.
ㄴ. B는 액체 상태의 물질로, 유동성을 갖는다.
ㄷ. C는 주로 암석 물질, D는 철과 니켈 등의 금속 물질로 이루어져 있다.

① ㄱ　　　　② ㄴ　　　　③ ㄷ
④ ㄱ, ㄷ　　　⑤ ㄱ, ㄴ, ㄷ

04 그림은 해수의 깊이에 따른 수온 분포를 나타낸 것이다.

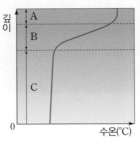

이에 대한 설명으로 옳은 것만을 〈보기〉에서 있는 대로 고른 것은?

┤ 보기 ├
ㄱ. A층은 바람에 의한 혼합 작용이 일어난다.
ㄴ. B층은 A층과 C층의 물질이 이동하는 통로가 된다.
ㄷ. C층은 계절에 따른 수온 변화가 크다.

① ㄱ　　　　② ㄴ　　　　③ ㄷ
④ ㄱ, ㄷ　　　⑤ ㄱ, ㄴ, ㄷ

05 그림 (가)는 황사, (나)는 지진 해일을 나타낸 것이다.

(가)　　　　　　　　(나)

(가)와 (나)는 각각 어느 권 사이의 상호 작용으로 발생하는 현상인지 옳게 짝 지은 것은?

	(가)	(나)
①	지권 – 수권	지권 – 수권
②	지권 – 수권	지권 – 기권
③	지권 – 기권	지권 – 수권
④	지권 – 기권	기권 – 수권
⑤	수권– 생물권	기권 – 수권

06 그림은 지구 시스템 각 권의 상호 작용을 나타낸 것이다. A~E에 해당하는 예로 옳지 <u>않은</u> 것은?

① A: 화석 연료의 연소로 이산화 탄소가 방출된다.
② B: 파도에 의해 암석이 침식된다.
③ C: 빗물에 이산화 탄소가 녹아서 산성을 띤다.
④ D: 생물의 광합성으로 산소가 만들어진다.
⑤ E: 지하수에 의해 석회 동굴이 만들어진다.

07 그림은 지구 시스템의 에너지원을 나타낸 것이다.

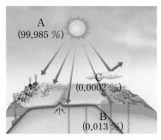

이에 대한 설명으로 옳은 것만을 〈보기〉에서 있는 대로 고른 것은?

┌ 보기 ┐
ㄱ. A는 갯벌을 형성하는 에너지이다.
ㄴ. B는 지진과 화산 활동을 일으킨다.
ㄷ. C는 여러 가지 자연 현상을 일으키는 근원적인 에너지이다.

① ㄱ   ② ㄴ   ③ ㄷ
④ ㄱ, ㄷ   ⑤ ㄴ, ㄷ

08 지구 시스템에서 물질과 에너지의 흐름에 관한 설명으로 옳은 것만을 〈보기〉에서 있는 대로 고른 것은?

┌ 보기 ┐
ㄱ. 외권으로부터 에너지가 유입되지만 물질은 유입되지 않는다.
ㄴ. 기상 현상 등의 자연 현상이 발생하는 주요 에너지원은 태양 복사 에너지이다.
ㄷ. 태풍은 고위도 지방의 에너지를 저위도로 이동시키며 지구의 에너지 불균형을 해소한다.

① ㄴ   ② ㄷ   ③ ㄱ, ㄴ
④ ㄱ, ㄷ   ⑤ ㄴ, ㄷ

09 그림은 지구 시스템에서 물의 순환을 나타낸 것이다.

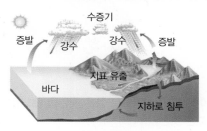

이에 대한 설명으로 옳은 것만을 〈보기〉에서 있는 대로 고른 것은?

┌ 보기 ┐
ㄱ. 물의 순환 과정에서 지표의 풍화, 침식 작용이 일어난다.
ㄴ. 물이 증발하고 응결하는 과정에서 물질과 에너지가 이동한다.
ㄷ. 물의 순환을 일으키는 주요 에너지원은 태양 복사 에너지이다.

① ㄴ   ② ㄷ   ③ ㄱ, ㄴ
④ ㄱ, ㄷ   ⑤ ㄱ, ㄴ, ㄷ

4-② 지권의 변화와 그 영향

10 그림 (가)는 지진대와 화산대, (나)는 판 경계의 분포를 나타낸 것이다.

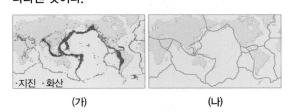

·지진 ·화산
(가)   (나)

이에 대한 설명으로 옳은 것만을 〈보기〉에서 있는 대로 고른 것은?

┌ 보기 ┐
ㄱ. 지진대와 화산대는 판 경계와 대부분 일치한다.
ㄴ. 대륙 중심부에서 지진과 화산 활동이 활발하게 일어난다.
ㄷ. 지진이 발생하는 곳에서는 항상 화산 활동이 일어난다.

① ㄱ   ② ㄴ   ③ ㄱ, ㄴ
④ ㄱ, ㄷ   ⑤ ㄴ, ㄷ

11 그림은 지구 내부 구조의 일부분을 나타낸 것이다.

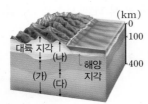

이에 대한 설명으로 옳은 것만을 〈보기〉에서 있는 대로 고른 것은?

┌ 보기 ┐
ㄱ. (가)는 맨틀로, 암석질의 고체 물질로 이루어져 있다.
ㄴ. (나)는 암석권으로, 지각과 상부 맨틀의 단단한 부분을 포함한다.
ㄷ. (다)는 연약권으로, 유동성이 없는 고체 물질로 이루어져 있다.
└────────┘

① ㄱ 　　② ㄴ 　　③ ㄱ, ㄴ
④ ㄱ, ㄷ 　　⑤ ㄴ, ㄷ

12 그림은 주요 판의 이동 방향을 나타낸 것이다.

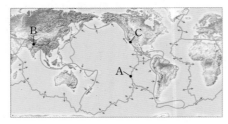

A~C 지역에 대한 설명으로 옳은 것만을 〈보기〉에서 있는 대로 고른 것은?

┌ 보기 ┐
ㄱ. A에서는 두 판이 서로 멀어지는 방향으로 이동하며 새로운 지각이 형성된다.
ㄴ. B에서는 판과 판이 충돌하며 판이 맨틀 속으로 내려가면서 깊은 곳에서 지진이 발생한다.
ㄷ. C에서는 판이 생성되거나 소멸하지 않으며, 지진과 화산 활동이 활발하게 일어난다.
└────────┘

① ㄱ 　　② ㄴ 　　③ ㄷ
④ ㄱ, ㄷ 　　⑤ ㄴ, ㄷ

13 그림 (가), (나)는 판 경계의 내부 구조를 모식적으로 나타낸 것이다.

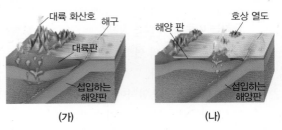

이에 대한 설명으로 옳은 것만을 〈보기〉에서 있는 대로 고른 것은?

┌ 보기 ┐
ㄱ. (가)와 (나)는 모두 두 판이 모이는 경계(수렴 경계)에 해당한다.
ㄴ. (가)에서는 지진과 화산 활동이 활발하게 발생하지만, (나)에서는 화산 활동만 발생한다.
ㄷ. (나)에서는 상대적으로 밀도가 작은 해양판이 다른 해양판 아래로 내려간다.
└────────┘

① ㄱ 　　② ㄴ 　　③ ㄱ, ㄷ
④ ㄱ, ㄷ 　　⑤ ㄱ, ㄴ, ㄷ

14 그림은 대규모 화산 폭발이 지구 시스템과 인간 생활에 미치는 영향을 나타낸 것이다.

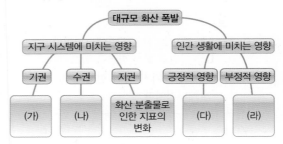

(가)~(라)에 해당하는 예로 옳지 않은 것은?

① (가) – 화산재가 햇빛을 차단하여 기온이 하강한다.
② (나) – 화산 가스가 빗물에 녹아서 산성비가 내린다.
③ (나) – 화산재가 강, 호수 등의 지표수를 오염시킨다.
④ (다) – 화산재는 토양을 비옥하게 만든다.
⑤ (라) – 화산에 가까운 지역에서만 피해가 발생한다.

15 지진의 피해를 줄이기 위한 방법으로 옳지 않은 것은?

① 건물에 내진 설계를 적용한다.
② 지진 조기 경보 시스템을 구축한다.
③ 평소에 지진 대비 훈련을 실시한다.
④ 지진 발생 시 건물이 흔들리는 즉시 외부로 대피한다.
⑤ 지진이 자주 발생하는 지역에는 댐, 발전소 등의 시설물을 짓지 않는다.

16 그림은 극지방에서 관측되는 오로라의 모습을 나타낸 것이다. 오로라가 발생하는 과정을 지구 시스템의 상호 작용으로 서술하시오.

>> 과학적 사고력
지구 시스템의 상호 작용,
지구 시스템이 생명 유지에 기여하는 원리

17 그림은 바다 속 산호의 모습을 나타낸 것이다. 산호의 골격은 탄산 칼슘으로 이루어져 있는데, 이처럼 탄소는 지구 시스템 각 권에 다양한 형태로 분포하며 각 권을 순환하고 있다. 산호의 골격이 형성되는 과정을 지구 시스템에서 탄소의 이동으로 서술하시오.

>> 과학적 사고력
지구 시스템의 상호 작용, 탄소 순환

18 다음은 태풍의 발생과 발달 과정에 관한 설명이다.

> 수온이 27 ℃ 이상인 열대 해상에서 ㉠바닷물이 증발하고, 저기압의 중심에서 공기가 상승하면서 ㉡수증기가 응결하여 키가 큰 구름이 발달하며 태풍이 형성된다. 강한 상승 기류와 다량의 수증기로 강력해진 태풍은 포물선을 그리며 북상하고, 강풍과 폭우를 동반하다가 육지에 상륙하면 급격히 약화된다.

㉠과 ㉡에서 열이 출입하는 과정을 각각 서술하시오.

>> 과학적 사고력
지구 시스템의 상호 작용,
물질과 에너지의 순환

19 그림은 2014년에 아이슬란드의 에이야파들라이외퀴들 화산 폭발 이틀 후에 화산재가 확산된 지역을 나타낸 것이다. 화산재가 아이슬란드의 동쪽 지역으로 확산되는 과정을 지구 시스템의 상호 작용으로 서술하시오.

>> 과학적 탐구 능력
화산 폭발의 영향

20 그림은 지진으로 지반에 균열이 일어난 모습을 나타낸 것이다. 지진이 발생하면 지구 시스템 각 권에 부정적 영향을 미쳐서 여러 가지 피해가 발생하지만, 긍정적 영향을 미치기도 한다. 지진의 긍정적 영향으로, 지진을 이용하는 방법을 1가지만 서술하시오.

>> 과학적 사고력
지진의 영향

5

생명 시스템

생물은 단순히 세포가 모여서 이루어진 것이 아니다.

지구에는 인간을 비롯한 수많은 생물이 살고 있다.

생물은 숲과 바다뿐만 아니라 지구 곳곳에 서식하면서 환경에 적응하며 살아가고 있다.

그러면 생물이란 무엇일까? 하나의 생물, 즉 개체를 이루는 기본 단위는 세포이다.

그렇지만 생물은 단순히 세포들의 모임만은 아니다.

생물을 이루는 세포는 생명을 유지하기 위해 외부와 끊임없이 상호 작용 한다.

이 단원에서 생명 시스템을 유지하기 위해 세포가 어떻게 외부와 상호 작용 하여

정보를 어떻게 전달하는지 확인해 보자.

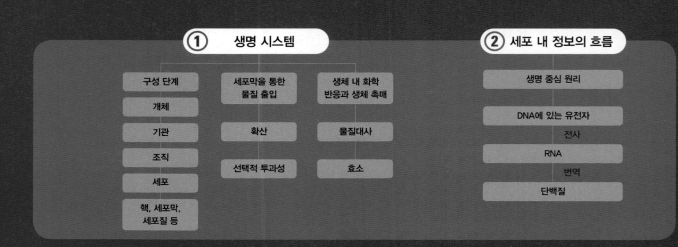

① 생명 시스템

구성 단계	세포막을 통한 물질 출입	생체 내 화학 반응과 생체 촉매
개체		
기관	확산	물질대사
조직		
세포	선택적 투과성	효소
핵, 세포막, 세포질 등		

② 세포 내 정보의 흐름

생명 중심 원리

DNA에 있는 유전자

전사

RNA

번역

단백질

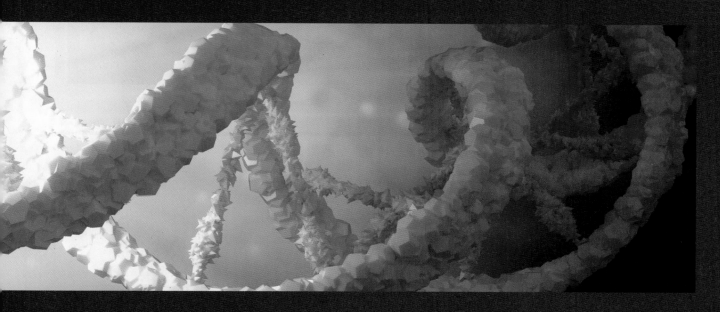

생명 시스템
생명 시스템은 어떻게 구성되어 있을까?

①

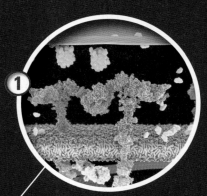

② ## 세포 내 정보의 흐름
유전자 정보는 어떻게 단백질로 전달될까?

학습 계획 세우기

이 단원에서는 생명 시스템이 어떻게 이루어져 있으며, 세포막을 통한 물질 출입과 물질대사 과정에서의 효소의 역할,
유전자로부터 단백질로의 정보의 흐름에 관해 탐구한다. 각 소단원에서 공부할 내용을 미리 살펴보고 학습 계획을 세워 보자.

생명 시스템 → 생물의 구성 단계 이해 → 생명 시스템의 기본 단위인 세포

세포막을 통한 물질   세포 내 정보
이동과 물질대사   흐름의 이해

기권
지권 ← → 생물권
수권   지구 시스템

5 - ❶ 생명 시스템

❶단계 생각 펼치기 지구 시스템에서 생물은 어떻게 살고 있을까?

우주에서 지구를 바라보면 드넓은 초록색 숲과 초원으로 뒤덮인 대륙과 푸른 바다를 볼 수 있다. 이러한 지구의 모습은 지구 시스템을 구성하는 지권, 기권, 수권, 생물권이 어우러져 나타나는 광경이다. 여기서는 지구 시스템에는 어떤 생물이 살고 있으며, 지구 시스템 안에서 생물권은 각 권과 어떻게 유기적으로 상호 작용 하는지 알아본다.

■ 지구 시스템과 생명 시스템

(1) **지구 시스템❶** ┌ 암석과 흙으로 이루어져 있다.
  ① 지권 지표와 지구 내부를 포함하는 깊이 약 6,400 km인 영역
  ② 기권 지구를 둘러싸고 있는 대기층으로, 높이 약 1,000 km인 영역
  ③ 수권 해수, 빙하, 지하수, 강, 호수 등 지표에 물이 존재하는 영역
  ④ 생물권 지구상에 살고 있는 모든 생물과 생물이 살고 있는 영역으로, 기권, 지권, 수권으로 이루어진 환경과 상호 작용 하고 있다.

(2) **생명 시스템** 기본 단위는 세포이며 세포, 조직, 기관 같은 구성 단계로 이루어져 있고, 이들 구성 요소들이 유기적으로 조직되고 상호 작용 하여 다양한 생명 활동을 수행하는 시스템을 말한다.

❶ 지구 시스템

토의하기

1 지구 시스템의 각 권에는 어떤 생물이 살고 있는지 정리해 보자.

기권	지권	수권
참새, 기러기, 매, 갈매기 등 각종 조류, 미생물❷ 등	지렁이, 나비, 개, 호랑이 등 각종 육상 동식물, 미생물, 균류 등	플랑크톤❸ 어류, 고래, 물개, 원생생물 등

2 지구 시스템의 생물권을 구성하는 요소에는 생물 이외에 무엇이 있을까?
  예시 생물이 살고 있는 영역인 육상, 물, 대기 등이 있다.

3 생물권은 지구 시스템의 각 권역과 서로 어떤 영향을 주고받을지 생각해 보자.
  예시 생물권의 생물들은 기권, 지권, 수권이 만드는 환경의 영향을 받기도 하고, 생물권이 이들에 영향을 주어 환경의 변화를 유도하기도 하며 상호 작용 한다.

❷ 미생물
육안으로는 관찰할 수 없는, 0.1 mm 이하 크기의 미세한 생물로 세균, 효모, 원생생물, 물에서 사는 조류 등을 포함한다.

❸ 플랑크톤
스스로 운동 능력이 없거나 아주 약하여 물속에서 물결을 따라 떠다니는 작은 생물을 통틀어 플랑크톤이라고 한다. 규조류, 남조류 등의 식물 플랑크톤과 원생동물 등의 동물 플랑크톤으로 구분한다.

알고 있나요?

1 생물의 구성 단계를 말해 보자.
  예시 • 동물체의 구성 단계: 세포 → 조직 → 기관 → 기관계❹ → 개체
  • 식물체의 구성 단계: 세포 → 조직 → 조직계❺ → 기관 → 개체

2 세포의 구조를 설명해 보자.
  예시 세포는 기본적으로 핵, 세포질, 세포막으로 구성되어 있으며, 세포질에는 미토콘드리아, 엽록체 등과 같은 세포 소기관이 들어 있다. 식물 세포의 경우 동물 세포와 달리 엽록체가 있으며, 세포벽이 세포막을 둘러싸고 있다.

❹ 기관계
동물에서 체액의 순환, 기체의 호흡 등을 위해 함께 기능하는 기관들을 하나로 묶은 것으로, 순환계, 호흡계, 배설계 등이 있다.

❺ 조직계
식물에서 여러 조직이 모여 일정한 기능을 수행하는 단계로, 표피 조직계, 관다발 조직계 등이 있다.

❷ 단계 해결하기 **1. 생명 시스템은 무엇으로 이루어져 있을까?**

그림은 멀리서 보면 실제 기린처럼 보이지만 가까이에서 보면 장난감 블록으로 만든 입체 모형을 나타낸 것이다. 장난감 블록으로 만든 기린은 블록으로 이루어져 있지만, 살아 있는 기린은 세포로 이루어져 있다. 여기서는 기린의 예를 통해 개체로서의 생명 시스템의 구성 단계를 조사해 보고, 생명 시스템의 기본 단위를 이루고 있는 세포의 구조와 각 구조의 기능에 관하여 학습한다. 또한, 생명 시스템의 기본 단위인 세포도 하나의 생명 시스템을 이루고 있음을 알아본다.

 해 보기 1 **조사** **생명 시스템의 구성 단계**

교과서 148쪽

목표 **과학적 사고력**

기린의 예를 통해 개체로서의 생명 시스템의 구성 단계를 설명할 수 있다.

과정

그림은 기린의 예를 통해 개체로서의 생명 시스템의 구성 단계를 나타낸 것이다.

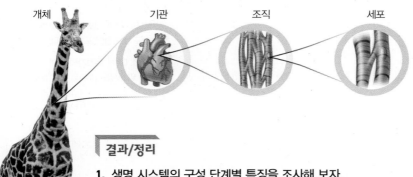

개체 　 기관 　 조직 　 세포

*상피 세포
생물의 몸과 조직의 안팎을 덮고 있는 것을 상피라고 하며, 이를 구성하는 세포를 상피 세포라고 한다. 상피 세포들은 형태에 따라 여러 종류로 나뉜다.

결과/정리

1. 생명 시스템의 구성 단계별 특징을 조사해 보자.

　예시 생명 시스템은 세포를 기본 단위로 구성된다. 세포에는 신경 세포, 근육 세포, 상피 세포,* 혈구 세포 등 여러 가지 종류가 있다. 같은 기능을 담당하는 세포가 모여 조직을 이룬다. 여러 가지 조직이 모여 심장, 폐, 콩팥, 간, 뇌와 같은 기관을 형성하며, 각 기관은 소화, 호흡, 배설 등의 기능을 한다. 동물체의 경우 연관된 기능을 하는 기관들이 모여 기관계를 이룬다. 기관계에는 순환계, 소화계, 호흡계, 배설계, 신경계 등이 있다. 이러한 기관계가 모여 시스템으로서의 개체를 이룬다.

*생식
생물이 다음 세대, 즉 자손을 만드는 방식 말한다. 유전적으로 동일한 자손을 만드는 무성 생식과 생식세포의 수정을 통해 자손을 만드는 유성 생식이 있다.

탐구 분석

생명 시스템의 기본 단위인 세포는 유기적으로 구성되어 조직, 기관, 개체 순으로 생물체를 구성하며, 세포에서는 생명 시스템 유지를 위해 다양한 생명 현상이 일어난다.

2. 생명 시스템을 구성하는 세포에서는 생명 활동을 유지하기 위해 어떤 현상이 일어나는지 조사해 보자.

　예시 세포에서는 생명 활동에 필요한 물질과 에너지를 생산하고, 세포막에서는 세포 내외로 물질을 이동시킨다. 또한 생명체는 세포 분열을 통해 생장과 생식*을 한다.

1 생명 시스템의 구성 단계

(1) 구성 단계
- 단세포 생물 세포 하나가 곧 개체인 생물이다.
- 다세포 생물 수많은 세포로 이루어진 생물로, 세포 → 조직 → 기관 → 개체 순으로 구성된다.❶

단계	특징
세포	생명체를 구성하는 구조적 · 기능적 기본 단위 예 상피 세포, 근육 세포, 신경 세포, 적혈구, 백혈구, 표피 세포, 체관 세포, 엽육 세포
조직	형태와 기능이 비슷한 세포들의 모임 예 상피 조직, 근육 조직, 신경 조직, 결합 조직,❷ 표피 조직, 체관 조직, 엽육 조직
기관	여러 조직이 모여 고유한 형태와 기능을 나타내는 단계 예 심장, 위, 간, 잎, 줄기, 뿌리, 꽃
개체	여러 기관이 모여 독립된 구조와 기능을 가지고 생명 활동을 하는 시스템으로서, 하나의 생물체 예 사람, 기린, 소나무, 무궁화

2 세포의 구조와 기능

세포막으로 둘러싸인 세포 내부는 핵과 세포질로 이루어져 있으며, 세포질에는 다양한 세포 소기관❸이 있어서 여러 가지 생명 현상이 일어난다.

핵	• 세포의 생명 활동 조절 • 핵 속에는 유전 물질인 DNA❹가 있음.
미토콘드리아	• 세포의 생명 활동에 필요한 에너지(ATP) 생산 — 세포 호흡을 통해 포도당을 APT로 전환한다.
리보솜	• DNA의 유전 정보에 따라 단백질 합성
소포체	• 리보솜에서 합성된 단백질 등 세포 내 물질의 이동 및 합성 장소 — 막으로 둘러싸인 납작한 주머니와 관으로 되어 있으며, 핵과 연결되어 있다.
골지체	• 소포체에서 전달된 단백질을 변형시키고 운반하여 세포 밖으로 분비하는 데 관여
엽록체	• 빛에너지를 이용해서 광합성을 하여 포도당과 같은 유기물을 합성 • 식물 세포에만 있음. — 빛에너지를 이용해서 이산화 탄소와 물을 원료로 포도당을 합성하는 과정으로, 이때 산소가 발생한다.
액포	• 물, 영양분, 색소, 노폐물 등을 저장하며, 성숙한 식물 세포일수록 발달
세포막❺	• 세포 전체를 둘러싸고 있는 얇은 막으로, 세포 안팎으로의 물질 출입을 조절
세포벽	• 식물 세포의 세포막 바깥쪽에 있는 단단한 구조물로, 식물 세포에만 있음. • 세포를 싸서 보호, 세포의 형태 유지

└ 주성분은 셀룰로스이다.

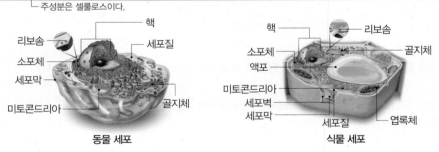

동물 세포   식물 세포

• 확인하기

1. 이해 생명 시스템의 기본 단위인 세포에서 외부와의 물질 출입을 조절하는 곳은 어디인가?
예시 세포막

2. 적용 세포가 하나의 시스템이라고 할 수 있는 까닭은 무엇인가?
예시 세포는 핵, 세포막, 세포질의 세포 소기관과 같은 여러 가지 구성 요소로 이루어져 있으며, 생존·생장·분열하고, 세포막을 통해 주위 환경과 상호 작용 하기 때문이다.

---

❶ **동물체와 식물체의 구성 단계**
- 동물체의 구성 단계: 세포 → 조직 → 기관 → 기관계 → 개체
- 식물체의 구성 단계: 세포 → 조직 → 조직계 → 기관 → 개체

❷ **결합 조직**
동물의 기관 및 조직 사이를 채우고, 이들을 지지하는 조직이다. 혈액의 혈구 세포, 지방 세포 등과 섬유 물질이 포함된다.

❸ **세포 소기관**
일반적으로 핵과 세포막도 세포를 구성하는 세포 소기관에 포함시킨다.

❹ **염색체, DNA, 유전자의 관계**
핵 속의 염색체는 DNA와 단백질로 이루어져 있으며, DNA의 일부에는 유전 정보가 들어 있는 유전자가 있다.

❺ **세포막**
세포는 세포막으로 둘러싸여 있어 외부 환경과 분리되며, 세포막을 통해 세포 안팎으로의 물질 출입을 조절하며 끊임없이 외부와 상호 작용을 하므로 하나의 시스템으로 다양한 생명 활동을 할 수 있다.

✅ 개념 확인 문제

1 생명 시스템의 기본 단위는 무엇인가?

2 생명 시스템의 구성 단계를 쓰시오.

3 식물 세포에만 있는 세포 소기관을 2가지만 쓰시오.

❷단계 해결하기 **2. 세포막을 통한 물질 출입은 어떻게 일어날까?**

우리가 호흡할 때 폐의 폐포와 모세 혈관 사이에서 산소와 이산화 탄소의 기체 교환이 일어난다. 이렇게 기체 교환이 일어나는 것은 폐포와 모세 혈관을 구성하는 세포의 세포막에서 물질 교환이 일어나기 때문이다. 여기서는 세포의 생명 유지를 위해 세포막에서 물질이 이동하는 방법에 관하여 알아본다. 또한, 세포막의 물질 출입을 설명하는 선택적 투과성의 의미를 실험과 조사를 통하여 알아본다.

탐구 1 [실험] 난각막을 통한 물질 이동

교과서 150~151쪽

목표
과학적 사고력

난각막*을 통한 물질 이동 실험 결과를 해석하여 물질 출입 과정에서 세포막의 기능을 추론할 수 있다.

➕ **5분 안전**
보안경과 실험용 장갑을 착용한다.

과정

❶ 달걀 A, 달걀 B를 900 mL의 물이 든 1 L 눈금실린더에 각각 넣어 부피를 측정한다.

⚠ **유의 사항** 1 L 눈금실린더에 달걀을 넣을 때 달걀이 깨지지 않도록 눈금실린더를 기울여서 넣는다.

과정 1

❷ 달걀 A를 2배 식초 200 mL가 든 비커에, 달걀 B를 물 200 mL가 든 비커에 각각 넣고 24시간 동안 기다린다. 이때 식초에 넣은 달걀 A는 위로 뜨므로 100 mL 비커로 달걀 A의 윗부분을 눌러 준다.

⚠ **유의 사항** 실험 도중에 달걀이 터질 수 있으므로 달걀 A는 모둠 별로 3개 정도 만들도록 한다.

과정 2

❸ 24시간 후 달걀 A와 달걀 B를 꺼내어 외형 변화를 관찰하고, 900 mL의 물이 든 1 L 눈금실린더에 각각 넣어 부피 변화를 측정한다.

과정 3

***난각막**
달걀 껍데기 안쪽에 붙어 있는 얇은 막

***달걀 껍데기와 식초 간의 화학 반응**
식초에 달걀 껍데기를 담그면 달걀 껍데기에서 기포가 발생하는 것을 관찰할 수 있는데, 이 기포는 달걀 껍데기의 성분인 탄산칼슘($CaCO_3$)과 식초의 아세트산(CH_3COOH)이 반응하여 발생한 이산화 탄소(CO_2)이다. 이때 생성되는 아세트산 칼슘($Ca(CH_3COO)_2$)은 물에 녹는다.

결과/정리

1. 24시간 전후의 달걀 A와 달걀 B의 외형 변화와 부피 변화를 말해 보자.

***실험 결과의 예**

물　　　　식초

구분	외형 변화	부피 변화
달걀 A	• 식초에 달걀을 담그면 달걀 껍데기가 식초에 녹아 기체가 발생하는 것을 볼 수 있다. • 24시간 후에는 딱딱한 달걀 껍데기는 모두 녹아 없어지고 안쪽의 말랑말랑한 난각막을 관찰할 수 있다. • 달걀의 크기가 커졌음을 시각적으로 확인할 수 있다.	부피가 증가하였다. (60 mL → 78 mL)
달걀 B	외형상 변화가 없다.	부피 변화가 없다. (60 mL → 60 mL)

2. 달걀 A와 달걀 B에서 나타난 변화의 까닭을 모둠별로 토의해 보자.

예시 달걀 껍데기가 물의 출입을 막아 주었기 때문에 달걀 B는 외형과 부피 변화가 없다. 반면, 달걀 A는 식초에 의해 달걀 껍데기가 녹아서 말랑말랑한 난각막을 관찰할 수 있고, 식초 속의 물이 난각막을 통해 달걀 A 속으로 이동하여 부피가 증가한 것이다.

3. 난각막을 세포막이라고 가정하면 세포막은 어떤 역할을 했을지 추론해 보자.

예시 세포막을 통과하지 못하는 물질(용질)의 농도 차가 있는 경우 용질 대신 물(용매)이 세포막을 통해 이동한다. 이때 물은 용질의 농도가 낮은 쪽에서 높은 쪽으로 이동한다. 즉, 세포막은 특정 물질만 선택적으로 투과시킨다는 것을 알 수 있다.

 탐구 분석

난각막을 세포막이라고 하면 난각막을 통해 식초는 이동하지 않고 확산에 의해 물만 이동하였으므로, 세포막은 특정 물질만 선택적으로 투과함을 추측할 수 있다.

수행평가 TIP

탐구 수행	• 모둠 구성원과 협력하여 조사를 수행한다.	☆ ☆ ☆
	• 보안경과 실험용 장갑을 착용하고 안전 수칙을 지킨다.	☆ ☆ ☆
탐구 결과	• 실험 과정과 결과를 정확하고 자세하게 기록한다.	☆ ☆ ☆
	• 실험 결과 달걀 A와 B의 부피 변화가 차이나는 까닭을 정확하게 설명한다.	☆ ☆ ☆
	• 난각막을 세포막이라 가정하고 물질 이동 과정에서 세포막의 기능을 설명한다.	☆ ☆ ☆

1 세포막의 구조와 기능

(1) 세포막 세포의 형태를 유지하고, 세포 안팎으로의 물질 출입을 조절한다.

(2) 세포막의 구조 인지질과 막단백질로 이루어져 있다.

인지질	막단백질
• 친수성인 머리 부분과 소수성❶인 꼬리 부분으로 구성된다. • 물로 둘러싸인 세포 안팎의 환경에서는 소수성인 꼬리 부분이 마주 보며 배열되어 인지질 2중층을 형성한다. • 인지질 2중층은 유동성이 있다.	• 인지질 2중층에 파묻혀 있거나 막을 관통하고 있으며, 막의 표면에 느슨하게 붙어 있는 것도 있다. • 인지질의 움직임에 따라 막단백질의 위치가 바뀐다. • 세포막을 관통하고 있는 막단백질은 세포 안팎으로 물질의 이동 통로 역할을 한다.

❶ 친수성과 소수성
친수성은 물 분자와 쉽게 섞이는 성질이고, 소수성은 물 분자와 잘 섞이지 않는 성질이다.

세포막의 인지질들은 가만히 있는 것이 아니라 매우 빠른 속도로 수평적으로 움직이며, 그에 따라 막단백질들도 막을 따라 움직인다.

세포 밖
인지질
막단백질
인지질 2중층
세포 안

(3) 세포막을 통한 물질 이동

① **확산❷** 기체나 용액에서 물질을 이루는 분자가 무작위로 움직여 농도가 높은 쪽에서 낮은 쪽으로 이동하는 현상이다.

인지질 2중층을 통한 확산	막단백질을 통한 확산
• 인지질 2중층을 직접 통과하여 이동 • 이동 물질: 크기가 매우 작은 기체 분자,❸ 지용성 물질, 지질 입자 • 예 폐포와 모세 혈관 사이에서 산소(O_2)나 이산화 탄소(CO_2) 교환	• 해당 물질만을 통과시킬 수 있는 특정 막단백질을 통해 통과 이동 • 이동 물질: 이온(Na^+, K^+), 분자의 크기가 비교적 큰 수용성인 물질(포도당, 아미노산 등) • 예 소장에서 융털의 모세 혈관으로 포도당 흡수

전하를 띠는 물질은 인지질 2중층을 통과하기 어려워 막단백질을 통해 이동한다.

산소
세포 밖
세포 안

포도당
세포 밖
단백질
세포 안

❷ 단순 확산과 촉진 확산
• 단순 확산: 인지질 2중층을 통한 확산과 같이 수송체 없이 확산되는 것
• 촉진 확산: 막단백질을 통한 확산과 같이 수송체에 의해 확산되는 것

❸ 세포막을 통한 기체의 이동
산소(O_2)와 이산화 탄소(CO_2)와 같은 기체들은 세포막을 통한 확산에 의해 이동한다. 즉 산소(O_2)와 이산화 탄소(CO_2)와 같은 기체들은 농도가 높은 쪽에서 농도가 낮은 쪽으로 세포막을 가로질러 확산한다.

② <u>삼투</u> 세포막을 경계로 농도가 다른 두 용액이 있을 때 농도가 낮은 용액에서 높은 ─ 용매 이동 시 에너지를 소모하지 않는다.
용액으로 용질[4] 대신 용매(물)가 세포막을 통해 이동하는 현상이다.
- 용질 입자는 크기가 커서 세포막을 통과할 수 없을 때 일어난다.
- 물 분자가 많은 곳에서 물 분자가 적은 곳으로 물이 이동하는 현상이므로 <u>확산의</u> <u>한 형태</u>이다.
  예 • 식물의 뿌리털에서 주변의 물을 흡수할 때 뿌리털 주변에서 상대적으로 고농도인 뿌리털 안쪽으로 물이 세포막을 통해 이동한다.
  • 콩팥의 세뇨관에서 모세 혈관으로 물이 재흡수된다.

❹ 용질
용액에서 용매에 용해되는 물질을 말한다. 식초에서는 아세트산이 용질이고, 용매가 물이다.

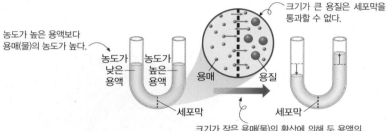

농도가 높은 용액보다 용매(물)의 농도가 높다.
농도가 낮은 용액 / 농도가 높은 용액
용매 / 용질
세포막
크기가 큰 용질은 세포막을 통과할 수 없다.
크기가 작은 용매(물)의 확산에 의해 두 용액의 농도가 일정해질 때까지 삼투가 일어난다.

(4) 세포막의 <u>선택적 투과성</u>
- 세포막을 통한 물질의 출입은 물질의 종류에 따라 선택적으로 일어난다.
  예 폐포에서의 기체 교환, 소장에서 영양소의 흡수, 달걀을 식초에 담갔을 때 식초의 물이 난각막을 통해 달걀 안쪽으로 들어가는 것
- 세포는 세포막의 선택적 투과성을 통해 물질의 출입을 조절하여 세포 안쪽 환경을 일정하게 유지하고, 생명 활동을 원활하게 수행할 수 있다.

탐구 Plus

[과정]
① 식초에 담가 달걀 껍데기를 제거한 달걀 2개를 준비한다.
② 진한 소금물과 증류수에 각각 하루 정도 담가 둔다.

[결과]
- 증류수에 넣은 달걀은 부피가 더 증가한다. ➡ 저농도의 증류수에서 고농도의 달걀로 물이 이동하여 달걀의 부피가 증가한다.
- 진한 소금물에 넣은 달걀은 부피가 감소한다. ➡ 저농도의 달걀에서 고농도의 소금물로 물이 이동하여 달걀의 부피가 감소한다.

 과제 1

세포막은 주위 환경과의 물질 출입을 조절하는 것 외에도 여러 기능을 통해 생명 시스템 유지에 중요한 역할을 한다. 세포막이 물질 출입을 조절하는 기능 외에 어떤 역할을 통해 생명 활동을 유지하는지 조사해 보자.

예시 세포막의 기능은 다음과 같이 주로 막단백질의 기능으로 설명할 수 있다.

수송	막관통 단백질은 친수성 물질의 통로 역할을 하며, 특정 물질을 세포 안팎으로 이동시킴.
효소 활성	효소로 작용하여 세포 내부의 물질대사에 관여함.
신호 전달	세포 외부의 화학 물질을 인식하여 세포 내부로 신호를 전달함.
세포 간 인식	일부 당단백질(탄수화물이 붙은 단백질)은 다른 세포를 구별하는 인식표 역할을 함.
세포 간 결합	인접한 세포들과의 결합에 관여함.
세포 골격	세포의 모양을 유지하고, 특정 막단백질의 위치를 고정시킴.

· 확인하기

1. 이해 세포막을 통한 물질 출입은 어떤 방법으로 일어날까?
   예시 크기가 매우 작은 기체 분자나 지용성 물질은 세포막의 인지질 2중층을 통해, 분자의 크기가 크거나 수용성 물질은 막단백질을 통해 선택적으로 이동한다. 이러한 세포막의 특성을 선택적 투과성이라고 한다.

2. 적용 나트륨 이온(Na^+), 칼륨 이온(K^+)과 같은 이온성 물질들은 어떤 방법을 통해 세포막을 통과할까?
   예시 각각의 이온을 통과시킬 수 있는 세포막의 특정 막단백질을 통해 세포막을 통과하여 이동한다.

✓ 개념 확인 문제

1 세포막을 통한 물질의 출입이 물질의 종류에 따라 선택적으로 일어나는 현상을 무엇이라고 하는가?

2 포도당과 같이 수용성이고 크기가 큰 물질은 세포막의 어떤 구조를 통해 이동하는가?

인공 세포막 연구

세포의 모든 구성 요소는 세포막으로 둘러싸여 있는데 세포막은 세포 외부와 내부의 경계를 구분하는 단순한 보호막이 아니다. 세포막은 물질과 정보, 그리고 에너지를 선택적으로 통과시킬 수 있으며, 스스로 나누어져 또 다른 세포로 분열할 수 있다.

2015년 국내 연구진은 이러한 기능을 가진 세포막을 사람의 몸 밖에서 제작해 신약 후보 물질이나 독성 물질이 생체에 미치는 영향을 평가할 수 있는 인공 세포막을 개발하였다. 그동안 신약 후보 물질이나 독성 물질이 생물에게 어떤 영향을 미치는지 평가하려면 동물 실험과 세포 실험이 필요했다. 하지만 인공 세포막 기술을 이용하여 훨씬 간편하게 이를 측정할 수 있게 되었다.

또 다른 연구진은 암세포가 혈액이나 림프액을 타고 우리 몸의 다른 조직이나 기관으로 옮겨가는 전이 환경을 연구하는 데 쓸 수 있는 인공 세포막을 개발했다. 암 치료에서 관심사는 암의 전이 여부이다. 실제로 암 환자의 생존율은 66.3 %이지만, 암이 전이된 환자의 생존율은 18.7 %로 낮은 편이다. 연구진은 개발한 인공 세포막을 이용해 암이 전이되는 과정에서 암세포가 주변의 정상 세포와 주고받는 주요 신호 전달 물질을 밝혀내고, 같은 암 전이 세포라도 주변 세포의 종류가 달라지면 주고받는 신호 물질 역시 달라진다는 사실을 확인하였다.

그동안 세포막의 구조와 기능을 연구하는 모델로 많이 사용된 재료는 인지질 2중층 막으로 둘러싸인 리포솜(liposome)이었다. 과학자들은 1960년대 리포솜이 개발된 이후 다양한 인공 세포막 관련 연구를 진행하고 있다.

(출처: 《과학동아》, 2015년 3월, 2016년 5월)

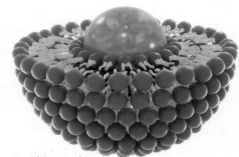

리포솜(Liposome)
인지질을 물에 넣었을 때 생기는 구형이나 타원형의 인지질 2중층 구조의 소포이다. 생체막 지질 부분의 성질을 잘 반영하고 있어 세포막의 구조와 기능을 연구하는 모델로 많이 사용된다.

---

❶ 핵심 내용 파악

인공 세포막 연구의 목적에는 무엇이 있는지 써 보자.

<kbd>예시</kbd> 신약 후보 물질이나 독성 물질이 생체에 미치는 영향을 평가하고, 막단백질의 기능과 관련하여 세포 간에 주고받는 주요 신호 전달 물질을 밝혀내는 연구, 효소 활성 연구, 세포 간 인식 과정에 대한 연구 등이 있다.

❷ 자기 생각 논술

인공 세포막이 갖춰야 할 조건에는 무엇이 있는지 써 보자.

<kbd>예시</kbd> 세포막은 인지질 2중층 구조에 막단백질이 박혀 있거나 붙어 있는 구조이다. 그리고 막단백질은 종류에 따라 다양한 기능을 한다. 따라서 인공 세포막은 인지질 2중층뿐만 아니라 막단백질과 같거나 같은 성질을 가진 물질로 이루어져야 인공 세포막을 이용한 다양한 목적의 연구에 이용될 수 있을 것이다.

❸ 토의하기

앞으로 인공 세포막 연구가 나아가야 할 방향에 관한 자신의 생각을 발표하고, 다른 사람의 의견과 어떤 차이점이 있는지 비교해 보자.

<kbd>해설</kbd> 세포막의 기능과 연관된 많은 분야와 관련된 생각을 발표할 수 있다. 먼저 물질 이동과 같은 세포막의 기능과 연관되어 있는지, 어떤 면에서 필요한 연구인지, 어떤 준비가 필요한지 등에 관하여 조사해 볼 필요가 있다.

❷단계 해결하기 3. 물질대사에서 효소는 어떤 역할을 할까?

한국인을 포함한 동양인의 경우 성인 중 많은 사람이 우유의 주성분인 젖당을 분해하는 소화 효소가 부족하여 우유를 많이 마시면 소화가 잘 안 되거나 설사를 하는 경우가 많다. 여기서는 감자즙을 이용한 과산화 수소 분해 실험을 통하여 생명 시스템 유지를 위해 생명체 내에서 일어나는 물질대사에서 생체 촉매인 효소의 역할을 알아본다. 또한 일상생활에서 생체 촉매를 이용하는 사례를 알아본다.

1 과산화 수소와 카탈레이스

(1) **과산화 수소** 세포의 생명 활동 결과 과산화 수소(H_2O_2)가 만들어지는데, 생명체 내에 많은 양의 과산화 수소가 존재할 경우 세포에 심한 손상을 줄 수 있다.

(2) **카탈레이스**
① 생명체 내에서 만들어지는 효소이다.
② 과산화 수소(H_2O_2)가 물과 산소로 분해되는 생체 내 화학 반응❶이 빠르게 일어나도록 하여 세포가 받는 손상을 줄인다.
② 감자, 고구마, 다시마, 생간 등에 많이 들어 있다.

❶ 화학 반응
어떤 화학 물질이 화학 변화를 거쳐 다른 물질로 변화하는 반응을 말한다. 화학 반응에 참여하는 반응물은 화학 반응 결과 만들어지는 생성물과 다른 물질이다.

탐구 2 실험 감자즙과 과산화 수소수가 만나면 어떤 일이 일어날까?

교과서 154~155쪽

 목표
과학적 탐구 능력
감자즙의 유무에 따라 과산화 수소의 분해 반응에 어떤 차이가 있는지 관찰하고, 감자즙의 역할을 추론하여 설명할 수 있다.

결과/정리

1. 다음 표에 실험 결과를 정리해 보자.

구분	눈금실린더 A 과산화 수소수 + 감자즙	눈금실린더 B 과산화 수소수 + 증류수
감자즙과 증류수를 각각 넣었을 때의 변화	흰 거품이 갑자기 많이 발생한다.	변화 없다.
향 불꽃을 넣어 보았을 때 불꽃의 변화	향 불꽃에 불이 붙는다.(향 불꽃이 더 환해진다.)	변화 없다.

2. 과산화 수소수와 감자즙의 반응 결과 생성된 물질은 무엇인가?
예시 흰 거품에 향 불꽃을 넣어 보았을 때 향 불꽃에 불이 붙는 것으로 보아 산소가 생성되었음을 알 수 있다.

3. 과산화 수소수가 감자즙과 증류수에 각각 반응했을 때 두 반응은 어떤 차이가 있는가?
예시 과산화 수소는 자연적으로도 분해되는데 과산화 수소수가 감자즙과 반응했을 때는 흰 거품이 갑자기 많이 발생하였고 향 불꽃을 넣으면 향 불꽃에 불이 붙었다. 반면 증류수와 반응했을 때는 변화가 없었다. 즉, 감자즙을 넣었을 때가 증류수를 넣었을 때보다 과산화 수소 분해 반응이 빠르게 일어난다는 것을 알 수 있다. 눈금실린더 B에서도 산소가 발생하지만, 반응 속도가 매우 느려서 기포가 거의 발생하지 않고, 향 불꽃에도 영향을 주지 못한다.

과정
❶ 껍질을 벗긴 감자를 적당한 크기로 잘라 믹서에 갈아 감자즙을 만들자.
⚠ **유의 사항** 믹서 대신 주방용 강판을 이용해 감자즙을 만들 수 있다.
❷ 100 mL 눈금실린더 2개에 A, B 라벨을 붙이고 35 % 과산화 수소수를 30 mL씩 넣자.
❸ 눈금실린더 A에는 감자즙 5 mL, 눈금실린더 B에는 증류수 5 mL를 넣고 변화를 관찰하자.
❹ 눈금실린더 A, B에 향 불꽃을 각각 넣어 불꽃의 상태를 관찰하고, 어떤 변화가 일어나는지 확인해 보자.
⚠ **유의 사항** 향 불꽃은 흰 거품에 닿게 넣는다.

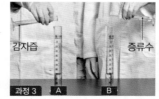
감자즙 증류수
과정 3 A B

A B
과정 4

 탐구 분석
감자즙을 넣은 눈금실린더 A에서는 흰 거품이 다량 발생하고 향 불꽃을 넣었을 때 불이 붙는 것으로 보아 산소 기체가 발생했음을 알 수 있다. 이로부터 감자즙에는 과산화 수소 분해 반응이 빠르게 일어나도록 하는 어떤 물질이 들어 있음을 추론할 수 있다.

4. 감자즙은 과산화 수소수와의 반응에서 어떤 역할을 했는지 실험 결과로부터 추론해 보자.

　　예시 증류수를 넣은 눈금실린더 B에서의 결과와 비교해 보았을 때, 감자즙에 들어 있는 어떤 성분에 의해 과산화 수소가 빠르게 분해되었고, 이때 산소가 생성되었음을 추론할 수 있다.

수행평가 TIP

탐구 수행	• 모둠 구성원과 협력하여 실험을 수행한다.	☆ ☆ ☆
	• 보안경과 실험용 장갑을 착용하고, 과산화 수소가 피부에 닿지 않도록 하는 등 안전 수칙을 지킨다.	☆ ☆ ☆
탐구 결과	• 실험 과정과 결과를 정확하게 기록한다.	☆ ☆ ☆
	• 실험 결과로부터 눈금실린더 A, B에서 차이가 나타나는 까닭을 정확하게 설명한다.	☆ ☆ ☆
	• 실험 결과로부터 과산화 수소 분해 과정에서 감자즙의 역할을 논리적으로 추론한다.	☆ ☆ ☆

2 활성화 에너지와 촉매

(1) 활성화 에너지❷
- 화학 반응이 진행되기 위해 필요한 최소한의 에너지이다.
- 활성화 에너지가 낮을수록 화학 반응이 빠르게 일어난다.

(2) 촉매
- 화학 반응의 활성화 에너지를 변화시켜 화학 반응의 속도를 조절하는 물질이다.
- 화학 반응 전후에 촉매 자신은 변하지 않는다.
  - 예 과산화 수소 분해 반응에서 감자즙 속의 카탈레이스가 촉매이다.

3 물질대사와 효소

(1) 물질대사 —— 물질대사가 일어날 때는 반드시 에너지 출입이 함께 일어나며 효소가 관여한다.
- 생명 시스템 내에서 일어나는 모든 화학 반응을 말한다.
- 세포는 물질대사를 통해 물질을 분해하여 에너지를 얻고, 세포를 구성하거나 생리 작용을 조절하는 물질 등을 합성한다.
- 물질대사는 동화 작용과 이화 작용으로 구분한다.

구분	동화 작용	이화 작용
물질의 변화	크기가 작은 물질을 크기가 큰 물질로 합성 예 광합성, 단백질 합성	크기가 큰 물질을 크기가 작은 물질로 분해 예 소화, 세포 호흡
에너지 출입	반응물의 에너지가 생성물의 에너지보다 작다. 에너지 흡수 큰 분자 ← 단백질 ← 동화 작용 ↔ 효소 ← 아미노산 ← 작은 분자	반응물의 에너지가 생성물의 에너지보다 크다. 에너지 방출 큰 분자 → 포도당 → 효소 ↔ 이화 작용 → 이산화 탄소 · 물 → 작은 분자

(2) 효소
- 생명 시스템 유지를 위해 생명체 내에서 합성되어 물질대사가 빠르게 일어나도록 하는 생체 촉매를 효소라고 한다.
- 효소는 생명 시스템에서 일어나는 모든 반응에 관여한다.
- 물질대사를 촉진하는 과정에서 반응물과 일시적으로 결합하여 활성화 에너지를 낮추어 준다.❹ —— 한 종류의 효소는 한 종류의 반응물에만 반응한다.
- 물질대사 전후에 효소 자신은 변하지 않는다.

❷ **활성화 에너지**
화학 반응이 진행되려면 반응 입자 간의 유효 충돌이 많아야 하고, 입자 자체가 일정한 양 이상의 에너지를 가지고 있어야 하는데, 이 일정한 에너지가 바로 활성화 에너지이다.

❸ **생명체 밖 화학 반응**
일반적으로 높은 온도와 압력을 가해 주어야 반응이 일어나며, 다량의 에너지가 한꺼번에 방출되거나 소모된다.
  예 연소는 400 ℃ 이상의 높은 온도에서 반응이 한 번에 일어나며 다량의 에너지가 한꺼번에 방출된다.

❹ **효소와 활성화 에너지**

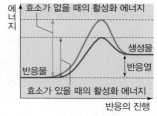

동화 작용

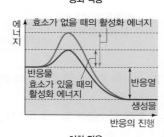

이화 작용

❺ **효소의 활성에 영향을 미치는 요인**
효소는 단백질이 주성분이므로 활성화되는 최적 온도가 있다. 온도가 이보다 높으면 단백질의 입체 구조가 변해 효소가 기능을 잃으므로 반응 속도가 급격히 감소한다.

해 보기 2 조사 일상생활 속 효소의 이용

목표

과학적 탐구 능력

일상생활에서 효소를 이용하는 사례를 조사하고, 각 효소들이 작용하는 과정을 알아본다.

과정

다음 제시된 음식에 효소가 어떻게 이용되었는지 조사해 보자.

김치

막걸리

식혜

결과/정리

1. 음식들은 각각 어떤 생물의 효소들을 이용한 것일까?

   예시 김치는 다양한 종류의 젖산균과 같은 미생물을, 막걸리는 효모를, 식혜는 보리의 새싹을 이용한 것이다.

2. 각 음식에 이용된 효소들은 어떤 물질대사 과정을 촉매하는지 조사해 보자.

   예시 • 김치: 다양한 종류의 젖산균은 배추와 같은 채소에 함유된 당류를 젖산과 기타 유기산으로 화학 변화시키면서 독특한 맛을 생성한다.
   • 막걸리: 효모는 곡류에 들어 있는 당류를 분해하는 과정에서 알코올을 만든다.
   • 식혜: 보리의 새싹에 들어 있는 아밀레이스는 녹말을 단맛이 나는 당류로 분해한다.

*효소가 관여하는 생명 현상의 예
식물의 광합성, 영양소의 소화, 세포 호흡, 간의 해독 작용, 혈액 응고, 세포 분열, 몸의 구성 성분 합성 등

더 알아보기

김치, 막걸리, 식혜 이외에도 우리 생활에서 효소를 이용한 사례를 조사해 보자.

일상생활	• 된장, 치즈, 포도주, 젓갈 등과 같은 발효 식품에 유용한 물질을 생산하는 효소 이용 • 연육제(고기를 연하게 하는 것)에는 단백질을 분해하는 효소 이용 • 효소 세제나 화장품 등의 생활용품
의료 분야	• 의약품: 소화제(소화 효소), 혈전 용해제(혈전 용해 효소) • 의료 기기: 혈당 측정기는 포도당 산화 효소를 이용
산업 분야	• 섬유, 의류, 가죽 등의 제품 생산
환경 분야	• 오염 물질 분해: 생활 하수, 공장 폐수 정화

 탐구 분석

김치, 막걸리, 식혜는 젖산균, 효모, 효소를 이용하여 만든 음식으로, 일상생활에서 효소를 이용하는 대표적인 사례이다.

 과제 2

소화 효소인 아밀레이스의 역할을 반응물과 생성물의 이름을 포함하여 설명해 보자.

예시 아밀레이스는 녹말을 엿당이나 아밀로펙틴과 같은 작은 크기의 당류로 분해한다.

✔ 확인하기

1. 이해 생체 촉매인 효소의 기능은 무엇인가?

   예시 생명 시스템에서 물질대사의 활성화 에너지를 낮추어 물질대사가 빠르게 일어나도록 한다.

2. 적용 만약 우리 몸에 카탈레이스와 같은 효소가 없다면 어떤 일이 일어날지 조사해 보자.

   예시 물질대사가 빠르게 일어나지 않아 생명 시스템 유지가 어려워진다.

✔ 개념 확인 문제

1 촉매는 화학 반응의 (   )를 변화시켜 화학 반응 속도를 조절하는 물질이다.

2 화학 반응에서 물질대사가 빠르게 일어나도록 하는 생체 촉매를 무엇이라고 하는가?

핵심 내용 정리하기

1 생명 시스템의 기본 단위 교과서 148~149쪽

(1) 모든 생물은 생명 시스템의 기본 단위인 **❶ 세포** (으)로 이루어져 있으며, 모든 **❶ 세포** 은/는 일반적으로 핵, **❷ 세포막** , 세포질 등으로 이루어져 있다.

(2) 세포질에는 미토콘드리아나 엽록체와 같은 **❸ 세포 소기관** 이/가 있어서 세포의 여러 가지 생명 현상이 일어난다.

2 세포막을 통한 물질 출입 교과서 150~153쪽

세포막을 경계로 한 물질 출입은 물질의 종류에 따라 인지질 2중층이나 막단백질을 통해 선택적으로 일어나는데, 이러한 세포막의 특징을 **❹ 선택적 투과성** (이)라고 한다.

3 물질대사와 효소 교과서 154~157쪽

생명 시스템은 다양한 **❺ 효소** 의 촉매 작용에 의한 **❻ 물질대사** 을/를 통해 에너지와 물질을 생산하여 생명을 유지한다.

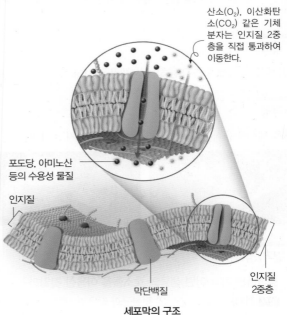

산소(O_2), 이산화탄소(CO_2) 같은 기체 분자는 인지질 2중층을 직접 통과하여 이동한다.

포도당, 아미노산 등의 수용성 물질

인지질

막단백질

인지질 2중층

세포막의 구조

활동으로 확인하기

받침 유리에 35 % 과산화 수소수를 3방울씩 2군데에 떨어뜨린 후, 오른쪽에만 카탈레이스 용액 1방울을 처리하였더니, 그림과 같이 카탈레이스 용액을 가한 쪽에서 거품이 발생하였다.

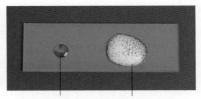

과산화 수소수 　 과산화 수소수 + 카탈레이스 용액

1 과산화 수소수에 카탈레이스 용액을 처리하면 거품이 발생하는 까닭은 무엇인가?

예시 카탈레이스의 촉매 작용으로 과산화 수소가 물과 산소로 분해되는데, 이 때 생성된 산소에 의해 거품이 발생한다.

2 카탈레이스 용액을 처리한 과산화 수소수에서 일어난 화학 반응을 반응물과 생성물을 포함하여 설명해 보자.

예시 과산화 수소가 물과 산소로 분해되었다. 반응물은 과산화 수소이고 생성물은 물과 산소이다.

$$2H_2O_2 \longrightarrow 2H_2O + O_2$$

3 우리 몸의 생명 현상에서 효소는 어떤 역할을 하는지 토의하고 자신의 생각을 정리하여 적어 보자.

예시 효소는 물질대사의 속도를 빠르게 하여 생명 시스템 유지에 필요한 물질 생산을 원활하게 한다.

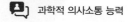

④단계 생각 넓히기 **산업 현장에 이용되는 생체 촉매**
– 극한 환경에 사는 미생물의 효소를 이용한 효소 세제 –

과학적 의사소통 능력

효소는 그리스어에서 유래한 단어로 '효모에서(in yeast)'라는 뜻이다. 고대 그리스인과 로마인은 단세포 생물인 효모를 사용해 술을 빚었는데, 효모 속의 어떤 성분이 술이 만들어지는 데 역할을 했을 것이라는 데에서 효소라는 말이 비롯되었다고 추측해 볼 수 있다.

최근 미국의 한 벤처 기업은 산업용 화학 세제를 대체할 목적으로 미생물의 효소를 이용한 친환경 세제를 개발하였다. 그들은 미국 옐로스톤 국립 공원에 있는 간헐천의 끓어 넘치는 유황 물에 사는 미생물의 단백질 분해 효소에 주목하였다. 산업 현장에서 효소를 이용하려면 여러 가지 제한이 많다. 대부분 효소는 20 ℃ ~ 45 ℃ 범위에서 작용하므로, 산업 현장에서 이용되는 고온의 물에서는 효소가 작용하지 못하고 분해된다. 또한, 대부분 효소는 독성이

강한 산성 환경에서 기능할 수 없다. 그러나 옐로스톤 국립 공원에 있는 간헐천의 유황 물에 사는 미생물의 효소는 고온과 산성 환경에서 작용할 수 있다.

이 기업은 유황 온천에 사는 미생물의 효소를 대량 생산하여 고온에서도 단백질을 쉽게 분해하는 효소 세제를 제작하였다. 고온과 강한 산성 환경에서 활동적이고 안정적인 이 효소 세제는 산업 현장의 세척, 생명 공학 관련 연구, 바이오매스 생산 등 여러 첨단 산업 현장에 이용되고 있다. 특히 이러한 효소 세제는 기존 화학 세제보다 더 빠르게 작용하고, 비용이 적게 들며, 사용 후에도 다른 미생물에 의해 분해됨으로써 친환경적이라는 면에서 큰 장점이 있다.

(출처: 《뉴스위크한국판》, 2016. 4. 25.)

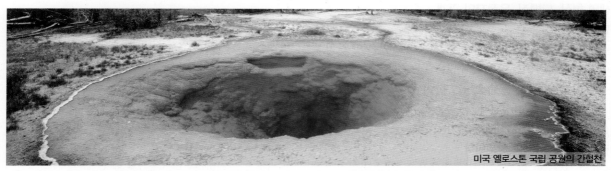

미국 옐로스톤 국립 공원의 간헐천

① 핵심 내용 파악

간헐천의 유황 물에 사는 미생물의 단백질 분해 효소는 어떤 특징이 있기에 고온 환경에서 산업용 세제로 이용될 수 있는지 간단히 서술해 보자.

예시 간헐천의 유황 물은 고온이며, 강한 산성 환경을 제공한다. 이곳에서 미생물이 생존하기 위해서는 물질대사에 이용되는 효소가 고온과 강산성 환경에서도 제 기능을 할 수 있어야 한다. 따라서 간헐천의 유황 물에 사는 미생물이 이용하는 단백질 분해 효소는 고온 · 강산성 환경의 산업 현장에서 단백질을 분해하는 화학 반응에 촉매로서 이용될 수 있다.

② 토의하기

글을 읽고 생체 촉매인 효소를 산업에 활용하기 위한 조건에는 무엇이 있는지 토의해 보자.

예시 우선 이용하려는 목적에 부합하는 성질을 가진 효소를 발견해야 하며, 경제적으로 이용 가능할 수 있도록 해당 효소를 대량 생산할 수 있어야 하고, 이용하려는 환경에 적합하도록 효소를 변형하는 등의 기술이 준비되어야 한다.

③ 조사하기

저온에서 잘 작용하는 효소 세제, 미래 에너지 자원인 바이오 매스 관련 효소, 생명 공학 기술에 이용되는 미생물 효소 등 산업 현장에 이용되는 효소는 다양하다. 산업 현장에 이용되는 효소의 사례를 조사해 보자.

예시 식물에 다량으로 존재하는 셀룰로스를 분해하는 미생물의 셀룰로스 분해 효소는 바이오 연료, 당류, 각종 화합물 생산에 이용하고 있다. DNA의 특정 염기 서열을 선택적으로 절단하는 제한 효소와 절단한 DNA 조각을 연결하는 연결 효소는 종류가 다양하며 이들을 이용하여 재조합 DNA를 만들고 있다. 이외에도 산업 현장에서 이용되고 있거나 현재 개발 중에 있는 효소의 사례는 매우 많다.

＊간헐천

일정한 간격을 두고 뜨거운 물이나 수증기를 뿜었다가 멎었다가 하는 온천으로, 화산 활동이 있는 곳에서 많이 나타난다. 지하의 깊은 곳에서 상승한 고온의 열수나 수증기가 보통의 지하수와 비교적 얕은 곳에서 혼합될 때 일어나는 현상이다. 지하의 열이 더 높으면 연속적으로 분출하는 비등천이 되고, 열이 식어 수온이 끓는점 이하가 되면 보통의 온천이 된다. 분출 주기는 몇 분에서 몇 주일, 높이는 몇 m에서 수십 m에 이르는 것까지 있다.

5 - ② 세포 내 정보의 흐름

교과서 160~161쪽

① 단계 생각 펼치기   유전자와 단백질은 어떤 관계가 있을까?

전형적인 호랑이와 달리 흰색 털에 검은색 줄 무늬를 가진 백호는 붉은색과 노란색 색소를 만드는데 필요한 효소에 대한 정보를 가진 유전자에 이상이 있다. 여기서는 생명 시스템 유지에 필요한 다양한 기능을 하는 단백질에 관한 정보를 담고 있는 유전자의 정보는 어떤 과정을 거쳐 전달되는 것인지에 관하여 알아본다. 또한, 만약 유전자에 이상이 생기면 우리 몸의 물질대사에 어떤 이상이 생길 수 있는지에 관하여 알아본다.

■ 생명 현상, 단백질, 유전자의 관계

(1) 단백질
- 우리 몸을 구성하는 성분 중 물 다음으로 많은 양을 차지한다.
- 기본 단위는 아미노산으로, 수많은 아미노산이 펩타이드 결합으로 연결되어 이루어진다.
- 아미노산의 배열 순서에 따라 단백질의 구조가 결정되고, 단백질의 구조에 따라 단백질의 기능이 결정된다.

(2) 생명 현상에 관여하는 단백질의 기능
- 세포의 주요 구성 성분이다.
- 효소, 호르몬❶의 성분으로 물질대사 등 각종 화학 반응과 생리 기능을 조절한다.
- 항체❷의 주요 구성 성분으로 병원체에 대항하는 방어 작용을 한다.
- 영양소와 같은 물질의 운반과 저장 작용을 한다.
- 에너지원으로 사용되고, 물질의 합성에 관여한다.

(3) DNA에 있는 유전자의 정보는 단백질과 RNA에 대한 정보이다.

❶ 호르몬
갑상샘, 이자 등의 내분비샘에서 합성되고 분비되어 특정 조직이나 기관의 생리 작용을 조절하고 체내 상태를 일정하게 유지하는 물질로, 대부분의 호르몬이 단백질로 이루어져 있다.

❷ 항체
항체는 우리 몸에 침입한 병원체에 대해 B 림프구에서 형성되어 분비되는 단백질로 항원·항체 반응을 통한 면역 작용을 한다.

조사하기

❶ 보통 호랑이는 어떻게 담황색 털을 갖게 되는지 인터넷을 이용하여 조사해 보자.
예시 호랑이의 털색은 붉은색 색소와 노란색 색소가 함께 작용하여 담황색으로 발현된다. 보통 호랑이는 이들 붉은색 색소와 노란색 색소를 만드는 과정에 관여하는 특정 단백질이 정상적으로 기능하므로 담황색 털을 갖는다.

❷ 백호가 보통 호랑이와 다른 흰색 털을 갖게 된 까닭을 인터넷을 이용하여 조사해 보자.
예시 백호는 보통 호랑이에 있는 붉은색 색소와 노란색 색소를 합성하는 데 필요한 정상적인 효소를 만들지 못하기 때문에 붉은색 색소와 노란색 색소의 결핍으로 흰색 털을 갖는다.

알고 있나요?

❶ 염색체와 DNA, 유전자가 무엇인지 말해 보자.
예시 염색체는 세포 핵 속에 있는 유전 물질로 세포 분열 과정에 나타나는 막대 모양의 구조이다. DNA는 단백질과 함께 염색체를 구성하는 물질이다. 유전자는 DNA 중 특정 부분으로 유전 정보를 담고 있는 부분이다.

❷ 단백질과 DNA의 구조적 규칙성을 말해 보자.
예시 단백질은 아미노산이라는 단위체가, DNA는 뉴클레오타이드라는 단위체가 연결되어 입체 구조를 형성하는 큰 화합물이다.

❷ 단계 해결하기 **1. 유전자의 정보는 어떻게 단백질로 전달될까?**

손님이 주문한 순서대로 도넛을 포장하는 도넛 가게에서 매번 실수가 일어나자 한 점원은 실수를 줄일 수 있는 방법을 고안하였다. 여기서는 손님의 주문대로 도넛을 포장하는 역할놀이를 통해 유전자의 정보가 단백질로 전달되는 방법을 추론해 본다. 이를 바탕으로 DNA에 있는 유전자의 정보가 RNA를 거쳐 단백질로 전달되는 생명 중심 원리에 관하여 알아본다.

탐구 1 역할놀이 **도넛 주문 정보 전달하기**

교과서 162~163쪽

 목표 과학적 문제 해결력

도넛 주문 정보 전달하기 역할놀이를 통해 유전자의 정보가 단백질로 전달되는 원리를 추론할 수 있다.

도넛 가게 점원은 다음 그림과 같이 네 가지 색으로 된 빨래집게를 서로 다른 조합으로 3개씩 묶어 20종류의 도넛을 표현하는 방법을 고안하였다. 손님의 주문을 빨래집게 조합으로 바꿔 전달한 것이다. 그림을 바탕으로 도넛 주문 정보 전달하기 역할놀이를 해 보자.

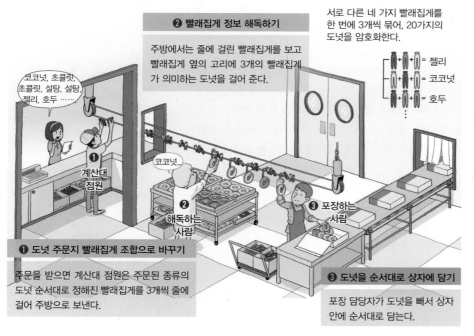

● **준비물**

준비물	용도
도넛 주문지	• 160쪽 도넛 주문지 예를 활용하거나 교사가 직접 도넛의 종류와 개수를 정해 만들어도 좋다. • 모둠별로 역할놀이 직전에 계산대 점원 역할을 맡은 학생에게 전달한다.
붙임쪽지 (15 mm × 50 mm, 4색)	• 4색 빨래집게 역할을 한다.
붙임쪽지 (76 mm × 76 mm, 단색)	• 4색 빨래집게 역할을 하는 붙임쪽지(15 mm × 50 mm, 4색)와 도넛 카드를 붙이고 고정하는 데 사용한다.
20종 도넛 카드	• 교과서 341쪽의 그림을 이용한다. 모둠별로 한 세트씩 준비한다.
클립	• 주방의 해독하는 사람이 도넛 카드를 붙임쪽지(76 mm × 76 mm, 단색)에 고정하는 데 사용한다.
초시계	• 교사가 역할놀이 진행 시간을 잴 때 사용한다.
A4 용지	• 도넛 상자의 역할을 한다. 모둠 수보다 여유 있게 준비한다.
투명 테이프(또는 풀)	• 도넛 카드를 A4 용지에 붙일 때 사용한다.

❶ 세 명씩 한 모둠으로 모둠을 구성하게 한 후, 학생들에게 도넛 주문 정보 전달하기 역할 놀이의 목적, 순서, 유의 사항을 설명한다.

- **목적:** 역할놀이의 규칙에 맞춰 선생님이 제시한 도넛 주문지의 도넛 이름 순서대로 도넛 카드를 정확히 배열할 수 있다.

- **순서**

❶	❷	❸
놀이가 시작되면 계산대 점원은 도넛 주문지의 도넛 순서대로 네 가지 색깔의 작은 붙임쪽지(15 mm × 50 mm)를 3개씩 큰 붙임쪽지(76 mm × 76 mm)에 붙여 해독하는 사람에게 계속 보낸다.	해독하는 사람은 계산대 점원이 넘겨준 큰 붙임쪽지(76 mm × 76 mm)의 정보를 보고 적합한 도넛 카드를 큰 붙임쪽지(76 mm × 76 mm)에 클립으로 끼워서 포장하는 사람에게 보낸다.	포장하는 사람은 해독하는 사람이 넘겨준 큰 붙임쪽지에 걸린 도넛 카드를 빼서 A4 용지에 순서대로 투명 테이프를 이용하여 붙인다.

- **유의 사항**

① 도넛 가게와 역할놀이에서 이용된 도구의 관계는 다음 표와 같다.

도넛 가게	4색 빨래집게	도넛	도넛 상자
역할놀이	4색 붙임쪽지 (15 mm × 50 mm)	도넛 카드	A4 용지

② 4색 붙임쪽지와 도넛 카드 조합을 이용해 도넛 상자에 해당하는 A4 용지를 가장 빠르고 정확하게 채운 모둠 순으로 순위가 결정된다.

③ 교사가 준비한 도넛 주문지는 각 모둠의 계산대 점원 역할자에게게만 보여 준다.

❷ 모둠별로 4색 붙임쪽지 조합이 어떤 도넛을 의미하는지 정한다. 모둠별로 계산대 점원 1명, 해독하는 사람 1명, 포장하는 사람 1명의 역할을 정하고, 역할놀이를 빠르고 정확하게 수행할 방법을 논의한다.

❸ 과정 ❷까지의 준비가 끝나면 학생들에게 도넛 주문지를 나누어 준 후, 모든 모둠이 동시에 역할놀이를 시작한다. 종료 시점까지 걸린 시간과 A4 용지에 완성된 도넛 상자의 정확성으로 순위를 결정한다.

도넛 주문지

젤리 – 꿀 – 당근 – 청포도 – 코코넛 – 코코넛 – 호두 – 설탕 – 아몬드 – 카스터드 – 메이플 – 꿀 – 젤리 – 꿀 – 딸기 – 레몬

*도넛 주문 정보 전달하기 역할놀이 순서

도넛 주문지를 빨래집게 조합으로 바꾸기

빨래집게 정보 해독하기

순서대로 도넛 상자에 담기

도넛 주문 정보 전달하기 주요 단계는 세포에서 유전자의 정보가 단백질로 전달되는 과정과 유사하다. 도넛 가게, 역할놀이, 실제 세포의 유사점은 다음 표와 같이 정리할 수 있다.

도넛 가게	도넛	도넛 상자
역할놀이	도넛 카드	도넛 카드가 부착된 A4 용지
실제 세포	아미노산	단백질

1. 도넛 상자에 들어갈 도넛 순서에 관한 최초의 정보는 점원이 받은 도넛 주문지이다. 실제 세포에서 만들어지는 단백질에 관한 정보는 어디에 저장되어 있는지 토의해 보자.

> **예시** 세포의 핵 속, 염색체를 구성하는 DNA에 있는 유전자에 저장되어 있다. 이 역할놀이에서 도넛 주문지가 최종적으로 도넛 상자에 들어갈 도넛 순서에 대한 정보라면, 실제 세포에서 만들어지는 단백질에 관한 정보는 DNA에 있는 유전자에 염기 서열 형태로 저장되어 있다는 것이 차이점이다.

2. 도넛 주문지의 정보가 네 가지 색깔의 붙임쪽지 3개의 조합으로 바뀌는 과정은 실제 세포에서 어떤 과정에 해당하는지 서적과 인터넷을 이용하여 조사해 보자.

   예시 DNA의 유전자로부터 RNA가 만들어지는 과정에 해당한다. 전사라고 불리는 이 과정에서 DNA에 아데닌(A), 타이민(T), 구아닌(G), 사이토신(C)의 염기 서열 형태로 저장된 유전 정보가 RNA로 전달된다. 이 유전 정보는 RNA에 아데닌(A), 유라실(U), 구아닌(G), 사이토신(C)의 염기 서열 형태로 저장된다. 역할놀이에서 네 가지 색깔의 빨래 집게(붙임쪽지)는 전사 과정 결과 만들어지는 RNA를 구성하는 아데닌(A), 유라실(U), 구아닌(G), 사이토신(C)의 네 가지 염기를 비유한 것이다.

3. 포장 담당자가 도넛 카드를 순서대로 A4 용지에 붙이는 과정은 실제 세포에서 어떤 과정에 해당할지 서적과 인터넷을 이용하여 조사해 보자.

   예시 실제 세포에서 RNA의 정보로부터 단백질이 만들어지는 과정에 해당한다. 번역이라고 불리는 이 과정에서 전사를 통해 RNA에 아데니(A), 구아닌(G), 사이토신(C), 유라실(U)의 염기 서열 형태로 저장된 정보는 단백질을 구성하는 아미노산 서열로 전달된다. 역할놀이에서 최종적으로 도넛 상자에 담기는 도넛의 순서는 단백질을 구성하는 아미노산 서열에 해당한다.

알아보기

만약 도넛 주문지가 달라지면 어떤 결과가 나타나게 될지 예상해 보자.

예시 도넛 주문지가 달라지면 빨래집게 조합이 달라질 수 있고 결과적으로 도넛 상자에 담기는 도넛의 순서가 달라질 수 있다. 이는 유전자의 정보가 달라지면 최종적으로 만들어지는 단백질을 구성하는 아미노산 서열이 변해 원래와 다른 아미노산 서열을 갖는 다른 단백질이 만들어짐을 의미한다.

탐구 분석

손님이 주문한 도넛 주문 정보는 3개씩 묶인 서로 다른 네 가지 색으로 된 빨래집게의 정보로 전달된다. 3개씩 묶인 빨래집게의 정보는 각각 지정하는 도넛의 정보로 바뀌어 순서대로 상자에 담기게 된다. DNA에 있는 유전자의 정보가 RNA를 거쳐 단백질로 전달되는 과정을 비유적으로 표현한 역할놀이를 통해 세포 내 정보 전달 과정을 추론해 볼 수 있다.

수행평가 TIP

탐구 수행	• 모둠 구성원과 협력하여 역할놀이를 수행한다.	☆ ☆ ☆
	• 계산대 점원, 해독하는 사람, 포장하는 사람의 역할을 신속하고 정확하게 수행한다.	☆ ☆ ☆
탐구 결과	• 도넛 주문지의 정보가 유전자 정보에 해당함을 설명한다.	☆ ☆ ☆
	• 도넛 주문지의 정보가 빨래집게 조합의 정보로 바뀌는 과정이 세포 내 유전자 정보 전달 과정에서 어디에 해당하는지 조사하여 설명한다.	☆ ☆ ☆
	• 도넛 주문지의 정보가 도넛 상자에 담기는 도넛의 순서로 전달하는 과정을 세포 내 유전자 정보 전달 과정으로 추론하여 설명한다.	☆ ☆ ☆

1 유전자와 단백질

┌ 부모로부터 자손에게 유전되는 형질이다.
(1) **형질** 눈의 홍채 색깔, 혈액형, 눈꺼풀 모양 등과 같이 생명체가 나타내는 특성이다.

(2) **DNA** 핵산의 하나로, 형질을 결정하는 유전 정보를 저장하고 있다.

(3) **유전자**
• DNA 염기 서열 중 형질을 결정하는 유전 정보가 저장된 DNA의 특정 부분이다.
• 한 분자의 DNA에는 수많은 유전자가 있다.
• 특정 유전자는 RNA와 특정 단백질에 대한 정보를 저장하고 있다.

(4) **유전자와 단백질** 유전자의 정보가 단백질로 전달되어 단백질이 만들어지면, 이 단백질에 의해 여러 유전 형질이 나타나고 생명 시스템이 유지된다.

2 생명 중심 원리❶

(1) **유전 정보의 저장**

DNA의 염기 서열에 따라 유전 정보가 달라진다.	➡	각 유전 정보에 따라 단백질의 아미노산 종류와 배열 순서가 결정된다.	➡	특정 단백질이 합성된다.

❶ 생명 중심 원리

크릭은 왓슨과 함께 1953년 DNA 구조를 발표하였고, 1958년 생물계 내의 유전 정보의 흐름에 대한 설명으로 생명 중심 원리를 제안하였다. 크릭이 제안한 생명 중심 원리의 핵심 내용은 다음과 같다.

"생명 중심 원리는 '정보'가 단백질로 전달되면 다시 빠져 나올 수 없다는 것을 나타낸다. 보다 상세하게 설명하자면 핵산에서 핵산으로 또는 핵산에서 단백질로의 정보 전달은 가능하지만, 단백질에서 단백질로 또는 단백질에서 핵산으로의 정보 전달은 불가능하다. 여기서 정보는 서열의 정확한 결정, 즉 핵산의 염기 서열 또는 단백질의 아미노산 서열의 정확한 결정을 의미한다."

(2) 유전 정보의 저장 방식 ── DNA를 구성하는 염기는 네 종류이고, 단백질을 구성하는 아미노산은 20종류이므로 3개의 염기 조합이 되어야 20종류 아미노산을 모두 지정할 수 있다.

	3염기 조합	• DNA에서 1개의 아미노산을 지정하는 연속된 3개의 염기 조합
(3염기 조합 그림)	코돈	• RNA에서 1개의 아미노산을 지정하는 연속된 3개의 염기 • DNA의 3염기 조합과 상보적[2]이다.

(3) 생명 중심 원리 유전자로부터 단백질로의 정보의 흐름, 즉 DNA에 있는 유전자로부터 단백질이 만들어지는 방법으로, DNA에 있는 유전자 정보가 RNA를 거쳐 단백질로 전달되는 과정이다.

전사[3]	• DNA 2중 나선 중 한 가닥의 염기 서열을 원본으로 하여 DNA 염기 서열에 상보적인 염기 서열을 갖는 RNA를 합성하는 과정 • 핵 안에서 일어남.
번역	• 전사된 RNA의 염기 서열에 따라 단백질이 합성되는 과정 • RNA의 코돈이 지정하는 아미노산이 리보솜으로 운반되어 아미노산과 아미노산 사이에 펩타이드 결합이 일어나 단백질이 합성됨 • 세포질의 리보솜에서 일어남.

❷ 상보적
DNA를 구성하는 2가닥은 마주 하는 가닥의 염기 간의 결합으로 연결되어 있다. 이때 한쪽 가닥의 염기가 정해지면 다른 쪽 가닥의 염기도 정해지는 관계를 상보적이라고 표현한다.

❸ 전사
DNA의 유전 정보가 RNA로 전달됨으로써 유전 정보의 원본에 해당하는 DNA는 핵 안에 안전하게 보존되면서 단백질이 합성되는 것이다.

해 보기 1 〔토의〕 유전자로부터 단백질로의 정보의 흐름

교과서 164쪽

목표   **과학적 의사소통 능력**

모형을 기본으로 유전자로부터 단백질로의 정보의 흐름을 조사하고 토의한다.

과정

다음은 유전자로부터 단백질로의 정보의 흐름을 모형으로 표현한 그림이다.

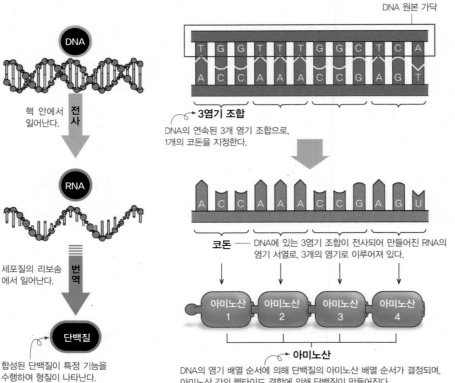

핵 안에서 **전사** 일어난다.

세포질의 리보솜에서 일어난다. **번역**

합성된 단백질이 특정 기능을 수행하여 형질이 나타난다.

DNA 원본 가닥

3염기 조합
DNA의 연속된 3개 염기 조합으로, 1개의 코돈을 지정한다.

코돈 ── DNA에 있는 3염기 조합이 전사되어 만들어진 RNA의 염기 서열로, 3개의 염기로 이루어져 있다.

아미노산
DNA의 염기 배열 순서에 의해 단백질의 아미노산 배열 순서가 결정되며, 아미노산 간의 펩타이드 결합에 의해 단백질이 만들어진다.

DNA
2중 나선 구조로 A, T, G, C을 갖는다.
4종류의 염기 A, T, G, C으로 이루어진 각기 다른 4종류의 뉴클레오타이드로 이루어져 있다.

RNA
단일 가닥으로 A, U, G, C을 갖는다.
4종류의 염기 A, U, G, C으로 이루어진 각기 다른 4종류의 뉴클레오타이드로 이루어져 있다.

단백질
3개의 RNA 염기가 단백질을 구성하는 1개의 아미노산에 대응한다. 단백질은 수십~수천 개의 아미노산으로 이루어져 있다.

결과/정리

1. DNA로부터 RNA로의 정보의 전달이 어떻게 이루어지는지 토의해 보자.

예시 DNA 2중 나선 중 한 가닥(폴리뉴클레오타이드)의 염기 서열을 원본으로 하여 DNA 염기 서열에 상보적인 염기 서열을 갖는 RNA가 전사를 통해 만들어진다. 전사 과정에서 DNA의 3염기 조합은 RNA에 코돈의 형태로 저장된다. 그 결과 RNA는 타이민(T) 대신 유라실(U)을 가지므로 RNA의 염기 서열은 DNA 2중 나선 중 원본 가닥과 상보적으로 결합하고 있는 다른 가닥과 아데닌(A), 구아닌(G), 사이토신(C)의 위치는 같지만 타이민(T)의 위치에 유라실(U)이 있다.

2. 유전자로부터 단백질의 정보 전달 과정에서 RNA의 역할은 무엇인지 토의해 보자.

예시 RNA는 DNA에 있는 유전자의 유전 정보로 단백질을 만들 수 있도록 정보의 전달자 역할을 한다. DNA의 정보는 전사 과정을 거쳐 RNA에 코돈의 형태로 저장된다. RNA의 1개의 코돈은 단백질을 구성하는 아미노산 1개의 정보를 의미한다. RNA의 코돈을 이용해 단백질이 합성되는 과정은 세포질의 리보솜에서 일어난다.

탐구 분석

DNA의 유전자의 정보는 단백질을 구성하는 아미노산의 서열 정보를 의미한다. 유전자가 가진 이러한 정보는 전사 과정을 통해 RNA에 코돈의 형태로 저장된다. RNA에 저장된 유전자의 정보는 번역 과정을 통해 단백질을 이루는 아미노산 서열 정보로 전환되어 단백질이 만들어지게 된다.

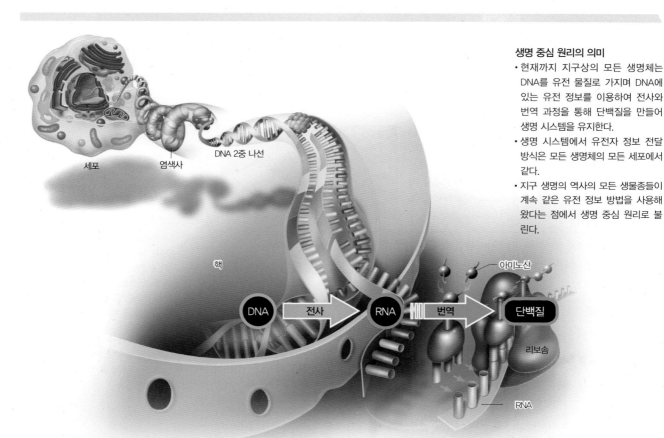

생명 중심 원리의 의미

- 현재까지 지구상의 모든 생명체는 DNA를 유전 물질로 가지며 DNA에 있는 유전 정보를 이용하여 전사와 번역 과정을 통해 단백질을 만들어 생명 시스템을 유지한다.
- 생명 시스템에서 유전자 정보 전달 방식은 모든 생명체의 모든 세포에서 같다.
- 지구 생명의 역사의 모든 생물종들이 계속 같은 유전 정보 방법을 사용해 왔다는 점에서 생명 중심 원리로 불린다.

✦ 확인하기

1. 이해 그림은 유전자로부터 단백질로의 정보의 흐름을 나타낸 것이다. 빈칸에 알맞은 과정의 이름을 쓰고, 그 의미를 설명해 보자.

예시 ❶ 전사: DNA에 들어 있는 유전자로부터 RNA가 만들어지는 과정이다.

❷ 번역: 전사된 RNA를 이용하여 단백질이 만들어지는 과정이다.

2. 적용 전사와 번역은 결국 RNA와 단백질이 만들어지는 물질대사 과정이다. 전사와 번역이 빠르게 일어나는 데 필요한 물질은 무엇인지 알아보자.

예시 전사 단계에서는 RNA, 번역 단계에서는 단백질을 합성하는 물질대사를 촉매하는 효소가 있어야 한다.

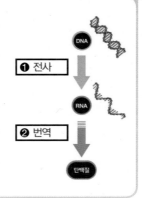

✓ 개념 확인 문제

1 유전자로부터 단백질로의 정보 전달 과정 중 DNA에 있는 유전자로부터 RNA가 만들어지는 과정을 무엇이라고 하는가?

2 유전자로부터 단백질로의 정보의 흐름, 즉 DNA에 있는 유전자 정보가 RNA를 거쳐 단백질로 전달되는 과정을 무엇이라고 하는가?

대표적인 선천성 대사 이상 질환인 페닐케톤뇨증 환자는 페닐 알라닌이라는 아미노산을 타이로 신이라는 아미노산으로 바꿔 주는 효소가 정상적이지 못하기 때문에 평생 단백질이 매우 적은 음식물을 먹어야 한다. 페닐케톤뇨증 환자는 특정 효소를 만드는 유전자의 염기 서열에 이상이 있는데 이로 인해 전사나 번역 과정을 거쳐 만들어지는 효소가 제 기능을 하지 못한다. 여기서는 주요 대사 이상 질환을 조사해 보고, 유전자와 단백질의 관계에 관하여 알아본다.

탐구 2　조사·토의　선천성 대사 이상 질환 알아보기

교과서 166~167쪽

목표

과학적 사고력 / 과학적 의사소통 능력

대표적인 선천성 대사 이상 질환의 원인과 증상을 말할 수 있다.

과정

(가) 선천성 대사 이상 질환 조사하기

❶ 다음은 신생아의 선천성 대사 이상 질환 검사에 대한 우리나라 정부의 복지 정책이다. 글을 읽고 선천성 대사 이상 질환을 조사해 보자.

> 아기가 태어나면 선천적으로 물질대사에 이상이 있는지 확인하기 위해 채혈을 하여 검사한다. 우리나라에서는 모든 신생아에 대하여 페닐케톤뇨증을 포함하여 대표적인 6가지 선천성 대사 이상 질환에 대한 검사를 필수적으로 시행하고 있다.
> (출처: 보건복지부 선천성 대사 이상 검사 서비스)

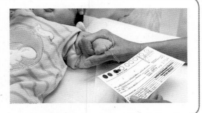

❷ 모둠 구성원별로 조사하고자 하는 선천성 대사 이상 질환의 종류를 결정하자.*

❸ 과정 ❷에서 결정한 대사 이상 질환의 증상, 원인 그리고 치료 방법에 관해 인터넷을 활용하여 조사해 보자.

질환 이름	증상	원인	가능한 치료 방법
페닐케톤뇨증	지적 장애, 습진, 구토, 경련	상염색체 열성 대사 질환으로 페닐알라닌 수산화 효소*가 결핍되어 페닐알라닌이 정상적으로 대사되지 않음으로써 비정상적인 대사 물질이 분비되고, 이로 인해 여러 증상이 초래됨.	페닐알라닌 함량이 적은 음식 섭취를 통해 혈중 페닐알라닌 수치를 조절해야 함.
단풍당뇨증	지적 장애, 경련, 호흡 장애, 발육 장애	상염색체 열성 대사 질환으로 필수아미노산인 류신, 아이소류신, 발린의 물질대사 과정에 관여하는 특정 탈탄산 효소의 이상으로 α-케토글루타르산이 체내에 축적되어 나타나는 질환	혈액 투과를 통해 류신, 아이소류신, 발린, α-케토글루타르산의 체내 수치를 낮추고 식이 요법 시행
갑상샘 저하증	체중 증가, 피로감, 근육통, 식욕 부진, 추위를 못 견딤.	갑상샘*의 이상으로 티록신 생산이 감소되거나, 뇌의 이상으로 갑상샘 자극 호르몬(TSH) 생산이 감소하여 티록신을 충분히 만들지 못하는 질환	티록신제 투여
호모시스틴뇨증	지적 장애, 경련, 보행 장애, 시력 장애, 골다공증	시스타치오닌 합성 효소의 유전적 결핍으로 메싸이오닌, 호모시스틴이라는 아미노산이 체내에 축적되며, 보인자인 부모로부터 환자가 발생	비타민 B$_6$ 대량 투여, 비타민 B$_{12}$, 비타민 C, 엽산 등을 보충, 저메싸이오닌 음식물 섭취
갈락토스혈증	황달, 구토, 백내장, 패혈증, 성장 저하, 지적 장애	상염색체 열성 대사 질환으로 체내에 갈락토스*와 그 대사 산물이 축적되어 콩팥, 간, 뇌에 이상을 초래	갈락토스가 포함되지 않은 음식물 섭취

*선천성 대사 이상 질환 선택하기
현재 필수적으로 검사를 시행하는 6가지 선천성 대사 이상 질환인 페닐케톤뇨증, 단풍당뇨증, 갑상샘 저하증, 호모시스틴뇨증, 갈락토스혈증, 선천성 부신 과형성증 중 1가지를 선택한다.

*페닐알라닌 수산화 효소
아미노산인 페닐알라닌을 분해하여 아미노산인 타이로신을 생성하는 효소이다.

*갑상샘
목의 기도 주위를 나비 모양으로 둘러싸고 있는 내분비샘으로 갑상샘 호르몬인 티록신을 만들어 몸의 기능을 적절하게 유지한다.

> 좌우 콩팥 위에 각각 1개씩 있는 삼각형 모양의
> 내분비샘으로, 부신 속질과 부신 겉질로 구분한다.

선천성 부신과형성증	남성스러운 목소리, 체중 감소, 음핵 비대, 탈수, 저혈압	상염색체 열성 유전병으로 부신*의 코르티솔 합성 과정에 관여하는 효소들이 결핍되어 부신 겉질 자극 호르몬이 과합성되어 그에 따른 태아 성기의 발달 장애와 색소 침착, 염분 소실 등의 증상이 나타남.	관련 약제 투여

(나) 보석맵 만들기*

❹ 보석맵의 가운데(A)에는 활동 주제를 쓴다.

❺ 각 모둠 구성원이 조사한 내용 중 보석맵의 각 칸 B~D에 쓸 항목을 정하자.

❻ 조사한 내용을 이용하여 모둠 구성원이 함께 다양한 색깔의 펜을 활용하여 사진이나 그림 등을 이용하면서 보석맵에 자유롭게 정리해 보자.

❼ 다른 모둠이 완성한 보석맵과 바꾸어 보고, 우리 모둠의 보석맵에 빠진 내용이 있으면 보완하자.

결과/정리

1. 각 모둠의 보석맵을 전시하고, 정리한 내용을 발표해 보자.

2. 선천성 대사 이상 질환을 완화하는 방법에는 어떤 것이 있을지 토의해 보자.

질환 이름	질환을 완화하는 방법
페닐케톤뇨증	페닐알라닌 함량이 적은 음식물 섭취를 통해 혈중 페닐알라닌 수치를 조절한다.
단풍당뇨증	혈액 투과를 통해 류신, 아이소류신, 발린, α-케토글루타르산의 체내 수치를 낮추고, 식이 요법을 시행한다.
갑상샘 저하증	티록신제를 투여한다.
호모시스틴뇨증	비타민 B_6를 대량 투여하고, 비타민 B_{12}, 비타민 C, 엽산 등을 보충한다. 메싸이오닌이 적거나 안 들어 있는 음식물을 섭취한다.
갈락토스혈증	갈락토스가 포함되지 않은 음식물을 섭취한다.
선천성 부신과형성증	관련 약제를 투여한다.

• 확인하기

1. [이해] 특정 효소 유전자에 변이가 생기면 관련된 물질대사에 이상이 생기는 까닭은 무엇인지 설명해 보자.

[예시] 변이가 생긴 특정 효소 유전자로부터 전사와 번역을 통해 만들어진 효소 단백질이 정상적인 촉매 기능을 하지 못하여 관련된 물질대사가 정상적으로 일어나지 못한다.

2. [적용] 단백질의 다양한 기능을 고려할 때 유전자 변이로 인해 나타날 수 있는 우리 몸의 문제에는 무엇이 있는지 말해 보자.

[예시] 유전자 변이로 단백질의 구조와 기능에 이상이 생기면 단백질의 기능과 관련된 다양한 문제가 나타날 수 있다. 예를 들면, 세포막에 존재하는 막단백질이 기능을 하지 못해 세포막을 통한 물질 출입이 원활하게 일어나지 못할 수 있다. 또한, 호르몬이나 항체와 같은 단백질이 제 기능을 하지 못해 우리 몸의 항상성 유지나 면역 작용이 정상적으로 작동하지 않을 수 있다.

＊보석맵 제작 시 Tip

• 보석맵을 정리할 때는 자신이 선택한 색깔의 펜으로만 글자를 쓰고, 사진이나 그림 등을 이용하면서 각 항목에 맞게 창의적으로 정리하도록 한다.

• 자신의 영역을 마무리한 후 한 칸씩 돌려가면서 다른 모둠 구성원이 작성한 내용 중 추가하거나 수정할 부분을 자신의 색깔 펜으로 쓰거나 붙임쪽지를 붙여서 기록하면 좋다. 처음 자신이 정리한 항목으로 돌아오면 모둠 구성원이 기록해 준 내용을 확인하여 추가하거나 수정한다.

＊선천성 대사 이상 질환과 세포 내 유전 정보 흐름의 중요성

• 정상적인 유전자로부터 단백질이 만들어지는 정보의 흐름에 문제가 생기면 생명 시스템 유지가 어려워진다.

• 선천성 대사 이상 질환은 대부분 단백질에 대한 정보를 담고 있는 유전자에 문제가 생겨 나타나는 유전병이다. 따라서 단백질에 대한 정보를 담고 있는 유전자에 문제가 생기면 전사와 번역 과정을 통해 만들어지는 단백질이 제 기능을 하지 못한다.

탐구 분석

우리나라에서 신생아 전체에 대한 검사를 실시하는 대표적인 6가지 선천성 대사 이상 질환의 원인과 증상, 가능한 치료 방법 등에 관하여 조사하고, 조사 결과를 보석맵으로 작성하여 발표한다.

✔ 개념 확인 문제

1 ( )은 대부분 특정 효소 단백질에 대한 정보를 담고 있는 유전자에 문제가 생겨 결과적으로 만들어지는 효소 단백질이 제 기능을 하지 못해 나타나는 유전병이다.

2 페닐케톤뇨증 환자의 특정 효소를 만드는 ( )의 염기 서열이 정상적이지 못하여 ( )와 번역 과정을 거쳐 만들어지는 효소가 제 기능을 하지 못한다.

③ 단계 생각 모으기

핵심 내용 정리하기

① 유전자와 단백질의 관계 교과서 162~165쪽

(1) 지구상에 존재하는 모든 생물은 **❶ DNA** 을/를 유전 물질로 가지고 있으며 DNA에 있는 **❷ 유전자** (으)로부터 단백질을 만들어서 생명 시스템을 유지한다.

(2) 생명 시스템에서 유전자로부터 단백질로의 정보의 흐름을 **❸ 생명 중심 원리** (이)라고 한다.

(3) **❸ 생명 중심 원리** (이)란 DNA에 있는 유전자를 원본으로 하여 **❹ RNA** 이/가 만들어지고, 이 **❹ RNA** 의 정보를 이용하여 단백질을 만든다는 것이다. DNA에 있는 유전자를 원본으로 하여 RNA를 만드는 과정을 **❺ 전사** (이)라고 하며, **❺ 전사** 된 RNA를 이용하며 단백질을 만드는 과정을 **❻ 번역** (이)라고 한다.

② 유전자 변이와 물질대사 이상 교과서 166~167쪽

유전자 변이는 **❼ 단백질** 의 구조와 기능에 영향을 미쳐 물질대사 이상 질환과 같은 다양한 질병을 유발할 수 있다. 정상적인 유전자로부터 **❺ 전사** 과/와 **❻ 번역** 을/를 통해 단백질이 만들어지는 세포 내 정보의 흐름은 생명 시스템 유지에 매우 중요하다.

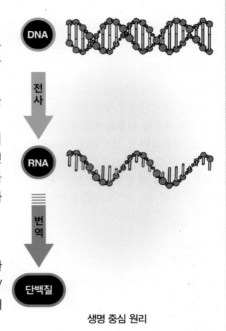

생명 중심 원리

활동으로 확인하기

낫 모양 적혈구 빈혈증은 유전자 이상에 따른 대표적인 질환 중 하나이다. 낫 모양 적혈구 빈혈증 환자는 길게 찌그러진 낫 모양의 적혈구를 가진다. 낫 모양 적혈구는 쉽게 파괴되고 모세 혈관에서 혈액의 흐름을 막아 빈혈과 같은 질환을 유발한다.

① 낫 모양 적혈구 빈혈증 환자의 유전적 이상은 무엇인지 조사해 보자.

예시 낫 모양 적혈구 빈혈증은 11번 염색체 이상에 의한 열성 유전병이다. 적혈구에는 산소 운반 단백질인 헤모글로빈이 있어 산소 운반 기능을 한다. 정상 헤모글로빈 단백질 유전자의 염기 서열 하나가 바뀌어 헤모글로빈을 이루는 폴리펩타이드 중 한 종류의 글로빈이 변형되어 헤모글로빈 단백질이 비정상적으로 응집하여 낫 모양으로 변형된 적혈구가 만들어진다.

② 낫 모양 적혈구 빈혈증 환자의 헤모글로빈 유전자로부터 헤모글로빈 단백질이 만들어지는 과정을 설명해 보자.

예시 낫 모양 적혈구 빈혈증 환자의 헤모글로빈 유전자로부터 전사를 통해 낫 모양 적혈구 헤모글로빈 유전자를 가진 RNA가 만들어지고, 번역 과정을 통해 이 RNA로부터 낫 모양 적혈구 헤모글로빈 단백질이 만들어져 낫 모양 적혈구가 만들어진다.

③ 낫 모양 적혈구 빈혈증처럼 유전자 이상으로 인해 발생하는 다른 질병을 찾아서 발표해 보자.

해설 대표적으로 적록 색맹, 혈우병, 낭포성 섬유증, 헌팅턴병 등 다양한 사례를 찾아볼 수 있으므로 그 원인과 증상을 조사하여 발표한다.

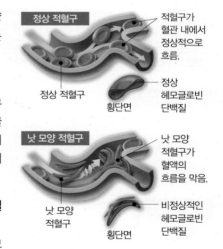

정상 적혈구 — 적혈구가 혈관 내에서 정상적으로 흐름. / 정상 적혈구 / 횡단면 — 정상 헤모글로빈 단백질

낫 모양 적혈구 — 낫 모양 적혈구가 혈액의 흐름을 막음. / 낫 모양 적혈구 / 횡단면 — 비정상적인 헤모글로빈 단백질

④단계 생각 넓히기 더욱 가까워진 개인 DNA 염기 서열 해독

과학적 의사소통 능력
과학적 참여와 평생 학습 능력

2003년 인간 유전체 프로젝트(Human Genome Project)를 통해 인간의 전체 DNA 염기 서열이 밝혀졌다. 인류 역사상 최초로 게놈 지도를 완성하는 데 들어간 비용은 27억 달러였다. 그 후 유전체 염기 서열 해독의 비용과 시간을 줄이려는 노력이 계속되고 있다.

DNA의 유전자의 염기 서열은 전사와 번역을 통해 만들어지는 단백질에 대한 정보를 의미한다. 미래 사회를 그린 영화에서는 아기가 태어나자마자 그 아기의 전체 DNA 유전 정보를 읽어 내서 부모에게 아이가 앞으로 특정 질병에 걸릴 확률과 아이의 신체적·정신적 능력을 설명하고, 그들의 유전 정보에 따라 통제되고 교육되는 모습을 담고 있다.

앞으로는 적은 비용으로 쉽게 자신의 유전 정보를 알 수 있는 시대가 도래할 것이다. 하지만 누가 어떤 기준으로 어디까지 개인의 유전 정보를 알려 주어야 하느냐는 질문에는 아직 논란의 여지가 있다.

＊유전체
생물체나 생물체를 구성하는 하나의 세포가 지닌 DNA 염기 서열 전체

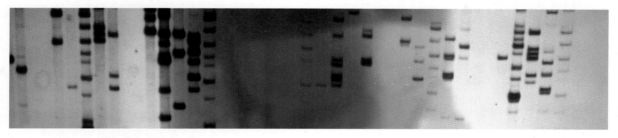

① 핵심 내용 파악

개인의 유전자 염기 서열 분석을 통해 미래의 질병 가능성을 예측하는 것이 가능한 까닭을 유전 정보의 흐름과 관련지어 말해 보자.

예시 유전병은 다운 증후군의 경우처럼 염색체 수 이상에 의해 초래되기도 하지만, 페닐케톤뇨증과 같이 유전자의 염기 서열에 문제가 있는 경우가 많다. 유전자의 염기 서열에 문제가 있는 경우 염기 서열 분석을 제외하고는 정확한 진단이 어렵다. 따라서 개인의 유전자 염기 서열 분석 결과를 다른 사람들의 해당 유전자 염기 서열과 비교 분석하여 각 개인의 해당 유전자 및 단백질과 관련된 형질, 그리고 질병에 관한 정보 등을 얻을 수 있다. 이러한 유전자 염기 서열 분석을 태아 시기나 출생 초기에 할 수 있다면 살면서 나타날 수 있는 유전병을 미리 진단하여 적합한 치료와 대비가 가능할 것이다.

② 자기 생각 논술

유전자 검사를 쉽고 저렴하게 할 수 있으면 질병 진단과 관련하여 현재의 의료 시스템이 어떻게 변하게 될지 자신의 의견을 논술해 보자.

예시 인간의 유전자 염기 서열은 모든 사람이 거의 비슷하지만, 정확히 똑같지 않다. 그런데 현재의 의료 시스템에서는 이러한 개인의 유전 정보의 차이점을 고려한 치료를 하기 어렵다. 만약 유전자 검사를 통해 개인의 유전적 특징이 명확하게 분석되고 그에 따른 질병의 예방과 치료가 가능해진다면 의료 시스템은 큰 변화가 불가피할 것이다. 예를 들면, 출생과 함께 유전자 검사를 하여 유전에 의한 유전자 이상으로 발병할 수 있는 질병이나, 살면서 나타날 수 있는 유전자 이상 질병(예 골수이형성증후군)과 같은 질병을 예측하고 이를 대비하는 유전자 예방 의학이 발달하게 될 것이다. 또한, 증상을 기준으로 하는 처방이 아닌 개인 면역력을 기준으로 하는 처방도 가능할 것이다.

③ 토의하기

1. 유전자 맞춤형 치료 시대가 갖는 윤리적 문제에 관해 모둠별로 토의하고 발표해 보자.

예시 유전자 검사를 통해 개인의 유전적 특성에 따른 유전자 맞춤형 치료 시대는 현재의 의료 시스템의 혁명적 변화를 가져오는 긍정적 측면을 가지고 있다. 반면 사회적·경제적 지위에 따라 유전자 맞춤형 치료를 받을 수 있는 사람과 없는 사람이 구분되거나, 유전자 맞춤형 치료의 질이 달라질 수 있다는 부정적 측면도 있다. 또한, 유전자 검사를 통해 유전자에 문제가 있을 경우 유전자를 원하는 대로 조작할 수 있게 되면 사회적 윤리나 관점, 법률도 이에 맞춰 변화해야 할 것이다. 따라서 유전자 맞춤형 치료 시대가 도래하는 과정에서 기술적인 발전과 함께 합리적인 이용을 위한 사회적 합의 도출 과정과 교육이 필요하다.

2. 개인 맞춤형 DNA 염기 서열 해독 기술을 효과적으로 활용할 수 있는 방안을 토의해 보자.

예시 개인의 DNA 염기 서열을 해독하여 정보를 가지고 있으면 앞으로 발병할 가능성이 있는 질병을 예방할 수 있고, 발병할 경우 유전자 맞춤형 치료가 가능해진다.

기본 개념 정리하기

01 다음 설명에 해당하는 용어를 〈보기〉에서 찾아 그 기호를 써 보자.

(1) 생명 시스템의 구성에서 조직, 기관, 개체를 이루는 기본 단위는 무엇인가? ⓜ

(2) 세포 호흡을 통해 세포 활동에 필요한 에너지를 생산하는 세포 소기관은 무엇인가? ⓞ

(3) 세포의 구조 중 세포의 형태를 유지하고 세포 안팎으로의 물질 출입을 조절하는 것은 무엇인가? ⓐ

(4) 세포막은 주로 무엇으로 이루어져 있는가? ⓛ

(5) 물질의 종류에 따라 물질의 출입이 선택적으로 일어나는 세포막의 특성을 무엇이라고 하는가? ⓗ

(6) 생명 시스템에서 일어나는 모든 화학 반응을 무엇이라고 하는가? ⓩ

(7) 생명 시스템에서 일어나는 화학 반응이 빠르게 일어나도록 하는 생체 촉매를 무엇이라고 하는가? ⓒ

(8) DNA에 있는 유전자 정보가 RNA를 거쳐 단백질로 전달되는 정보의 흐름을 일컫는 원리를 무엇이라고 하는가? ㉠

(9) 유전자를 원본으로 RNA를 만드는 과정을 무엇이라고 하는가? ㉣

(10) DNA를 구성하는 염기의 종류는 무엇인가? ㉲

보기
㉠ 생명 중심 원리
㉡ 인지질과 단백질
㉢ 효소
㉣ 전사
㉤ 세포
㉥ 선택적 투과성
㉦ 세포막
㉧ 미토콘드리아
㉨ 물질대사
㉩ A, T, G, C

02 그림은 동물 세포와 식물 세포를 나타낸 것이다.

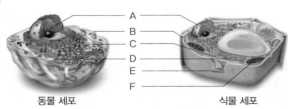

동물 세포   식물 세포

(1) DNA를 가지고 있으면서 생명 활동을 조절하는 세포 구조의 기호와 이름을 써 보자. A 핵

(2) 식물 세포에만 존재하는 구조 E, F의 이름을 써 보자.
E: 세포벽, F: 엽록체
해설 식물 세포에만 존재하는 구조에는 세포벽과 엽록체가 있다.

03 그림은 세포막의 인지질 2중층과 특정 막단백질을 통해서 일어나는 물질의 이동을 나타낸 것이다.

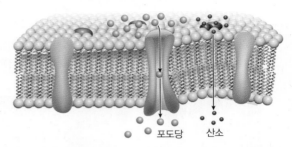

포도당   산소

(1) 산소와 포도당의 이동 방식의 공통점은 무엇인가? 확산
해설 농도가 높은 쪽에서 낮은 쪽으로 확산을 통해 이동한다.

(2) 산소가 특정 막단백질을 통해 이동하는 포도당과 달리 인지질 2중층을 직접 통과할 수 있는 까닭은 무엇인가? 엇인가? 크기가 작으므로
해설 산소는 특정 막단백질을 통해 이동하는 포도당과 달리 인지질 2중층을 직접 통과할 수 있을 만큼 크기가 작아 인지질 2중층을 직접 통과한다.

04 우리 민족이 오래전부터 즐겨 먹어온 된장, 고추장은 대표적인 발효 식품이다. 이들 식품에서 발효가 일어나게 하는 물질이 무엇인지 설명해 보자.

미생물의 효소에 의해 일어난다.
해설 된장, 고추장은 미생물의 효소를 이용한 발효를 통해 만드는 식품이다.

05 그림은 유전자로부터 단백질로의 정보 흐름을 나타낸 것이다. 각 단계의 이름을 쓰고, 각 단계에서 일어나는 일을 간략히 설명해 보자.

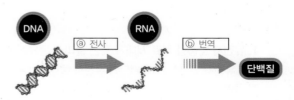

• ⓐ: 전사, DNA의 유전자를 원본으로 하여 RNA가 만들어지는 과정이다.
• ⓑ: 번역, 전사된 RNA를 이용해 단백질을 만드는 과정이다.

해설 생명 중심 원리는 세포 내에서 이루어지는 유전 정보의 흐름을 설명하는 원리로, DNA의 유전자를 원본으로 하여 RNA가 만들어지는 전사 과정과 전사된 RNA를 이용하여 단백질을 만드는 번역 과정으로 이루어져 있다.

핵심 개념 적용하기

06 표는 세포의 구조 (가)~(다)의 특징과 각 구조가 고양이의 위벽 세포와 감나무 잎 세포에 있는지를 나타낸 것이다. (가)~(다)는 핵, 세포막, 엽록체 중 하나이다. 이에 관한 설명으로 옳은 것만을 〈보기〉에서 있는 대로 골라 보자.

세포 구조	특징	고양이 위벽 세포	감나무 잎 세포
엽록체 (가)	광합성을 한다.	ⓐ ×	○
핵 (나)	염색체가 존재한다.	○	○
세포막 (다)	인지질 2중층으로 이루어져 있다.	○	ⓑ ○

┌ 보기 ┐
✔ ㉠ ⓐ는 '×', ⓑ는 'ㅇ'이다.
  ㉡ (가)는 동식물 모든 세포에 존재한다.
✔ ㉢ (나)에는 유전 물질이 존재한다.
✔ ㉣ (다)를 통해 선택적으로 물질 이동이 일어난다.

해설 ㉠, ㉡ 엽록체는 동물 세포에는 없고 식물 세포에만 있는 세포 소기관이다.
㉢ 핵에는 유전 정보가 들어 있는 염색체가 들어 있다.
㉣ 인지질 2중층과 막단백질로 이루어진 세포막을 통하여 물질이 선택적으로 이동한다.

07 그림은 서로 다른 물질이 세포막을 통해 확산하여 이동하는 방식 I, II를 나타낸 것이다. 이에 관한 설명으로 옳은 것만을 〈보기〉에서 있는 대로 골라 보자.

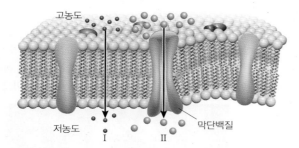

┌ 보기 ┐
✔ ㉠ I 과 같은 방식으로 폐포와 모세 혈관 사이에서 기체 교환이 일어난다.
✔ ㉡ II 는 아미노산과 같이 크기가 큰 물질들이 이동하는 방식이다.
✔ ㉢ 세포막을 통한 물질의 출입은 물질의 종류에 따라 선택적으로 일어난다.

해설 ㉠ I과 같은 방식은 인지질 2중층을 통한 확산으로, 이와 같은 방식으로 폐포와 모세 혈관 사이에서 기체 교환이 일어난다.
㉡ II는 막단백질을 통한 확산으로, 이와 같은 방식으로 아미노산이나 포도당과 같이 크기가 큰 물질들이 이동한다.
㉢ 세포막은 선택적 투과성을 통해 물질의 이동을 선택적으로 조절한다.

08 그림은 같은 양의 과산화 수소(H_2O_2)가 분해되는 반응에서 카탈레이스가 있을 때와 없을 때의 에너지 변화를 같이 나타낸 것이다. 이에 관한 설명으로 옳은 것만을 〈보기〉에서 있는 대로 골라 보자.

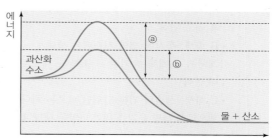

┌ 보기 ┐
✔ ㉠ 효소가 없을 때의 활성화 에너지는 ⓐ이다.
  ㉡ 카탈레이스는 과산화 수소 분해 반응의 활성화 에너지를 높여 준다.
✔ ㉢ 과산화 수소의 분해 반응은 화학 반응이다.

해설 ㉠ 효소는 활성화 에너지를 낮추어 물질대사가 빠르게 일어나게 한다.
㉡ 카탈레이스는 과산화 수소 분해 반응의 활성화 에너지를 낮춰 준다.
㉢ 과산화 수소의 분해 반응은 물과 산소가 만들어지는 화학 반응이다.

09 그림은 유전 정보의 흐름을 나타낸 것이다. 이에 관한 설명으로 옳은 것만을 〈보기〉에서 있는 대로 골라 보자.

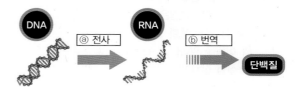

┌ 보기 ┐
  ㉠ ⓐ 과정은 핵 밖에서 일어난다.
✔ ㉡ ⓑ 과정을 번역이라고 한다.
  ㉢ RNA는 단일 가닥으로 A, T, G, C의 네 종류 염기를 갖는다.
✔ ㉣ 단백질은 아미노산으로 이루어져 있다.

해설 ㉠, ㉡ DNA로부터 RNA를 만드는 전사는 핵 안에서 일어나고, RNA로부터 단백질을 만드는 번역은 세포질의 리보솜에서 일어난다.
㉢ RNA는 단일 가닥으로 4종류의 염기 A, U, G, C을 갖는다.
㉣ 단백질은 수많은 아미노산으로 이루어져 있다.

과학과 핵심 역량 기르기

| 과학적 사고력 |

10 다음은 생명 시스템에 관한 학생들의 대화 내용이다. 각 학생의 생각을 뒷받침할 수 있는 예를 두 가지씩 적어 보자.

> • A 학생: 생명 시스템은 지구 시스템을 구성하면서 지구 시스템의 다른 요소들과 활발하게 상호 작용하고 있어.
> • B 학생: 동시에 생명 시스템은 생태계 – 군집 – 개체군 – 개체 – 기관 – 조직 – 세포로 구성되어 있어.
> • C 학생: 생명의 기본 단위인 세포는 하나의 시스템으로서 생명 유지를 위한 다양한 생명 활동을 해 나가고 있어.

해설 • A 학생: 예를 들어 기권은 태양으로부터 오는 자외선을 막아서 생물들이 생존할 수 있게 하고, 대기 중의 이산화 탄소와 산소는 생물에게 이용된 후 배출되고 있다. 또한, 수권은 생명 시스템을 구성하는 가장 많은 물질인 물의 저장고 역할을 하며, 물의 순환을 통해 생명 시스템의 생존에 많은 영향을 미치고 있다.
• B 학생: 도시 생태계를 보면 한 도시에는 많은 생물종이 사는데, 사람이라는 종이 일반적으로 가장 큰 개체군을 이루고 있다. 한 사람은 심장, 폐, 콩팥, 간과 같은 기관으로 이루어져 있고, 각 기관은 여러 종류의 조직으로 이루어져 있다. 각 조직은 비슷한 모양과 기능을 가진 세포들로 이루어져 있다.
• C 학생: 세포는 핵, 세포질, 세포막 등으로 이루어져 있고, 세포질에는 여러 세포 소기관이 들어 있다. 생명 유지를 위해 세포막을 통해 외부와 물질을 교환하고 생존, 생장, 분열을 하는 하나의 생명 시스템으로서 작동하고 있다.

| 과학적 문제 해결력 |

11 인지질과 막단백질로 이루어진 세포막은 반투과성 막으로 물과 같이 크기가 작은 용매는 통과하지만, 설탕 입자처럼 크기가 큰 용질은 통과할 수 없다. 그림은 반투과성 막을 통한 물질의 이동을 알아보기 위한 실험 장치이다. 반투과성 막 주머니는 늘어날 수 있다.

4 % 설탕 용액
10 % 설탕 용액

(1) 시간이 지날수록 반투과성 막 주머니의 부피는 어떻게 변할지 설명해 보자.

해설 반투과성 막을 통해 물이 막 바깥쪽에서 안쪽으로 이동하여 막 주머니의 부피는 증가한다.

(2) 실험에서 반투과성 막을 통한 물질 이동을 설명해 보자.

해설 반투과성 막은 설탕 입자와 같이 큰 물질은 통과할 수 없다. 작은 크기의 물 분자는 반투과성 막을 확산에 의해 통과할 수 있으므로 반투과성 막을 통한 이동은 물만 가능하다. 반투과성 막을 통해 물은 막의 바깥쪽에 있는 4 % 설탕 용액(저농도)에서 안쪽에 있는 10 % 설탕 용액(고농도)으로 이동한다.

| 과학적 탐구 능력 |

12 다음은 식혜 만드는 과정을 간단히 나타낸 것이다.

> (가) 잘게 부순 보리싹을 물에 불린 다음 고운 체로 걸러 낸다.
> (나) 걸러 낸 액체를 밥에 붓는다.
> (다) 온도를 따뜻하게 유지한 상태에서 시간이 지나면 밥풀이 수면으로 떠오른다.
> (라) 불에 올려놓고 끓인 후 식혀서 먹는다.

(1) 식혜 만드는 과정에서 엿기름의 역할을 알아보기 위한 실험을 설계해 보자.

해설 ① 2개의 비커 중 비커 A에는 잘게 부순 보리싹을 넣고 물을 넣어 불린 다음 고운 체로 걸러 낸 후, 거른 물만 넣는다.
② 비커 B에는 비커 A에 남은 물의 양과 같은 양의 물을 넣는다.
③ 같은 양의 밥을 비커 A와 비커 B에 각각 넣는다.
④ 온도를 40 ℃~45 ℃ 정도로 유지한 상태에서 시간이 지나면서 어떤 현상이 나타나는지 관찰한다.
⑤ 밥풀이 수면으로 떠오르는 비커가 있으면 두 비커를 끓인 후 식힌다.
⑥ 두 비커 속 액체의 당도를 각각 측정하여 비교한다.

(2) 식혜의 단맛이 어떻게 만들어지는지 추론해 보자.

해설 보리싹에는 녹말을 엿당 등으로 분해하는 효소인 아밀레이스가 들어 있다. 따라서 보리싹을 불려 낸 액체에는 아밀레이스가 들어 있고, 이 액체를 밥이 든 용기에 부으면 시간이 지나면서 밥의 녹말이 아밀레이스에 의해 분해되면서 단맛이 난다.

| 과학적 참여와 평생 학습 능력 |

13 신생아의 유전자 검사를 통해 신체적·정신적 특성, 주요 질병의 발생 가능성 등에 관한 정보를 얻을 수 있다. 하지만 유전자 검사의 필요성, 범위에 관해서 다양한 의견이 있다.

(1) 유전자 검사가 필요한지 자신의 의견을 발표해 보자.

해설 일반적인 경우에는 유전자 검사가 필요하지 않겠지만, 앓고 있는 질병의 원인을 찾지 못하고 있거나, 유전자 치료가 가능한 질병일 경우 유전자 검사가 필요하다고 생각한다.

(2) 친구들의 의견을 듣고, 자신의 의견을 수정할 점이 무엇인지 써 보자.

해설 찬성 또는 반대 의견에 따라 근거를 들어 자신의 의견을 써 본다.

프로젝트 과제 세포 모형 만들기

❶ 프로젝트 주제 및 계획 세우기

세포에 관한 다음 내용을 보고 프로젝트 주제를 이해하고, 계획을 세워 보자.

세포는 핵, 세포막 그리고 여러 가지 세포 소기관 등으로 이루어져 있다. 세포막은 생명 활동 유지를 위해 끊임없이 외부와의 상호 작용이 일어나는 구조이다. 세포에서는 다양한 효소들의 촉매 작용을 통한 물질대사가 일어난다. 세포의 핵은 유전 물질인 DNA가 존재하여 세포의 생명 활동을 조절한다. 생물 시스템 유지의 구조적·기능적 기본 단위로서의 세포를 평면 위에 2차원적으로 표현해 보거나 3차원적 입체 모형으로 표현해 본다면 어떨까? 생명 시스템의 기본 단위로서의 세포를 잘 표현하려면 어떤 재료들로 세포의 각 구조를 표현하면 좋을지, 어떤 방식으로 표현해야 실제 세포에 가까운 모형을 만들 수 있을지 생각해 보자. 모둠별로 동물 세포 또는 식물 세포 중 하나를 선택하여 세포 모형을 제작해 보자.

> 세포 모형 제작 시 유의 사항
> 1. 평면 또는 입체 중 한 가지 방법으로 제작할 수 있으며, 크기는 최소 A4 용지 크기 이상이다.
> 2. 핵, 세포막, 미토콘드리아 등의 주요 세포 소기관이 포함되도록 한다.
> 3. 다양한 재료를 사용해 모형을 만들 수 있다.
> 4. 세포를 구성하는 각 구조의 이름을 넣는다.

❷ 프로젝트 수행하기

1. **세포 모형을 표현할 소재를 정하고 분류해 보자.**
   해설 핵, 세포막, 미토콘드리아 등 세포 소기관을 표현할 소재를 정할 때 선정한 소재가 각 세포 소기관의 구조를 잘 나타낼 수 있는지를 고려하는 것이 중요하다.

2. **분류한 소재를 어떻게 표현해야 세포를 잘 표현할 수 있는지 토의해 보자.**
   해설 각 소재를 이용해 표현할 세포 소기관이 어떤 구조로 이루어져 있는지 확인하고 선택한 소재를 이용해 그 특징이 잘 표현될 수 있도록 모형을 제작한다.

3. **모둠별로 제작한 모형이 어떤 면에서 세포의 특징을 나타내고 있는지 토의해 보자.**
   해설 각 세포 소기관의 구조적 특징뿐 아니라 기능도 고려하여 제작하는 것이 좋다. 예를 들면, 리보솜의 경우 RNA와 아미노산이 만나 단백질이 합성되는 과정이 일어나는 구조임을 감안하여 그 구조를 표현해 보도록 한다.

4. **모둠별로 다른 모둠의 세포 모형을 평가하는 기준을 만들어 보자.**
   예시 • 세포 모형을 통해 표현한 각 세포 소기관의 구조적 특징은 무엇인가?
   • 세포 모형에 사용된 소재는 적절한가?
   • 세포 모형에 사용된 소재를 이용해 각 세포 소기관의 특징을 잘 표현하였는가?
   • 세포 모형 전체는 실제 세포를 잘 표현하였는가?

5. **발표와 토의 과정을 통해 자신이 속한 모둠에서 제작한 세포 모형의 개선 방법을 정리해 보자.**
   예시 우리 모둠에서는 엽록체를 고무찰흙을 이용하여 녹색 알갱이로 표현하였는데, 다른 모둠에서는 엽록체의 내부 구조까지를 표현한 것이 인상적이었다. 엽록체의 내부 구조를 표현할 수 있는 재료에는 어떤 것이 있는지 조사하여 만들어 보는 것이 좋겠다.

❸ 정리 및 발표하기

1. **자신이 속한 모둠에서 제작한 세포 모형의 가장 큰 특징과 주안점이 무엇인지 써 보자.**
   예시 우리 모둠은 세포가 세포막뿐 아니라 미토콘드리아나 소포체와 같은 여러 세포 소기관들도 막으로 둘러싸인 구조라는 것을 강조하기 위하여 막 구조를 표현하는데 ○○○을 소재로 이용하였다.

2. **제작 의도, 각 재료 사용 목적, 강조 사항 등을 포함하여 모둠별로 제작한 세포 모형을 발표해 보자.**
   해설 제작한 세포 모형을 발표할 때는 동식물 세포 중 어떤 세포를 선택하였는지, 그 과정에서 어떤 점을 잘 표현하고 싶었는지, 표현을 위해 선택한 재료의 특성은 무엇인지, 모형의 주안점은 무엇인지를 설명한다.

단원 총괄 평가

01 다음은 4명의 학생이 생명 시스템의 특징을 설명한 것이다.

학생	특징
A	모든 생물에서 세포막을 통한 물질의 출입이 일어난다.
B	생명 시스템을 구성하는 기본 단위는 세포이다.
C	모든 생명체는 유전자로부터 직접 단백질을 만들며, 이 단백질에 의해 형질이 나타난다.
D	생명 시스템에서는 효소를 이용하여 물질대사가 빠르게 일어나게 한다.

생명 시스템의 특징을 옳게 설명한 학생만을 있는 대로 것은?

① A, B ② A, B, C ③ A, B, D
④ A, C, D ⑤ B, C, D

02 그림은 세포 (가)와 (나)에 있는 세포 소기관을 나타낸 것이다. (가)와 (나)는 각각 동물 세포와 식물 세포 중 하나이고, A~D는 각각 미토콘드리아, 세포벽, 핵, 엽록체 중 하나이다.

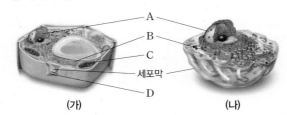

(가)　　　　(나)

이에 대한 설명으로 옳은 것만을 〈보기〉에서 있는 대로 고른 것은?

〈보기〉
ㄱ. A에는 유전 물질인 DNA가 들어 있다.
ㄴ. B는 포도당과 같은 유기물을 합성한다.
ㄷ. C와 D가 있으므로 (가)는 식물 세포임을 알 수 있다.

① ㄱ ② ㄷ ③ ㄱ, ㄴ
④ ㄱ, ㄷ ⑤ ㄴ, ㄷ

03 그림은 생명 시스템의 구성 단계를 동물의 예로 나타낸 것이다.

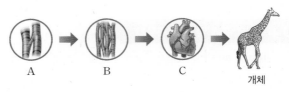

이에 대한 설명으로 옳은 것만을 〈보기〉에서 있는 대로 고른 것은?

〈보기〉
ㄱ. 모든 생물은 기본 단위인 A로 이루어져 있다.
ㄴ. 모양과 기능이 비슷한 A가 모여 B를 이룬다.
ㄷ. C는 한 종류의 B로 이루어진다.

① ㄱ ② ㄴ ③ ㄱ, ㄴ
④ ㄱ, ㄷ ⑤ ㄴ, ㄷ

04 그림은 분류 기준 A와 B에 따라 산소, 포도당, 이산화 탄소의 세포막을 통한 이동을 구분하는 과정을 나타낸 것이다.

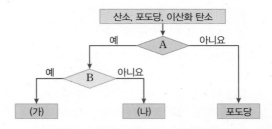

이에 대한 설명으로 옳은 것만을 〈보기〉에서 있는 대로 고른 것은?

〈보기〉
ㄱ. '세포막의 특정 막단백질을 통해 이동한다.'는 A에 해당한다.
ㄴ. B가 '폐포에서 폐포를 둘러싼 모세 혈관으로 확산되어 이동한다.'이면 (가)는 산소이다.
ㄷ. (나)는 크기가 작기 때문에 인지질 2중층을 통해 이동할 수 있다.

① ㄴ ② ㄷ ③ ㄱ, ㄴ
④ ㄱ, ㄷ ⑤ ㄴ, ㄷ

05 그림은 어떤 세포에서 세포막을 통해 포도당과 산소가 이동하는 방식을 각각 나타낸 것이다.

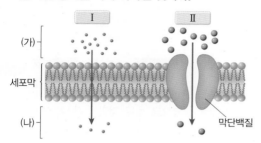

이에 대한 설명으로 옳은 것만을 〈보기〉에서 있는 대로 고른 것은?

┌─ 보기 ├─
ㄱ. (가)는 세포 바깥쪽이다.
ㄴ. 포도당은 방식 I로 이동한다.
ㄷ. 산소는 세포막의 특정 막단백질을 통해 방식 II로 이동한다.

① ㄱ   ② ㄴ   ③ ㄷ   ④ ㄱ, ㄴ   ⑤ ㄴ, ㄷ

06 다음은 과산화 수소수과 감자즙의 반응을 알아보는 실험이다.

[과정]
(가) 눈금실린더 2개에 A, B 라벨을 붙이고 35 % 과산화 수소 수용액을 30 mL씩 넣는다.
(나) 눈금실린더 A에는 감자즙 5 mL, 눈금실린더 B에는 증류수 5 mL를 넣고 변화를 관찰한다.
(다) 눈금실린더 A, B에 향 불꽃을 넣어 보고 불꽃의 상태를 관찰한다.

[결과]
• 눈금실린더 A: 과정 (나)에서 흰 거품이 많이 발생하였고, (다)에서는 향 불꽃에 불이 붙었다.
• 눈금실린더 B: 과정 (나)와 (다)에서 아무 변화가 없었다.

이에 대한 설명으로 옳은 것만을 〈보기〉에서 있는 대로 고른 것은?

┌─ 보기 ├─
ㄱ. 과정 (나)의 결과로부터 눈금실린더 A에서 산소가 발생하였음을 알 수 있다.
ㄴ. 과정 (다)는 생성물의 양을 알아보기 위한 것이다.
ㄷ. 실험 결과로부터 감자즙의 어떤 성분이 과산화 수소의 분해 반응을 촉진시켰다는 것을 추론할 수 있다.

① ㄴ   ② ㄷ   ③ ㄱ, ㄴ   ④ ㄱ, ㄷ   ⑤ ㄴ, ㄷ

07 그림은 과산화 수소의 분해 반응에서 카탈레이스가 있을 때와 없을 때의 에너지 변화를 나타낸 것이다.

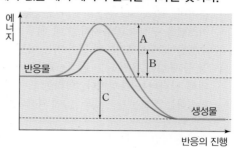

이에 대한 설명으로 옳은 것만을 〈보기〉에서 있는 대로 고른 것은?

┌─ 보기 ├─
ㄱ. 크기가 큰 물질이 크기가 작은 물질로 분해되는 이화 작용이다.
ㄴ. 카탈레이스가 있을 때의 활성화 에너지는 A와 B의 차이에 해당하는 에너지이다.
ㄷ. C는 효소의 유무에 관계없이 일정하다.

① ㄱ   ② ㄱ, ㄴ   ③ ㄱ, ㄷ
④ ㄴ, ㄷ   ⑤ ㄱ, ㄴ, ㄷ

5-② 세포 내 정보의 흐름

08 그림은 호랑이에서 유전자 A의 작용으로 호랑이의 담황색 털을 이루는 붉은색 색소 형질이 표현되기까지의 과정을 나타낸 것이다.

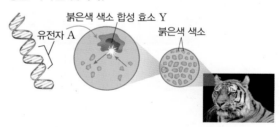

이에 대한 설명으로 옳은 것만을 〈보기〉에서 있는 대로 고른 것은?

┌─ 보기 ├─
ㄱ. 유전자 A의 염기 배열 순서에 이상이 생기면 붉은색 색소가 만들어지지 못할 수 있다.
ㄴ. 효소 Y는 유전자 A의 정보가 전사 단계를 거쳐 만들어진 것이다.
ㄷ. 효소 Y는 붉은색 색소를 만드는 물질대사 과정을 촉매한 후 바로 분해된다.

① ㄱ   ② ㄴ   ③ ㄱ, ㄴ
④ ㄱ, ㄷ   ⑤ ㄴ, ㄷ

단원 총괄 평가

09 다음은 세포 내 유전 정보의 흐름에 대한 설명이다.

> (㉠)은 생명체에서 세포의 주요 구성 성분이며, 효소, 호르몬, 항체의 주성분으로서 생명 시스템을 구성하고 유지하는 데 매우 많은 기능을 수행한다. 귓불 모양, 혀 말기 가능 여부, 눈꺼풀 모양 등과 같은 유전 (㉡)도 (㉠)에 의해 나타나는 특성이다. 이러한 (㉠)을 합성하는 정보는 (㉢)에 저장되어 있다.

빈칸에 들어갈 알맞은 말을 옳게 짝 지은 것은?

	㉠	㉡	㉢
①	단백질	형질	유전자
②	유전자	형질	단백질
③	DNA	인자	단백질
④	염색체	형질	유전자
⑤	염색체	인자	단백질

10 그림은 유전자로부터 단백질로의 정보의 흐름을 표현한 것이다. (가)~(다)는 각각 단백질, DNA, RNA 중 하나이다.

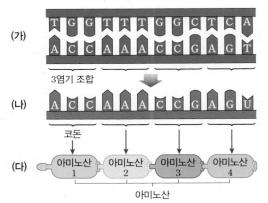

이에 대한 설명으로 옳은 것만을 〈보기〉에서 있는 대로 고른 것은?

> **보기**
> ㄱ. (가)의 염기 서열에는 단백질의 아미노산 서열에 대한 정보가 들어 있다.
> ㄴ. 전사를 통해 만들어진 (나)의 모든 코돈은 (가)의 3염기 조합과 염기 서열이 같다.
> ㄷ. (나)는 염기 서열로, (다)는 아미노산 서열로 정보가 구성되어 있다.

① ㄴ　　　② ㄱ, ㄴ　　　③ ㄱ, ㄷ
④ ㄴ, ㄷ　　　⑤ ㄱ, ㄴ, ㄷ

11 그림은 유전자로부터 단백질로의 정보의 흐름을 모형으로 나타낸 것이다. ㉠~㉢는 RNA, 번역, 전사 중 하나이다.

이에 대한 설명으로 옳은 것만을 〈보기〉에서 있는 대로 고른 것은?

> **보기**
> ㄱ. ㉠ 과정을 통해 만들어지는 ㉡는 RNA이다.
> ㄴ. ㉡을 구성하는 염기의 종류는 아데닌(A), 우라실(U), 구아닌(G), 사이토신(C)이다.
> ㄷ. ㉢ 과정에서 ㉡의 염기 3개에 대응하여 아미노산 1개가 만들어진다.

① ㄴ　　　② ㄱ, ㄴ　　　③ ㄱ, ㄷ
④ ㄴ, ㄷ　　　⑤ ㄱ, ㄴ, ㄷ

12 다음은 페닐케톤뇨증의 원인과 증상에 대한 설명이다.

> 페닐알라닌 수산화 효소는 체내에서 만들어져 페닐알라닌을 타이로신으로 분해하는 역할을 한다. ㉠염기 배열 순서에 이상이 있는 유전자에 의해 ㉡페닐알라닌 수산화 효소가 결핍되면 페닐알라닌을 ㉢타이로신으로 분해하지 못하는데, 체내에 페닐알라닌이 축적되면 지적 장애, 담갈색 모발, 피부의 색소 결핍 등 여러 가지 증상이 나타난다.

이에 대한 설명으로 옳은 것만을 〈보기〉에서 있는 대로 고른 것은?

> **보기**
> ㄱ. ㉠은 RNA에 있다.
> ㄴ. 정상적인 ㉡은 페닐알라닌을 타이로신으로 분해한다.
> ㄷ. 정상적인 사람은 ㉢이 체내에 축적되어 여러 가지 증상이 나타난다.

① ㄱ　　　② ㄴ　　　③ ㄱ, ㄴ
④ ㄴ, ㄷ　　　⑤ ㄱ, ㄴ, ㄷ

13 다음은 단세포 녹조류인 삿갓말의 재생을 알아보기 위한 실험이다.

》 과학적 사고력
세포 소기관의 기능

> [과정]
> Ⅰ. 갓의 모양이 다른 M형과 C형의 삿갓말을 준비하여 각각 헛뿌리, 자루, 갓으로 자른다.
> Ⅱ. 집단 (가)는 M형 자루에 C형 헛뿌리를 붙이고, 집단 (나)는 C형 자루에 M형 헛뿌리를 붙인다.
> Ⅲ. 각 삿갓말에서 어떤 형태의 갓이 재생되는지 관찰한다.
>
> [결과] (가)에서는 C형 갓이, (나)에서는 M형 갓이 재생되었다.

이 실험 결과로부터 알 수 있는 삿갓말에서 핵의 역할과 이로부터 추론할 수 있는 생명체에서 핵의 기능을 서술하시오.

14 다음은 난각막을 통한 물의 확산을 알아보는 실험이다.

》 과학적 탐구 능력
세포막을 통한 물질 이동

> [과정] (가) 2개의 달걀 A, B를 식초에 넣어 달걀 껍데기를 녹여 난각막만 있는 상태로 준비한다.
> (나) 달걀 A는 진한 소금물에, 달걀 B는 증류수에 각각 담근 후, 하루 정도 둔다.
>
> [결과] 달걀 A는 부피가 줄어들었고, 달걀 B는 부피가 증가하였다.

달걀 A, B에서 일어난 부피 변화의 원인을 난각막의 성질을 이용하여 서술하시오. (단, 난각막의 성질을 세포막의 성질과 연관시켜 서술해야 한다.)

15 다음은 감자즙 속에 들어 있는 효소의 작용을 알아보기 위한 실험이다.

》 과학적 탐구 능력
효소의 역할

> (가) 2개의 시험관 A, B에 35 % 과산화 수소수를 같은 양씩 넣는다.
> (나) 시험관 A에는 증류수를, 시험관 B에는 감자즙을 넣었더니 시험관 B에서만 많은 양의 거품이 발생하였다.
> (다) 기포 발생이 끝난 후 시험관 A, B에 같은 양의 과산화 수소수를 추가로 넣었더니 시험관 B에서만 다시 기포가 발생하였다.

(나)와 (다)의 결과를 통해 알 수 있는 감자즙 속의 효소의 기능과 성질을 서술하시오.

16 그림은 유전자로부터 단백질로의 유전 정보 전달 과정 중 일부를 나타낸 것이다. DNA를 구성하는 두 가닥의 폴리뉴클레오타이드 (가)와 (나) 중 RNA가 전사된 가닥의 기호를 쓰고, 그렇게 판단한 이유를 염기 서열과 전사의 정의를 포함하여 서술하시오.

》 과학적 문제 해결력
세포 내 정보 전달

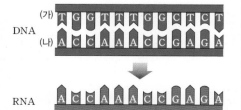

6

화학 변화

지금도 끊임없이 변하고 있다.

우리를 둘러싼 자연환경은 끊임없이 다양하게 변화하고 있다.

그런데 이러한 변화는 무질서한 것이 아니라 일정한 규칙에 따라 일어난다.

따라서 우리가 그 규칙성을 파악할 수 있다면 자연에서 일어나는

다양한 변화를 예측하고 조절할 수 있을 것이다.

우리 주변에서 일어나는 변화 가운데 대표적인 것이 물질의 변화이다.

물질은 화학 반응을 통해 변화를 일으킨다. 따라서 자연에서 일어나는

화학 반응을 이해한다면 물질 변화의 규칙성을 파악할 수 있을 것이다.

① 산화와 환원		② 산과 염기		③ 중화 반응
산화	환원	산	염기	산과 염기의 반응
산소를 얻음	산소를 잃음	수소 이온(H^+)	수산화 이온(OH^-)	$H^+ + OH^- \rightarrow H_2O + 열$
전자를 잃음	전자를 얻음	리트머스를 붉게	리트머스를 푸르게	중화점
광합성, 호흡, 철의 제련		금속과 반응하여 수소 기체 발생		지시약 색 변화 / 온도 변화

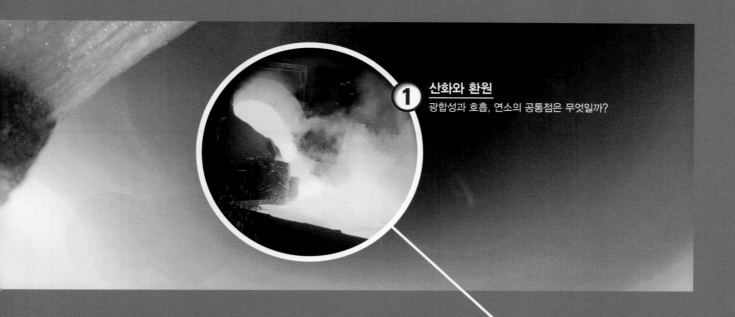

1 산화와 환원
광합성과 호흡, 연소의 공통점은 무엇일까?

산과 염기
2
산과 염기를 어떻게 구분할까?

3 중화 반응
산과 염기가 만나면 어떻게 될까?

학습 계획 세우기

이 단원에서는 우리 주변에서 발견할 수 있는 산화 환원 반응과 중화 반응의 사례를 통해 화학 반응에 어떤 규칙성이 있는지를 탐구한다.
각 소단원에서 공부할 내용을 미리 살펴보고 학습 계획을 세워 보자.

화학
반응
├─→ 지구와 생명의 변화를 → 산소와 → 전자의 이동과 → 산화 환원 반응의
│   가져온 산화 환원   산화 환원   산화 환원   이용
└─→ 산과 염기의 성질 → 중화 반응 → 중화 반응의 이용

6 - ❶ 산화와 환원

❶단계 생각 펼치기 지구와 생명의 역사를 바꾼 화학 반응들의 공통점은 무엇일까?

대기 중의 산소 형성으로 지구와 생명의 역사가 크게 달라졌고, 불의 발견으로 인류 문명의 역사가 급격히 발전하였다. 이처럼 시간을 거슬러 올라가 보면 지구와 생명의 역사에 큰 변화를 가져온 결정적 장면을 만날 수 있고, 이때 화학 반응이 관여함을 알 수 있다. 여기서는 지구와 생명의 역사를 바꾼 광합성, 철의 제련, 화석 연료 사용과 같은 화학 반응에 산소가 관여한다는 것을 통해 화학 반응에 존재하는 규칙성을 알아본다.

남세균   철광석   석탄

광합성은 초기 지구의 대기에 산소 기체를 만들어 주었고 철광석에서 철을 얻는 제련 과정을 알게 됨으로써 농기계와 무기의 발전이 이루어졌다. 또 화석 연료의 대량 사용은 운송 수단과 공업화의 발판이 되어 인류 문명의 비약적인 발전을 이루었다.

토의하기

1 광합성, 철의 제련, 화석 연료의 사용에 공통으로 관련된 원소는 무엇인가?

예시 광합성, 철의 제련, 화석 연료의 사용에 공통으로 관련된 원소는 산소이다. 광합성 과정에 산소가 배출되고, 철의 제련에서 산화 철(III)로부터 산소가 분리되고, 연료의 연소에서 연료가 산소와 결합한다.

2 광합성은 지구와 생명체에 어떤 영향을 미쳤는가?

예시 원시 지구에서 광합성을 하는 해양생물의 출현으로 대기 중에 산소가 축적되고, 산소 호흡을 하는 생명체가 늘어났다. 또한 오존층의 생성으로 태양이 자외선을 흡수하여 생물의 육상 진출이 가능해졌다. 즉, 광합성으로 인해 지구 대기 조성도 변하고 생명체도 다양해졌다.

3 철의 제련과 화석 연료의 사용을 비롯하여 인류 문명의 발달에 기여한 화학 반응에는 어떤 것들이 있는지 조사해 보자.

예시 1. 불의 이용과 농업 혁명: 불을 이용함으로써 금속을 제련하게 되었다. → 금속을 녹여 농기구나 무기를 만들고 농사를 지으면서 정착 생활을 시작하였다.

2. 철의 제련: 철은 구리보다 구하기 쉽고 단단했으므로 철제 농기구는 농경지를 확대하고 식량 생산량을 늘리는 데 기여하여 인류의 생활 수준을 크게 향상시켰다.

3. 산업 혁명과 화석 연료의 사용: 화석 연료 중 석탄을 기계의 동력원(열기관, 증기 기관)으로 이용하기 시작하면서 대량 생산과 기계화가 가능해졌다.

4. 암모니아의 합성과 식량 증대: 촉매를 사용한 질소와 수소로부터의 암모니아 합성은 화학 비료의 대량 생산을 가능하게 하여 농업 생산량을 크게 높이고 식량 증대에 기여하였다.

5. 현대 문명과 화석 연료 사용: 석탄 외에 석유와 천연가스를 사용하게 되면서 인류의 문명은 더욱 빠르게 발달하였다. 오늘날 석유, 천연가스는 난방, 산업, 운송 수단, 전기 생산 등 생활 거의 모든 면에서 널리 사용된다.

알고 있나요?

1 우리 주변에서 산소가 포함된 물질은 어떤 것이 있는지 말해 보자.

예시 물, 산소, 설탕, 포도당, 이산화 탄소, 녹슨 철, 유리 등

2 산소 원자의 구조를 모형으로 나타내 보자.

산소 원자의 모형

❶ 제련
광석으로부터 금속을 추출해 내는 과정이다. 철광석에서 철을 얻는 과정을 철의 제련이라고 한다.

❷ 연소
물질이 산소와 빠르게 결합하여 빛과 열을 내는 현상이다. 물질이 산소와 서서히 결합하는 경우는 부식이라고 한다.

❸ 천연가스
천연가스의 주성분은 80~85 %가 메테인(CH_4)이며 석탄, 석유에 비해 에너지 효율이 더 높다.

❹ 원자의 구조
원자의 중심에는 원자핵이 있고 그 주위에 전자가 있다. 보어 모형에 따르면 전자는 전자 껍질에 존재한다.

② 단계 해결하기 **1. 산소와 결합하는 반응에는 어떤 것이 있을까?**

미국 네바다주에 있는 '붉은 바위 협곡'에서는 붉은색을 띤 커다란 바위들을 볼 수 있다. 이 바위들이 붉은색을 띠는 것은 암석에 들어 있는 철 성분 때문이다. 쇠못과 같이 철로 된 물건을 공기 중에 오래 놓아 두면 붉게 녹이 슨다. 여기에서는 우리 주변에서 쉽게 볼 수 있는 산소와 결합하는 반응들을 알아본다.

 탐구 1 실험 **구리와 산소의 반응**

목표

과학적 탐구 능력

구리를 가열한 후 생성된 물질을 가열 전의 구리와 비교해 보고, 그 차이점을 말할 수 있다.

결과/정리

1. 실험 결과를 표에 정리해 보자.

구분	구리의 질량(g)	구리의 겉모습
가열 전	0.89	붉은색
가열 후	1.00	검은색

2. 가열 전후에 구리의 겉모습과 질량은 어떻게 달라졌는가?

예시 가열 후 구리의 질량은 가열 전보다 증가하였고, 가열 전 붉은색이었던 구리가 가열 후 검게 변하였다.

3. 가열 후에 구리에 변화가 생겼다면 그 까닭은 무엇일지 토의해 보자.

예시 색과 질량이 변했다는 것은 화학 반응을 통해 새로운 물질이 되었다는 것을 의미한다. 또 질량이 증가했다는 것은 다른 원자가 구리와 결합하였음을 의미한다. 가열을 통해 구리가 산소와 결합하는 반응이 일어났다.

참고 알코올램프나 토치의 겉불꽃에 구리를 넣고 가열하면 산화가 일어나 산화 구리(Ⅱ)가 생성된다. 속불꽃에서는 산소 공급이 원활하지 않으므로 연료의 불완전 연소로 인해 생긴 일산화 탄소에 의해 산화 구리(Ⅱ)의 환원이 일어난다.

과정

❶ 구리 조각의 질량을 전자저울로 측정하자.
❷ 과정 ❶의 구리 조각을 토치로 가열하자.
❸ 가열하면서 구리의 겉모습에 어떤 변화가 나타나는지 관찰하자.
❹ 2~3분 정도 가열한 다음, 구리 조각이 식으면 질량을 다시 측정하자.

탐구 분석

구리를 가열하면 산소와 반응하여 산화 구리(Ⅱ)가 만들어지며, 이때 질량과 색깔이 변화한다. 구리는 붉은색이고, 산화 구리(Ⅱ)는 검은색이다.

수행평가 TIP

탐구 수행	• 실험 안전 규칙을 잘 지키며 모둠 구성원과 협력하여 실험을 수행한다.	☆ ☆ ☆
	• 구리 조각을 가열할 때 겉불꽃에서 고루 가열한다.	☆ ☆ ☆
탐구 결과	• 구리의 질량과 겉모습 변화를 설명하고, 구리에 변화가 생긴 까닭을 합리적으로 추론해야 한다.	☆ ☆ ☆

---

1 산소의 이동과 산화

물질이 산소와 결합하여 새로운 물질을 형성하는 반응을 산화라고 한다. 붉은색 구리가 산소와 반응하여 검은색 산화 구리(Ⅱ)가 될 때 구리는 산소와 결합하였으므로 산화되었다.

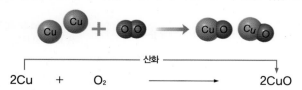

$$2Cu + O_2 \xrightarrow{\quad 산화 \quad} 2CuO$$

(1) **연소** 물질이 빛과 열을 내며 타는 현상으로 물질이 산소와 빠르게 결합하는 반응[1]이다. 연소 반응은 일상생활에서 열을 얻는 데 주로 이용된다. 메테인(CH_4)[2]은 산소와 반응하여 물과 이산화 탄소를 생성한다. 이때 메테인은 이산화 탄소로 산화된다.

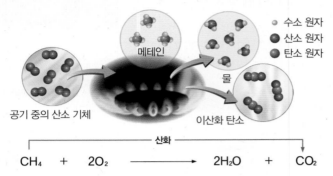

● 수소 원자
● 산소 원자
● 탄소 원자

메테인

공기 중의 산소 기체

물

이산화 탄소

산화

$$CH_4 + 2O_2 \longrightarrow 2H_2O + CO_2$$

(2) **철의 부식** 부식은 금속이 산소와 서서히 결합하는 반응으로, 부식에 의해 금속의 표면에 녹이 생긴다. 철은 공기 중의 산소와 쉽게 반응하여 산화 철(Ⅲ)의 붉은색 녹을 만든다. 철은 건조한 공기(산소)에서는 잘 녹슬지 않지만 습기(수분)와 함께 있을 때는 녹이 잘 슨다.[3]

산화

$$4Fe + 3O_2 \longrightarrow 2Fe_2O_3$$

(3) **일상생활과 산화**
① **과일의 갈변** 깎아 놓은 사과의 색깔이 갈색으로 변한다.
② **식용유의 산패**[4] 사용한 식용유의 색깔이 진해지면서 냄새가 나고 더 끈적해진다.
③ **산소 헤모글로빈의 색** 산소 헤모글로빈이 많은 동맥혈이 정맥혈보다 더 선명한 붉은색이다.

사용 전   사용 후

철(Fe)
산소
(O_2)

산소(O_2) 결합

동맥혈   산소(O_2) 분리   정맥혈

사과의 갈변   식용유의 산패   동맥혈과 정맥혈

● **연소와 부식**
연소는 빠른 산화, 부식은 느린 산화이다.

● **메테인**
메테인(CH_4)은 도시에 공급되는 도시가스의 주성분이다. 도시 가스관이 매설되지 않은 지역에서 사용하는 가스통 연료의 주성분은 프로페인(C_3H_8)이고, 휴대용 가스레인지에 사용하는 연료의 주성분은 뷰테인(C_4H_{10})이다.

● **부식 조건**
철은 대체로 수분, 산소와 반응하여 녹이 슬므로 수분과 산소를 차단하면 철의 부식을 방지할 수 있다.

● **식용유의 산패**
가열한 후 식은 식용유는 색도 변하고 냄새도 좋지 않다. 이는 가열된 상태의 식용유가 산소와 반응하여 생기는 현상이며, 산화된 식용유는 건강에 좋지 않으므로 한 번 가열한 식용유는 다시 먹지 않는 것이 좋다.

• **확인하기**

1. **이해** 다음은 우리 주변에서 일어나는 화학 반응이다. 각 반응을 화학 반응식으로 나타내고, 산화되는 물질과 산화로 생성된 물질을 화살표로 연결해 보자.
   (1) 철(Fe)이 공기 중에서 붉게 녹이 슨다.

   예시
   $$4Fe + 3O_2 \longrightarrow 2Fe_2O_3$$

   (2) 도시가스의 주성분인 메테인(CH_4)이 연소한다.

   예시
   $$CH_4 + 2O_2 \longrightarrow 2H_2O + CO_2$$

2. **적용** 과자를 오래 보관하기 위해 과자 봉지에는 질소를 채워 넣는다. 만약 과자 봉지에 순수한 산소를 채워 넣는다면 어떤 일이 일어날까?
   예시 과자의 기름 성분이 산소와 반응하여 산화하므로 과자의 맛이 변하거나 부패한다.

✓ 개념 확인 문제

1 물질이 산소와 결합하여 새로운 물질을 생성하는 반응을 무엇이라고 하는가?

2 물질이 산소와 결합하는 반응의 예를 1가지 쓰시오.

②단계 해결하기 **2. 산소를 잃는 반응에는 어떤 것이 있을까?**

철이나 알루미늄과 같은 금속은 건축 자재나 자동차, 기계의 부품뿐만 아니라 생활용품에도 많이 사용된다. 그런데 대부분의 금속 원소는 자연 상태에서 주로 광물 속에 산소와 결합한 형태로 존재한다. 철을 포함하고 있는 광석은 철광석으로 존재하고, 보크사이트는 알루미늄을 포함하고 있는 광석으로, 알루미늄의 중요한 원료이다. 따라서 순수한 금속을 얻으려면 제련 과정을 거쳐야 한다. 여기서는 철광석과 같은 광물에서 제련을 통해 산소를 제거하고 순수한 철을 얻는 것처럼 산화물이 산소를 잃는 반응을 알아본다.

보크사이트
알루미늄의 산화물($Al_2O_3 \cdot 2H_2O$)

 해 보기 1 자료 해석 **산화 구리(Ⅱ)의 환원**

교과서 181쪽

목표 과학적 사고력

산화 구리(Ⅱ)와 탄소를 섞은 후 가열하는 실험 결과 해석을 통해 산화 구리(Ⅱ)의 환원을 알아본다.

결과/정리

1. 실험 결과를 표에 정리해 보자.

구분	산화 구리(Ⅱ)의 색깔	석회수의 색깔
가열 전	검은색	투명
가열 후	붉은색	뿌옇게 흐려짐

2. 석회수의 색깔 변화를 바탕으로 알 수 있는 사실은 무엇인가?

예시 석회수는 수산화 칼슘 수용액으로 이산화 탄소와 반응하면 탄산 칼슘의 앙금을 생성한다. 석회수가 뿌옇게 흐려졌으므로 이산화 탄소 기체가 발생했음을 알 수 있다.

3. 산화 구리(Ⅱ)를 가열한 후 시험관에 생성된 물질은 무엇일까?

예시 시험관에 붉은색의 구리가 생성되었다.

4. 산화 구리(Ⅱ)를 가열할 때 발생한 기체를 구성하는 원소는 어디서 왔을지 토의해 보자.

예시 산화 구리(CuO)가 화학 반응을 통해 산소를 잃고 구리(Cu)로 환원되면서 이산화 탄소(CO_2) 기체가 발생하였다. 산화 구리(CuO)에서 떨어져 나간 산소(O_2)는 탄소(C)와 결합하여 이산화 탄소(CO_2)를 생성한다.

과정

❶ 시험관에 검은색 산화 구리(Ⅱ) 가루와 탄소(C) 가루를 잘 섞어서 넣었다.
❷ 과정 ❶의 시험관을 토치로 가열하면서 발생하는 기체를 석회수에 통과시켰다.
❸ 시험관과 석회수에서 일어나는 변화를 관찰하였다.

산화 구리(Ⅱ) + 탄소
석회수

실험 결과

시험관과 석회수에서 다음과 같은 변화가 일어났다.

산화 구리(Ⅱ) + 탄소
석회수

붉은색
뿌옇게 흐려짐

(가) 가열 전 | (나) 가열 후

🔆 탐구 분석

산화 구리(Ⅱ)를 탄소와 함께 가열하면 검은색 산화 구리(Ⅱ)가 붉은색 구리로 환원되고, 탄소는 이산화 탄소로 산화된다.

1 산소의 이동과 환원

물질이 산소를 잃고 새로운 물질을 형성하는 반응을 환원이라고 한다. 산화 구리(Ⅱ)에 탄소를 넣고 가열하면 산화 구리(Ⅱ)는 산소를 잃고 구리(Cu)가 된다. 이때 탄소(C)는 산소를 얻어 이산화 탄소(CO_2)가 된다.

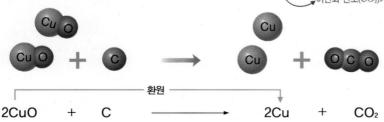

환원

$$2CuO + C \longrightarrow 2Cu + CO_2$$

- **철의 제련**[1] 철은 주로 산소와 결합한 산화물의 형태로 매장되어 있기 때문에 철의 제련과 관련된 반응은 인류 문명의 발달을 가져온 중요한 화학 반응이다. 철광석(산화 철(Ⅲ))과 코크스를 섞어서 용광로에 넣고 뜨거운 바람을 보내면 코크스(C)는 산소(O_2)와 반응하여 일산화 탄소(CO)가 되고, 이 일산화 탄소와 산화 철(Ⅲ)이 반응하여 철(Fe)이 생성된다.

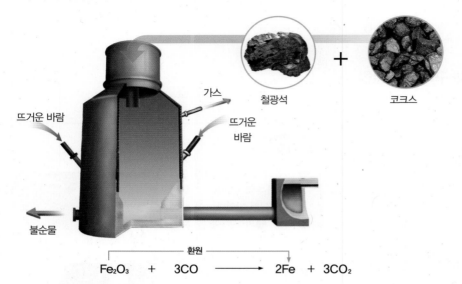

뜨거운 바람 / 가스 / 철광석 / 코크스 / 뜨거운 바람 / 불순물

$$\overset{\text{환원}}{Fe_2O_3 \;+\; 3CO \longrightarrow 2Fe \;+\; 3CO_2}$$

2 산화 환원 반응의 동시성

산소를 얻는 물질이 있으면 반드시 산소를 잃는 물질이 있어야 하므로 산화 환원 반응은 항상 동시에 일어난다. 산화 구리(Ⅱ)에 탄소를 넣고 가열하면 산화 구리(CuO)는 산소를 잃고 구리(Cu)가 되고, 탄소(C)는 산소를 얻어 이산화 탄소(CO_2)가 된다. 따라서 산화 구리(Ⅱ)가 환원되는 동시에 탄소가 산화된다.

$$\overset{\text{환원}}{2CuO \;+\; \underset{\text{산화}}{C} \longrightarrow 2Cu \;+\; CO_2}$$

3 산화제와 환원제

산화와 환원은 동시에 일어나므로 산화 환원 반응에서 산화되는 물질은 다른 물질을 환원시키고, 환원되는 물질은 다른 물질을 산화시킨다. 자신은 환원되면서 다른 물질을 산화시키는 물질을 산화제, 자신은 산화되면서 다른 물질을 환원시키는 물질을 환원제라고 한다.[2]

• **확인하기**

1. [이해] 다음 화학 반응식에서 마그네슘의 산화와 산화 철(Ⅲ)의 환원이 일어나는 과정을 각각 화살표로 표시해 보자.

   (1) $\underset{\text{산화}}{2Mg + O_2 \longrightarrow 2MgO}$ 　　(2) $Fe_2O_3 + \underset{\text{환원}}{3CO \longrightarrow 2Fe} + 3CO_2$

2. [적용] 철기 시대가 청동기 시대보다 늦게 도래한 까닭을 산화 환원과 관련지어 말해 보자.
   [예시] 철은 구리보다 산화되기 쉬워서 원소 상태로 발견되는 일이 없고 산화 철의 형태로 존재하므로 철을 이용하려면 산화 철을 환원시키는 제련 과정을 거쳐야 한다. 철을 제련하려면 1,500 ℃ 이상의 고온에서 탄소나 일산화 탄소를 공급해야 하는데, 이런 제련 기술이 구리의 가공보다 어려웠기 때문에 철기 시대가 더 늦게 도래하였다.

---

❶ 철 제련 과정
- 코크스의 산화로 일산화 탄소 발생
  $2C + O_2 \longrightarrow 2CO$
- 일산화 탄소에 의한 산화 철의 환원
  $Fe_2O_3 + 3CO \longrightarrow 2Fe + 3CO_2$
- 석회석으로 불순물 제거
  $CaO + SiO_2 \longrightarrow CaSiO_3$

❷ 산화제와 환원제
산화제와 환원제의 세기는 상대적이므로 어떤 물질과 반응하느냐에 따라 산화제 또는 환원제로 작용할 수 있다.

✔ **개념 확인 문제**

1 물질이 산소를 잃는 반응을 무엇이라고 하는가?

2 물질이 산소를 잃는 반응의 예를 1가지 쓰시오.

산화를 막기 위한 노력

우리가 살고 있는 지구에는 산소가 풍부하므로 다양한 종류의 산화가 일어난다. 이러한 산화 중에는 일어나지 않았으면 하는 반응도 있다. 한번 발생하면 큰 피해를 주는 산불이나 건물 화재 등과 같은 대규모 연소 반응이 대표적인 예이다. 또한 음식물이 부패하는 것과 우리 몸의 노화 과정도 산화와 관련이 있으며, 철로 만든 제품들이 오래되어 붉게 변하는 것도 산화의 결과이다. 그러면 이렇게 원치 않게 발생하는 산화를 막거나 늦추기 위해서 어떤 방법을 사용하고 있을까?

가장 대표적인 방법은 산소를 차단하는 것이다. 예를 들어, 산불이 난 곳에는 흙을 덮어 잔불이 산소와 접촉하지 못하도록 하여 연소 반응이 일어나지 못하게 한다. 또한 음식물을 밀폐 용기에 담는 것도 음식물이 산소와 접촉할 기회를 줄여 산화를 늦추는 것이다.

또 다른 방법으로는 특정한 물질을 보호하기 위해 다른 물질이 대신 산소와 반응하도록 하는 것이다. 대표적인 것으로는 녹이 잘 스는 철의 부식을 막기 위해서 철보다 산소와 반응을 더 잘 하는 아연과 같은 금속으로 도금하는 방법이다. 포도주의 맛을 오랫동안 유지하기 위해서도 이러한 방법을 사용하는데, 주로 아황산염이라는 물질이 이용된다. 아황산 성분은 포도주 속의 산소와 반응하여 황산 성분으로 산화되면서 포도주의 맛을 내는 주요 성분이 산화되지 않게 막아 준다.

잔불에 흙을 덮어 산소와의 접촉을 막는다.

함석은 철에 아연을 입힌 것으로
아연이 철보다 산소와 더 잘 반응하는 원리를 이용한 것이다.
산화를 막는 여러 가지 방법

---

1 핵심 내용 파악

1. 우리 주변에서 일어나는 산화 반응 중에서 원치 않는 반응에는 어떤 것들이 있는지 써 보자.

　예시　음식물의 변질, 부패

2. 원치 않는 산화를 막거나 늦추는 방법에는 어떤 것들이 있는지 설명해 보자.

　예시　산소 차단, 소화기, 음식물의 진공 포장, 철 제품의 페인트칠·기름칠

2 토의하기

1. 과자나 빵과 같은 음식의 산화를 막기 위해 어떤 방법이 이용되는지 알아보고, 원리를 토의해 보자.

　예시　산소가 없으면 곰팡이나 세균 등이 번식하지 못하므로 식품을 보관할 때 공기를 빼내어 진공 포장한다.

2. 우리 몸의 노화를 막는 물질 가운데 항산화제*라는 것이 있다. 항산화제에는 어떤 것들이 있는지 조사해 보자.

　예시　항산화제는 산화를 막아 주는 물질로 환원이 잘 되게 하는 산화 방지제(환원제)이다. 바이타민 C, 꿀 등은 구조상 산화되기 쉬우므로 항산화 작용을 한다.
토마토, 당근, 시금치, 브로콜리, 블루베리 같은 슈퍼 푸드(영양이 풍부하고 저칼로리인 식품)에 항산화 물질이 많이 들어 있다.

*항산화제
항산화 물질은 산화를 방지하는 물질을 가리키는 말이다. 항산화 작용은 체내에 생기는 유해한 활성 산소를 제거함으로써 세포가 노화(산화)하는 것을 막아 내는 인체 작용이다. 호흡으로 몸에 들어온 산소는 몸에 이로운 작용을 하지만 이 과정에서 활성 산소가 만들어진다. 활성 산소는 불안정한 상태의 산소로 동물의 몸에 나쁜 영향을 주므로 활성 산소를 제거하면 세포의 노화를 막을 수 있다.

철이 공기 중의 산소와 반응하여 붉게 녹이 슬거나 식물이 광합성을 통해 포도당을 만들어 내는 것과 같이 우리 주변에서는 수많은 산화 환원 반응이 일어나고 있다. 1단원에서는 화학 결합을 통해 물질을 형성할 때 전자가 관여한다는 것을 배웠다. 여기서는 산화 환원 반응에서 전자가 어떻게 이동하는지, 즉 산소를 얻는 과정에서 전자를 잃는 반응이 산화이며, 산소를 잃는 과정에서 전자를 얻는 반응이 환원임을 알아본다.

해 보기 1 [자료 해석] 산소가 이동하는 산화 환원 반응을 전자의 이동으로 설명하기

교과서 184쪽

 목표   과학적 사고력

산소가 이동하는 각 반응에서 전자의 이동을 설명할 수 있다.

결과/정리

1. 각 반응에서 전자를 얻은 물질과 잃은 물질은 각각 어느 것인가?

예시 (가) 마그네슘이 산소와 반응하여 산화 마그네슘이 될 때 마그네슘은 전자를 잃고 마그네슘 이온이 된다.
(나) 산화 구리(Ⅱ)가 수소와 반응하여 구리가 될 때 산화 구리(Ⅱ)의 구리 이온은 전자를 얻고 구리가 된다.

2. 각 반응의 전후에 전자가 어디에서 어디로 이동했는지 설명해 보자.

예시 (가) Mg이 Mg^{2+}으로 되었으므로 전자를 잃었고, O_2가 O^{2-}이 되었으므로 전자를 얻었다.

$$Mg \longrightarrow Mg^{2+} + 2\ominus$$

(나) Cu^{2+}이 Cu로 되었으므로 전자를 얻었고, 이 전자는 H_2에서 왔다.

$$Cu^{2+} + 2\ominus \longrightarrow Cu$$

해설 수소(H_2)로부터 물(H_2O)이 형성되는 과정에서 수소와 산소의 공유 결합이 형성된 것이므로, 이 과정에서의 전자의 이동을 산화 구리(Ⅱ)의 구리 이온이 전자를 얻어 구리가 형성될 때의 전자의 이동처럼 이해하기 쉽지 않다. 하지만 실제로는 전자를 공유하는 결합에서도 전자를 얻으려는 경향이 큰 산소가 수소로부터 전자를 당겨 결합이 형성되므로 수소가 산소를 얻어 물이 생성될 때 수소는 산소에 전자를 잃는 것으로 볼 수 있다.

과정

그림 (가)는 마그네슘의 산화를, 그림 (나)는 산화 구리(Ⅱ)의 환원을 모형으로 나타낸 것이다. 각 반응에서 전자가 어떻게 이동했는지 알아보자.

(가) 마그네슘과 산소의 반응

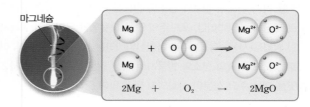

(나) 산화 구리(Ⅱ)와 수소의 반응

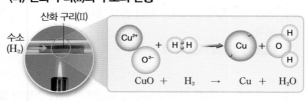

🔆 탐구 분석

(가) 마그네슘과 산소의 반응에서 마그네슘은 산소를 얻어 산화되며, 이때 전자를 잃는다.
(나) 산화 구리(Ⅱ)와 수소의 반응에서 산화 구리(Ⅱ)는 산소를 잃고 환원되며, 이때 구리 이온은 전자를 얻는다.

수행평가 TIP

탐구 수행	• 모둠 구성원과 협력하여 자료 해석을 진행한다.	☆ ☆ ☆
	• 각 반응에서 전자를 얻는 물질과 전자를 잃은 물질을 찾는다.	☆ ☆ ☆
탐구 결과	• 마그네슘이 전자를 잃고, 구리 이온이 전자를 얻음을 설명한다.	☆ ☆ ☆
	• 산소가 이동하는 산화 환원 반응을 전자의 이동으로 설명한다.	☆ ☆ ☆

1 전자의 이동과 산화 환원 반응

(1) 마그네슘의 산화 마그네슘이 산소와 결합하는 산화 반응에서 마그네슘(Mg)은 전자를 잃고, 산소(O_2)는 그 전자를 받아서 산화 마그네슘(MgO)을 생성한다.

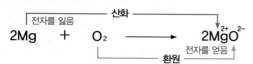

(2) 산화 구리(II)의 환원 산화 구리(II)가 산소를 잃는 환원 반응에서 구리 이온(Cu^{2+})이 전자를 얻어 금속 구리(Cu)로 환원되고, 수소(H_2)는 물(H_2O)로 산화된다.[●]

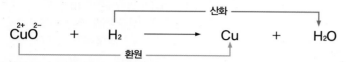

(3) 산환 환원에서 전자의 이동 산화되는 물질은 전자를 잃고($Mg \rightarrow Mg^{2+} + 2\ominus$), 환원되는 물질은 전자를 얻는다($Cu^{2+} + 2\ominus \rightarrow Cu$).

> **●** 전자의 이동과 산화 환원
> 산화 환원 반응을 전자의 이동으로 설명하면 산소가 관여하지 않는 산화 환원 반응을 쉽게 설명할 수 있다.
> · 금속과 산의 반응
> $Zn + 2HCl \rightarrow ZnCl_2 + H_2$
> · 할로젠의 반응
> $Cl_2 + 2HBr \rightarrow 2HCl + Br_2$

2 산화 환원 반응의 규칙성

(1) 전자의 이동과 산화 환원[●]

① 산소를 얻는 반응인 산화는 전자를 잃는 것이며, 산소를 잃는 반응인 환원은 전자를 얻는 것이다.

② 화학 반응에서 대체로 산소는 전자를 얻어 옥텟 규칙을 만족하면서 안정해지므로 화학 반응에서 산소는 전자를 얻고, 산소와 결합하는 물질은 산소에게 전자를 잃는 것과 같다. 따라서 물질이 산소와 결합하는 반응인 산화는 전자를 잃는 것과 같다.

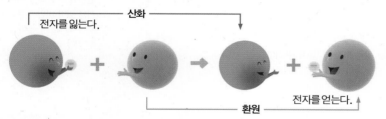

(2) 산화 환원의 동시성

① 한 물질이 산소를 잃고 환원되면 다른 물질은 그 산소를 얻어 산화되므로 산화와 환원은 동시에 일어난다.

② 한 물질이 전자를 잃고 산화되면 다른 물질은 그 전자를 얻어 환원되므로 역시 하나의 화학 반응에서 산화와 환원은 동시에 일어난다.

③ 산화되는 물질이 얻은 산소 원자 수와 환원되는 물질이 잃은 산소 원자 수는 같고, 산화와 환원에서 이동하는 전자 수는 같다.

> **참고** 산화 환원 반응에서 이동하는 전자 수
> 마그네슘과 산소의 반응에서 마그네슘 원자 1개가 2개의 전자를 잃으므로 2개의 마그네슘 원자는 4개의 전자를 잃는다. 이때 산소 원자 1개는 2개의 전자를 얻으므로 2개의 산소 원자는 4개의 전자를 얻는다. 즉, 하나의 화학 반응에서 이동하는 전자 수는 같다.

목표

과학적 탐구 능력

철과 아연이 각각 황산 구리(Ⅱ) 수용액에서 어떻게 변화하는지 관찰하고, 이 반응을 통해 산화 환원 반응에 따른 전자의 이동을 설명할 수 있다.

과정

❶ 철판과 아연판을 광택이 날 때까지 사포로 문지르자.

❷ 6홈판 두 곳에 황산 구리(Ⅱ) 수용액을 넣자.

❸ 철판과 아연판을 황산 구리(Ⅱ) 수용액에 절반쯤 잠기도록 담그자.

❹ 각 홈에서 어떤 변화가 일어나는지 10분 정도 관찰하자.

❺ 각 홈에서 철판과 아연판을 꺼내 황산 구리(Ⅱ) 수용액에 잠긴 부분에서 일어난 변화를 관찰해 보자.

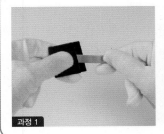

과정 1

과정 2

결과/정리

1. 각 홈에서 일어난 변화를 표에 기록해 보자.

금속	금속판의 변화	황산 구리(Ⅱ) 수용액의 색 변화
철판	붉은색 금속 석출	푸른색이 옅어짐
아연판	붉은색 금속 석출	푸른색이 옅어짐

2. 반응 후 철판과 아연판에 붙어 있는 물질은 각각 무엇이라고 생각되는가?

예시 붉은색의 금속이 석출되었으므로 구리임을 추측할 수 있다. 구리 이온이 구리로 석출되었다.

3. 시간이 지날수록 황산 구리(Ⅱ) 수용액의 색깔이 어떻게 변하는지 기록하고, 그렇게 색깔이 변한 까닭을 설명해 보자.

예시 황산 구리(Ⅱ) 수용액의 푸른색은 점점 옅어진다. 수용액에서 구리 이온의 색이 푸른색이므로 푸른색이 옅어지는 것은 구리 이온의 양이 줄어든다는 것을 의미한다.

4. 각 홈에서 일어난 반응을 전자의 이동으로 설명해 보자.

예시 철판을 황산 구리(Ⅱ) 수용액 속에 넣으면 철(Fe)은 전자를 잃고 철 이온(Fe^{2+})이 되고, 수용액 속의 구리 이온(Cu^{2+})은 전자를 얻어 철 표면에 구리(Cu)로 석출된다.
아연판을 황산 구리(Ⅱ) 수용액 속에 넣으면 아연(Zn)이 전자를 잃고 아연 이온(Zn^{2+})으로 수용액에 녹아 들어가고, 수용액 속의 구리 이온(Cu^{2+})은 전자를 얻어 구리(Cu)로 된다.

탐구 분석

붉은색의 금속은 구리가 석출된 것이고, 황산 구리(Ⅱ) 수용액의 푸른색의 옅어진 것은 구리 이온이 감소한 것임을 알 수 있다. 따라서 구리 이온이 전자를 얻어 구리로 환원되고, 금속인 아연과 철이 전자를 잃어 아연 이온과 철 이온으로 산화되는 반응이 일어남을 알 수 있다.

수행평가 TIP

탐구 수행	• 실험 안전 규칙을 잘 지키며 실험을 수행하고 실험 후 기구를 잘 정리한다.	☆	☆	☆
	• 모둠 구성원과 협력하여 탐구를 진행한다.	☆	☆	☆
탐구 결과	• 관찰 결과를 자세히 기록한다.	☆	☆	☆
	• 붉은색 금속이 석출되었으므로 구리가 생성되었음을 이해한다.	☆	☆	☆
	• 수용액의 푸른색이 점점 옅어졌으므로 구리 이온이 감소했음을 설명한다.	☆	☆	☆
	• 구리가 석출되고, 철과 아연이 이온으로 되는 반응을 전자의 이동으로 설명한다.	☆	☆	☆

3 금속과 금속 이온의 반응

금속 이온이 포함된 수용액에 금속판을 넣었을 때 반응이 일어나면, 금속 이온은 전자를 얻어 금속이 되고, 금속판의 금속은 전자를 잃고 금속 이온이 되는 반응이 일어난 것이다. 보통 반응성❷이 큰 금속이 금속 이온으로 되기 쉽다.

(1) 아연과 구리 이온의 반응 황산 구리(Ⅱ) 수용액에 아연판을 넣으면, 황산 구리(Ⅱ) 수용액의 푸른색은 점점 옅어지고, 아연판 표면에는 붉은색의 구리가 석출된다.

❷ 금속의 반응성
금속의 반응성은 금속이 금속 이온으로 이온화하려는 경향이다.

이 반응에서 아연(Zn)은 전자를 잃고 아연 이온(Zn^{2+})으로 산화되고, 구리 이온(Cu^{2+})은 전자를 얻어 구리(Cu)로 환원된다.[3]

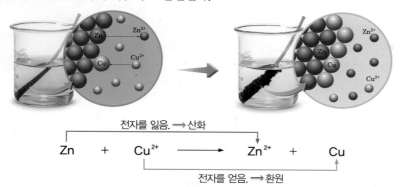

전자를 잃음. → 산화

$$Zn + Cu^{2+} \longrightarrow Zn^{2+} + Cu$$

전자를 얻음. → 환원

(2) **철과 구리 이온의 반응** 황산 구리(Ⅱ) 수용액에 철판을 넣으면, 황산 구리(Ⅱ) 수용액의 푸른색은 점점 옅어지고, 철판 표면에는 붉은색의 구리가 석출된다. 철(Fe)은 전자를 잃고 철 이온(Fe^{2+})으로 산화되고, 구리 이온(Cu^{2+})은 전자를 얻어 철 표면에 구리(Cu)로 환원되어 석출된다.

산화

$$Fe + Cu^{2+} \longrightarrow Fe^{2+} + Cu$$

환원

(3) **은 이온과 구리의 반응** 무색의 질산 은($AgNO_3$) 수용액에 구리(Cu)줄을 넣으면 구리가 구리 이온(Cu^{2+})으로 되면서 수용액은 푸르게 되고 은(Ag)이 석출된다. 이때 구리는 산화되고 은 이온(Ag^+)이 환원된다.[4] 이처럼 어떤 물질과 반응하느냐에 따라 같은 금속이라도 산화 또는 환원될 수 있다.

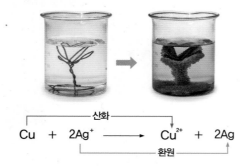

산화

$$Cu + 2Ag^+ \longrightarrow Cu^{2+} + 2Ag$$

환원

✏️ **물음 1**

다음은 묽은 염산($HCl(aq)$)에 아연 조각을 넣을 때 일어나는 변화를 화학 반응식으로 나타낸 것이다. 화학 반응식에 전자의 이동에 따른 산화 및 환원을 각각 나타내 보자.[5]

전자를 잃음 → 산화

$$Zn + 2H^+ \longrightarrow Zn^{2+} + H_2$$

전자를 얻음 → 환원

📋 **확인하기**

1. [이해] 다음 화학 반응식에서 산화와 환원이 일어나는 과정을 각각 화살표로 표시해 보자.

[예시]
산화

$$MgO + H_2 \longrightarrow Mg + H_2O$$

환원

2. [적용] 황화 철(Ⅱ)은 철이 산화된 물질이다. 이를 전자의 이동으로 설명해 보자.

[예시] 황화 철(FeS)은 철 이온(Fe^{2+})과 황화 이온(S^{2-})이 결합된 형태인데, 철 이온(Fe^{2+})은 철(Fe)이 전자를 잃고 산화된 형태이다.

❸ 금속의 반응에서 음이온
금속과 금속 이온 사이에 반응이 일어날 때 대체로 황산 이온이나 염화 이온과 같은 음이온은 반응에 참여하지 않는 구경꾼 이온으로 생각한다. 따라서 보통 금속과 금속 이온의 반응식은 음이온을 제외하고 양이온만을 써서 나타낸다.

❹ 이온 전하량이 다른 금속 사이의 반응
은 이온과 금속 구리의 반응과 같이 금속의 이온의 전하량이 다른 경우의 화학 반응식은 이동하는 전자의 수가 같도록 계수를 맞추어야 한다. 예를 들어 은 이온이 얻는 전자 수와 구리가 잃는 전자 수가 같으려면 구리 원자가 1개 반응할 때 은 이온은 2개 반응해야 한다.

❺ 염산과 금속의 반응
산에 아연, 마그네슘 등의 금속을 넣으면 수소 기체가 발생한다.

✔️ **개념 확인 문제**

1 물질이 전자를 잃는 반응을 무엇이라고 하는가?

2 물질이 전자를 얻는 반응을 무엇이라고 하는가?

3 산화 환원 반응의 동시성을 설명하시오.

영화나 뉴스에서 범죄 현장이나 시신에 남겨진 혈흔에 루미놀 용액을 뿌려 형광이 나타나는 것으로 사건의 단서를 찾는 것을 볼 수 있다. 이것은 혈액 속 헤모글로빈에 있는 철이 루미놀의 산화를 촉진하여 청색 빛을 내는 것을 이용한 것이다. 이처럼 산화 환원 반응은 전지, 연료의 이용, 금속 표면의 페인트 칠, 알루미늄 창틀의 산화 피막, 광합성과 호흡 등 일상생활에서 다양하게 이용된다. 주변에서 산화 환원 반응이 이용되는 예와 그 원리를 찾아본다.

 탐구 3　조사　산화 환원 반응의 이용 사례 조사　　교과서 188쪽

목표

과학적 사고력

생활 주변에서 산화 환원 반응을 이용하는 사례를 조사하고 원리를 설명할 수 있다.

과정

다음은 우리 주변에서 산화 환원 반응이 활용된 예이다. 인터넷을 검색하거나 도서 등을 참고하여 어떻게 산화 환원 반응을 이용하는지 조사해 보자.

고체로 된 로켓 추진제로 연료에 산화제를 섞어 장치하고, 산소의 도움 없이 연료와 산화제를 연소시켜 로켓 추진 효과를 나타낸다.

(가) 리튬 이온 전지
재충전 전지로 방전과 충전 과정에서 모두 산화 환원 반응이 일어난다.

(나) 주석을 입힌 깡통
철 성분인 깡통에 철보다 반응성이 작은 주석을 입히면 철의 산화와 공기의 환원을 억제하여 철 제품을 보호한다.

(다) 비취색 유약의 철 성분
도자기를 산소가 부족한 상태의 가마에 넣고 구울 때 환원 불꽃에 포함된 일산화 탄소(CO)가 유약에 함유된 산화 철(III)의 Fe^{3+}을 Fe^{2+}으로 환원시키기 때문에 나타난다.

(라) 우주선의 고체 연료

결과/정리

1. (가)~(라)를 다음과 같은 기준으로 구별해 보자.

구분	예	구분	예
산화를 이용한 것	(라) 고체 연료	산화와 환원을 같이 이용한 것	(가) 리튬 이온 전지
환원을 이용한 것	(다) 유약의 철 성분	산화와 환원을 억제한 것	(나) 주석 입힌 깡통

2. 이 밖에 주변에서 산화 환원 반응을 이용한 사례를 찾아 그 활용 원리를 조사해 보자.

예시 산화 피막, 도금, 합금, 가루형 손난로, 자동차 촉매 변환기, 건전지, 리튬 전지, 수소 산소 연료 전지, 전기 분해 등은 모두 산화 환원 반응을 이용한 사례이다.

• 산화 피막: 산소에 의해 산화되는 흔한 금속은 알루미늄이다. 알루미늄이 산화되면 물에 녹지 않는 산화 알루미늄(Al_2O_3)이 형성된다. 한번 형성된 산화 알루미늄은 금속이 더 이상 산화되지 않도록 보호 코팅막을 형성한다. 코팅막이 매우 얇고 투명하므로 알루미늄 특유의 빛깔을 유지할 수 있다. 알루미늄의 가벼운 특성과 산화막에 의해 부식이 방지되는 특성 때문에 알루미늄은 창틀, 주방 용기 등에 많이 이용된다.

• 자동차의 배기가스에는 자동차 엔진 내부에서 연료가 불완전 연소하여 생성된 일산화 탄소와 공기 중의 질소가 산소와 반응하여 생성된 질소 산화물이 들어 있다. 대기 오염 물질인 일산화 탄소와 질소 산화물은 촉매 변환기를 거치면 이산화 탄소와 질소로 된다.

$$2NO + 2CO \longrightarrow N_2 + 2CO_2$$
$$2NO + 2H_2 \longrightarrow N_2 + 2H_2O$$

1 일상생활과 산화 환원 반응

(1) **연료의 연소** 연료가 산소와 결합할 때 발생하는 열에너지를 이용한다.

(2) **산화 피막** 알루미늄 창틀의 산화 피막은 금속 내부의 산화를 막아준다.

(3) **전지** 방전과 충전 과정에서 산화 환원이 일어나며 에너지를 저장했다가 공급한다.

2 철의 부식 방지

(1) **산소나 물의 차단** 철의 부식은 철의 산화와 물(산소)의 환원 과정을 반드시 거쳐야 하므로 산소(공기)나 물(수분)이 없다면 철의 부식은 잘 일어나지 않는다.

- 철의 표면에 페인트나 기름칠을 해 물과 산소를 차단한다.
  - ⑩ 철제 건물이나 선박에 페인트칠, 공구에 기름칠
- 철의 표면에 철보다 반응성이 작은 주석, 크롬 등과 같은 금속을 입혀 철이 산소나 물과 접촉하는 것을 차단하기도 한다.
  - ⑩ 주석 깡통이나 크롬을 도금한 수도꼭지 등

(2) **반응성이 큰 금속의 부착** 철보다 반응성이 큰 금속(아연, 마그네슘 등)을 철에 부착하면 이 금속이 철보다 먼저 산화되어 철의 부식을 막는다. 선박이나 주유소의 기름 탱크에 아연이나 마그네슘을 부착하여 내부의 철을 보호한다. 이를 음극화 보호[1]라고 하며, 부착한 금속을 희생 금속이라고 한다.

3 생명 현상과 산화 환원

(1) **광합성** 식물이 광합성[2]을 하여 포도당 등 탄수화물을 만드는 과정은 빛에너지를 화학에너지로 저장하는 과정이다. 이때 탄소는 이산화 탄소 형태에서 포도당 형태로 환원되는 반응이 일어난다.

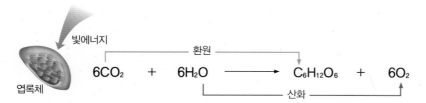

빛에너지
환원
$6CO_2$ + $6H_2O$ ⟶ $C_6H_{12}O_6$ + $6O_2$
엽록체
산화

(2) **호흡** 생명체가 호흡으로 포도당을 분해하는 과정은 화학 에너지로 저장된 에너지를 활용하는 과정이다. 이때 포도당이 이산화 탄소로 산화되는 반응이 일어난다.

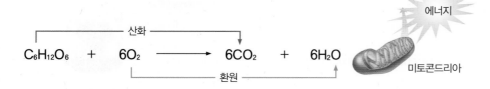

산화
$C_6H_{12}O_6$ + $6O_2$ ⟶ $6CO_2$ + $6H_2O$
환원
에너지
미토콘드리아

✏ 확인하기

1. 이해 산화 환원 반응 중에서 에너지를 저장하는 용도와 사용하는 용도로 이용되는 예를 각각 들어 보자.
   예시 ·광합성은 에너지를 포도당의 형태로 저장하고, 호흡은 에너지를 방출하여 사용한다.
   ·리튬 이온 전지, 자동차 납축전지와 같은 재충전 전지는 에너지를 저장하고 사용한다.

2. 적용 철 표면에 입힌 주석이 어떻게 철의 산화를 막아주는지 말해 보자.
   예시 철 표면에 주석을 입히면 반응성이 작은 주석이 철과 산소, 물의 접촉을 차단하므로 철의 산화가 지연된다.

은수저의 녹 제거

은수저의 녹은 산화 환원 반응을 이용하여 제거할 수 있다. 그릇에 소금이나 탄소수소 나트륨을 넣고, 바닥에 알루미늄 포일을 깔고 은수저를 넣은 다음 가열하면 은 수저의 검은 녹이 사라지고 광택이 되살아난다. 이때 반응성이 큰 알루미늄(Al)은 전자를 잃고 알루미늄 이온(Al^{3+})으로 산화되고 은 이온(Ag^+)은 전자를 얻어 은(Ag)으로 환원된다.

소금물(전해질)
녹이 슨 은 숟가락
알루미늄 포일
가열 기구

❶ 음극화 보호

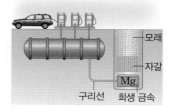

모래
자갈
Mg
구리선   희생 금속

❷ 광합성과 환원

광합성 반응에서 이산화 탄소와 포도당에 모두 산소가 포함되어 있으나, 광합성을 통해 산소가 발생하므로 이산화 탄소의 환원 반응이 일어났음을 알 수 있다.

✅ 개념 확인 문제

1 산화 환원 반응을 이용한 생활 속의 예를 1가지 쓰시오.

2 선박에 부착한 아연이 철의 부식을 막는 까닭을 설명하시오.

 **❸ 단계** 생각 모으기

학습 정리

핵심 내용 정리하기

1 **산소와 산화 환원 반응** 교과서 178~182쪽
   (1) 물질이 산소와 결합하는 것을 ❶ 산화 , 산소를 잃는 것을 ❷ 환원 (이)라고 한다.
   (2) 메테인(CH_4)의 연소 반응이나 금속이 녹스는 반응은 모두 산소와 ❸ 결합 하는 ❹ 산화 반응이다.

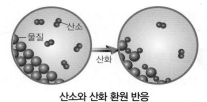

산소와 산화 환원 반응

2 **전자의 이동과 산화 환원 반응** 교과서 184~187쪽
   (1) 전자를 얻는 것을 ❺ 환원 , 전자를 잃는 것을 ❻ 산화 (이)라고 한다. 따라서 산소를 얻는 것은 전자를 ❼ 잃는 것과 같으며, 산소를 잃는 것은 전자를 ❽ 얻는 것과 같다.
   (2) 구리 이온(Cu^{2+})이 구리(Cu)가 되는 것은 ❾ 환원 반응이다.

3 **산화와 환원의 동시성** 교과서 184~187쪽
   한 물질이 전자를 잃으면 반드시 전자를 ❿ 얻는 물질이 존재하므로 산화와 환원은 항상 ⓫ 동시에 일어난다.

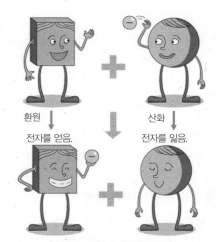

환원 ↓ 전자를 얻음.
산화 ↓ 전자를 잃음.

4 **우리 주변의 산화 환원 반응** 교과서 188~189쪽
   식물에서 광합성으로 이산화 탄소와 물이 반응하여 포도당을 만들어 내거나 세포 속 미콘드리아에서 포도당을 분해하여 에너지를 얻는 것, 연료를 연소시켜 에너지를 얻는 것은 모두 ⓬ 산화 환원 반응의 예이다.

전자의 이동과 산화 환원 반응

활동으로 확인하기

그림 (가)와 같이 질산 은($AgNO_3$) 수용액이 든 비커에 구리(Cu) 전선을 넣어 두었더니 그림 (나)와 같이 구리 전선 표면에 은이 생성되면서 수용액의 색깔이 점점 푸르게 변하였다.

1 **투명했던 수용액이 점점 푸르게 변한 까닭은 무엇일까?**
   예시 금속 구리(Cu)가 구리 이온(Cu^{2+})으로 변해서 물에 녹으면 푸른색이 된다.

2 **금속 구리와 질산 은 수용액이 반응할 때 전자는 어떻게 이동할까?**
   예시 구리(Cu)의 전자가 은 이온(Ag^+)으로 이동한다. 이때 Cu는 Cu^{2+}이 되고 Ag^+은 Ag가 된다.

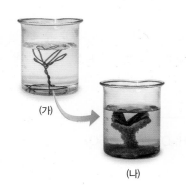

(가)

(나)

3 **구리와 은 이온의 화학 반응식을 쓰고, 산화 환원 반응이 일어나는 과정을 각각 화살표로 표시해 보자.**
   예시 구리와 은은 이온의 전하량이 다르므로 화학 반응에서 이동하는 전자 수가 같도록 반응물과 생성물의 계수를 맞춘다.

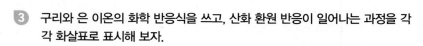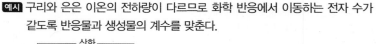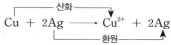

$$\text{Cu} + 2\text{Ag} \longrightarrow \text{Cu}^{2+} + 2\text{Ag}$$

산화 →
환원 ↰

④ 단계 생각 넓히기 **지구에서 수소와 헬륨의 존재 비율이 다른 까닭은 무엇일까?** 🔓 과학적 문제 해결력

> 빅뱅과 함께 수소가 가장 먼저 생겼어. 그리고 현재 우주에 존재하는 원소의 약 74 %가 수소이고, 그다음으로 약 24 %가 헬륨이래. 그런데 이상해. 지각에 존재하는 8대 원소에는 수소와 헬륨은 없어.

> 수소와 헬륨은 가벼워서 우주로 빠져나간 것이 아닐까?

> 나도 그럴 것이라고 생각해. 그래서 내가 지각, 해양, 대기에 남아 있는 수소와 헬륨의 양을 조사해 봤는데, 좀 이상한 것이 있어. 더 가벼운 수소는 헬륨에 비해서 덜 줄어들었어. 왜 그렇지?

> 수소가 다른 물질들과 반응해서 안정한 화합물을 만드는 것과 관계가 있지 않을까? 예를 들어, 수소가 산소를 만나 산화물, 즉 물을 형성하는 것처럼. 그러면 무거워지잖아. 수소가 어떤 반응으로 어떤 물질로 존재하는지, 이 물질들이 수소보다 더 안정한지 알아볼까?

질량비(%)

원소	우주	지각	해양	대기
수소	74	0.15	11	
헬륨	24	5.5×10^{-7}		
산소	1	46.6	86	20.9
질소	0.1	0.002		78.1
탄소	0.5	0.18	0.003	−
알루미늄		8.1		−
규소		27.7		

(출처: 우주: McSween, Jr., H. Y., Huss, G. R., 2010, 지각, 해양, 대기: 최덕근, 2003)

① 무엇을 알아야 할까?

수소는 주로 어떤 물질 속에 존재하는지 조사해 보자.

예시 가장 중요한 수소 화합물은 산소와 결합하여 생기는 물(H_2O)이고 천연으로 다량 존재한다. 또한 생물체 중에는 수소, 탄소, 산소를 주성분으로 하는 많은 유기 화합물(예: 탄수화물을 이루는 포도당, $C_6H_{12}O_6$)이 물과 함께 포함되어 있다.

② 어떻게 해결할까?

어떤 화학 변화가 수소를 다른 물질과 결합할 수 있도록 하는지 토의해 보자.

예시 가장 중요한 반응은 산소와 결합하여 물을 생성하는 반응이다. 이때 수소는 전자를 잃고 산화되고, 산소는 전자를 얻어 환원된다.

$$2H_2 + O_2 \rightarrow 2H_2O$$

초기의 대기 중에는 황화 수소(H_2S)가 포함되어 있었다. 특정 농도의 황화 수소 가스를 들이마시면 세포 기능이 서서히 중단되며 가사 상태에 이른다. 황화 수소는 황과 수소의 반응으로 생성되며 이때 수소는 전자를 잃고 산화된다.

$$H_2 + S \rightarrow H_2S$$

수행평가 TIP

• 모둠 구성원과 협력하여 관련 자료를 조사한다.

• 모둠 구성원의 의견을 경청하고, 적극적으로 논의에 참여한다.

• 조사 주제를 정확하게 파악하고 수집한 정보를 주제에 맞게 정리한다.

• 수소가 주변의 다양한 물질로 존재하는 것의 의미를 과학적 근거를 들어 설명한다.

6 - ❷ 산과 염기

❶단계 생각 펼치기 / 왜 리오틴토강에는 생물이 살 수 없을까?

세계에서 위험한 강 중 하나인 스페인의 리오틴토강은 붉은색을 띠어 '붉은 강' 이라고 부른다. 이 강의 강물은 강한 산성으로 생물에 해롭기 때문에 관광객의 접근조차도 막고 있다. 수천 년 전부터 채굴된 광산에서 흘러나온 산성화된 지하수는 리오틴토강과 강 주변의 생태계를 파괴한다. 주변의 산 물질 중에는 음식에 이용되는 산도 있지만, 폐광 근처의 산성화된 지하수, 염산, 황산과 같은 위험한 산도 있다. 여기서는 우리 주변에서 쉽게 찾아볼 수 있는 산과 염기를 알아보고 어떤 특성이 있는지 알아본다.

■ 주변의 산과 염기

(1) **산** 김치가 발효하면 유기산이 생겨 새콤한 맛이 난다. 음식의 맛을 내는 데 사용하는 식초를 비롯하여, 사이다나 콜라 등의 탄산음료, 각종 신맛이 나는 과일에 산이 들어 있다.

(2) **염기** 속이 쓰릴 때 먹는 제산제나 빵을 만들 때 쓰는 베이킹파우더는 염기이다. 비누에는 염기가 들어 있어 만졌을 때 미끌미끌하다.

토의하기

❶ 리오틴토강의 사례를 바탕으로 '산성'이 하천과 하천 주변의 생태계에 어떤 영향을 미칠[1] 지 예상해 보자.

> **예시** 산성 물질이 하천에 유입되면 하천에 미생물, 조류, 저서생물이 거의 살 수 없게 된다. 또한 하천 주변에도 스며들어 식물이 자라지 못하고 이에 따라 동물도 살 수가 없어 생태계가 무너진다.

❷ 우리 주변에서 '산성'이라는 용어가 사용되는 예를 조사해 보자.

> **예시** 산성비가 내린다. 토양이 산성화된다. 산성 식품을 먹는다. 산성 체질이 있다.

알고 있나요?

❶ 자신이 알고 있는 산과 염기의 성질을 각각 말해 보자.

> **예시** 산은 신맛이 나고 리트머스 종이를 붉게 변화시키며, 페놀프탈레인 용액에서는 변화가[2] 없다. 염기는 쓴맛이 나고 만지면 미끌거리고, 리트머스 종이를 푸르게 변화시키며 페놀프탈레인 지시약에서 붉게 변한다.

❷ 일반 가정에서 사용하는 물질 중에서 산과 염기라고 생각되는 물질을 각각 찾아보고 그렇게 구분한 까닭을 말해 보자.

> **예시** 산—식초, 매실액, 신맛이 나기 때문에 산이라고 생각하였다.
> 염기—비누나 세제, 만지면 미끌거리기 때문에 염기라고 생각하였다.

---

❶ **생태계**
생물과 그 생물을 둘러싸고 있는 토양, 공기, 수분 등과 같은 비생물적 무기 환경을 통틀어 생태계라고 한다.

❷ **페놀프탈레인 용액**
산과 염기를 구분하는 데 주로 쓰인다. 산성이나 중성 용액에서는 무색이고, 염기성 용액에서는 붉은색이 된다.

❷ 단계 해결하기 | **1. 산과 염기는 어떤 성질이 있을까?**

우리 주변의 많은 물질 중에는 공통된 성질을 갖는 것들이 있다. 김치, 레몬즙, 식초 등에서 신맛이 나고 유리 세정제나 락스가 손에 닿으면 미끌거리고 아플 때 먹는 약 중에는 쓴맛을 내는 것이 많은 것처럼 몇 가지 물질에서 나타나는 공통점이 있다. 또한 초등학교에서 신맛은 산의 공통적인 특징이며, 쓴맛은 염기의 공통적인 특징임을 학습하였다. 여기서는 신맛과 쓴맛 이외에 산과 염기가 가진 공통된 특징에는 무엇이 있는지 실험을 통해 알아본다.

탐구 1 [실험] 산과 염기의 성질 알아보기

교과서 194~195쪽

 목표 | 과학적 탐구 능력

주변의 다양한 산과 염기가 지니는 공통적인 성질을 확인하고 설명할 수 있다.

결과/정리

1. 관찰한 결과를 표에 기록해 보자.

구분	산성			염기성		
	식초	탄산음료	묽은염산	유리세정제	제산제	비눗물
리트머스 종이의 색 변화	붉은색	붉은색	붉은색	푸른색	푸른색	푸른색
페놀프탈레인 용액의 색 변화	없음	없음	없음	붉은색	붉은색	붉은색
달걀 껍데기와의 반응	기체발생	기체발생	기체발생	없음	없음	없음
마그네슘과의 반응	기체발생	기체발생	기체발생	없음	없음	없음
전기 전도성의 유무	있음	있음	있음	있음	있음	있음

과정

(가) 산과 염기 구분하기

❶ 용액을 유리 막대로 찍어 붉은색과 푸른색 리트머스 종이에 각각 대 보고, 리트머스 종이의 색 변화를 관찰하자.

❷ 24홈판에 용액을 각각 약 2 mL씩 담은 후 페놀프탈레인 용액을 1~2방울 떨어뜨려 색 변화를 관찰하자.

❸ 리트머스 종이와 페놀프탈레인 용액의 색 변화를 바탕으로 용액을 산과 염기로 구분해 보자.

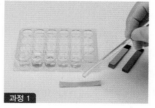
과정 1

과정 2

(나) 산과 염기의 성질 확인하기

❹ 과정 ❸에서 구분한 산과 염기를 각각 홈판에 넣자.

❺ 산과 염기에 달걀 껍데기와 마그네슘 리본 조각을 각각 넣고 변화를 관찰하자.

❻ 전기 전도성 측정기로 각 용액에서 전류가 흐르는지 확인하자.

달걀 껍데기와의 반응 / 마그네슘과의 반응 / 전기 전도성 측정
산 / 염기
과정 4

과정 6

2. 산과 염기는 각각 어떤 공통적인 성질을 가졌는지 말해 보자.

예시 푸른색 리트머스 종이를 붉게 변화시키고, 페놀프탈레인 용액에서 색 변화가 없는 식초, 탄산음료, 묽은 염산은 산이다. 리트머스 종이를 푸르게 변화시키고, 페놀프탈레인 용액에 의해 붉은색으로 변하는 유리 세정제, 제산제, 비눗물은 염기이다. 산은 달걀 껍데기, 금속 마그네슘과 반응하여 기체를 발생하고, 염기는 반응하지 않는다.

3. 전기 전도성 측정으로 알 수 있는 산과 염기의 성질은 무엇인지 말해 보자.

예시 전기가 통하는 것으로 보아 이온을 포함하고 있음을 알 수 있다.

탐구 분석

금속과 반응하고 달걀 껍데기와 반응하여 기체를 발생하는 것은 산이다. 산과 염기 모두 이온을 포함하고 있으므로 전류가 흐른다.

수행평가 TIP

탐구 수행	• 모둠 구성원과 협력하여 진행하며 실험 결과를 세밀하게 관찰하고 기록한다.	☆ ☆ ☆
	• 지시약을 이용하여 산과 염기를 구분한 후 산과 염기의 특징을 찾는다.	☆ ☆ ☆
탐구 결과	• 산과 염기가 지니는 각각의 공통된 특징을 설명한다.	☆ ☆ ☆

1 산

(1) 산의 정의 수용액에서 수소 이온(H^+)을 내놓는 물질이다.

(2) 산의 공통적인 성질
- 대부분 신맛이 난다.
- 푸른색 리트머스 종이를 붉게 변화시킨다.
- 금속(마그네슘, 아연 등)과 반응하여 수소 기체를 발생한다.
  $Mg + 2HCl \rightarrow MgCl_2 + H_2\uparrow$
- 달걀 껍데기와 반응❷하여 이산화 탄소 기체를 발생한다.
  $CaCO_3 + 2HCl \rightarrow CaCl_2 + H_2CO_3$
- 산은 물속에서 이온화하므로 모두 전류가 흐른다.

리트머스 종이의 변색

금속, 달걀 껍데기와의 반응

전기 전도성

2 염기

(1) 염기의 정의 수용액에서 수산화 이온(OH^-)을 내놓는 물질이다.

(2) 염기의 공통적인 성질
- 대부분 쓴맛이 난다.
- 단백질을 녹이는 성질이 있어 손으로 만지면 미끌미끌하다.
- 붉은색 리트머스 종이를 푸르게 변화시킨다.
- 페놀프탈레인 지시약을 떨어뜨리면 붉은색으로 변한다.
- 염기는 물속에서 이온화하므로 모두 전류가 흐른다.

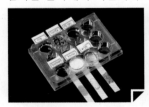

리트머스 종이의 변색

페놀프탈레인 용액의 변색

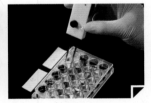
전기 전도성

• 확인하기

1. [이해] 산과 염기의 성질을 각각 두 가지 이상 말해 보자.

[예시] 산은 리트머스 종이를 붉게 변하게 하고 페놀프탈레인 용액에는 변색하지 않는다. 산은 달걀 껍데기와 반응하여 기체를 발생하고 마그네슘과도 반응하여 기체를 발생한다. 염기는 리트머스 종이를 푸르게 변하게 하고 페놀프탈레인 용액을 붉게 만든다. 염기는 달걀 껍데기, 마그네슘과 반응하지 않는다.

2. [적용] 철수는 실험하려고 준비해 두었던 산성과 염기성 용액의 라벨이 떨어진 것을 발견하였다. 용액이 산성인지, 염기성인지 어떻게 확인할 수 있을까?

[예시] 용액을 조금 취해 페놀프탈레인 용액을 떨어뜨려 보거나 달걀 껍데기, 마그네슘(또는 아연)과 반응시켜 본다.

---

❶ **산과 금속의 반응**
산이 모든 금속과 반응하여 수소 기체를 발생하는 것은 아니다. 수은, 백금, 금, 은 등은 반응성(이온화 경향)이 수소보다 더 작기 때문에 산과 반응해도 수소 기체가 발생하지 않는다. 이처럼 금이나 은은 반응성이 작고, 잘 변하지 않으므로 귀금속이라고 한다.

❷ **달걀 껍데기와 산의 반응**
달걀 껍데기의 90 %는 탄산 칼슘이다. 탄산 칼슘($CaCO_3$)은 탄산 이온(CO_3^{2-})과 칼슘 이온(Ca^{2+})의 이온 결합으로 생성되는 흰색 물질로서 물에 잘 녹지 않아 수용액 상에서 앙금을 형성한다. 석회 동굴의 종유석이나 석순, 석주 등을 이루는 물질이며, 조개껍데기, 산호 등 지구상에 존재하는 대부분의 이산화 탄소(CO_2)는 탄산 칼슘의 형태로 존재한다. 탄산 칼슘은 산(염산, 아세트산)과 반응하면 이산화 탄소 기체를 발생한다.

❸ **전기 전도성 측정기**
액체에 전류가 흐르는지 측정할 수 있는 실험 도구이다. 액체에 이온이 존재하는 경우 두 개의 떨어진 금속 막대 사이를 이동하며 폐회로가 형성되어 전류가 흐른다. 이때 전류가 흐르는 것은 불빛 또는 음성 센서로 파악할 수 있다.

✔ 개념 확인 문제

1 산과 염기는 전기 전도성이 있는가?

2 다음 중 산과 염기를 구별할 수 있는 방법을 모두 고르시오.

> ㄱ. 색을 비교한다.
> ㄴ. 마그네슘 금속을 넣는다.
> ㄷ. 전기 전도성을 측정한다.
> ㄹ. 페놀프탈레인 용액을 떨어뜨린다.

❷단계 해결하기 　**2. 산의 공통적인 성질은 무엇 때문에 나타날까?**

새콤달콤한 맛이 나는 샐러드를 만들 때 레몬즙 대신 식초를 사용하여 맛을 내기도 한다. 레몬즙과 식초의 성분은 다르지만 비슷한 맛을 내는 것은 레몬즙과 식초가 공통적으로 산을 포함하고 있기 때문이다. 여기서는 식초와 레몬즙의 신맛과 같은 산이 가지는 공통된 특징이 산에 들어 있는 어떤 성분 때문인지 알아본다. 금속과의 반응 실험과 전원 장치를 연결했을 때의 이온의 이동을 통해 산에 들어 있는 공통적인 성분이 산의 수소 이온임을 학습한다.

 탐구 2 　실험 　**산에 들어 있는 공통적인 성분**

교과서 196쪽

목표 　　　　　　　　　　　　　**과학적 탐구 능력**

산과 금속의 반응을 통해 산에 공통적으로 들어 있는 성분을 확인할 수 있다.

결과/정리

1. **묽은 염산과 묽은 황산에 마그네슘을 넣었을 때 어떤 기체가 발생하는가?**

   예시 성냥불을 가져다 대었을 때 펑 소리를 내며 타는 것으로 보아 수소 기체가 발생했음을 알 수 있다.

2. **실험 결과를 바탕으로 산에는 어떤 원소가 포함되어 있다고 할 수 있는지 말해 보자.**

   예시 묽은 염산이나 묽은 황산이 마그네슘과 반응하여 수소 기체가 발생했으므로 묽은 염산과 묽은 황산에는 공통적으로 수소 원소가 포함되어 있다고 할 수 있다.

   참고 **수소 기체의 가연성**

   수소 기체는 가연성을 가지고 있어 불꽃을 대면 펑 터지는 소리와 함께 기체가 탄다. 수소 기체가 탈 때 생성되는 물질은 물이다. 따라서 수소는 가연성과 친환경적 생성물로 인해 연료로 각광받고 있다. 반면, 연소에 꼭 필요한 기체인 산소는 스스로 타는 것이 아니라 연소가 되도록 도와주는 역할을 하므로 조연성이 있다고 말한다.

> **과정**
> ❶ 묽은 염산 5 mL를 시험관에 담자.
> ❷ 묽은 염산이 담긴 시험관에 마그네슘 리본 0.5 cm를 넣은 다음, 다른 시험관을 거꾸로 세워 발생하는 기체를 모으자.
> ❸ 기체를 모은 시험관 입구에 성냥불을 대 보고 어떤 현상이 일어나는지 관찰하자.
> ❹ 묽은 황산으로 과정 ❶~❸을 반복하자.

> **수행평가 TIP**
> • 금속과 산의 반응에서 생긴 기체를 포집한다.
> • 산에 포함된 공통 성분이 수소 원소임을 설명한다.

 해 보기 1 　자료 해석 　**산성을 나타내는 이온의 이동**

교과서 197쪽

목표 　　　　　　　　　　　　　**과학적 사고력**

전원 장치를 연결했을 때의 리트머스 종이의 색 변화를 통해 산에 공통으로 들어 있는 이온을 찾을 수 있도록 한다.

결과/정리

1. **산의 성질을 나타내는 물질은 어느 극으로 이동하는가?**

   예시 리트머스 종이가 (−)극 방향으로 붉게 변하는 것으로 보아 (−)극으로 이동하는 것을 알 수 있다.

2. **리트머스 종이의 색깔을 변화시킨 이온은 양이온인가 음이온인가? 그렇게 생각한 이유는 무엇인가?**

   예시 산의 성질을 나타내는 이온(수소 이온)은 (−)극으로 이동하므로 (+)이온이다.

> **과정**
>
> 질산 칼륨 수용액을 적신 푸른색 리트머스 종이의 가운데에 묽은 염산과 묽은 황산을 적신 실을 각각 놓은 후 전원 장치를 연결하였더니 그림 (가), (나)와 같은 결과가 각각 나타났다.
>
>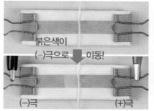
>
> (가) 실을 묽은 염산에 적셨을 때　(나) 실을 묽은 황산에 적셨을 때

1 산의 공통적인 성질

(1) 산의 공통성[1]

- 산은 신맛이 나고 푸른색 리트머스 종이를 붉게 변화시키며, 금속과 반응하여 기체를 발생하는 공통적인 성질을 가지고 있다.
- 묽은 염산과 금속의 반응에서 발생하는 기체는 수소 기체이며, 이로부터 수소 원소는 산에서부터 온 것임을 알 수 있다.

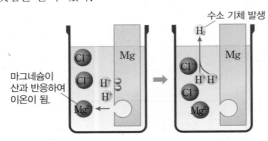

(2) 산성을 나타내는 이온의 이동

- 질산 칼륨[2] 수용액을 적신 푸른색 리트머스 종이의 가운데에 묽은 염산에 적신 실을 놓으면 실에 묻은 묽은 염산으로 인해 푸른색 리트머스 종이가 붉게 변한다. 전원 장치를 연결하면 (+)극으로 질산 이온(NO_3^-)과 염화 이온(Cl^-)이 이동하고, (−)극으로 수소 이온(H^+)과 칼륨 이온(K^+)이 이동하며, 붉은색이 (−)극 쪽으로 변하는 것으로 보아 (+) 이온인 수소 이온(H^+)이 이동함을 알 수 있다.

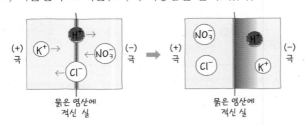

- 묽은 황산에서 같은 실험 결과를 나타내므로 수소 이온(H^+)이 산의 공통적인 성질을 나타내는 이온임을 알 수 있다.

(3) 산의 이온화

산은 수용액에서 이온화하여 수소 이온(H^+)을 내놓는다. 이 수소 이온(H^+)에 의해 산의 공통성이 나타나고 음이온의 종류에 따라 약간씩 다른 성질이 나타난다.

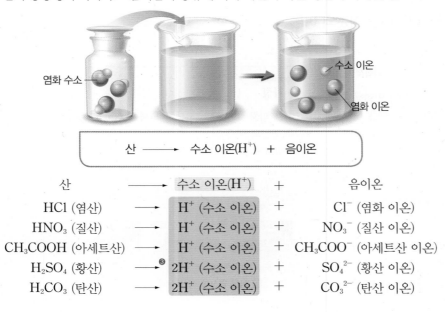

산		수소 이온(H^+)	+	음이온
HCl (염산)	⟶	H^+ (수소 이온)	+	Cl^- (염화 이온)
HNO₃ (질산)	⟶	H^+ (수소 이온)	+	NO_3^- (질산 이온)
CH₃COOH (아세트산)	⟶	H^+ (수소 이온)	+	CH_3COO^- (아세트산 이온)
H₂SO₄ (황산)	⟶[3]	$2H^+$ (수소 이온)	+	SO_4^{2-} (황산 이온)
H₂CO₃ (탄산)	⟶	$2H^+$ (수소 이온)	+	CO_3^{2-} (탄산 이온)

[1] 산의 공통성

금속과 반응   탄산 칼슘과 반응

[2] 질산 칼륨

질산 칼륨(KNO_3)은 흰색 고체로 수용성이며 수용액 상에서 이온(K^+, NO_3^-)이 자유롭게 움직이므로 전류를 흐르게 한다. 질산 칼륨과 같이 물에 녹아 전류를 흐르게 하는 물질을 전해질이라고 한다. 산도 수용액에서 이온화하여 전류를 흐르게 하므로 전해질이다.

[3] 수용액 상에서 산 입자가 완전히 이온화한다고 가정할 때 황산이나 탄산은 1개의 입자가 이온화하여 2개의 수소 이온을 생성한다.

2 산의 정의

(1) 많은 과학자들이 산과 염기를 밝히기 위해 노력하였으며 그에 따라 산과 염기를 정의하였다. 스웨덴의 화학자 아레니우스(Arrhenius, 1859~1927)는 물에 녹아 전기를 전달하는 용액을 만드는 물질은 용액에 전류를 흘려주지 않을 때라도 전하를 띤 입자들인 이온들로 분해된다고 하고, 수용액에서 수소 이온(H^+)을 낼 수 있는 물질을 산이라고 정의하였다. 염산, 아세트산은 수용액에서 이온화하여 수소 이온을 내는 물질이므로 산이다.

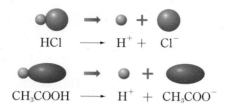

$$HCl \longrightarrow H^+ + Cl^-$$

$$CH_3COOH \longrightarrow H^+ + CH_3COO^-$$

(2) 염산은 수용액 상에서 매우 잘 이온화하여 수용액 상에서 수소 이온을 많이 내놓고, 아세트산, 탄산은 수용액 상에서 잘 이온화하지 않아 수소 이온을 적게 내놓는다.[4]

3 다양한 산의 이용

- **염산(HCl)** – 색깔이 없고 자극성이 매우 강한 기체로서 공기보다 무겁고 물에 잘 녹는 성질이 있다. 염산은 화학 조미료나 염료, PVC 파이프를 만드는 데 쓰인다.
- **질산(HNO_3)** – 각종 공업 제품 및 폭약 제조에 쓰이는 산화성이 강한 산이다. 순수한 질산은 자극성 냄새를 가지는 무색 액체이며, 휘발성이 있고 공기 중에서 연기를 낸다. 진한 질산은 농도가 60 % 이상 되는 것으로 습기를 잘 흡수하고, 빛이나 열을 받으면 분해하여 적갈색을 띤 이산화 질소를 발생한다.
- **황산(H_2SO_4)** – 황산은 물에 대한 친화력이 강해 탈수제[5]로 작용한다. 전해질, 산화제, 용매, 촉매로도 유용하다.
- **탄산(H_2CO_3)** – 이산화 탄소가 물에 녹아 생기는 산으로 산의 세기가 약하다. 수용액에서 이온화할 때 탄산 이온(CO_3^{2-}) 또는 탄산수소 이온(HCO_3^-)이 생긴다.
- **시트르산** – 레몬이나 귤, 라임 등에서 발견되는 유기산이다. 과일에서 나는 신맛의 성분으로 음료나 통조림, 가공식품에서 사용된다. 살균 효과가 있어 친환경 세제로도 쓰인다.

PVC 파이프 　　 다이너마이트 　　 납축전지의 배터리 　　 탄산음료 　　 과일 산

• 확인하기

1. [이해] 아세트산, 염산, 황산과 같이 종류가 다른 산이 공통적인 성질을 갖는 까닭은 무엇인가?
   [예시] 모든 산에는 공통적인 성분, 즉 수소 이온이 포함되어 있기 때문이다.

2. [적용] 산의 성질과 관련하여 염산 100 mL로 실험을 하려고 한다. 만약 염산 대신 같은 농도의 황산을 사용하려고 한다면, 같은 효과를 내기 위해 필요한 황산의 양은 얼마일까? 그렇게 생각한 까닭은 무엇인가?
   [예시] 황산이나 염산 입자가 완전히 이온화한다고 가정하면 황산은 한 입자가 이온화하여 2개의 수소 이온을 내고 염산은 한 입자가 이온화하여 1개의 수소 이온을 내므로 염산 100 mL의 효과를 내는 황산의 양은 50 mL이다.

---

❹ 강한 산과 약한 산
수용액 상에서 매우 잘 이온화하여 수소 이온을 많이 내놓는 염산, 질산은 강한 산이고, 잘 이온화하지 않는 아세트산, 탄산은 약한 산이다.

수소 이온

염산, 질산 　　 아세트산, 탄산

❺ 황산의 탈수 작용
물에 대한 강한 친화력이 있어 물과 잘 결합하여 강한 탈수 작용을 하므로 고체 또는 액체 시료를 건조, 저장하는 데시케이터에 건조제로 사용된다. 종이에 황산을 떨어뜨리면 갈색으로 변하는데 이것은 종이에서 물을 빼앗아 탄소만 남기 때문이다.

진한 황산

데시케이터

✔ 개념 확인 문제

1 염산을 리트머스 종이에 떨어뜨렸을 때 종이가 붉게 변했다면 염산의 어떤 이온 때문일까?

2 아세트산의 이온화식을 쓰시오.

비누나 세제가 없던 옛날, 조상들은 아궁이나 화로에서 나온 재를 물에 녹인 잿물을 이용하여 옷을 세탁하였다. 비누는 수산화 나트륨이나 수산화 칼륨과 같은 염기성 물질에 유지와 같은 기름 성분을 넣어 만들며 잿물은 수산화 나트륨과 같은 기능을 한다. 육지 식물이나 바다 식물을 말려서 태운 재를 물에 녹인 용액은 강한 염기성을 띠어 그와 유사한 염기성 물질을 재라는 뜻의 알칼리 (아라비아 어 Kali)라는 용어로 사용한다. 여기서는 수산화 나트륨, 수산화 마그네슘과 같은 염기가 가지는 공통된 특징이 염기의 수산화 이온 때문임을 알아본다.

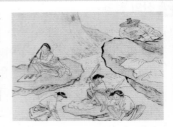

탐구 3 　실험　 염기성을 나타내는 이온

교과서 199쪽

목표
과학적 탐구 능력

전원 장치를 연결했을 때의 리트머스 종이의 색 변화를 통해 염기가 공통적인 성질을 나타내는 까닭을 설명할 수 있다.

과정

❶ 유리판에 질산 칼륨 수용액에 적신 거름종이를 올려놓고, 그 위에 붉은색 리트머스 종이를 놓은 다음 집게로 고정하자.
❷ 모둠별로 수산화 나트륨 수용액, 또는 수산화 마그네슘 수용액에 적신 실을 선택하여 붉은색 리트머스 종이의 중앙에 올려놓자.
❸ 집게 양 끝에 전원 장치를 연결한 후, 변화를 관찰하자.

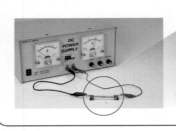 

결과/정리

1. 리트머스 종이에서 어떤 변화가 나타나는가?

　예시　 (+)극 방향으로 푸르게 변한다.

 ➡
(−)극　　　(+)극

2. 수산화 나트륨과 수산화 마그네슘의 이온화식을 각각 써 보자.

　예시　 $NaOH \longrightarrow Na^+ + OH^-$
$Mg(OH)_2 \longrightarrow Mg^{2+} + 2OH^-$

3. 리트머스 종이에 변화가 나타나는 것은 어떤 이온 때문일까? 또 그렇게 생각한 까닭을 말해 보자.

　예시　 전원 장치를 연결했을 때 (+)극 방향으로 색의 변화가 일어난 것으로 보아 (−)이온이 리트머스 종이의 색을 변화시킨다고 추론할 수 있다. 염기를 물에 녹이면 공통으로 수산화 이온(OH^-)을 내놓는다.

💡 탐구 분석

리트머스 종이의 색이 (+)극 쪽으로 변하는 것을 통해 염기의 공통적인 성질을 나타내는 것은 (−)이온 때문이며 이 (−)이온은 수산화 이온(OH^-)임을 알 수 있다.

수행평가 TIP		
탐구 수행	• 모둠 구성원과 협력하여 실험 안전규칙을 잘 지키며 실험을 수행한다.	☆ ☆ ☆
탐구 결과	• 붉은색 리트머스 종이의 색 변화가 (−)이온인 수산화 이온 때문임을 설명한다.	☆ ☆ ☆
	• (+)극과 (−)극으로 이동하는 각각의 이온을 설명한다.	☆ ☆ ☆
	• 염기의 (−) 이온이 염기의 공통적인 성질을 나타냄을 설명한다.	☆ ☆ ☆

1 염기의 공통적인 성질

(1) 염기의 공통성

염기는 쓴맛이 나고 손에 닿으면 미끌거리며, 페놀프탈레인 용액을 붉게 변하게 하는 공통적인 성질을 가지고 있다.

(2) 염기성을 나타내는 이온의 이동

- 질산 칼륨 수용액을 적신 붉은색 리트머스 종이의 가운데에 수산화 나트륨 수용액에 적신 실을 놓으면 실에 묻은 수산화 나트륨 수용액으로 인해 붉은색 리트머스 종이가 푸르게 변한다. 전원 장치를 연결하면 (+)극으로 질산 이온(NO_3^-)과 수산화 이온 (OH^-)이 이동하고, (−)극으로 나트륨 이온(Na^+)과 칼륨 이온(K^+)이 이동하며, 푸른색이 (+)극 쪽으로 이동하는 것으로 보아 (−) 이온인 수산화 이온(OH^-)이 이동함을 알 수 있다.

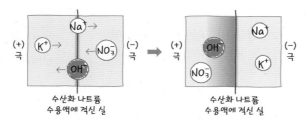

수산화 나트륨
수용액에 적신 실

수산화 나트륨
수용액에 적신 실

- 수산화 마그네슘 수용액에서 같은 실험 결과를 나타내므로 수산화 이온(OH^-)이 염기의 공통적인 성질을 나타내는 이온임을 알 수 있다.

(3) 염기의 이온화

염기는 수용액에서 이온화하여 수산화 이온(OH^-)을 내놓는다. 이 수산화 이온 (OH^-)에 의해 염기의 공통성이 나타나고 양이온의 종류에 따라 약간씩 다른 성질이 나타난다.

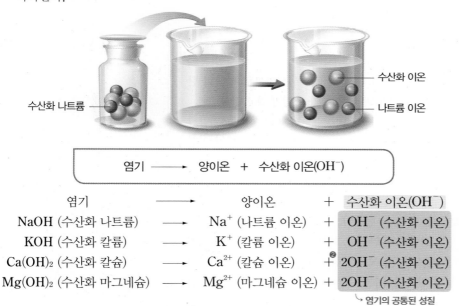

수산화 나트륨

수산화 이온

나트륨 이온

염기 ⟶ 양이온 + 수산화 이온(OH^-)

염기	⟶	양이온	+	수산화 이온(OH^-)
NaOH (수산화 나트륨)	⟶	Na^+ (나트륨 이온)	+	OH^- (수산화 이온)
KOH (수산화 칼륨)	⟶	K^+ (칼륨 이온)	+	OH^- (수산화 이온)
Ca(OH)$_2$ (수산화 칼슘)	⟶	Ca^{2+} (칼슘 이온)	+	$2OH^-$ (수산화 이온)
Mg(OH)$_2$ (수산화 마그네슘)	⟶	Mg^{2+} (마그네슘 이온)	+	$2OH^-$ (수산화 이온)

↳ 염기의 공통된 성질

2 염기의 정의

(1) 아레니우스는 수용액에서 수산화 이온(OH^-)을 내놓을 수 있는 물질을 염기라고 정의하였다. 수산화 나트륨, 수산화 마그네슘은 수용액에서 이온화하여 수산화 이온을 내는 물질이므로 염기이다.

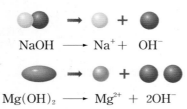

$NaOH \longrightarrow Na^+ + OH^-$

$Mg(OH)_2 \longrightarrow Mg^{2+} + 2OH^-$

❶ 염기의 공통성

페놀프탈레인 용액에서 붉게 변함

❷ 수용액 상에서 염기 입자가 모두 이온화한다고 가정할 때 수산화 마그네슘 (Mg(OH)$_2$), 수산화 칼슘(Ca(OH)$_2$)은 1개의 입자가 이온화하여 2개의 수산화 이온을 생성한다.

(2) 수산화 나트륨($NaOH$)은 수용액 상에서 매우 잘 이온화하여 수용액 상에서 수산화 이온을 많이 내놓고, 수산화 마그네슘($Mg(OH)_2$)은 수용액 상에서 잘 이온화하지 않아 수산화 이온을 적게 내놓는다.[3]

(3) 염기 중에 OH^-을 포함하지 않는 물질이 있다. 예를 들어 암모니아(NH_3)는 물에 녹아 염기성을 나타내지만 분자 안에 OH^-이 없으므로 아레니우스의 정의로는 염기임을 설명할 수 없다. 또한 아레니우스의 정의는 수용액에서만 적용되므로 다른 정의가 필요하다.

> **참고** 브뢴스테드–로리의 산과 염기
> 브뢴스테드–로리는 양성자(H^+)를 낼 수 있는 물질을 산, 양성자(H^+)를 받는 물질을 염기라고 정의한다. 암모니아(NH_3)는 아레니우스의 정의로는 설명할 수 없지만 브뢴스테드–로리의 정의에 의하면 양성자를 받는 염기임을 설명할 수 있다.
>
> $$NH_3 + H_2O \rightleftharpoons NH_4^+ + OH^-$$

3 다양한 염기의 이용

- **수산화 나트륨($NaOH$):** 조해성[4]이 있으며 이산화 탄소를 흡수하는 성질이 있다. 부식성이 강하므로 가성 소다라고 부르며 황산과 더불어 화학 공업의 모든 분야에 걸쳐 널리 사용된다.
- **수산화 칼륨(KOH):** 수산화 나트륨과 같이 강한 염기로 가성 칼리라고도 부른다. 부식성, 조해성이 수산화 나트륨보다 더 강하므로 눈이나 피부에 닿지 않게 주의해야 한다. 화장품, 의약품, 분석 시약, 알칼리 전지로 사용된다.
- **수산화 칼슘($Ca(OH)_2$):** 소석회라고도 하며, 석회석을 원료로 하여 만든다. 건축용 석회 반죽, 표백분, 산성 토양을 중화시키는 데 사용된다. 수산화 칼슘을 물에 녹인 용액인 석회수는 이산화 탄소와 반응하여 탄산 칼슘의 흰색 앙금을 생성하므로 이산화 탄소의 검출에 이용된다. 석회수에 입김을 불어 넣으면 석회수가 뿌옇게 흐려진다.
- **탄산수소 나트륨($NaHCO_3$):** 빵을 만들 때 사용하는 베이킹파우더의 주성분으로 약한 염기이다. 열을 가하면 이산화 탄소, 물, 탄산 나트륨으로 분해되며 이때 발생한 이산화 탄소가 빵을 부풀게 하고, 이산화 탄소가 빠져나간 자리에는 구멍이 생긴다.
- **수산화 마그네슘($Mg(OH)_2$):** 물에 거의 녹지 않지만, 묽은 산, 암모늄염 수용액 등에는 용해되며 수용액은 약한 알칼리성을 띤다. 가열하면 물을 방출하면서 산화 마그네슘이 된다. 위산 과다 시 복용하는 제산제, 변비 시 설사약으로 사용된다.
- **암모니아(NH_3):** 질소 화합물 중 가장 간단하고 안정한 화합물로 주로 비료로 쓰이며 나일론이나 레이온과 같은 합성섬유 제조나 면, 모, 견 섬유의 염색, 합성수지 생산의 촉매로 쓰인다. 암모니아를 물에 녹인 암모니아수는 무색 투명한 액체로 자극적인 냄새가 나고, 알칼리성이다. 시약, 의류의 세척이나 국소 자극제, 제산제, 중화제 등의 약품으로도 사용된다. 밀폐하여 보존한다.

• 확인하기

1. **이해** 같은 염기끼리라도 종류에 따라 성질에 차이가 나는 것은 무엇 때문일까?
   예시 염기의 특성을 나타내는 것은 수산화 이온이고, 각 염기마다 성질이 다른 것은 양이온이 각각 다르기 때문이다.

2. **적용** 알코올(CH_3OH)은 수소와 산소가 모두 들어 있지만, 산도 아니고 염기도 아니다. 알코올이 산이나 염기가 아닌 이유는 무엇일까?
   예시 산이나 염기는 수용액 상태에서 수소 이온과 수산화 이온을 낼 수 있는 물질이다. 알코올(CH_3OH)은 수용액 상에서 수소 이온이나 수산화 이온을 내지 않으므로 산이나 염기가 아니다.

---

[3] 강한 염기와 약한 염기
수용액 상에서 매우 잘 이온화하는 수산화 나트륨, 수산화 칼륨은 강한 염기, 잘 이온화하지 않는 수산화 마그네슘은 약한 염기이다.

수산화 이온
수산화 나트륨   수산화 마그네슘

[4] 조해성
공기 중의 수분을 흡수하여 스스로 녹는 성질이다. 수산화 나트륨은 조해성이 있어 실험을 할 때 빠르게 진행하지 않으면 금방 녹아서 약포지나 병의 입구에 달라붙는다.

✔ 개념 확인 문제

1 수산화 칼륨의 이온화식을 쓰시오.

2 공통적인 염기의 성질을 나타나는 것은 어떤 이온 때문인가?

② 단계 해결하기 **4. 우리 주변 물질을 산과 염기로 어떻게 구별할까?**

건강 검진 중 소변 검사에 사용되는 막대 모양의 종이에는 몇 가지 색이 표시되어 있고 여기에 소변을 묻혔을 때 나타나는 색의 변화를 통해 몸의 이상을 진단한다. 이 중에는 소변이 산성인지, 염기성인지, 중성인지를 확인할 수 있는 것도 있다. 체액의 대부분은 물이라 중성이지만 소변에는 노폐물이 섞여 있어 약한 산성을 띠고, 신장 기능이 저하될 경우 염기성으로 측정된다. 이처럼 색의 변화로 산성과 염기성을 구별할 수 있다. 여기서는 산성과 염기성을 구별하는 데 사용되는 지시약의 원리를 알아보고, 지시약을 이용하여 주변 물질의 액성을 구별해 본다.

 탐구 4 **실험** **산과 염기 구별하기**

교과서 202쪽

목표

다양한 천연 지시약을 만들고, 이를 이용하여 우리 주변 물질의 액성을 확인할 수 있다.

결과/정리

1. 천연 지시약의 색깔 변화를 표에 기록해 보자.

사용한 지시약	묽은 염산	수산화 나트륨 수용액	증류수	유리 세정제	식초
붉은 양배추	붉은색	노란색	보라색	녹색	자홍색
검은콩	붉은색	연두색	보라색	녹색	자홍색

2. 천연 지시약의 색은 산, 염기 용액에서 어떻게 변하는가?

예시 대체로 산 용액에서는 붉은색, 염기 용액에서 녹색이나 푸른색으로 변한다. 중성에서는 보라색을 띤다.

3. 미지의 용액에 천연 지시약을 떨어뜨리면 용액의 색은 어떻게 변하는가? 용액의 색 변화를 바탕으로 미지의 용액이 산인지 염기인지 추측하고, 그렇게 추측한 까닭을 말해 보자.

예시 미지의 용액(사이다, 우유, 커피 등)에 천연 지시약을 떨어뜨렸을 때 용액의 색이 붉은색으로 변한다면 미지의 용액은 산성이다.

참고 천연 지시약의 색 변화

천연 지시약은 장미꽃, 붉은 양배추 이외에도 블루베리, 포도, 가지 등의 채소나 과일을 이용하여 만들 수 있다. 리트머스 종이도 리트머스 이끼로 만든다. 지시약으로 사용되는 물질의 대부분은 안토시아닌이라는 색소를 가진다. 안토시아닌은 식물 세포와 동물 세포 내에 있는 활성 산소를 제거하는 항산화 물질로, 수소 이온 농도에 따라 붉은색, 보라색, 파란색을 띤다.

산성 염기성

과정

❶ 모둠별로 재료를 선택한 후 천연 지시약 만드는 방법을 참고하여 지시약을 만들자.

❷ 묽은 염산, 수산화 나트륨 수용액, 증류수, 유리 세정제, 식초 2 mL를 6홈판에 각각 넣고, 천연 지시약을 3~4방울 떨어뜨려 색 변화를 관찰하자.

❸ 미지의 용액 2 mL를 6홈판에 넣고, 천연 지시약을 3~4방울 떨어뜨린 후 용액의 색 변화를 관찰하자.

천연 지시약 만드는 방법

장미꽃, 붉은 양배추는 잘게 잘라 물을 넣고 가열한다.

검은콩, 비트, 포도는 뜨거운 물을 부은 후 서서히 우려낸다.

탐구 분석

천연 지시약이 산과 염기에서 어떻게 색 변화하는지 확인하고, 이를 이용해 미지 용액의 액성을 파악한다. 꽃잎이나 식물은 대부분 안토시아닌 계열의 색소를 가지므로 지시약으로 사용했을 때 변색이 비슷하다. 보통 산성이 강할수록 붉은색, 염기성이 강할수록 녹색이나 푸른색으로 변한다.

수행평가 TIP

탐구 수행	• 모둠 구성원과 협력하고 역할 분담하여 진행하고, 천연 지시약을 성공적으로 추출한다.	☆ ☆ ☆
탐구 결과	• 천연 지시약이 산과 염기에서 어떤 색으로 변하는지 확인한다.	☆ ☆ ☆
	• 천연 지시약의 색 변화를 이용하여 산과 염기를 구별하고 근거를 설명한다.	☆ ☆ ☆

1 지시약

(1) **지시약** 수소 이온 농도에 따라 색이 변하여 용액의 액성이 산성인지, 염기성인지를 확인하는 데 사용되는 물질이다.

(2) **지시약의 색 변화** 용액의 액성에 따라 지시약의 색이 달라진다. 지시약 자체가 산 또는 약한 염기이며, 산이나 염기 수용액 속의 수소 이온 농도에 따라 지시약의 구조가 바뀔 때 색도 함께 변한다.

(3) **지시약의 선택**

① 페놀프탈레인 용액은 염기성에서 선명한 붉은색을 띠므로 자주 사용되지만, 산성과 중성에서 모두 무색이므로 산성과 중성을 구분하지는 못한다.

② 메틸오렌지는 산성에서 붉은색, 중성과 염기성에서 노란색이므로 중성과 염기성을 구분하지 못한다.

③ BTB 용액은 산성에서 노란색, 중성에서 녹색, 염기성에서 청색으로 3가지 액성에서 모두 색이 다르므로 널리 쓰인다.

(4) **지시약의 색 변화**

지시약	리트머스	BTB	메틸 오렌지	페놀프탈레인
산성	붉은색	노란색	붉은색	무색
중성	–	녹색	노란색	무색
염기성	푸른색	파란색	노란색	붉은색

❶ **지시약의 발견**
보일(Boyle, R, 1627~1691)은 우연히 진한 황산의 연기가 실험실에 있던 제비꽃 다발 쪽으로 흘러가는 것을 보고 황산 연기를 씻기 위해 물에 꽃을 담가 두었다가 보라색 제비꽃이 붉은색으로 변하는 것을 발견하였다. 또한 실험실에 있던 다른 산을 제비꽃에 떨어뜨려 색이 붉게 변하는 것을 확인하였다. 이어 여러 가지 식물로 같은 실험을 한 결과 튤립, 재스민, 배꽃, 리트머스 이끼 등은 산과 염기에 따라 색이 변하는 성질이 있다는 사실을 알아내었다.

2 pH(수소 이온 농도 지수)

덴마크의 생화학자 쇠렌센(Sørensen, P. L., 1868~1939)이 처음으로 수용액에서 L당 수소 이온 농도를 나타내기 위해 pH를 측정했다.

(1) **pH의 의미** 용액의 산성도나 염기도를 나타내는 정량적인 척도

• 수용액에서 1 L당 수소 이온 수로 표현된 수소 이온 농도의 역수에 로그를 취한 값 ($-\log[H^+]$)이다.

• pH의 H는 수소(Hydrogen)를 의미하고, pH는 수용액 속에 수소 이온이 얼마나 많이 들어 있는지를 나타낸다.

• pH 값은 역수 값이므로 pH가 작을수록 수소 이온이 많다는 것을 뜻한다.

(2) **용액의 액성과 pH**

pH=7이 중성이고, pH가 7보다 작으면 산성, pH가 7보다 크면 염기성이다.

(3) **pH의 측정**

① pH 종이 용액에 담근 후 종이의 색 변화로 pH를 추측한다. 용액의 색이 진할 경우 종이의 색 변화에 영향을 미쳐 정확한 측정이 어렵고 눈으로 색을 확인하는 방식이므로 정성적이다.

② pH 미터 전극을 용액에 담그면 전위차를 이용하여 pH 값이 숫자로 측정되므로 정량적이다. pH 미터는 유리 전극과 비교 전극 사이에서 발생하는 전위차를 전압계로 측정함으로써 pH 값을 얻는다. 요즘에는 유리 전극과 비교 전극이 하나의 형태로 제작된 복합 전극을 주로 사용한다.

pH 종이

pH 미터

3 여러 가지 물질의 pH

주변에 있는 여러 가지 물질들은 산과 염기로 구분할 수 있다. pH 종이나 pH 미터를 이용하여 구분할 수 있다.

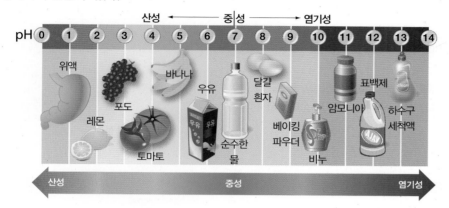

(1) 주변의 산

- **과일** 과일에는 다양한 유기산이 들어 있어 산성을 나타낸다. 사과에는 말산(사과산), 포도와 파인애플에는 타타르산, 귤과 레몬에는 시트르산(구연산)이 들어 있어 신맛이 난다. 레몬의 pH는 2.3 정도이고, 포도의 pH는 3~4 정도이다.
- **음료** 블랙 커피(pH 5.5), 우유(pH 6.5)도 산성이다.
- **산성비** 일반적으로 빗물은 대기 중의 이산화 탄소가 녹아 pH 5.6~6.5 정도의 약한 산성이다. 대기 오염으로 인해 황산화물, 질소 산화물 등이 녹아 pH가 5.6 미만인 비를 산성비라고 한다.

$$2SO_2 + O_2 \rightarrow 2SO_3, \quad SO_3 + H_2O \rightarrow H_2SO_4(황산)$$

$$2NO + O_2 \rightarrow 2NO_2, \quad 3NO_2 + H_2O \rightarrow 2HNO_3(질산) + NO$$

(2) 주변의 염기[2]

- 빵을 만들 때나 친환경 세제로 사용하는 베이킹파우더의 주성분은 탄산수소 나트륨으로 pH 8 정도의 염기성이다. 세탁용 소다인 탄산 나트륨은 pH 11~12 정도이다.
- 하수구를 막게 하는 대부분의 물질은 머리카락 같은 단백질 성분이므로 강한 염기성인 하수구 세척액(pH 12.5)를 사용하면 머리카락을 녹여 제거한다.

(3) 우리 몸의 pH
혈액은 대부분 물이므로 중성에 가깝다. 피부는 약한 산성이고, 위에서는 소화 효소를 활성화하고 살균을 위해 염산이 분비되어 이보다 강한 산성이 유지된다. 십이지장에서 염기성 물질을 분비하므로 장액은 염기성이다.

❷ 주변의 염기

베이킹파우더   하수구 세척액

✓ 확인하기

1. **이해** 다음 각 용액에 BTB 지시약을 떨어뜨렸을 때 색 변화를 써보자.

   > • 염산   • 수산화 나트륨 수용액   • 황산   • 질산   • 증류수

   예시 BTB 지시약은 산성에서 노란색, 중성에서 녹색, 염기성에서 파란색을 나타낸다. 각 용액에 BTB 용액을 떨어뜨리면 염산, 황산, 질산은 노란색을, 증류수는 녹색을, 수산화 나트륨 수용액은 파란색을 나타낸다.

2. **적용** 어떤 용액에 페놀프탈레인 용액을 떨어뜨렸더니 색 변화가 없었다. 이 용액의 액성을 확인하기 위해서는 추가로 어떤 지시약을 떨어뜨려야 할까?

   예시 페놀프탈레인 용액에서 색 변화가 없었다면 중성이나 산성 용액이다. 따라서 BTB 지시약이나 메틸오렌지와 같이 산성과 중성에서 서로 다른 색을 나타내는 지시약을 이용하여 구별한다.

✓ 개념 확인 문제

1 어떤 물질을 물에 넣었을 때 수산화 이온이 존재하는 용액에 페놀프탈레인과 메틸오렌지를 떨어뜨리면 각각 어떤 색으로 변할까?

2 다음 물질 중에서 BTB 용액에서 녹색으로 변하는 것만을 있는 대로 고르시오.

> 비눗물, 하수구 세척액, 순수한 물, 빗물, 우유, 식초, 레몬즙, 표백제

핵심 내용 정리하기

1 산과 염기 교과서 194~195쪽

(1) 산은 금속과 반응하여 [❶ 수소]을/를 발생시키고, 탄산 칼슘과 반응하여 [❷ 이산화 탄소]을/를 발생시킨다. 또한 리트머스 종이를 [❸ 붉은]색으로 변하게 한다.

(2) 염기는 페놀프탈레인 용액에 의해 [❹ 붉은]색으로 변하고, 리트머스 종이를 [❺ 푸른]색으로 변하게 한다. 산과 염기는 수용액 상태에서 전류가 [❻ 흐른다].

산의 성질

2 산과 염기의 공통적인 성질 교과서 196~200쪽

산이 공통적인 성질을 띠는 이유는 [❼ 수소] 이온 때문이고, 염기가 공통적인 성질을 띠는 이유는 [❽ 수산화] 이온 때문이다.

염기의 성질

3 산과 염기의 구별 교과서 201~203쪽

산과 염기에 따라 색이 변하는 물질을 [❾ 지시약](이)라고 한다. 수용액의 pH가 3이라면 이 물질의 액성은 [❿ 산성]이다.

활동으로 확인하기

모둠별로 다음과 같은 과정으로 우리가 일상생활에서 사용하는 다양한 물질의 pH를 조사해 보자.

스마트폰을 이용하여 우리 주변의 산과 염기 구별하기
1. 우리 주변에서 쉽게 구할 수 있는 물질 10가지를 준비하자.
2. 스마트폰을 활용하여 'smart pH meter'와 같은 애플리케이션을 설치하자.
3. 준비한 물질을 pH 시험지에 적셔 보자.
4. 애플리케이션을 실행하고 물질을 적신 pH 시험지의 pH를 측정해 보자.
5. 준비한 물질의 액성과 pH를 멀티미디어 자료로 만든 후 발표해 보자.

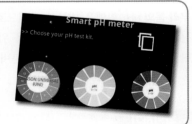

1 우리 주변에서 볼 수 있는 물질 가운데 산성과 염기성 물질은 무엇이 있는지 말해 보자.

예시 산– 우유, 주스, 커피, 이온음료, 식초, 매실액, 케첩, 유산균 음료, 욕실 세정제
염기– 감기약, 모기약, 치약, 베이킹파우더, 유리 세정제, 세탁 세제, 하수구 세척액

2 산성, 중성, 염기성에 해당하는 pH값을 말해 보자.

예시 pH<7: 산성, pH 7: 중성, pH>7: 염기성

 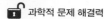 🔓 과학적 문제 해결력

산성비와 토양 생태계

산성비는 화석 연료의 연소 과정에서 발생하는 황산화물이나 질소 산화물이 주요 원인이다. 이들 물질이 대기 중에서 산소와 반응한 후, 빗물에 녹아 황산이나 질산을 만든다. 산성비는 대리석으로 만든 문화재를 훼손할 뿐만 아니라 토양과 호수를 산성화시켜 생태계를 파괴한다. 산성비에 노출된 작물은 병이 들거나 잘 자라지 못해 생산량이 감소한다. 또한 산성비로 인한 토양의 산성화는 토양 미생물의 활동을 방해하여 낙엽이 제대로 분해되지 않는 결과를 가져온다.

해양 산성화와 이산화 탄소

지구 표면의 약 70 %를 덮고 있는 바다는 연간 30톤 정도의 이산화 탄소를 흡수해 지구 온난화를 완화시켜 주는 역할을 한다. 그러나 최근 산업 활동이나 일반 가정에서 쓰는 전기, 온수 등을 생산하는 과정에서 발생한 이산화 탄소량이 급격히 늘어나면서 바다의 산성화가 가파르게 증가하고 있다. 이로 인해 조개와 같은 바다 생물의 껍데기가 얇아지기도 하고, 산호에 공생하는 조류가 줄어들어 산호초가 하얗게 변하는 백화 현상으로 인해 어류가 감소하는 등 해양 생태계가 파괴되고 있다.

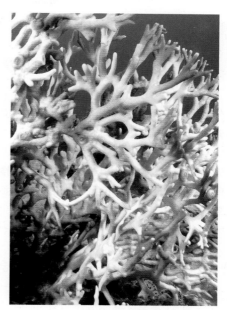

바닷물의 산성화로 인한 산호의 백화 현상

---

① **핵심 내용 파악**

황산, 질산, 이산화 탄소 등이 지구의 환경과 생명의 역사에 미친 영향을 알아보자.

예시 이산화 탄소는 현재는 지구 온난화의 주범으로 꼽으며 지구의 온도를 상승시켜 엘니뇨, 라니냐와 같은 기후 변화를 유도한다. 이산화 탄소는 화산 폭발 또는 소행성 충돌로 공룡이 멸종하였다는 이론에도 등장하는데, 화산 폭발이나 소행성 충돌로 인해 이산화 탄소의 비율이 높아지고, 심한 산성비가 내려 생태계가 파괴되었다는 이론이다. 화석연료의 연소는 대량의 황 화합물과 질소 화합물을 방출하여 대기를 오염시키고 있다. 특히 황산과 질산이 포함된 산성비로 인한 지표의 환경 파괴는 큰 문제로 대두되고 있다.

② **토의하기**

황산, 질산, 이산화 탄소 이외에 지구 환경을 변화시킨 산과 염기를 찾아보자.

예시 암모니아 – 원시 대기에 포함된 물질로 생명의 탄생을 위한 단백질의 형성에 결정적 영향을 미쳤다.

③ **글쓰기**

해양의 산성화는 바다 생태계뿐만 아니라 지구 전체 생태계에 큰 영향을 미칠 수 있다. 해양 산성화를 막기 위해 우리가 할 수 있는 일을 생각해 보고, 친구들에게 이를 실천하도록 설득하는 글을 500자 이상 적어 보자.

예시 실제 지구에서 탄소를 가장 많이 포함하고 있는 것은 바다이다. 바닷물은 원래 약 pH 8 정도로 자연적인 알칼리성이지만, 이산화 탄소의 농도가 높아지면서 바닷물의 산성화가 심해지고 있다. 바닷물이 산성화되면서 조개, 산호초를 비롯한 해양 생물들은 골격과 껍데기를 만드는 데 사용되는 탄산 칼슘의 형성이 어려워 껍데기가 얇아지는 등의 피해를 입고, 산호에 공생하는 조류의 감소로 산호초의 백화 현상이 일어나는 등 해양 생태계가 파괴되고 있다. 우리가 일상생활에서 사용하는 전기 에너지 전기 1 kWh당 이산화 탄소 배출량은 0.4 kg이며, 1톤의 이산화 탄소 배출량을 상쇄하기 위해 심어야 하는 수종은 소나무 등 5종, 32그루이다. 따라서 생활 속에서 전기 에너지를 절약하는 것은 이산화 탄소의 배출을 줄여 생태계를 보존하는 데 반드시 필요한 일이다. 아껴 쓰는 종이 한 장, 계단으로 걷기 한 번이 이산화 탄소의 발생을 줄이고 이것이 바닷속 생물을 비롯한 생태계를 지키는 길임을 잊어서는 안 된다. (503자)

수행평가 TIP

• 모둠 구성원 전체가 역할을 분담하고 협력하여 관련 자료를 조사한다.

• 모둠 구성원의 의견을 경청하고 적극적으로 논의에 참여한다.

• 조사 주제를 정확하게 파악하고 수집한 정보를 주제에 맞게 정리한다.

• 조사 자료의 주제를 정확하게 파악하고 간결한 문장으로 서술한다.

• 근거 자료가 적합하며 과학적 오류가 없어야 한다.

• 글의 내용이 주제를 벗어나지 않고 일관성 있게 서술한다.

6 - ❸ 중화 반응

❶단계 생각 펼치기 산성 비료를 쓸까, 염기성 비료를 쓸까?

주변에서 이용하는 산과 염기는 생활에 도움이 되기도 하지만 산과 염기에 의해 피해를 입는 일도 발생한다. 화석 연료의 사용이 증가할수록 화석 연료의 연소 과정에서 발생하는 황산화물이나 질소 산화물은 빗물에 녹아 산성비를 만들고 토양과 호수를 산성화시켜 환경 문제로 대두되고 있다. 여기서는 산성이나 염기성을 띤 토양을 작물이 잘 자라는 중성 토양으로 바꾸기 위해 토양의 성질에 따라 적절한 비료를 주어 토질을 개선하며, 이때 산과 염기의 반응을 이용할 수 있음을 알아본다.

(1) **산성 비료, 염기성 비료** 대부분의 작물은 중성이나 약한 산성 토양에서 잘 자란다. 염기성 무기질 양분이 빠져나가 산성을 띠는 토양에는 석회질 비료와 같은 염기성 비료를 뿌려 산성 토양의 성질을 약화시킨다. 반대로 바다를 메워 만든 간척지는 염기성을 띠므로 황산 칼슘과 같은 산성 비료를 뿌려 토양을 중화시킨다.

(2) **산과 염기의 반응** 산과 염기는 각각 서로 다른 성질을 가지고 있으며, 이는 수소 이온과 수산화 이온에 의한 것이다. 산과 염기가 반응하면 수소 이온과 수산화 이온이 사라지므로 산과 염기의 성질을 잃어버리고 중화된다.

토의하기

❶ **농작물을 여러 해 동안 재배한 토양이 점점 산성을 띠는 까닭을 설명해 보자.**

예시 여러 해 작물을 재배하면 식물이 토양의 무기질을 흡수하고, 무기질이 빠져나간 자리에 수소 이온이 결합하면서 토양이 점점 산성화된다.

❷ **산성화된 토양에 석회질 비료와 같은 물질을 뿌리면 토양의 산성화가 덜해진다. 석회는 어떤 성질을 띤 물질일지 말해 보자.**

예시 석회질 비료의 주성분은 탄산 칼슘으로 염기성 물질이다.

❸ **토양의 성분에 따라 산성과 염기성 비료를 사용하는 것을 바탕으로 산과 염기를 섞으면 그 성질이 어떻게 될지 말해 보자.**

예시 산성화가 진행된 토양에는 염기성 비료를, 염기성을 띠는 토양에는 산성 비료를 사용하는 것으로 보아 산과 염기를 섞으면 각각의 성질이 약화(중화)됨을 알 수 있다.

❶ 석회(lime, 石灰)
칼슘이 포함된 무기 화합물을 가리키는 용어이다. 생석회(CaO)는 석회암을 소성로에서 구워 탄산가스를 날려 보내 만들고 여기에 물을 가하여 반응시키면 소석회($Ca(OH)_2$)가 된다. 석회석 분말(탄산 석회)은 비료로 사용되며, 제철광 중에 40 % 이상 포함되어 있다.

알고 있나요?

다음 용어 중 알고 있는 것에 ○표시하고, 자신이 알고 있는 내용을 말해 보자.

- 산성
- 염기성
- 중성
- 지시약

예시 산성 물질은 금속이나 달걀 껍데기와 반응하고 리트머스 종이를 붉게 변화시킨다. 염기성 물질은 단백질을 녹이고, 페놀프탈레인 용액을 붉게 변화시킨다. 리트머스 종이에서 변화가 없는 물질은 중성이다. BTB나 페놀프탈레인 지시약을 한두 방울 떨어뜨리면 용액의 색이 변하는 것으로 용액의 액성(산성, 염기성, 중성)을 알 수 있다.

 **❷단계 해결하기** | **1. 산과 염기가 만나면 어떻게 될까?**

옷에 녹물이 들었을 때 산성인 레몬즙을 묻혀 몇 번 비비면 녹물이 쉽게 빠진다. 반면 신맛을 가진 과일즙이 물들었을 때는 염기성인 암모니아수를 이용하여 제거하면 쉽게 얼룩이 빠진다. 녹물에는 산성 물질을, 과일즙 얼룩에는 염기성 물질을 사용하는 것은 녹물이 염기성을 띠고 과일즙이 산성을 띠며 산성과 염기성 물질이 만나면 잘 반응하기 때문이다. 여기서는 산성 물질과 염기성 물질을 섞었을 때 어떤 반응이 일어나는지 알아본다.

 탐구 1 실험 **산과 염기를 섞었을 때의 변화 관찰**

교과서 208쪽

 목표

과학적 탐구 능력

지시약의 색 변화를 이용하여 산과 염기를 섞었을 때의 액성의 변화를 설명할 수 있다.

과정

❶ 홈판 한 곳에 묽은 염산 1 mL를 넣은 후, BTB 용액 2~3방울을 떨어뜨리고 색 변화를 관찰하자.
❷ 과정 ❶의 용액에 수산화 나트륨 수용액 1.5 mL를 한 방울씩 떨어뜨리면서 색 변화를 관찰하자.

결과/정리

1. 액성에 따른 BTB 지시약의 색깔 변화를 바탕으로 용액의 성질이 어떻게 변하는지 말해 보자.

예시 산성에서 노란색을 띤다. 용액은 점점 녹색을 거쳐 파란색으로 변하므로 액성이 산성에서 중성, 염기성으로 변한다.

2. 실험 결과로 보아 산에 염기를 섞으면 산의 성질은 어떻게 되는지 말해 보자.

예시 산에 염기를 섞으면 점점 녹색으로 변하는 것으로 보아 산의 성질을 잃고 중성으로 변함을 알 수 있다.
(염기를 더 넣으면 파란색으로 변하므로 염기성이 된다.)

염산에 수산화 나트륨 수용액을 떨어뜨리면 염산에 있는 수소 이온과 수산화 나트륨에 있는 수산화 이온이 결합하여 물이 생성된다. 따라서 수소 이온이 점점 없어지므로 중성이 된다.

수행평가 TIP

탐구 수행	・산과 염기를 다루므로 실험 안전규칙을 잘 지키며 실험을 수행한다.	☆ ☆ ☆
탐구 결과	・산성의 성질이 염기를 만나 점점 사라진다는 것을 설명한다.	☆ ☆ ☆
	・수산화 나트륨 수용액 추가에 따른 혼합 용액의 액성 변화를 설명한다.	☆ ☆ ☆

1 중화 반응

(1) 물 생성 산과 염기가 반응하여 물이 생성되는 반응이다.

$$H^+ + OH^- \rightarrow H_2O$$

(2) 염 생성 산의 음이온과 염기의 양이온은 염화 나트륨과 같은 염❶을 생성한다.

$$HCl + NaOH \rightarrow H_2O + NaCl$$

❶ **염의 확인**

수산화 나트륨과 묽은 염산의 중화 반응이 끝난 후 물을 증발시키면 염화 나트륨의 하얀색 가루를 얻을 수 있다.

해 보기 1 [그리기] 중화 반응과 입자 모형

목표

과학적 의사소통 능력

산과 염기 수용액을 섞었을 때 일어나는 변화를 입자적 관점에서 설명할 수 있다.

과정

묽은 염산에 같은 농도의 수산화 나트륨 수용액을 떨어뜨릴 때의 반응을 입자 모형으로 나타낸 것이다.

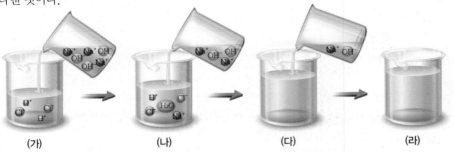

(가)   (나)   (다)   (라)

결과/정리

1. 비커 (다), (라)에 입자 모형을 그려 넣고 그렇게 생각한 까닭을 말해 보자.

예시

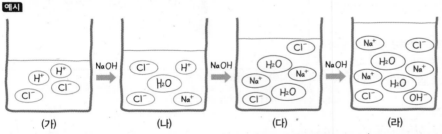

(가)   (나)   (다)   (라)

묽은 염산의 H^+과 수산화 나트륨 수용액의 OH^-이 반응하여 H_2O을 만들므로 H^+은 점점 줄어든다. H^+이 다 반응하면 용액 중에는 OH^-이 남는다.

2. 비커 (가)~(라)에 담긴 용액의 액성은 무엇인가? 또, 그렇게 생각한 까닭은 무엇인가?

예시 (가)는 용액 중에 수소 이온이 있으므로 산성이다.
(나)는 중화 반응으로 물이 생성되긴 했으나 용액 중에 수소 이온이 있으므로 산성이다.
(다)에서는 수소 이온이나 수산화 이온이 없으므로 중성이다.
(라)에서는 수산화 이온이 반응하지 않고 남았으므로 염기성이다.

탐구 분석

묽은 염산에 같은 농도의 수산화 나트륨 수용액을 넣으면서 중화할 때 H^+은 점점 줄어들고, OH^-은 없다가 수산화 나트륨 수용액을 계속 넣으면 용액에 OH^-이 남는다. 따라서 용액의 액성은 산성에서 중성을 지나 염기성이 된다.

수행평가 TIP		
탐구 수행	• 모둠 구성원과 협의하여 모형을 완성한다.	☆ ☆ ☆
탐구 결과	• 중화 반응시 일어나는 변화를 입자 모형으로 표현한다.	☆ ☆ ☆
	• 중화 반응 과정을 수소 이온과 수산화 이온 수의 변화로 설명한다.	☆ ☆ ☆
	• 수소 이온과 수산화 이온 수를 근거로 혼합 용액의 액성을 추론한다.	☆ ☆ ☆

2 중화 반응과 입자 모형

(1) 중화 반응의 입자 모형 묽은 염산에 수산화 나트륨 수용액을 조금씩 넣을 때

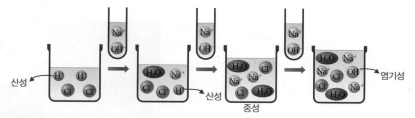

(2) 중화 반응시 용액의 이온 수 변화

- 묽은 염산에 수산화 나트륨 수용액을 조금씩 넣으면, 혼합 용액 속에는 수소 이온(H^+), 염화 이온(Cl^-), 나트륨 이온(Na^+), 수산화 이온(OH^-)이 함께 들어 있다.
- H^+과 OH^-은 중화 반응하여 물(H_2O)을 만들므로 H^+은 이온 수가 줄어들다가 중화점 이후에는 존재하지 않는다. 넣어 주는 OH^-은 넣는 대로 H^+과 반응하므로 존재하지 않다가 H^+이 모두 반응하고 난 중화점 이후 수가 증가한다.
- Cl^-은 반응에 참여하지 않으므로 양이 변함없이 일정하고, 수산화 나트륨 수용액을 계속 넣어 주므로 Na^+은 점점 증가한다. Cl^-, Na^+: 구경꾼 이온

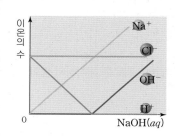

(3) 혼합 용액의 이온 수와 액성

- 수소 이온과 수산화 이온은 1:1의 개수비로 반응하여 물을 생성한다. 이때 산의 음이온과 염기의 양이온은 반응에 참여하지 않고 용액 속에 남아 있다.
- 완전 중화하려면, 묽은 염산과 수산화 나트륨 수용액이 1:1로 모두 반응해야 한다. 농도와 부피가 같은 묽은 염산과 수산화 나트륨 수용액을 혼합한 용액은 중성이다.
- 용액에 수소 이온이 수산화 이온보다 많으면 액성은 산성, 수산화 이온이 수소 이온보다 많으면 액성은 염기성, 수소 이온과 수산화 이온의 양이 같으면 액성은 중성이다.
- 같은 농도의 묽은 염산과 수산화 나트륨 수용액을 부피를 달리 하여 섞었을 때 용액 1 mL를 입자 한 개로 가정하면 혼합 용액의 입자 모형과 액성은 다음과 같다.

혼합 용액	수산화 나트륨 수용액 1 mL + 묽은 염산 3 mL	수산화 나트륨 수용액 2 mL + 묽은 염산 2 mL	수산화 나트륨 수용액 3 mL + 묽은 염산 1 mL
입자 모형	1 mL 반응 2 mL 남음 H^+ Cl^- Cl^- H^+ H_2O Cl^- Na^+	H_2O Cl^- Na^+ Na^+ Cl^- H_2O	1 mL 반응 2 mL 남음 Na^+ Cl^- Na^+ Na^+ H_2O OH^- OH^-
H^+, OH^- 수	H^+ 남음	H^+, OH^- 없음	OH^- 남음
액성	산성	중성	염기성

확인하기

1. **이해** 산과 염기의 중화 반응을 이온 반응식으로 나타내 보자.
   예시 $H^+ + OH^- \longrightarrow H_2O$

2. **적용** 수산화 나트륨 수용액 1 mL에 농도가 같은 염산 1.5 mL를 조금씩 떨어뜨릴 때 용액의 액성 변화를 예상해 보고 완전히 중화가 일어난 지점을 말해 보자.
   예시 농도가 같으므로 염산 1 mL를 떨어뜨렸을 때 완전히 중화되어(염산의 수소 이온과 수산화 나트륨의 수산화 이온이 모두 반응하여) 물이 생성되고 액성은 중성이 된다.

❸ 반대로 수산화 나트륨 수용액에 묽은 염산을 떨어뜨릴 때의 이온 수 변화 이온의 수는 현재의 그래프 모양과 같지만 종류가 달라진다. 나트륨 이온 수가 변함이 없고 점점 증가하는 것은 추가되는 염화 이온이다. 수소 이온의 수는 중화되어 없어지므로 존재하지 않다가 중화점 이후에 증가한다. 수산화 이온은 이온 수가 줄어들다가 중화점 이후에는 존재하지 않는다.

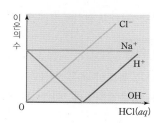

✔ 개념 확인 문제

1 수산화 나트륨 수용액의 농도가 묽은 염산의 2배일 때, 수산화 나트륨 수용액 10 mL를 완전히 중화시키기 위해 필요한 묽은 염산의 양은?

2 1의 수산화 나트륨 수용액에 BTB 용액을 1~2 방울 넣고 묽은 염산을 조금씩 넣을 때 용액의 색은 어떻게 변하는가?

산에 염기를 넣으면 산과 염기의 성질이 사라지는 것은 산과 염기가 섞여 물이 생성되는 중화 반응이 일어나기 때문이다. 중화 반응이 일어나는 것은 지시약의 색 변화로 알 수 있지만, 지시약 없이도 중화 반응이 일어나는 것을 알 수 있다. 실험실 안전 지침은 몸에 염산이 묻으면 염기를 이용하여 중화시키는 것이 아니라 흐르는 물로 씻는 방법을 제시하고 있다. 염기로 중화할 경우 열이 발생하여 더욱 심한 화상을 입을 수 있기 때문이다. 여기서는 중화 반응이 일어날 때의 열 발생을 실험이나 자료 해석을 통해 알아본다.

탐구 2 [자료 해석] 중화 반응과 열

교과서 210쪽

[목표]

과학적 사고력

중화 반응이 일어날 때 온도 변화를 관찰하여 자료를 해석하여 중화점을 찾을 수 있다.

[과정]

같은 농도의 묽은 염산과 수산화 나트륨 수용액을 부피를 다르게 하여 잘 섞고 최고 온도를 측정하였다. 이때 혼합 용액에 페놀프탈레인 용액을 1~2방울 떨어뜨려 색깔 변화도 함께 관찰하였다. 다음은 이 실험의 결과이다.*

온도가 가장 높음

실험	1	2	3	4	5	6	7	8	9
묽은 염산(mL)	0	1	2	3	4	5	6	7	8
수산화 나트륨 수용액(mL)	10	9	8	7	6	5	4	3	2
최고 온도(℃)	22.0	22.4	22.8	23.3	23.6	24.0	23.7	23.4	22.9
용액의 색깔	붉은색	붉은색	붉은색	붉은색	붉은색	없음	없음	없음	없음
반응한 산(mL)	0	1	2	3	4	5	4	3	2
반응한 염기(mL)	0	1	2	3	4	5	4	3	2
남은 산(mL)	0	0	0	0	0	0	2	4	6
남은 염기(mL)	10	8	6	4	2	0	0	0	0
용액의 액성			염기성			중성		산성	

중화가 가장 많이 일어남

*묽은 염산과 수산화 나트륨 수용액은 1:1로 반응하므로 과량으로 넣어 준 산 또는 염기는 반응하지 않고 남는다.
• 실험 1~5: 염기가 남음 → 용액은 염기성 → 페놀프탈레인에서 붉은색
• 실험 6: 산과 염기가 5 mL씩 모두 반응 → 용액은 중성
• 실험 7~9: 산이 남음 → 용액은 산성

[결과/정리]

1. 측정 결과를 묽은 염산과 수산화 나트륨 수용액의 부피 변화에 따른 온도 그래프로 나타내 보자.

2. 묽은 염산과 수산화 나트륨 수용액을 섞으면 온도가 어떻게 변하는가?
[예시] 온도가 올라간다. 열이 발생한다.

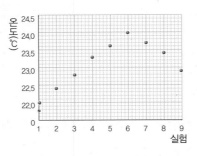

3. 실험 1~9에서 최고 온도가 다른 까닭은 무엇일까?
[예시] 각 실험마다 중화 반응한 묽은 염산과 수산화 나트륨 수용액의 양이 다르기 때문이다.

4. 중화가 가장 많이 일어난 실험은 몇 번째일까? 실험 6
그렇게 생각한 까닭을 온도와 관련지어 말해 보자.
[예시] 중화 반응할 때 열이 발생하여 온도가 올라가며, 실험 6에서 온도가 가장 높으므로 중화 반응이 가장 많이 일어났다.

-✦- 탐구 분석

묽은 염산과 수산화 나트륨 수용액이 중화 반응하면 중화열이 발생하므로 용액의 온도가 올라간다. 중화 반응한 양이 많을수록 온도가 높다.
각 실험에서 중화 반응에 참여한 산과 염기의 양은 실험 1~실험 9에서 각각 0, 1, 2, 3, 4, 5, 4, 3, 2(mL)로 실험 6에서 가장 많으므로 중화가 가장 많이 일어났다.

1 중화열

(1) **중화열** 산과 염기의 중화 반응에서 발생하는 열이다.

$$H^+ + OH^- \rightarrow H_2O + 열$$

(2) **중화열의 발생**

· 산과 염기가 섞여 중화 반응이 일어나면 열이 발생한다. 중화되는 양이 많으면 많을수록 중화열이 많이 발생하며 용액의 온도가 높아진다.

· 중화열은 산이나 염기의 종류와는 무관하게 H^+과 OH^-의 반응이므로 일정한 개수의 수소 이온과 수산화 이온이 만날 때 생기는 중화열은 항상 일정하다. ●

❶ 중화열
물 1L에 35% 염산 88mL를 넣은 묽은 염산과 물 1L에 수산화 나트륨 40 g을 넣은 수용액을 섞으면 약 13,300 cal의 열이 발생한다. 중화 반응뿐 아니라 다른 화학 반응에서도 열이 발생한다.

2 중화점의 확인 ❷

(1) **지시약의 색 변화** 중화점을 찾는 가장 간편한 방법이다. 지시약은 산성과 염기성에서 색이 다르므로 용액의 액성이 변하는 것을 쉽게 알 수 있다. 단, 변색 pH가 적절한 지시약을 사용해야 한다. 염산과 수산화 나트륨과 같이 강한 산과 강한 염기가 반응할 때 페놀프탈레인 지시약을 사용하여 중화점 부근에서 붉게 변하는 순간을 중화점으로 판단할 수 있다.

(2) **온도 변화** 묽은 염산에 수산화 나트륨 수용액을 떨어뜨리며 시간에 따라 온도를 측정하면 중화점에서 최고가 되었다가 중화점 이후에는 온도가 서서히 낮아진다. 처음에는 수산화 나트륨 수용액을 넣음에 따라 중화 반응하는 양이 많아지므로 온도가(혼합 용액의 양이 점점 증가하므로 기울기는 감소) 올라가고, 중화점에서 최고가 되었다가 중화점 이후에는 더 이상 중화 반응이 일어나지 않으므로 열이 발생하지 않아(용액의 양이 많으므로 서서히) 온도가 낮아진다.

(3) **pH 변화** 중화점 근처에서 pH가 매우 급격하게 변한다. 묽은 염산에 수산화 나트륨 수용액을 떨어뜨리며 시간에 따라 pH를 측정하면 중화점 부근에서 pH가 급변하며 중화점의 pH=7.0이다.

❷ 전류의 세기 변화
중화 반응시 산과 염기의 세기, 생성된 염의 종류에 따라 전류의 세기가 다르므로 전류의 세기를 측정하여 중화점을 찾을 수도 있다.

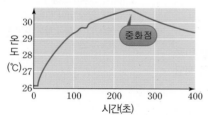 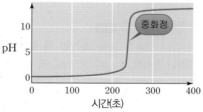

묽은 염산에 수산화나트륨 수용액을 가할 때의 온도 변화, pH 변화

확인하기

1. **이해** 중화 반응이 일어날 때 발생하는 현상에는 무엇이 있을까?
   예시 지시약의 색이 변한다. 온도가 올라간다(열이 발생한다).

2. **적용** 비커에 묽은 염산 10 mL를 넣고 같은 농도의 수산화 나트륨 수용액 15 mL를 조금씩 떨어뜨렸을 때 온도 그래프는 어떻게 될지 설명해 보자.
   예시 온도가 점점 상승하여 중화점(수산화 나트륨 수용액 10 mL를 떨어뜨렸을 때)에서 가장 높고, 이후에는 중화 반응이 일어나지 않으므로 온도가 서서히 낮아진다.

✔ **개념 확인 문제**

1 중화 반응이 일어날 때 발생하는 열을 무엇이라고 하는가?

2 지시약을 사용하는 것 이외에 중화점을 확인할 수 있는 방법을 제시하시오.

음식을 먹은 후 위에서는 염산이 분비되어 음식과 함께 들어온 세균을 죽이기도 하고 단백질 소화 효소를 활성화시키기도 한다. 이 염산이 과다 분비되면 위 벽을 자극하여 속쓰림 증상이 나타난다. 이때 제산제를 먹으면 속쓰림 증상을 완화시킬 수 있다. 제산제의 성분은 약한 염기성으로 과다 분비된 위산을 중화시키기 때문이다. 이처럼 산과 염기의 중화 반응은 실생활에서 다양하게 이용된다. 여기서는 생활 주변에서 중화 반응이 이용되는 예를 찾아본다.

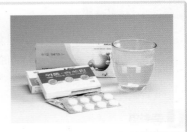

탐구 3 〔조사〕 생활 주변의 중화 반응

교과서 212~213쪽

목표
과학적 사고력

생활 주변에서 중화 반응이 이용되는 사례를 찾을 수 있다.

결과/정리

1. (가)~(라)에서 산성과 염기성 물질은 무엇인지 써 보자.

구분	(가)	(나)	(다)	(라)
산성 물질	위산	벌레의 체액	토양	토양
염기성 물질	제산제	약	질소 화합물	석회질 비료

2. 위 사례 외에 일상생활에서 활용되는 중화 반응에는 어떤 것들이 있는지 말해 보자 .

> 예시 비린내를 제거하기 위해 생선에 레몬즙을 뿌린다.
> 신 김치찌개에 소다(탄산수소 나트륨)를 뿌린다.
> 빨래한 후 섬유 유연제 대신 식초로 빨래를 헹군다.
> 충치를 막기 위해 식사 후 치약을 사용하여 양치질을 한다.

 알아보기

중화 반응과 관련된 다음 주제 중 하나를 선택하여 모둠별로 조사하여 발표해 보자. 발표 자료에 참고 문헌이나 인터넷 사이트 등 출처를 표시하도록 하자.

1. 산업 현장에서 활용되는 중화 반응에는 무엇이 있을까? 예시

- 염색 공장에서 염색에 사용하는 아세트산이나 포름산 등을 폐기할 때 중화 반응을 이용한다. 수산화 나트륨이나 탄산 나트륨, 생석회나 소석회, 수산화 마그네슘 등 필요에 따라 적당한 염기를 선택하여 중화한 후 배출한다.
- 산성비의 원인 물질인 배기가스 중의 황산화물을 제거하기 위해 수산화 나트륨이나 탄산 나트륨 등의 염기를 사용하여 중화 처리한 후 배출한다.

2. 우리 조상들이 중화 반응을 이용하는 예는 무엇이 있을까? 예시

- 한지는 중성지여서 수백 년이 지나도 잘 보존된다. 종이의 주성분인 셀룰로스로만 만든 종이는 잉크가 번져 사용하기 어려우므로 종이 제조 공정에서 산성 약품인 황산 알루미늄을 첨가한다. 산성을 띤 종이는 몇 년이 지나면 누렇게 변색하고 표면이 푸석푸석해지며 분해된다. 한지는 산성 성분인 닥나무 껍질을 염기성인 잿물에 넣어 푹 삶아 표백하고, 초본 식물인 '닥풀'을 접착제로 사용하여 만든 중성지이므로 오래 보존된다.
- 비료가 따로 없던 시절 농사를 지을 때 분뇨를 흙에 뿌려 질소 화합물을 공급하는 동시에 암모니아를 이용하여 토양의 산성화를 막았다. 같은 이유로 뿌리혹박테리아를 가진 콩과식물을 돌려짓기하여 염기성인 질소 화합물이 토양에 골고루 섞일 수 있도록 하였다.

과정

다음은 일상생활에서 이용되는 중화 반응을 나타낸 것이다. 인터넷이나 도서 등을 통해 중화 반응의 예를 조사해 보자.

(가) 속이 쓰리면 제산제를 먹는다.

(나) 벌레 물린 부위에 약을 바른다.[*]

(다) 뿌리혹박테리아가 공기 중의 질소를 이용해 산성화된 토양을 중화시킨다.

(라) 산성화된 토양에 석회질 비료를 뿌린다.

＊벌레 독성 제거

벌레의 독성은 대체로 산이라서 벌레에 물려 가려운 곳에는 염기인 약을 바른다. 산인 벌레의 독성이 염기인 약과 만나 중화 반응이 일어나서 산의 성질이 없어지기 때문에 독성이 줄어 가려움이 줄어든다. 만약 약이 없을 경우에는 비누를 여러 번 문질러 물로 씻어내도 비슷한 효과가 있다.

＊셀룰로스

3,000개 이상의 포도당 단위체로 이루어진 복잡한 탄수화물로 섬유소라고도 하며, 셀룰로스는 식물 세포벽의 기본 구조이다(면의 90 %와 나무의 50 %는 셀룰로스로 이루어졌다).

1 일상생활에서 이용되는 중화 반응

(1) 비린내 제거 생선회를 먹을 때 비린내를 없애기 위해서 레몬즙을 뿌린다. 비린내는 생선에 포함된 염기성 화학 물질인 아민(RNH_2)이 증발하여 나는 냄새이다. 레몬즙을 뿌리면 레몬즙에 포함된 시트르산과 생선의 아민 사이에서 중화 반응이 일어나 냄새가 덜 나게 된다. 레몬이 없을 때는 묽은 식초를 뿌려도 같은 효과가 난다.

$$RNH_2 + H^+ \longrightarrow RNH_3^+$$
$$RNH_3^+ + CH_3COOH \longrightarrow RNH_4^+CH_3COO^-$$

(2) 충치 예방 입안에 기생하는 균 중에서 뮤탄스균은 잇몸에 붙어 있는 음식 찌꺼기에 포함된 포도당을 섭취하고 소화시켜 산을 배설한다. 균의 산성 배설물은 치아의 표면인 에나멜질을 침식하고 더욱 심하면 상아질의 하이드록시아파타이트를 녹여 치아를 부식시킨다. 치약 속에 든 염기성 플루오린화물은 세균이 내놓는 산성 물질을 제거하고 플루오르아파타이트를 만들어 치아의 부식 반응을 막는다.

(3) 과일 통조림 대량 생산 귤의 속껍질과 하얀 부분을 제거할 때 손과 기계로 하면 모양이 흐트러져 상품 가치가 떨어지므로 식품 업체에서는 염산 박피법을 사용한다. 복숭아 껍질의 주성분(펙틴)은 알칼리 용액에 쉽게 가수 분해되는 성질이 있어 잘 녹으므로 수산화 나트륨을 낮은 농도로 희석하여 사용한다. 이때 통조림에 염산이나 수산화 나트륨 성분이 남아 있지 않도록 중화 과정을 거쳐야 한다.

(4) 해파리 독 제거 여름철 바닷가에서 해파리의 독침에 쏘인 경우 우선 바닷물로 씻고 해파리 독의 종류를 구분하여 산성 독은 염기성 물질로, 염기성 독은 산성 물질로 처치한다. 보통 해파리 독은 강한 염기성[1]이므로 식초를 사용하면 효과가 있지만 어떤 해파리 독은 산성이므로 염기성인 베이킹파우더를 바르는 것이 효과적이다.

생선 비린내 제거   충치 예방   과일 통조림 대량 생산   해파리 독 제거

[1] 보통의 해파리 독 성분은 수산화테트라메틸암모늄으로 염기성이다.

• 확인하기

1. 이해 묽은 암모니아수에 BTB 용액을 2~3방울 떨어뜨리면 용액의 색깔은 어떻게 될까? 또 이 용액에 날숨을 계속 불어 넣으면 용액의 색깔이 어떻게 변할까?

예시 암모니아수는 염기성이므로 용액은 색은 파란색이 된다. 이때 숨을 불어 넣으면 숨에 있던 이산화 탄소가 물에 녹아 산성이 되므로 파란색에서 녹색으로 변한다. 날숨을 계속 불어넣으면 용액의 색은 노란색으로 된다.

2. 적용 생선의 비린내는 레몬즙을 뿌려 없앤다. 생선 비린내의 액성은 무엇일까?

예시 산성인 레몬즙에 의해 비린내가 없어지므로 비린내의 성분은 염기성일 것이다.

✔ 개념 확인 문제

1 제산제의 액성을 알아보기 위해 제산제에 BTB 용액을 한두 방울 넣으면 어떤 색으로 변하는가?

2 제산제의 주성분으로 사용하기에 적당한 물질을 모두 고르시오.

ㄱ. 염화 칼슘
ㄴ. 질산 나트륨
ㄷ. 수산화 마그네슘
ㄹ. 수산화 알루미늄

❸단계 생각 모으기

핵심 내용 정리하기

1 산과 염기 교과서 208~209쪽

(1) 산의 [❶ 수소] 이온과 염기의 [❷] 이온이 반응하면 [❸ 물] 이/가 생성된다 .이러한 반응을 [❹ 중화] 반응이라고 한다.

$$[❺\ H^+] + [❻\ OH^-] \longrightarrow H_2O$$

(2) 산의 [❼ 수소] 이온과 염기의 [❽ 수산화] 이온은 1:1로 반응한다.

중화 반응

2 중화 반응과 온도 변화 교과서 210~211쪽

중화 반응이 일어날 때 온도는 [❾ 증가]한다. 중화 반응이 일어날 때 발생하는 열을 [❿ 중화열]이라고 한다.

3 우리 주변의 중화 반응 교과서 212~213쪽

우리 주변에서 볼 수 있는 중화 반응은 [⓫ 벌레 물린 데 약을 바르는 것], [신김치에 달걀 껍데기를 넣어두는 것], [산성화된 토양에 석회 가루를 뿌리는 것] 등 다양하다.

중화 반응과 온도 변화

활동으로 확인하기

그림은 우리 몸의 부위별 pH이다.

1 우리 몸에서 피부나 땀은 산성을 띤다. 위액 역시 산성을 띠는데 그 까닭이 무엇인지 조사해 보자.

예시 건강한 피부는 pH 5.5 정도로 피부를 통해 몸속으로 세균이 침입하는 것을 막을 수 있다. 위액의 pH는 2.0으로 낮아 입을 통해 들어오는 균을 죽여 몸을 보호하는 역할을 한다.

2 우리 몸 내부의 체액은 대체로 중성이나 염기성을 띤다. 섭취한 음식물이 산성인 위액을 통과한 후 소장을 지나갈 때는 다시 중성이 되는 까닭이 무엇인지 조사해 보자.

예시 위액은 염산으로 인해 산성을 띠지만 위 속 음식물이 십이지장을 지날 때 분비되는 염기성 이자액(pH 8), 장액(pH 8)과 섞이면서 중화된다.

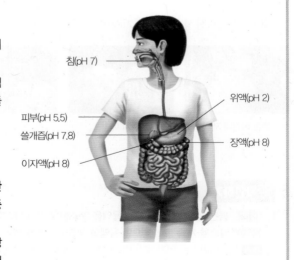

침(pH 7)
위액(pH 2)
피부(pH 5.5)
쓸개즙(pH 7.8)
장액(pH 8)
이자액(pH 8)

 **4 단계 생각 넓히기** 효과적인 석회 살포 방법 고안하기　　 과학적 참여와 평생 학습 능력

다음은 산성화된 토양을 중화시키기 위해 사용되는 석회의 살포 방법에 대한 설명서이다.

> 석회는 보통 토양 1,000 m²에 200 kg 정도를 뿌린다. 석회가 뭉쳐져 있는 땅에 질소 비료가 닿으면 암모니아 가스가 발생해 작물이 피해를 볼 수 있으므로 골고루 뿌려야 하며, 석회를 뿌린 후에는 흙과 잘 섞어 주어야 한다.

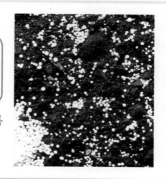

　석회를 살포할 때는 석회가 뭉치지 않도록 골고루 뿌리는 것과 그 후에는 잘 섞이도록 하는 것이 중요하다.
　어떻게 하면 효과적으로 석회를 살포할 수 있을까?

① 무엇을 알아야 할까?

1. 모둠별로 호수 또는 토양을 선택한 후 현재 석회 가루를 뿌리는 방법에는 어떤 것들이 있는지 조사해 보자.

예시 석회 가루를 손으로 흩뿌리거나 기계를 이용하거나 물이나 식초에 침전한 액을 호스를 이용하여 살포하는 방법 등이 있다.

2. 다음은 농약이나 화학 약품을 살포하는 방법이다. 이 방법 중 한 가지를 골라 장단점을 조사해 보고, 석회를 살포하는 데 적용한다면 어떤 문제점이 있는지 말해 보자.

(가) 인력을 이용한 농약 살포 방식　(나) 넓은 지역의 농약 살포 방식　(다) 오염된 바다에 유화제를 뿌리는 방식

장점	• 원하는 곳에 원하는 양을 뿌릴 수 있다.	• 넓은 지역에 짧은 시간에 뿌릴 수 있다.	• 넓은 지역에 짧은 시간에 뿌릴 수 있다.
단점	• 시간이 오래 걸린다. • 넓은 지역에 살포하기 힘들다. • 인체에 흡입될 경우 유해하다.	• 양을 조절하기 힘들다. • 기계를 소유하지 못한 경우 불가능하다.	• 양을 조절하기 힘들다. • 유화제로 인한 수질 오염이 우려된다. • 비용이 많이 든다.

3. 토양의 산성 정도에 따라 뿌리는 물질의 양을 조절하는 것은 중요하다. 토양의 산성 정도를 즉각적으로 파악하여 필요한 양만을 살포할 수 있는 방법을 고안해 보자.

예시 살포 기계의 앞부분에 토양 pH 측정기와 환산 장치를 달아 산성 정도를 측정하고 계산하여 중화시킬 수 있는 적정한 양의 석회를 기계 뒷부분에서 살포한다.

② 어떻게 할까?

조사한 내용을 바탕으로 다음 사항을 고려하여 석회를 효과적으로 살포할 수 있는 장치를 고안해 보자.

> • 사용하고자 하는 곳에 알맞은 크기인가?
> • 석회가 골고루 살포되고 잘 섞일 수 있도록 고안되었는가?
> • 운반이나 이동이 간편한가?
> • 지형의 높낮이나 땅의 재질, 호수의 깊이 등 다양한 변인을 고려하였는가?

예시 뿌리고 섞어주는 일석 이조 로봇 살포기: 천연 재료인 EM 용액(젖산균이나 효모 등 유익균을 섞어 만든 효소제)과 숯을 사용하며, 뿌린 후 바로 흙과 섞어주는 날개를 달아 산성 토양을 중화하면서 토양의 흡수율을 높여준다. 사람이 직접 뿌리지 않아 인체에 해가 없다. GPS를 장치하면 원하는 지역에만 살포 가능하다.

• 모둠 구성원 전체가 역할을 분담하고 협력하여 관련 자료를 조사한다.

• 모둠 구성원의 의견을 경청하고 적극적으로 논의에 참여한다.

• 조사 주제를 정확하게 파악하고 수집한 정보를 주제에 맞게 정리한다.

• 산성화된 토양, 호수 등을 효과적으로 중화시키기 위해 석회 가루를 정밀하게 살포할 수 있는 방법을 고안한다.

• 지속 가능 발전의 측면에서 토양과 호수 산성화를 방지하기 위한 대책을 토의한다.

• 고안한 장치의 원리를 정확하게 기록해야 하고, 근거 자료가 적합해야 하며 과학적 오류가 없다.

기본 개념 정리하기

01 다음 물음에 답해 보자.

(1) 화학 반응에서 산소를 잃는 것과 산소를 얻는 것을 각각 무엇이라고 하는가? 환원 / 산화

(2) 화학 반응에서 전자를 잃는 것과 전자를 얻는 것을 각각 무엇이라고 하는가? 산화 / 환원

(3) 마그네슘과 메테인의 연소 반응에서 마그네슘과 메테인이 공통적으로 얻는 원소는 무엇인가? 산소

(4) 산과 염기의 정의는 각각 무엇인가?
산: 물에 녹아 수소 이온을 내놓는 물질
염기: 물에 녹아 수산화 이온을 내놓는 물질

(5) 산성 용액에 공통적으로 들어 있는 이온은 무엇인가?
수소 이온(H^+)

(6) 염기성 용액에 공통적으로 들어 있는 이온은 무엇인가?
수산화 이온(OH^-)

(7) 용액의 액성을 알려 주는 물질을 무엇이라고 하는가?
지시약

(8) 여러 종류의 산과 염기가 반응할 때 공통적으로 생성되는 물질은 무엇인가? 물(H_2O)

(9) 산과 염기가 반응할 때 발생하는 열을 무엇이라고 하는가? 중화열

02 〈보기〉의 세 반응에서 산화되는 물질을 모두 찾아보자.

┌ 보기 ┐
㉠ 산화 구리(II) + (탄소) ⟶ 구리 + 이산화 탄소
㉡ (철) + 산소 ⟶ 산화 철(III)
㉢ (포도당) + 산소 ⟶ 이산화 탄소 + 물
└─────┘

03 〈보기〉에서 산화 환원 반응의 사례가 아닌 것을 모두 골라 보자.

┌ 보기 ┐
㉠ 사과를 깎아 두면 갈색으로 변한다.
㉡ 오래된 철로가 붉게 녹이 슬었다.
✔㉢ 속이 쓰릴 때는 제산제를 먹는다. → 산 염기 반응
㉣ 석유가 연소하면서 빛과 열을 낸다.
㉤ 식물이 광합성을 한다.
└─────┘

04 다음 반응에서 전자를 잃은 물질과 얻은 물질을 말해 보자.

┌→ (1) Mg, (2) Cu   (1) O_2, (2) Ag^+

(1) $2Mg + O_2 \longrightarrow 2MgO$

(2) $Cu + 2Ag^+ \longrightarrow Cu^{2+} + 2Ag$

05 그림 (가)와 (나)는 각각 물질 A, B를 물에 녹였을 때를 모형으로 나타낸 것이다.

(가)   (나)

(1) 물질 A, B의 화학식을 각각 써 보자.   A: HCl, B: NaOH

(2) 산과 염기가 각각 공통성을 나타내는 것과 관련 있는 입자를 찾아보자.   산: H^+, 염기: OH^-

(3) 산과 염기가 각각 종류별로 다른 성질을 나타내는 것과 관련 있는 입자를 찾아보자.   산: Cl^-, 염기: Na^+

06 다음 〈보기〉 물질의 수용액으로 실험을 하였다. 각 문항에 맞는 답을 〈보기〉에서 골라 보자.

┌ 보기 ┐
㉠ NaOH   ㉡ HCl   ㉢ $Mg(OH)_2$
㉣ H_2SO_4 ㉤ CH_3COOH ㉥ KOH
└─────┘

(1) BTB 지시약을 떨어뜨렸을 때 파란색으로 변하는 것은 무엇인가?   ㉠, ㉢, ㉥   염기

(2) 탄산 칼슘과 반응하여 기체를 발생시키는 것은 무엇인가?   ㉡, ㉣, ㉤   산

07 다음은 묽은 염산에 수산화 나트륨 수용액을 조금씩 넣었을 때의 반응을 모형으로 나타낸 것이다.

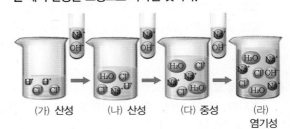

(가) 산성   (나) 산성   (다) 중성   (라) 염기성

(1) (가)~(라) 용액의 액성을 각각 써 보자.

(2) 묽은 염산이 완전히 중화된 지점을 찾아보자.   (다)

해설 속이 쓰릴 때 제산제를 먹는다. 산성 토양에 석회 가루를 뿌린다. 레몬즙으로 생선 비린내를 없앤다. 벌레 물린 데 약을 바른다.

08 우리 주변에서 다음과 같은 반응을 이용한 사례를 두 가지 이상 써 보자.

┌─────────────────────────┐
중화 반응 $H^+ + OH^- \longrightarrow H_2O$
└─────────────────────────┘

핵심 개념 적용하기

09 다음은 철을 제련할 때 용광로에서 일어나는 화학 반응이다. 이 반응에 관한 설명으로 옳은 것만을 〈보기〉에서 있는 대로 골라 보자.

(가) $2C + O_2 \longrightarrow 2CO$
(나) $Fe_2O_3 + 3CO \longrightarrow 2Fe + 3CO_2$

보기
✔㉠ (가)에서 탄소는 산화된다.
㉡ (나)에서 산화 철(Ⅲ)은 산화된다.
㉢ (가)는 환원 반응이고, (나)는 산화 반응이다.
✔㉣ (가), (나)에서 모두 전자의 이동이 일어난다.

해설 (가)에서 탄소는 산소와 결합했으므로 산화되었고 (나)에서 산화 철(Ⅲ)은 철로 되었으므로 환원되었다. (가)와 (나)는 모두 산화 환원 반응이고 전자의 이동이 있다.

10 다음은 산화 환원 반응과 관련된 실험이다. 이에 관한 설명으로 옳은 것만을 〈보기〉에서 있는 대로 골라 보자.

(가)   (나)
$CuSO_4 + Zn \longrightarrow ZnSO_4 + Cu \downarrow$

(가) 푸른색 황산 구리(Ⅱ) 수용액에 아연판을 담갔더니 아연판 표면에 붉은색 고체가 석출되었다.
(나) 질산 은 수용액에 구리선을 담갔더니 구리선 표면에 반짝이는 흰색 고체가 석출되었다.
$2AgNO_3 + Cu \longrightarrow Cu(NO_3)_2 + 2Ag \downarrow$

보기
✔㉠ (가)와 (나)에서 산화된 물질은 각각 아연과 구리이다.
✔㉡ (가)에서 수용액의 푸른색은 점점 옅어진다.
✔㉢ (나)에서 구리선은 점점 가늘어진다.

해설 (가)에서 구리가 석출되었으므로 구리 이온이 구리로 환원되었고, (나)에서 은이 석출되었으므로 은 이온은 은으로 환원되었다.

11 다음 실험에 관한 설명으로 옳은 것만을 〈보기〉에서 있는 대로 골라 보자.

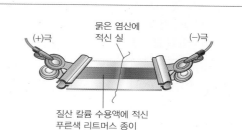
묽은 염산에 적신 실
(+)극   (−)극
질산 칼륨 수용액에 적신 푸른색 리트머스 종이

질산 칼륨 수용액에 적신 푸른색 리트머스 종이 위에 묽은 염산에 적신 실을 올려놓으면 실 주변의 리트머스 종이가 붉게 변하고, 실험 장치에 전원 장치를 연결하면 붉은색이 이동한다.

보기
㉠ 붉은색이 (+)극으로 이동한다.
㉡ (−)극으로 이동하는 이온은 한 종류이다.
✔㉢ 붉은색의 이동은 수소 이온 때문에 나타나는 현상이다.
✔㉣ 염산 대신 수산화 나트륨 수용액으로 실험하면 색 변화가 나타나지 않는다.

해설 ㉠ 붉은색이 나타나는 것은 양이온인 수소 이온(H^+) 때문이므로 붉은색이 (−)극으로 이동한다. ㉡ 전원 장치를 연결하면 양이온인 칼륨 이온(K^+), 수소 이온(H^+)이 (−)극으로 이동한다.

12 수산화 나트륨 수용액 20 mL가 담긴 비커에 같은 농도의 묽은 염산 40 mL를 조금씩 떨어뜨렸다. 이와 관련된 그래프 (가)~(다)에 관한 설명으로 옳은 것만을 〈보기〉에서 있는 대로 골라 보자.

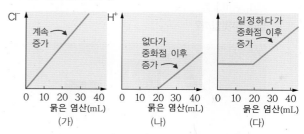

보기
㉠ (가)의 세로축에 해당하는 것은 생성된 물의 양이다.
✔㉡ (나)의 세로축에 해당하는 것은 수소 이온의 개수이다.
✔㉢ (다)의 세로축에 해당하는 것은 비커 안의 총 이온의 개수이다.

과학과 핵심 역량 기르기

| 과학적 사고력 |

13 우리는 일상생활에서 다양한 목적으로 산화 환원 반응을 이용한다. 특히, 건축물의 뼈대가 되는 철골 구조물의 산화를 막는 것 역시 산화 환원 반응을 이용한 중요한 사례이다. 영희는 철의 산화에 영향을 미치는 요인을 알아보기 위하여 다음과 같이 못이 녹스는 정도를 비교하였다.

실험 조건	물	제습제	기름	기름 / 끓인 물
녹스는 순서	1	2	3	2

(1) 철의 산화를 촉진하는 요인에는 무엇이 있는가?

물(수분)과 산소(공기)

(2) 실험 결과를 바탕으로 철의 산화를 막기 위한 방법을 제안해 보자.

해설 (1) 기름에 넣어 둔 철이 가장 적게 녹이 슬고 산소를 제거한 끓인 물에 넣은 경우와 제습제로 습기를 제거한 경우가 그 다음으로 적게 녹이 스는 것으로 보아 철의 산화를 촉진하는 요인은 물과 산소임을 알 수 있다.
(2) 물과 산소를 차단하기 위해 철 제품에 페인트칠이나 기름칠을 한다. 철의 표면에 반응성이 작은 다른 금속을 입혀 내부의 철을 보호한다.

| 과학적 문제 해결력 |

14 탄산음료를 담는 금속 용기는 플라스틱 외에 알루미늄이나 주석을 입힌 철로 만들기도 한다. 그런데 산은 금속과 반응하여 수소 기체를 생성한다. 산이 들어 있는 탄산음료를 알루미늄이나 철과 같은 금속으로 된 용기에 담을 수 있는 까닭은 무엇일까?

철 캔 / 철 분리배출   알루미늄 캔 / 알루미늄 분리배출

해설 탄산은 약한 산이지만 금속과 반응할 수 있는 수소 이온이 있다. 철로 된 캔은 반응성이 작은 주석(Sn)을 입힌 양철로 주석이 철의 산화를 막는다. 알루미늄 캔은 알루미늄의 산화로 형성된 산화 알루미늄(알루미나; Al_2O_3)이 더 이상 산화되지 않도록 보호 코팅막을 형성하여 탄산이 금속과 반응하지 않도록 한 것이다.

| 과학적 탐구 능력 |

15 음식을 먹고 나서 양치질을 잘 하지 않으면 음식 찌꺼기가 분해되면서 입속이 산성을 띠게 되므로 치아의 에나멜층이 손상될 수 있다. 따라서 치약 속에는 입속을 중성으로 만들기 위해 염기성 성분이 들어 있다. 지시약이나 pH 시험지 등을 사용하지 않고 가정에서 구할 수 있는 물질을 이용하여 치약에 염기성 성분이 들어 있는 것을 확인할 수 있는 실험을 설계해 보자.

해설 붉은 양배추는 산성에서는 붉은색, 염기성에서는 녹색~노란색으로 변한다. 붉은 양배추 추출액을 떨어뜨려 색 변화를 관찰함으로써 염기성을 확인할 수 있다.

| 과학적 의사소통 능력 |

15 벌에 쏘이면 피부가 붉어지면서 붓는데, 이것은 벌침 속에 산성 물질이 들어 있기 때문이다. 이때 응급 처치로 염기성 물질인 묽은 암모니아수를 바르면 중화 반응이 일어나 붓기가 가라앉는다. 그런데 보통 벌과 달리 말벌에 쏘였을 때는 묽은 암모니아수를 바르면 안 된다. 이것은 말벌의 침에는 염기성 물질이 들어 있기 때문이다. 이러한 사례를 바탕으로 만약 다음과 같은 위급 상황에 처한다면 응급 처치를 어떻게 해야 하는지 과학적인 방법을 말해 보자.

> (가) 바닷가에서 독이 있는 해파리에 쏘였을 때
> (나) 어린아이가 세제를 모르고 마셨을 때
> (다) 산성 가스에 노출되었을 때

해설 (가) 우선 바닷물로 씻고 해파리 독의 종류를 구분하여 산성 독은 염기성 물질, 염기성 독은 산성 물질로 처치한다. 보통 해파리 독(수산화테트라메틸암모늄)은 강한 염기성이므로 식초를 사용하면 효과가 있지만 어떤 독(노무라입깃해파리 독)은 산성이므로 베이킹파우더를 바르는 것이 효과적이다.
(나) 강한 염기성을 띠는 물질이 이미 식도를 손상시켰으므로 구토는 위험하며, 즉시 병원에 데려간다. 산성 물질을 섭취하면 중화열이 발생해 더 큰 화상을 일으키므로 위험하다.
(다) 산성 가스에 노출되었을 때는 인공호흡 등을 시도하면 안 되고, 실온의 물로 10분 이상 씻고 즉시 병원에 데려간다.

조류 인플루엔자 바이러스는 조류에 감염되는 바이러스로 전파 속도가 매우 빠르고 사람에게도 감염될 수 있다. 따라서 조류 인플루엔자가 발생하면 발생지 주변을 방역·소독해야 한다. 그런데 이때 살포하는 조류 인플루엔자 소독약이 대량 살포될 경우에 인체 유해성과 환경 오염을 일으킬 수 있다는 우려가 제기되었다.

조류 인플루엔자 방역에 사용되는 소독약 가운데 염기성 제제, 산성 제제와 같이 염기성이나 산성을 띠는 것도 있다. 염기성 제제로 쓰이는 수산화 나트륨은 부식성이 강해 축사나 하수구 등에 사용하고 사람이나 차량 소독에는 사용하지 않으며, 생석회는 동물 사체나 토양 소독제로 사용된다. 산성 제제는 주로 분뇨 소독에 쓰이며 염산과 구연산이 대표적이다.

일부 전문가들은 소독약을 대량 살포하면 인체와 자연 환경에 피해를 가져올 수 있다고 주장한다. 특히, 조류 인플루엔자가 확대될수록 소독 횟수나 1회 소독량도 증가하는데, 이로 인해 바이러스뿐만 아니라 땅에 사는 유익균까지 죽일 수 있다고 주장한다. 이러한 주장에 대해 방역 당국에서는 방역에 쓰이는 소독약은 철저히 검증을 받아 사용하고 있으며, 희석 비율이나 사용 설명서 등을 준수하면 문제가 없다고 한다.

	소독약(제제)	적용 대상	비고
염기	수산화 나트륨(2 %), 탄산 나트륨(4 %)	축사, 시설 폐수, 분뇨, 기계, 의복	사람, 가축에게 사용 금지
	생석회 (pH 11~12)	축사 바닥 토양 (m^2당 300~400 g)	인체에 닿지 않도록 주의
산	염산(2 %)	분뇨	콘크리트·금속 부식
	구연산	분뇨	항공 방재에 사용

조류 인플루엔자(AI) 소독약 적용 대상(자료: 농림축산검역본부)

내용 알기 | 조류 인플루엔자의 확산을 막기 위한 방역 방법의 장단점을 정리해 보자. 더 알아보고 싶은 내용이 있으면 인터넷을 이용해 자료를 보충해 보자.

예시 조류 인플루엔자를 막기 위해 발생지 주변에 산성, 염기성 제제의 소독약을 살포한다.

- 장점: 조류 인플루엔자의 확산을 빠르게 막을 수 있다. 염산, 생석회 등의 제제는 구하기 쉽다.
- 단점: 땅의 유익한 균을 죽일 수 있다. 콘크리트나 금속이 부식될 수 있다. 인체에 닿을 경우 해롭다.

토의하기 | 모둠별로 환경학자, 농민, 정부, 사회자의 역할을 맡아 안전한 조류 인플루엔자 방역 방안에 관해 토의해 보자.

예시
- 환경학자: 조류 인플루엔자를 막는 것은 중요하지만 방역 소독약으로 인해 땅의 생태계가 무너질 수 있으므로 인플루엔자를 막을 수 있을 정도의 양을 정량화하여 적당량이 뿌려질 수 있도록 주의해야 한다. 또한 방역이 끝난 후 인플루엔자가 진정되면 반드시 토양 생태계의 변화를 살피는 사후 연구가 필요하다.
- 농민: 방역에 쓰이는 소독약은 철저히 검증을 받아 사용해야 하며, 방역 시 인체에 피해가 없도록 방호 조치를 하고 작업을 한다. 땅에 많은 양의 살균제를 뿌리면 땅에 있던 유익한 균들도 죽게 되어 이후 농사가 어려워진다. 일단은 조류 인플루엔자를 막을 만큼 최소량만을 뿌리고 친환경 비료를 정부에서 제공하는 등의 사후 대책이 필요하다.
- 정부: 효과적이고 안전한 방역을 위해 희석 비율이나 사용량, 살포 범위 등 사용 설명서나 방역 매뉴얼을 만들어 배포한다. 또한 사후 토양 연구, 친환경 비료 제공 등을 통해 토양에 2차 피해가 나타나지 않도록 한다.

6-① 산화와 환원

01 다음은 철의 제련 과정에 대한 설명이다.

> 철광석과 코크스를 섞어서 용광로에 넣고 뜨거운 바람을 보내면 ⊙코크스는 산소와 반응하여 일산화 탄소(CO)가 되고, 이 ⓛ일산화 탄소와 산화 철(III)이 반응하여 철이 생성된다.

⊙과 ⓛ에서 환원되는 물질로 옳은 것은?

	⊙	ⓛ
①	코크스	일산화 탄소
②	코크스	산화 철(III)
③	산소	일산화 탄소
④	산소	산화 철(III)
⑤	일산화 탄소	철

02 그림은 황산 구리(II) 수용액에 아연판을 담근 상태를 나타낸 것이다. 시간이 지난 후의 변화에 대한 설명으로 옳은 것은?

① 아연은 환원된다.
② 아연판은 점점 얇아진다.
③ 황산 이온은 전자를 잃는다.
④ 수용액의 색이 더 푸르게 변한다.
⑤ 전자는 구리에서 아연으로 이동한다.

03 (가)~(다)는 자동차 배기가스에 포함된 황이 산성비가 되는 과정을 화학 반응식으로 나타낸 것이다.

> (가) $S + O_2 \longrightarrow SO_2$
> (나) $2SO_2 + O_2 \longrightarrow 2SO_3$
> (다) $SO_3 + H_2O \longrightarrow H_2SO_4$

(가)~(다)에 대한 설명으로 옳은 것만을 〈보기〉에서 있는 대로 고른 것은?

┌ 보기 ├
ㄱ. (가)에서 산소가 환원된다.
ㄴ. (나)에서 이산화 황은 산화된다.
ㄷ. (가)~(다) 모두 산화 환원 반응은 2가지이다.

① ㄴ   ② ㄷ   ③ ㄱ, ㄴ
④ ㄱ, ㄷ   ⑤ ㄱ, ㄴ, ㄷ

04 다음은 산화 환원에 대한 학생들의 대화이다.

> • 학생 A: 산화와 환원은 어떻게 다르지?
> • 학생 B: (⊙)은/는 전자를 얻는 반응이야.
> • 학생 C: 나는 산소가 관여하는 반응이라고 알고 있는데?
> • 학생 B: (⊙)은 전자를 얻는 반응이면서 산소를 (ⓛ) 반응이기도 해.
> • 학생 C: 아, 그럼 (ⓒ)은/는 전자를 잃는 반응이면서 산소를 (ⓔ) 반응이구나.

⊙~ⓔ에 알맞은 말을 옳게 나타낸 것은?

	⊙	ⓛ	ⓒ	ⓔ
①	산화	얻는	환원	잃는
②	산화	잃는	환원	얻는
③	환원	얻는	산화	잃는
④	환원	잃는	산화	얻는
⑤	환원	얻는	산화	잃는

05 그림 (가), (나)는 일상생활에서 산화 환원 반응을 이용한 예이다.

(가) 철로 된 건물 외벽에 페인트칠을 한다.
(나) 철로 된 캔에 주석을 도금한다.

(가)와 (나)의 공통점에 대한 설명으로 옳은 것만을 〈보기〉에서 있는 대로 고른 것은?

┌ 보기 ├
ㄱ. 산소와 물을 차단한다.
ㄴ. 철의 산화를 막는 방법이다.
ㄷ. 철보다 반응성이 큰 물질을 사용한다.

① ㄱ   ② ㄷ   ③ ㄱ, ㄴ
④ ㄱ, ㄷ   ⑤ ㄱ, ㄴ, ㄷ

6-❷ 산과 염기

06 다음 (가)~(나)에 알맞은 산과 염기를 옳게 나타낸 것은?

> (가) 염화 수소를 물에 녹여 만든다.
> (나) 물에 녹인 용액을 석회수라고 한다.
> (다) 공기 중의 수분을 흡수하여 스스로 녹는다.

	(가)	(나)	(다)
①	염산	수산화 칼슘	수산화 나트륨
②	염산	수산화 나트륨	수산화 칼슘
③	탄산	수산화 나트륨	수산화 칼슘
④	아세트산	수산화 칼슘	수산화 나트륨
⑤	수산화 칼슘	아세트산	염산

07 그림은 두 물질을 각각 물에 녹였을 때의 입자 모형이다.

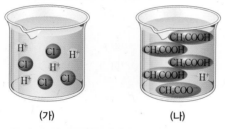

이에 대한 설명으로 옳은 것만을 〈보기〉에서 있는 대로 고른 것은?

> ㄱ. (가)와 (나) 모두 전기 전도성이 있다.
> ㄴ. 마그네슘 조각을 넣으면 (가)만 기체가 발생한다.
> ㄷ. (가)와 (나)를 구별하기 위해서는 페놀프탈레인 지시약을 사용한다.

① ㄱ   ② ㄴ   ③ ㄱ, ㄴ
④ ㄱ, ㄷ   ⑤ ㄱ, ㄴ, ㄷ

08 표는 몇 가지 물질을 (가)와 (나)로 분류한 것이다.

(가)	(나)
황산, 질산	수산화 칼륨, 수산화 마그네슘

이에 대한 설명으로 옳은 것은?

① (가)의 수용액에는 수산화 이온이 들어 있다.
② (가)의 수용액에 달걀 껍데기를 넣으면 기포가 발생한다.
③ (나)의 수용액에 마그네슘을 넣으면 기포가 발생한다.
④ (나)의 수용액은 메틸오렌지 용액을 떨어뜨리면 붉게 변한다.
⑤ (가)의 수용액은 전류가 흐르지만, (나)는 흐르지 않는다.

09 그림은 묽은 염산에 적신 실을 질산 칼륨 수용액에 적신 푸른색 리트머스 종이 위에 놓고 직류 전원을 연결하는 실험을 나타낸 것이다.

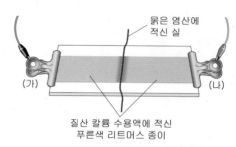

이에 대한 설명으로 옳은 것만을 〈보기〉에서 있는 대로 고른 것은?

> ㄱ. 붉은색이 (나)쪽으로 이동했다면 (가)는 (+)극이다.
> ㄴ. 리트머스 종이를 질산 칼륨 수용액에 적시지 않으면 붉은색이 잘 이동하지 않는다.
> ㄷ. 전원을 연결했을 때 이동하는 이온의 종류는 2가지이다.

① ㄴ   ② ㄷ   ③ ㄱ, ㄴ
④ ㄱ, ㄷ   ⑤ ㄱ, ㄴ, ㄷ

10 표는 어떤 물질의 수용액으로 실험한 (가)와 (나)의 과정과 결과를 나타낸 것이다.

실험	과정	결과
(가)	마그네슘 리본을 넣음.	기체가 발생함.
(나)	전기 전도성을 측정함.	전기 전도성 측정기에 불이 켜짐.

이 물질에 대한 설명으로 옳은 것만을 〈보기〉에서 있는 대로 고른 것은?

> ㄱ. 이 물질은 물에 녹아 H^+을 내놓는다.
> ㄴ. (나)의 실험 결과만으로도 이 물질이 산임을 알 수 있다.
> ㄷ. 이 물질의 수용액에 BTB 용액을 떨어뜨리면 파란색으로 변한다.

① ㄱ   ② ㄷ   ③ ㄱ, ㄴ
④ ㄱ, ㄷ   ⑤ ㄱ, ㄴ, ㄷ

6-❸ 중화 반응

11 그림은 묽은 염산과 수산화 나트륨 수용액의 중화 반응을 나타낸 것이다.

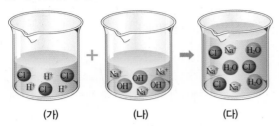

(가)   (나)   (다)

이에 대한 설명으로 옳은 것은?

① (가)에 페놀프탈레인 용액을 떨어뜨리면 붉은색으로 변한다.

② (나)에 마그네슘 리본을 넣으면 기포가 발생한다.

③ (다)의 비커를 만져보면 (가), (나)에 비해 차갑다.

④ (다)는 시간이 흐르면 비커 바닥에 앙금이 생긴다.

⑤ (다)를 증발 접시에 넣고 가열하면 흰색 가루가 생긴다.

12 그림은 묽은 염산에 수산화 나트륨 수용액을 조금씩 넣었을 때의 이온의 수에 대한 그래프이다.

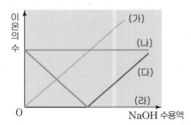

(가)~(라)까지의 이온의 종류를 옳게 나타낸 것은?

	(가)	(나)	(다)	(라)
①	OH^-	H^+	Cl^-	Na^+
②	OH^-	H^+	Na^+	Cl^-
③	Cl^-	OH^-	H^+	Na^+
④	Na^+	Cl^-	OH^-	H^+
⑤	Na^+	Cl^-	H^+	OH^-

13 다음 중 중화 반응을 이용한 예가 <u>아닌</u> 것은?

① 김치 독에 조개껍데기를 넣어두었다.

② 생선의 비린내를 없애기 위해 레몬즙을 뿌렸다.

③ 충치균을 없애기 위해 치약으로 양치질을 하였다.

④ 벌레에 물린 곳에 바르는 약이 없어서 비누칠을 하였다.

⑤ 통조림이 녹슬지 않게 하기 위해 철캔을 주석으로 도금 하였다.

14 그림은 온도와 농도가 같은 묽은 염산과 수산화 나트륨 수용액의 부피를 달리하여 혼합한 후, 혼합 용액의 최고 온도를 측정하여 나타낸 것이다.

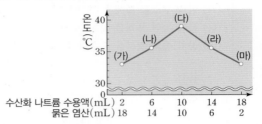

| 수산화 나트륨 수용액(mL) | 2 | 6 | 10 | 14 | 18 |
| 묽은 염산(mL) | 18 | 14 | 10 | 6 | 2 |

이에 대한 설명으로 옳은 것만을 〈보기〉에서 있는 대로 고른 것은?

ㄱ. (가)~(마)에서 모두 중화 반응이 일어났다.

ㄴ. (나)와 (라)에서 생성된 물의 양은 같다.

ㄷ. (가)와 (다)의 용액에 존재하는 양이온의 수는 같다.

① ㄱ   ② ㄴ   ③ ㄱ, ㄴ

④ ㄱ, ㄷ   ⑤ ㄱ, ㄴ, ㄷ

15 그림은 수산화 나트륨 수용액에 같은 농도의 염산을 넣어 줄 때의 입자 모형을 나타낸 것이다.

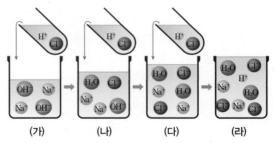

(가)   (나)   (다)   (라)

이에 대한 설명으로 옳은 것만을 〈보기〉에서 있는 대로 고른 것은?

ㄱ. (다)가 중화점이다.

ㄴ. (다)에서는 전류가 흐르지 않는다.

ㄷ. (가)에서 (라)로 갈수록 용액의 양이 많아지므로 온도가 감소한다.

① ㄱ   ② ㄴ   ③ ㄱ, ㄴ

④ ㄱ, ㄷ   ⑤ ㄱ, ㄴ, ㄷ

16 샴푸 대신 빨래 비누로 머리를 감으면 머리카락이 뻣뻣해진다. 이때 식초로 헹구면 머릿결이 부드러워지는 까닭을 중화 반응 측면에서 설명하시오.

17 그림은 묽은 염산($HCl(aq)$)에 아연(Zn) 조각을 넣어 두었을 때의 상태를 나타낸 것이다.
묽은 염산과 아연 사이의 반응을 화학 반응식으로 나타내고 산화와 환원을 반응식에 화살표로 나타내시오.

아연 조각

》과학적 사고력
금속과 산의 반응

18 다음은 금속의 산화에 관한 글이다.

》과학적 탐구 능력
금속의 산화 방지

> 통조림 캔에 주로 사용되는 양철은 철에 주석을 도금한 것이다. 지붕이나 양동이에 주로 사용되는 함석은 철 표면에 아연을 도금한 것이다. 주석은 철보다 반응성이 작아 공기 중에서 잘 산화되지 않고 철에 산소와 물이 접촉하는 것을 막아 철의 부식을 방지하지만, 아연은 철보다 반응성이 커서 공기 중에서 철보다 쉽게 산화됨으로써 철이 부식되는 것을 막아준다.

한 번 쓰고 버리는 통조림 캔에는 주석을 도금하지만, 오랫동안 사용하는 지붕이나 양동이에는 함석을 도금하는 까닭을 주석, 아연, 철의 반응성을 비교하여 서술하시오.

19 실험실에서 라벨이 떨어진 용액 3개를 발견하였다. 이 용액들이 산성인지, 중성인지, 염기성인지 알아보기 위해 다음과 같은 실험을 실시하였다. 한 가지의 실험을 더 실시해서 용액의 액성을 알아보려고 할 때 가능한 실험 방법과 그렇게 생각한 까닭을 서술하시오.

》과학적 문제 해결력
산과 염기의 성질

실험	A	B	C
페놀프탈레인 용액	무색	무색	붉은색

20 그림은 BTB 용액을 조금 떨어뜨린 수산화 나트륨 수용액에 드라이 아이스(CO_2) 조각을 넣는 순간의 모습이다. 이후 용액의 색 변화를 예측하고 그렇게 생각한 까닭을 서술하시오.

》과학적 탐구 능력
중화 반응

21 다음은 어느 블로그에 올라온 글이다. 이 글을 쓴 사람이 잘못한 행동을 찾아 적고 그렇게 생각한 까닭과 올바른 지침을 서술하시오.

》과학적 참여와 평생 학습 능력
중화 반응과 중화열

> 나트륨 금속을 물에 넣으면 물이 수산화 나트륨이 되어 염기성이 된다. 그런데 학교 실험실에서 나트륨의 반응성 실험 후 폐수통이 꽉 차서 어떻게 버려야 하나 고민하다가 중화를 시키기로 하였다. 이 용액에 페놀프탈레인 용액 두 방울을 넣고 염산을 조금씩 떨어뜨려 붉은색이 사라지는 중화점을 찾아내려 하였다. 그런데 실험 도중 염산을 손등에 떨어뜨리고 말았다. 이때 염산을 중화시키기 위해 수산화 나트륨 수용액을 스포이트를 이용해 손등에 떨어뜨렸다.

7

생물 다양성과 유지

생물은 어떻게 진화할까?

뜨거운 마그마로 뒤덮여 생물이 살 수 없던 혹독한 환경에서
현재와 같은 환경이 조성되기까지 수십억 년 동안 지구 환경은 끊임없이 변화했다.
오래전에 지구에 살던 생물은 현재 우리 주변에서 볼 수 있는 생물과는 매우 다른데,
생물이 어떻게 진화하여 오늘날의 생물 다양성이 이루어졌을까?
시간을 거슬러 올라가 지구 환경 변화와 생물 변천의 과정을 알아보자.
그리고 생물이 진화하는 과정에서 유전 형질을 다음 세대로 전달하는 방법을 탐구하여
생물 다양성과 생물의 진화 현상에서 또 다른 자연의 규칙성을 발견해 보자.

① 지질 시대와 생물의 변천

화석	지질 시대	대멸종
화석의 생성 과정	선캄브리아 시대, 고생대, 중생대, 신생대	급격한 지구 환경 변화
생성 시기, 과거 환경 유추	지질 시대의 지구 환경 변화	생물 대멸종
	생물의 변천	

② 진화와 생물 다양성

진화	생물 다양성 보전
변이	생물 다양성
자연 선택설	유전적 다양성 종 다양성 생태계다양성
변이, 생존 경쟁, 적자생존, 자연 선택, 진화	생태계 평형
슈퍼 박테리아	생물 다양성 증가

지질 시대와 생물의 변천
① 지구 환경과 생물은 어떻게 변천해 왔을까?

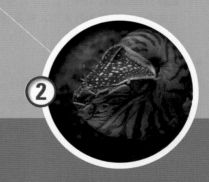

진화와 생물 다양성
② 진화에는 어떤 원리가 있을까?

학습 계획 세우기

이 단원에서는 지질 시대 동안 지구 환경 변화와 생물의 변천에 관해 알아보고, 생물이 어떻게 진화하는지 탐구한다. 각 소단원에서 공부할 내용을 미리 살펴보고 학습 계획을 세워 보자.

생물의 화석과 생활 환경 ⟶ 지질 시대 동안 환경 변화와 생물의 변천 ⟶ 진화 ⟶ 변이 ⟶ 자연 선택의 이해 ⟶ 내성 생명체 ⟶ 슈퍼 박테리아

생물 다양성의 이해 ⟶ 생물 다양성 보전을 위한 실천 방안

– ❶ 지질 시대와 생물의 변천

교과서 222~223쪽

❶단계 생각 펼치기 화석으로부터 무엇을 알아낼 수 있을까?

고구려 시대의 벽화 〈수렵도〉를 통해 당시의 의복, 사냥 활동 등 생활상을 추정할 수 있는 것처럼, 역사 시대의 모습은 문서나 그림으로부터 알아낼 수 있다. 그런데 역사 시대 이전의 모습은 무엇으로 알아낼 수 있을까? 45억 년 전에 지구가 만들어진 후 역사 시대 전까지의 매우 오랜 기간 동안의 모습은 지층에 포함된 화석으로부터 알아낼 수 있다. 오늘날 발견되는 여러 화석의 모습과 현재 지구 상에 살아 있는 비슷한 생물의 모습, 및 그 생활 환경을 살펴보고, 과거의 생물과 그 생활 환경을 유추해 본다.

토의하기

❶ 현재 생존하고 있는 생물 중 각각의 화석과 유사한 생물의 생활 환경을 바탕으로 과거 생물의 생활 환경을 추론해 보자.

예시 화석	화석이 만들어질 당시의 환경(서식지, 기후 등)
삼엽충	바다 환경이었을 것이다.
고사리	온난 습윤한 기후의 육지 환경이었을 것이다.
산호	열대 기후의 얕은 바다 환경이었을 것이다.

❷ 삼엽충 화석은 당시의 서식 환경과 완전히 다른 산간 지역인 강원도 태백 지역에서도 발견된다. 그 까닭이 무엇인지 토의해 보자.

예시 강원도 태백 지역은 삼엽충이 살던 시기에는 바다였으나, 오랜 시간이 지나며 지각 변동으로 현재와 같은 산간 지역이 된 후, 지층이 깎이면서 삼엽충 화석이 발견되었을 것이다.

■ 화석

(1) **화석** 과거에 살았던 생물의 유해나 흔적이 지층에 보존된 것이다.
- 화석으로부터 과거에 살았던 생물의 모습과 습성, 그 생물이 살던 당시의 환경과 지층이 퇴적된 시기[❶] 등을 유추할 수 있다.

(2) 화석이 만들어지는 과정[❷]
- 생물의 유해가 땅속에 묻히고, 퇴적층이 쌓여 오랜 시간이 지나면 화석이 만들어진다.
- 지각 변동으로 퇴적층이 땅 위로 올라오고, 침식 작용으로 지층이 깎여 화석이 드러난다.

시간의 흐름

알고 있나요?

❶ 화석이 어떤 과정으로 만들어지는지 설명해 보자
예시 생물이 죽고 그 위로 퇴적물이 빠르게 쌓여 오랜 시간이 지나면 화석이 만들어진다.

❷ 생물을 어떻게 분류할 수 있는지 설명해 보자.
예시 생물의 구조, 유전적 특징 등을 기준으로 종, 속, 과, 목, 강, 문, 계로 분류한다.

---

❶ 표준 화석과 시상 화석
과거 지층이 생성된 시대와 환경을 화석을 이용하여 유추할 수 있다.
- 표준 화석: 지층이 퇴적된 시기를 알려주는 화석으로, 개체수가 많고 넓은 지역에 분포하며 생존 기간이 짧아서 그 시대를 대표한다.
- 시상 화석: 지층이 퇴적될 당시의 환경을 알려주는 화석으로, 특정 환경에서만 서식하고 생존 기간이 길어서 화석이 만들어질 당시의 환경을 알 수 있다. 고사리, 산호 등을 예로 들 수 있다.

❷ 화석의 생성 조건
개체 수가 많고 단단한 뼈나 껍데기가 있어야 하며, 빠르게 묻혀야 한다.

② 단계 해결하기 **1. 지질 시대 동안 환경과 생물이 어떻게 달라졌을까?**

우리나라의 역사에서 고려와 조선은 왕조로 구분 지을 수 있다. 고려 시대에서 조선 시대로 이어지며 정치, 경제, 사회, 문화 등 여러 분야에서 변화가 일어났다. 지구의 역사는 수십 억 년에 이르고 그동안 지구의 환경과 생물은 끊임없이 변화해 왔다. 그러면 지구의 역사는 어떤 기준으로 구분하며, 각각의 시대에는 어떤 변화가 있었을까? 지구의 역사를 구분 짓는 기준이 무엇인지, 각 시대의 환경과 생물이 어떻게 영향을 주고받으면서 변화해 왔는지 알아본다.

1 지질 시대

(1) **지질 시대** 약 46억 년 전 지구가 탄생한 후부터 현재까지를 지질 시대라고 한다.

(2) **지질 시대의 구분 기준** 생물의 출현과 번성, 멸종을 기준으로 구분한다.

(3) **지질 시대의 구분** 선캄브리아 시대, 고생대, 중생대, 신생대로 구분[❶]한다.

2 선캄브리아 시대의 생물과 환경 변화

(1) **선캄브리아 시대의 환경** ┌ 생물에 껍질이나 뼈 등 단단한 부분이 없어서 화석으로 만들어지기 어려웠으며, 지층이 수십억 년 동안 지각 변동을 받아서 화석이 손상되었기 때문이다.

• 발견되는 화석이 매우 적어서 수륙 분포와 환경을 정확히 알기 어렵다.

• 대기 중에 산소가 없었고 오존층도 없어서 바다에서만 생물이 살았다.

(2) **선캄브리아 시대의 생물**

• 바다에서 남세균이 광합성을 시작했고, 그 흔적으로 스트로마톨라이트[❷]가 발견된다.

• 후기에 바다에서 다양한 무척추동물이 나타났고 에디아카라 동물군 화석으로 발견된다.

스트로마톨라이트
└ 선캄브리아 시대 후기에 번성한 다세포 무척추동물

❶ 지질 시대의 상대적 길이

중생대(4.1 %)
고생대(6.3 %)
신생대(1.4 %)
지질 시대
선캄브리아 시대 (88.2 %)

❷ 스트로마톨라이트

남세균의 사체와 진흙 등이 층층이 쌓여서 만들어진 암석이다. 선캄브리아 시대에 만들어진 스트로마톨라이트가 화석으로 발견되며, 현재도 오스트레일리아 서부에서 남세균의 활동으로 스트로마톨라이트가 만들어지고 있다.

 해 보기 1 【자료 해석】 **지구 대기의 산소 농도 변화**

교과서 225쪽

목표 과학적 탐구 능력

대기 중 산소 농도 변화와 생물계의 변화가 어떤 영향을 주고받았는지 알아본다.

결과/정리

1. 대기 중의 산소 농도 변화와 생물 종류의 변화는 어떤 관계를 갖는지 말해 보자.

【예시】 대기 중 산소 농도와 생물 종류의 변화는 서로 영향을 주고받는다. 대기 중 산소는 그 농도가 매우 낮다가 광합성이 시작되면서 급격히 농도가 증가했고, 이후 오존층이 형성되고 생물이 육상으로 진출했기 때문이다.

2. 생물이 육상으로 진출할 수 있었던 까닭을 지구 환경 변화와 관련지어 설명해 보자.

【예시】 대기 중 산소 농도가 높아지고 오존층이 만들어졌기 때문이다. 선캄브리아 시대 초기에는 대기 중에 산소가 없었고, 생물에 해로운 자외선을 차단해주는 오존층도 없어서 육지에 생물이 살 수 없었다. 이후 바다에서 생물이 광합성을 시작하며 대기 중 산소 농도가 높아졌고, 오존층이 형성되면서 자외선이 차단되고 생물이 호흡할 수 있는 산소가 충분해지며 육지에 생물이 살 수 있게 되었다.

과정

다음 그림은 지질 시대 동안 지구 대기의 산소 농도 변화를 나타낸 것이다.

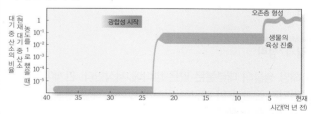

탐구 분석

생물의 광합성으로 대기 중 산소 농도가 증가했고, 산소 농도 증가로 오존층이 형성되어 육상에 생물이 진출할 수 있게 되었다. 이처럼 지구 환경과 생물은 서로 영향을 주고받으며 변화해 왔다.

3 고생대의 환경과 생물의 변화

(1) 고생대의 지구 환경 변화

- 바다와 대기에서 산소의 농도가 증가했고, 대기 중에 축적된 산소가 <u>오존층을 형성</u>하였다. └─ 생물에 유해한 자외선을 차단한다.
- 후기에 대륙이 이동하여 초대륙 판게아❸가 형성되면서 기후가 한랭해졌다.

(2) 고생대의 생물

- 바다와 대기 중 산소 농도가 증가했고 기후가 대체로 온난하여 생물 종류의 수가 급증했고, <u>오존층이 형성된 이후에 생물이 육상으로 진출했다.</u>
- 바다에서 삼엽충 등의 <u>다양한 무척추동물</u>이 ┌─ 삼엽충, 완족류 등 번성했다. 최초의 <u>척추동물인 갑주어</u>가 출현했으며, <u>어류와 양서류가 번성</u>했다. 후기에 <u>파충류</u>가 출현했다.
- 고사리 등의 <u>양치식물❹</u>이 번성하여 삼림을 이루었고, 후기에는 기후가 한랭해지며 소나무, 잣나무와 같은 <u>겉씨식물</u>이 출현했다.

삼엽충

완족류

고사리

어류

┌─ 심해 열수구: 해저에 스며든 물이 지열로 가열된 후 열수로 분출하는 곳으로, 열수에 포함된 유기물에서 원시적인 생명체가 탄생하였다는 가설이 있다.

┌─ 에디아카라 동물군

┌─ 생물 종류의 수가 폭발적으로 증가했고, 어류가 출현했다.

┌─ 오존층이 형성되었고, 양서류가 출현했다.

┌─ 파충류가 출현했고, 고생대 말 해양 생물의 95 %가 갑자기 멸종했다.

약 40억 년 전　　선캄브리아 시대　　약 5억 4천만 년 전　　고생대

선캄브리아 시대와 고생대의 지구 환경 변화와 생물의 변천

❸ 판게아
고생대 후기에 대륙이 모여서 만들어진 초대륙으로, 대륙 이동설을 주장한 베게너가 제안한 이름이다.

판게아

❹ 양치식물
뿌리, 줄기, 잎이 뚜렷하게 구분되며 꽃과 씨앗을 만들지 않고 포자로 번식하는 식물이다. 고생대에 번성하여 울창한 숲을 이루었으며, 이들이 땅속에 묻혀서 석탄층이 만들어졌다.

🔵 해 보기 2 [자료 해석] 중생대의 수륙 분포 변화

교과서 226쪽

📗 목표　　　　　　　　　　　　　　　과학적 탐구 능력

중생대의 수륙 분포 변화가 지구 시스템에 미친 영향을 추론한다.

📗 과정

다음은 중생대 동안 수륙 분포 변화를 나타낸 그림이다.

(가) 중생대 전기　　　(나) 중생대 중기　　　(다) 중생대 후기

📗 결과/정리

1. 해양 생물의 대부분은 얕은 바다에 서식한다. 판게아가 분리되기 전과 후의 해안선 길이의 변화는 해양 생물에게 어떤 영향을 미쳤을까?

   예시 해양 생물의 다양성과 개체 수가 증가했을 것이다. 판게아가 여러 대륙으로 분리되면서 해안선의 길이가 길어져서 대륙붕의 면적이 증가했다. 대륙붕에 서식하는 해양 생물은 그 종류가 다양하고 개체 수도 매우 많으므로 대륙붕 면적의 증가는 해양 생물의 번성으로 이어진다.

2. 대륙이 분리될 때 두 판이 멀어지는 경계에서 화산 활동이 활발하게 일어난다. 이러한 지권의 변화가 지구 시스템의 기권과 생물권에 어떤 영향을 미쳤는지 추론해 보자.

   예시 초대륙이 분리될 때는 화산 활동이 대규모로 일어나는데, 이때 방출된 이산화 탄소로 인해 온실 효과가 증대되어 기후가 온난해지고, 온난한 기후에 적합한 생물이 번성했을 것이다.

💡 탐구 분석

중생대에 초대륙의 분리는 해양 생물의 번성으로 이어졌다. 지구 시스템은 상호 작용 하기 때문에 지질 시대 동안 각 권의 변화가 서로에게 영향을 주었다.

4 중생대의 환경과 생물의 변화

(1) 중생대의 지구 환경 변화
- 초대륙 판게아가 여러 대륙으로 갈라지면서 대륙과 해양의 분포가 변하였다.
- 활발한 화산 활동으로 대기 중 온실 기체가 증가하여 전반적으로 기후가 온난했다.

(2) 중생대의 생물 └ 화산 활동으로 방출된 이산화 탄소로 인해 기온이 높아지는 지권과 기권의 상호 작용이다.
- 파충류가 크게 번성했다. 바다에서는 암모나이트, 육지에서는 공룡이 번성하였으며[5] 몸집이 작은 포유류가 출현했다.
- 육지에서 소나무, 은행나무와 같은 겉씨식물이 번성했고, 속씨식물이 출현했다.
- 중생대 말에 급격한 환경 변화가 일어나면서 많은 생물이 갑자기 멸종했다.

5 신생대의 환경과 생물의 변화

(1) 신생대의 지구 환경 변화 인도 대륙이 유라시아 대륙과 충돌하며 히말라야산맥이 형성되었다.
- 대륙의 이동이 계속되어 수륙 분포가 현재와 비슷해졌다.[6]
- 전기에는 기후가 온난했으며, 후기에는 빙하기와 간빙기가 반복되었다.

(2) 신생대의 생물
- 중생대 말 대멸종에서 살아남은 생물들이 새로운 환경에 적응하며 다양한 종으로 진화했고, 공룡이 멸종한 자리를 포유류가 차지하며 번성했다.[7]
- 전기에는 온난한 기후에서 속씨식물이 번성했고, 후기에는 한랭한 지역을 중심으로 겉씨식물이 번성했다.
- 신생대 말 빙하기에 해수면이 낮아지면서 얕은 바다였던 곳이 육지로 드러나며 생물이 여러 대륙으로 이동했다.

| 기후가 온난하고 육지에서 포유류가 출현했다. | 판게아가 갈라졌고, 공룡 등의 파충류가 번성했다. | 파충류가 육상을 지배했으나, 중생대 말 대멸종이 일어났다. | 포유류가 여러 종으로 분화하기 시작했다. | 기후가 온난하고 포유류와 조류가 번성했다. | 빙하기와 간빙기가 반복되었다. |

2억 5천만 년 전 | 중생대 | 6600만 년 전 | 신생대

중생대와 신생대의 지구 환경 변화와 생물의 변천

과제 1

교과서의 그림 7-3, 7-4, 7-6, 7-8에서 하나의 생물을 골라서 그 생물에 관한 자료를 조사해 보자. 자신이 그 생물이 되었다고 생각하고 주변 환경, 먹이, 서식지 등의 내용을 포함하는 일기를 써 보자.

예시 난 스테고사우루스야. 따뜻한 날씨에 풀이 많이 자라서 먹을 것이 많으니까 좋은데, 다른 초식 공룡에 비해 다리가 짧아서 빨리 달릴 수가 없으니 언제 육식공룡한테 잡아먹힐지 몰라서 불안해.

확인하기

1. **이해** 지질 시대를 구분하는 기준이 무엇인지 말해 보자.
   예시 생물의 출현과 번성 및 멸종

2. **적용** 지질 시대 동안 지구 환경 변화는 생물의 변천에 어떤 영향을 미쳤는지 설명해 보자.
   예시 대기 중 산소 농도가 증가하고 오존층이 형성되면서 육상 생물이 출현했고, 초대륙이 분리되면서 대륙붕의 면적이 증가하여 해양 생물이 번성했다.

---

⑤ 중생대의 대표 화석

암모나이트　　　공룡

⑥ 신생대의 수륙 분포

대서양과 인도양이 더욱 넓어지고 태평양이 좁아지면서 대륙과 해양의 분포가 현재와 비슷해졌다.

⑦ 신생대의 대표 화석

매머드　　　화폐석
　　　(바다에서 번성)

✔ 개념 확인 문제

1 기권에 (　　　)이 형성되면서 생물이 육상으로 진출할 수 있게 되었다.

2 중생대에 초대륙 (　　　)가 분리되면서 대서양과 인도양이 만들어졌다.

공룡은 중생대에 육지에서 번성하며 생태계의 최강자로 군림했으나, 중생대 말에 갑자기 멸종하면서 지구 상에서 사라졌다. 이때 바다에서 번성했던 암모나이트와 수많은 다른 생물도 함께 멸종했다. 공룡을 비롯한 수많은 생물이 갑자기 멸종한 까닭이 무엇인지 알아보고, 공룡의 멸종이 인류의 출현에 어떤 영향을 미쳤는지 살펴본다.

탐구 1 　토론　 중생대 말 대멸종

교과서 228~229쪽

목표
과학적 의사소통 능력

중생대 말 대멸종의 원인과 그 의미를 설명할 수 있다.

과정

다음은 중생대 말 수많은 생물의 멸종 원인을 설명하는 가설과 발견된 증거이다.

[자료 1]

지구에 거대한 소행성이 충돌하여 대규모의 지진 해일이 일어났고, 엄청난 먼지 구름이 전 지구를 뒤덮었다. 이로 인해 햇빛이 차단되어 기온이 하강했으며, 많은 식물이 광합성을 하지 못해 멸종했다. 급격한 환경 변화로 먹이 사슬이 무너지며, 공룡과 암모나이트를 비롯한 수많은 생물이 멸종했다.

수십만 년에 걸쳐 대규모로 용암이 분출하며 엄청난 양의 화산재와 화산 가스가 방출되었다. 화산 가스에 포함된 유독 물질로 인해 많은 동물들이 죽어 갔고, 화산재가 햇빛을 차단해서 전 지구적으로 기온이 하강했다. 그 결과 많은 식물이 멸종했고 뒤이어 수많은 동물이 멸종했다.

[자료 2]

증거 1. 운석 구덩이	증거 2. 이리듐* 농도	증거 3. 용암 대지
	┌ K/T 경계	
멕시코의 유카탄 반도에서 지름이 약 180 km에 이르는 운석 구덩이가 발견되었다. 이 운석 구덩이는 중생대 말에 만들어진 것으로 밝혀졌다.	중생대와 신생대의 경계에 있는 지층에서 이리듐(Ir)의 농도가 높게 나타난다. 이리듐은 지각에는 그 함량이 매우 적지만 운석이나 소행성에 상대적으로 많이 존재한다.	인도 서부의 데칸 고원에는 50만 km²에 이르는 용암 대지가 분포한다. 이 용암 대지는 중생대 말에서 신생대 초에 걸쳐 형성된 것으로 밝혀졌다.

❶ 모둠별로 [자료 1]에서 타당하다고 생각하는 가설을 선택하고, [자료 2]에서 그 증거를 찾아보자.
❷ 인터넷과 도서를 이용하여 더 많은 증거*를 조사해 보자.

결과/정리

1. 학급별로 어떤 가설이 타당한지 토론하고, 각 가설의 장단점을 분석해 보자.

　예시　 • 소행성 충돌설: 뒷받침하는 증거가 더 많지만, 해양 생물의 멸종을 설명하기 어렵다.
　　　　 • 대규모 용암 분출설: 데칸 고원의 용암 대지를 설명할 수 있지만, 유카탄 반도의 운석 구덩이와 중생대−신생대 경계 지층의 이리듐 농도를 설명할 수 없다.

＊이리듐(Ir)
금속 원소로, 오스뮴(Os) 다음으로 밀도가 크다. 지구의 지각에 대략 0.1 ppb의 함량으로 매우 적게 존재하는데, 중생대와 신생대의 경계에 있는 지층(K/T 경계)에서는 그 함량이 수십~수백 배에 이른다.

＊중생대와 신생대의 경계 지층에서 나타나는 여러 가지 변화
• 유공충 화석의 변화: 중생대 지층에서는 매우 다양한 유공충 화석이 발견되지만 경계 지층에서는 발견되지 않으며, 그 위에 쌓인 신생대 지층에서는 크기가 작고 다양하지 않은 유공충 화석이 발견된다.
• 충격으로 변형된 광물: 세계 곳곳에 분포하는 중생대와 신생대의 경계에 있는 지층에서 이리듐 농도가 높게 나타날 뿐만 아니라, 이 지층에 포함된 광물에서는 충격을 받아서 변형된 구조가 발견된다.

2. 토론이 끝난 후 자기 생각에 변화가 있다면 그 까닭을 말해 보자.

해설 토론하기 전에 선택했던 가설을 지지하지 않게 되었다면, 그 까닭이 무엇인지 설명한다.

알아보기

1. 두 가설을 비교하여 공통점이 무엇인지 토의해 보자.

예시 전 지구적 규모의 급격한 환경 변화로 수많은 생물이 멸종했다는 공통점이 있다.

2. 만약 중생대 말에 대멸종이 일어나지 않았다면 현재와 같이 인류가 번성할 수 있을지 생각해 보자.

예시 현재와 같이 인류가 번성할 수 없었을 것이다. 중생대 말 대멸종이 일어나지 않았다면 공룡이 더 오랫동안 지구를 지배했을 것이며, 당시의 포유류는 몸집이 작고 종류도 다양하지 않았기 때문에 이후에도 다른 파충류가 최상위 포식자로 군림했을 것이기 때문이다.

탐구 분석

중생대 말 공룡을 비롯한 수많은 생물의 멸종 원인을 설명하는 다양한 가설 중 가장 타당하게 받아들여지고 있는 것은 소행성 충돌설이다. 제시된 두 가설 모두 전 지구적인 환경 변화가 일어날 때 이에 적응하지 못한 생물이 멸종하는 것에서 원인을 찾고 있다. 대멸종은 변화된 환경에 적응한 생물이 새로운 종으로 진화하며 번성할 수 있는 기회가 된다.

수행평가 TIP

탐구 수행	· 인터넷과 서적 등의 다양한 자료를 조사하여서 주장을 뒷받침하는 근거로 사용한다.	☆ ☆ ☆
	· 모둠 구성원이 맡은 역할을 충실히 수행하며 활발하게 논의하여 결론을 도출한다.	☆ ☆ ☆
탐구 결과	· 각 모둠에서 선택한 가설이 타당한 까닭을 설명할 수 있게 과학적 근거를 제시한다.	☆ ☆ ☆
	· 소행성 충돌설과 대규모 용암 분출설의 장점과 단점을 논리적으로 분석한다.	☆ ☆ ☆

1 대멸종

(1) 대멸종 많은 생물이 갑자기 멸종하는 대규모의 멸종으로, 지질 시대 동안 5차례의 대멸종이 일어났다.

· **고생대 말 대멸종** 지질 시대 동안 가장 큰 규모의 멸종으로, 삼엽충을 비롯하여 생물종의 95 %가 멸종했다.

· **중생대 말 대멸종** 공룡과 암모나이트 등이 멸종하였으며, 소행성 충돌이 원인으로 추정된다.

지질 시대 동안 생물 종류의 수 변화와 대멸종

(2) 대멸종의 원인

· 초대륙의 형성, 대규모의 화산 분출, 소행성 충돌 등의 급격한 지구 환경 변화가 일어날 때 이에 적응하지 못한 생물이 멸종한다.

(3) 대멸종과 생물 다양성

· 대멸종으로 수많은 생물이 멸종하지만, 변화한 환경에 적응한 개체는 살아남아서 새로운 종으로 진화❶하며 생물 다양성이 증가한다.

확인하기

1. 이해 지질 시대 동안 일어난 생물 대멸종의 원인으로 무엇이 있는지 말해 보자.

예시 초대륙의 형성, 대규모의 화산 분출, 소행성의 충돌 등

2. 적용 생물 대멸종이 생물계에 미친 영향을 설명해 보자.

예시 대멸종으로 수많은 생물이 멸종하지만, 새로운 환경에 적응한 개체가 살아남아서 새로운 종으로 진화하며 생물 다양성이 증가한다.

❶ **대멸종 이후 생물의 진화**

대멸종에서 살아남은 생물은 환경 변화에 적응하여 멸종한 생물의 공간을 차지하면서 다양한 종으로 진화한다.

개념 확인 문제

1 지질 시대 동안 수많은 생물이 갑자기 멸종하는 (   )이 5차례 일어났다.

2 소행성 충돌설의 증거 중 하나로 중생대와 신생대의 경계에 있는 지층에서 매우 높은 농도로 분포하는 원소는 무엇인가?

❸ 단계 생각 모으기

핵심 내용 정리하기

1 화석 `교과서` 222~223쪽

과거에 살았던 생물의 유해나 흔적이 보존된 것을 ❶화석 (이)라고 한다. ❷화석 (으)로부터 과거에 살았던 생물의 모습과 습성, 당시의 환경을 유추할 수 있다.

2 지질 시대의 환경과 생물 변화 `교과서` 224~227쪽

지질 시대 동안 지구의 환경은 끊임없이 변화했으며 그 과정에서 생물이 환경에 적응하며 변천을 거듭했다. 선캄브리아 시대에는 ❸바다 에서 최초의 생물이 출현했고, 고생대에는 바다와 대기 중의 ❹산소 농도가 증가하며 생물 종류의 수가 급증했다. 중생대에는 초대륙 ❺판게아 이/가 여러 대륙으로 갈라졌고, 신생대에는 대륙과 해양의 분포가 현재와 비슷해졌다.

3 대멸종 `교과서` 228~229쪽

지질 시대 동안 많은 생물이 갑자기 멸종하는 ❻대멸종 이/가 다섯 번 일어났다. 생물의 ❼대멸종 (으)로 어떤 생물은 멸종했지만, 환경 변화에 적응한 개체들은 새로운 종으로 진화를 거듭하며 생물의 ❽다양성 이/가 증가했다.

공룡 발자국 화석

스트로마톨라이트 화석

활동으로 확인하기

다음 마인드맵을 활용하여 지질 시대 동안 환경과 생물의 변화를 정리해 보자.

환경 변화

- 현재와 비슷한 대륙 분포를 이루었음. 전기에는 비교적 온난했으나, 후기에는 빙하기와 간빙기가 반복됨. — **신생대**
- 초대륙 판게아가 여러 대륙으로 갈라져 기후에 영향을 미쳤고, 전반적으로 온난한 기후를 유지함. — **중생대**
- 바다와 대기 중 산소 농도가 증가하고, 오존층이 형성됨. 후기에 초대륙 판게아가 형성되고 기후가 한랭해 짐. — **고생대**
- 대기 중에 산소가 없고 오존층이 없어서 생물에 유해한 자외선이 차단되지 않음. — **선캄브리아 시대**

생물의 변천

- 포유류와 속씨식물이 번성하였고, 신생대 말에 인류의 조상이 출현함.
- 암모나이트, 파충류, 겉씨식물이 번성했고 포유류가 출현함. 중생대 말에 대멸종이 일어남.
- 바다에서 다양한 무척추동물이 번성하고, 오존층 형성 이후 식물과 동물이 육상으로 진출함. 어류와 양서류가 번성하고 겉씨식물이 출현함.
- 바다에서 생물이 출현하고 진화하였으며, 남세균이 출현하면서 광합성을 시작함.

❹단계 생각 넓히기 **지질 시대 동안 대멸종 이후 생물의 변천** 과학적 사고력

지질 시대 동안 급격한 환경 변화로 수많은 생물이 갑자기 멸종하는 대멸종이 수차례 일어났다. 그러나 대멸종 이후 살아남은 생물이 다시 번성하여 사라진 생물의 빈 자리를 채웠다. 이러한 변화는 어떤 과정을 거쳐 일어난 것일까?

대멸종으로 상위 포식자나 경쟁자들이 사라진 공백 상태에서 살아남은 일부 생물은 급속히 형태를 바꾸어 진화한다. 지구의 환경이 변화하면 생물은 각각의 환경에 적응하는 과정에서 식성이나 생활양식에 따라 뚜렷한 형태적 분화가 일어난다. 이처럼 환경에 제각기 다른 방식으로 적응하는 과정에서 다양한 생물이 나타난다.

새롭게 출현한 생물은 멸종한 생물의 빈자리를 채우며 급속히 번성한다. 중생대 말 대멸종 이후 공룡의 생태적 지위를 이어받은 포유류가 급속히 분화하여 다양한 종으로 진화한 것은 이러한 과정의 좋은 예이다.

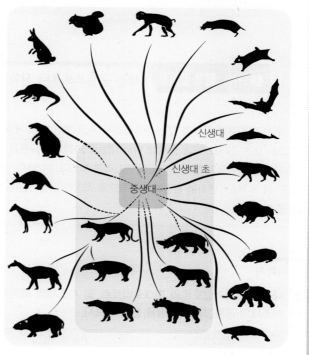

포유류의 진화

❶ 핵심 내용 파악

중생대와 신생대의 포유류 종류의 수에 어떤 변화가 있는지 그림에서 찾아 서술해 보자.

예시 신생대에는 중생대에 비해 포유류 종류의 수가 크게 증가했다. 중생대에는 12종류의, 신생대에는 18종류의 포유류가 서식했으며, 신생대 초까지 포함하면 신생대에는 모두 24종류의 포유류가 있었다.

❷ 자료 조사

신생대 초에 포유류가 급속히 분화하여 진화한 과정을 인터넷과 도서 등을 이용하여 조사해 보자.

예시 중생대 말 대멸종으로 육상에서 상위 포식자이던 공룡이 사라지자, 중생대 동안 몸집이 작고 생태적 지위가 낮았던 포유류가 공룡의 자리를 차지하면서 급격히 번성하였다. 신생대 초에 소, 말, 사슴, 돼지, 낙타 등 현재 생존하는 포유류의 대부분이 모습을 나타냈다. 포유류는 대멸종 이후의 새로운 환경에 적응하며 형태적, 기능적으로 다양하게 분화하여 진화했다.

수행평가 TIP

• 모둠 구성원과 협력하여 관련 자료를 조사한다.

• 인터넷을 활용하여 자료를 조사할 때, 적절한 단어를 선정하여 검색어로 사용한다.

• 주장에 관한 근거를 논리적으로 제시하며 글을 쓴다.

❸ 글쓰기

대멸종 후 생물의 변천은 어떤 의미가 있는지 자신의 생각을 글로 써 보자.

예시 생물 다양성이 증가하며 생태계에 긍정적인 영향을 미쳤다고 생각한다. 중생대 말 대멸종 후 포유류의 종류의 수가 증가하며 생물 다양성이 증가했는데, 생물 다양성이 높은 생태계는 안정적으로 유지될 수 있기 때문이다.

– ❷ 진화와 생물 다양성

교과서 232~233쪽

❶단계 생각 펼치기 새는 공룡으로부터 진화한 것일까?

새는 깃털 공룡 무리와 많은 공통점을 가지고 있어 깃털 공룡 중 일부가 오늘날의 새로 진화한 것으로 보는 견해도 있다. 중생대 말의 대멸종 과정에서 공룡을 비롯한 많은 생물이 멸종하였으나 곧 다양한 생물들이 생겨나 이들의 빈자리를 채웠다. 여기서는 환경의 변화에 따라 멸종하는 생물들도 생겨나지만, 변화된 환경에 성공적으로 적응하여 살아남은 생물들은 다양한 종으로 진화되었음을 알아본다.

토의하기

❶ 다음은 벨로키랍토르와 미크로랍토르 및 시조새의 특징을 비교한 것이다. 깃털 공룡과 시조새의 공통점과 차이점을 설명해 보자.

벨로키랍토르	미크로랍토르	시조새
• 큰 개 정도의 크기이다. • 날카로운 이빨, 양 뒷발에 낫 모양의 발톱, 길고 뻣뻣한 꼬리를 지녔다. • 온몸이 깃털로 덮여 있으며 특히 앞다리에는 거대한 깃털이 나 있다. • 날개가 너무 짧아 날지 못한다.	• 고양이 정도의 크기이다. • 날카로운 이빨, 낫 모양의 발톱, 긴 꼬리를 지녔다. • 앞다리와 뒷다리가 날개 형태로 되어 있으며, 깃털로 덮여 있다. • 뒷다리에 나 있는 깃털은 새 날개에 있는 깃털과 마찬가지로 비대칭 구조로 되어 있어 날 수 있었을 것으로 생각된다.	• 깃털로 덮인 큰 날개가 있어 날 수 있다. • 뇌가 발달하였고, 뼈는 속이 비어 있다. • 날카로운 이빨과 갈고리 발톱, 긴 꼬리 등 공룡의 특징이 있다.

예시 깃털 공룡과 시조새의 공통점과 차이점

특징	벨로키랍토르	미크로랍토르	시조새
공통점	날카로운 이빨, 깃털, 발톱이 있고, 날개 형태를 가지며, 긴 꼬리가 발달함.		
차이점	낫 모양의 발톱	낫 모양의 발톱	갈고리 모양의 발톱
	앞다리가 날개 형태이지만, 날지 못함.	앞 · 뒷다리가 날개 형태를 가지며, 날 수 있었을 것으로 추정	깃털로 덮인 큰 날개가 있어 날 수 있음.

❷ 시조새가 깃털 공룡으로부터 진화했다고 추측할 수 있는 점을 조사해 보자.[1]

예시 시조새가 날카로운 이빨, 긴 꼬리, 온몸을 덮고 있는 깃털 등 깃털 공룡의 특징을 가지고 있는 것으로 보아 깃털 공룡의 한 종류가 환경에 적응하는 과정에서 비행 능력을 획득하여 조류로 진화하는 과정이라고 추측할 수 있다.

❸ 조사한 내용을 정리하여 발표하고, 친구의 생각과 내 생각에 대한 의견을 토의해 보자.

해설 자신의 모둠에서 조사한 내용을 발표하고, 다른 모둠의 의견에 관하여 자유롭게 질문하거나 시조새가 깃털 공룡으로부터 진화했다고 추측할 수 있는 증거들에 관해 토의할 수 있다.

알고 있나요?

❶ 생물 다양성이란 무엇일까? **예시** 특정한 지역에 살고 있는 생물의 다양한 정도를 나타내는 것으로 유전적 다양성, 종 다양성, 생태계 다양성이 있다.

❷ 환경과 생물 다양성의 관계를 설명해 보자. **예시** 생태계가 산, 숲, 강, 습지 등 다양한 환경으로 구성되어 있으면 이들 환경에 적응하여 다양한 생물종이 나타나므로 생물 다양성이 높아지며, 생물 다양성이 높아지면 생태계는 안정적으로 유지된다.

---

❶ 조류의 진화
공룡의 무리 중 일부가 보온을 목적으로 하는 깃털을 갖게 되었는데, 시간이 지나면서 깃털을 가진 공룡 중 일부는 날 수 있는 새로 진화되었다는 가설이 제기되고 있다.

❷ 깃털 공룡과 시조새
깃털 공룡과 시조새는 여러 가지 공통점을 가지고 있다. 이들은 모두 날카로운 이빨이나 긴 꼬리와 같은 특징을 갖고 있을 뿐만 아니라 매우 유사한 골격 구조를 가지고 있다. 또 온몸이 깃털로 덮여 있다는 것도 공통점이다.

②단계 해결하기 **1. 진화는 어떻게 일어날까?**

환경과 유사한 형태를 가지고 있는 동물들은 포식자의 눈에 잘 띄지 않기 때문에 생존에 유리하다. 주변과 비슷하게 보일수록 생존에 유리하므로 살아남을 확률도 더 높다. 따라서 이 동물 집단에는 주변 환경과 비슷하게 보이는 개체의 비율이 점점 더 높아질 것이다. 여기서는 생존 경쟁과 자연 선택을 통해 진화가 일어나는 과정을 알아본다.

악마 나뭇잎 꼬리 도마뱀붙이 후추나방

해 보기 1 [자료 해석] **비유전적 변이일까? 유전적 변이일까?**

교과서 234쪽

📋 목표

과학적 사고력

생물의 형질을 비유전적 변이와 유전적 변이로 구분할 수 있다.

📋 과정

다음은 사람에게 나타나는 다양한 형질을 나타낸 것이다.

훈련으로 단련된 팔 근육   단련되지 않은 팔 근육

팔 근육

쌍꺼풀
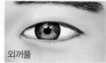
외꺼풀

눈꺼풀 모양

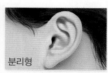
분리형
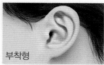
부착형

귓불 모양

*비유전적 변이와 유전적 변이
• 비유전적 변이: 생물의 형질 중 후천적으로 얻은 형질로, 자손에게 유전되지 않는 형질
• 유전적 변이: 선천적으로 부모로부터 물려받은 형질로, 다시 자손에게 물려주는 형질

📋 결과/정리

1. 위의 형질들을 비유전적 변이인 것과 유전적 변이인 것으로 나누어 보자.

[예시] 팔 근육은 자손에게 유전되지 않는 형질이므로 비유전적 변이에, 눈꺼풀과 귓불은 자손에게 유전되는 형질이므로 유전적 변이에 속한다.

2. 사람에게 나타나는 형질 중에서 비유전적 변이와 유전적 변이의 예를 찾아보자.

[예시] • 비유전적 변이의 예: 근육 양, 머리카락 길이 등
• 유전적 변이의 예: 눈꺼풀 모양, 귓불 모양, 홍채 색깔, 피부색, 이마선 모양, 머리카락 색깔 등

💡 **탐구 분석**

생물의 형질에는 자손에게 유전되지 않는 비유전적 변이와 자손에게 유전되는 유전적 변이가 있다. 이 탐구에서는 여러 가지 형질들을 비유전적 변이와 유전적 변이로 나눠 보고, 각 변이의 예를 찾는 활동을 통해 비유전적 변이와 유전적 변이의 개념을 이해한다.

---

1 변이

(1) **변이** 같은 종에 속하는 개체 사이에 나타나는 형질의 차이를 말한다.

(2) **비유전적 변이** 유전자의 변화 없이 환경 요인의 작용으로 나타나는 변이로, 환경 변이라고도 하며, 형질이 자손에게 유전되지 않는다.

　예 카렌족 여인의 긴 목, 훈련으로 단련된 사람의 근육, 중국 여인의 전족

(3) **유전적 변이❶**

• 개체가 가진 유전자의 차이로 나타나는 변이로, 형질이 자손에게 유전된다.

• 자손이 어버이로부터 유전자를 물려받는 과정에서 유전적 변이가 나타난다.

　예 눈꺼풀 모양(쌍꺼풀, 외꺼풀), 보조개의 유무, 이마선 모양(일자형, M자형), 귓불 모양(분리형, 부착형), 혈액형, 눈의 홍채 색깔, 머리카락 색깔, 피부색

❶ 유전적 변이가 나타나는 까닭
유전적 변이는 생식세포 형성 과정에서 생식세포의 유전자에 돌연변이가 일어나거나 생식세포 분열 과정과 생식세포의 수정 과정에서 다양한 유전자 조합으로 발생한다. 단, 체세포에서 일어나는 체세포 돌연변이는 자손에게 유전되지 않는다.

목표

과학적 사고력

기린의 목이 길어지게 된 과정을 자연 선택설로 설명할 수 있다.

과정

다음은 기린의 목이 길어지게 된 진화 과정을 나타낸 것이다.

기린 집단 내에서 목길이의 다양한 변이가 존재한다.

적합한 개체가 살아남는다.

생존 경쟁에서 살아남지 못하면 도태된다.

(가)　(나)　(다)

> **＊ 용불용설과 자연 선택설**
> 라마르크는 용불용설을 통해 자주 사용하는 기관은 발달하고, 사용하지 않는 기관은 퇴화한다고 주장하였다. 이 주장에 의하면 기린은 높은 곳에 있는 잎을 먹기 위해 목을 사용함으로써 목이 점점 길어지게 되었고, 이 형질이 자손에게 전달되어 기린의 목이 길어지게 되었다고 설명한다. 하지만 후천적으로 획득한 형질은 비유전적 변이에 해당하므로 자손에게 유전되지 않기 때문에 용불용설은 올바른 진화 이론으로 인정받지 못하고 있다.
> 반면, 다윈은 자연 선택설에서 기린의 목 길이가 길어진 과정을 유전적 변이와 자연 선택으로 설명하였으므로 진화 이론으로 인정받고 있다.

결과/정리

1. 다윈의 자연 선택설을 이용하여 기린의 목이 길어지게 된 과정을 다음 (가)～(다)에 정리해 보자.

(가) 변이(생존 경쟁)	**(나) 자연 선택(적자생존)**	**(다) 생물의 진화**
기린 개체군 내에는 다양한 길이의 목을 가진 개체들이 함께 있으며, 먹이를 먹기 위해 서로 경쟁한다.	목이 긴 기린이 목이 짧은 기린보다 먹이를 획득하는 데 더 유리하므로 목이 긴 기린이 경쟁에서 이겨 생존할 가능성이 더 크다.	이와 같은 과정이 오랜 시간 누적되면서 기린 집단 내에 목이 긴 기린의 구성 비율이 점점 증가한다.

2. 다윈의 자연 선택설 단계 중 현대에서 근거를 제시할 수 있게 된 것은 무엇인지 토의해 보자.

예시 다윈이 살던 시대에는 유전자의 존재가 밝혀지기 전이어서 변이가 나타나는 까닭과 부모의 형질이 자손에게 유전되는 원리를 명확하게 설명하지 못하였다. 유전의 원리가 밝혀지기 시작하면서 개체들 사이에 다양한 형질이 나타나는 까닭과 유전의 여부를 설명할 수 있게 되었다.

> **탐구 분석**
> 다윈의 자연 선택설을 이용하여 기린의 진화 과정을 설명한다. 자연 선택설에서는 변이와 생존 경쟁 및 적자생존을 통한 자연 선택에 의해 진화가 일어난다고 설명한다. 이와 같은 원리를 이용하여 기린의 목이 길어지게 된 과정을 알아본다.

2 진화

(1) **진화** 생물이 오랜 시간 동안 환경에 적응하면서 몸의 구조나 특성이 변화하는 현상으로, 진화에 의해 지구상에 다양한 생물이 나타난 것이다.

(2) **진화의 원리**

- **유전적 변이** 다양한 형질을 가진 같은 생물종의 개체들이 가진 형질 중 생존에 유리한 형질이 자손에게 전달되어야 한다.
- **자연 선택**❷ 같은 생물종의 개체 사이에 일어나는 생존 경쟁에서 환경에 적합한 형질을 가진 개체가 살아남아 자손을 남겨야 한다. ── 자연 선택이 일어나기 위해서는 개체군 내에 다양한 변이와 생존 경쟁이 있어야 한다.

> **❷ 자연 선택**
> 생물은 일반적으로 환경이 수용할 수 있는 한계보다 더 많은 수의 자손을 낳기 때문에 생존을 위해서는 치열한 경쟁을 한다. 이 과정에서 환경에 유리한 형질을 가진 개체일수록 생존하여 자손을 남길 확률이 높아지므로 집단 내에 환경에 유리한 형질을 가진 개체의 비율이 점점 증가한다. 이러한 현상을 자연 선택이라고 한다.

(3) **자연 선택설에 의한 진화 과정** 다양한 변이가 있는 개체들 중에서 환경에 적응하여 살아남은 개체가 자손을 남기고, 이러한 자연 선택이 오랜 세월 동안 누적되면서 생물이 점차 변하고 다양해진다.❸

단계	일어난 현상
변이	생물은 대부분 그들이 사는 환경 조건이나 먹이에 비해 많은 수의 자손을 낳는다. 같은 종의 개체들 사이에서 생김새나 기능 등 표현되는 형질이 다양한 개체들이 존재한다.
생존 경쟁	개체들 사이에서 먹이, 서식지, 배우자 등을 확보하기 위해 생존 경쟁이 일어난다.
적자생존	환경에 유리한 형질을 가진 개체는 그렇지 않은 개체에 비해 더 많이 살아남는다.
자연 선택	살아남은 개체들은 생식을 통해 환경에 유리한 형질을 자손에게 전달한다.
진화	여러 세대에 걸쳐 자연 선택의 과정이 누적되면서 생물 집단의 진화가 일어난다.

(4) **자연 선택설의 한계**
- 다윈은 개체 간의 변이가 나타나는 원인을 설명하지 못하였다.
- 부모의 형질이 자손에게 전달되는 과정을 명확하게 설명하지 못하였다.
- 다윈이 자연 선택설을 발표하던 당시에는 유전자에 대한 개념이 없었다.

자연 선택의 대표적인 예로 공업 암화를 들 수 있다. 산업 혁명 이전에 영국의 맨체스터 지방에는 주로 흰색의 후추나방이 살고 있었다. 하지만 산업 혁명 이후에는 대기 오염으로 인해 나무 표면에 붙어 있는 흰 곰팡이들이 사라지자 나무줄기의 어두운 표면이 드러나게 되면서 검은색 후추나방이 생존에 유리하게 되어 검은색 후추나방의 개체 수가 증가하였다.

탐구 1 (조사) 다윈의 진화론이 과학과 사회에 미친 영향

교과서 237쪽

목표

과학적 사고력 / 과학적 의사소통 능력

다윈의 진화론이 현대의 과학과 사회에 미친 영향을 설명할 수 있다.

과정

다음은 다윈의 진화론이 현대의 과학과 사회에 미친 영향을 정리한 자료이다.

다윈은 비글호를 타고 세계 여러 곳을 돌아다니면서 많은 종의 생물을 관찰할 수 있었다. 특히 갈라파고스 제도에 사는 생물들을 관찰하면서 이들이 오랜 세월 동안 환경에 맞추어 적응해 왔다는 사실을 발견하였다. 그 후 다양한 생물을 관찰한 결과를 바탕으로 《종의 기원》을 집필하였다.

다윈이 《종의 기원》을 발표했을 당시에는 다윈을 침팬지로 묘사하여 조롱하는 만평을 게재할 정도로 혹평을 받기도 하였지만, 다윈의 진화론이 생명 과학의 기본 원리로 자리잡은 후에는 과학, 철학, 예술 및 사회의 여러 분야에 많은 영향을 미쳤다.

다윈을 침팬지로 묘사한 그림

❶ 다윈의 진화론이 형성되는 데 영향을 미친 과학 이론 및 사회 이론에는 무엇이 있는지 모둠별로 조사해 보자.

예시 • 맬서스의 인구론: 맬서스는 인구론에서 아무 통제가 없다면 인구는 기하급수적으로 증가하고, 생존에 필요한 자원은 등차급수적으로 증가하므로 이용 가능한 자원을 차지하려는 경쟁이 일어나고, 이 경쟁에서 약자와 미래를 대비하지 않은 자들은 밀릴 수밖에 없다고 주장하였다. 이는 다윈이 자연 선택의 개념을 정립하는 데 결정적인 영향을 미쳤다.
• 라이엘의 점이설과 허튼의 동일 과정설은 다윈에게 영향을 미쳐 생물계에서도 작은 변이가 오랜 세대를 거치는 동안 누적되어 큰 변화, 즉 새로운 종을 탄생시킨다는 생각을 갖게 했으며, 이러한 과거의 변화는 현재에 관찰할 수 있는 현상을 통해 파악할 수 있다고 생각하게 되었다.

*갈라파고스 제도에 살고 있는 생물들

핀치   이구아나

마다가스카르 거북   붉은 게

*다윈(Darwin, C. R., 1809~1882)
다윈은 1831년 비글호를 타고 여행하면서 다양한 환경에 적응하여 살고 있는 다양한 생물의 모습을 관찰하고 1859년에 이러한 연구 결과를 집대성한 《종의 기원》을 출간하였다.

*점이설과 동일 과정설
• 라이엘의 점이설: 지각에서 관찰되는 큰 변화들은 모두 과거 오랜 시간 속에서 일어난 작은 변화가 누적되어 나타난 것이라는 주장이다.
• 허튼의 동일 과정설: 우리가 현재 관찰할 수 있는 자연 현상이 과거에도 동일하게 일어났으며, 현재 지구상에서 관찰되는 현상을 통해서만 과거에 일어난 현상에 대한 해석이 가능하다는 주장이다.

❷ 다윈의 진화론이 현대 과학 및 철학, 예술, 경제, 종교, 정치 등 다양한 분야에 미친 영향에는 어떤 것이 있는지 모둠별로 조사해 보자.

과학과 사회에 미친 영향	철학, 예술 등 사회 여러 분야에 미친 영향
과학에서 결정론적인 사고 체계를 확률론적인 사고 체계로 바꾸는 데 큰 역할을 하였다.	인간 중심적 사고에서 생명권의 평등을 일깨워 주는 데 영향을 주었다.

결과/정리

1. 진화론이 과학과 사회에 미친 다양한 영향을 토의해 보자.

예시 다윈의 진화론은 인간 중심주의를 깨뜨리고 생명권의 평등을 일깨워 주었으며, 과학에서 결정론적인 사고 체계를 확률론적인 사고 체계로 바꾸는 데 큰 역할을 하였다. 또한, 철학에서는 본질 주의를 넘어서서 고정되어 있는 본질이란 없으며 변화 가능성과 개별적인 개체들에 주목하게 되는 계기가 되었다. 이외에도 진화론의 영향으로 새로운 철학 사조나 진화 심리학, 진화 윤리학 등의 새로운 학문이 생겨나기도 하였다. 또한, 마르크스는 다윈의 진화론을 통해 인류의 진화를 진보로 이해하였고, 이상적인 사회로 진보하는 것은 인간의 숙명이라고 여겼다. 인문, 사회, 과학뿐만 아니라 음악, 미술 등의 예술 분야까지 광범위하게 영향을 미치고 있다.

2. 다윈의 진화론에 관련된 서적과 인터넷 자료를 찾아보고, 진화론에 관한 자신의 생각을 발표해 보자.

예시 마이어는 '진화는 이 세상을 설명하는 가장 포괄적인 원리이다.'라고 하였다. 이처럼 다윈의 진화론은 생물학의 범주를 넘어 인문, 사회, 과학 분야나 예술 분야 등과 같은 다른 많은 학문 영역들은 물론 우리들의 일상생활에도 폭넓게 영향을 미치고 있다.

탐구 분석

다윈은 비글호를 타고 여행하면서 다양한 환경에 적응하여 살고 있는 다양한 생물의 모습을 관찰하고, 이를 통해 진화론을 주장하였다. 이 과정에서 다윈은 다른 분야의 과학 및 사회 이론 등으로부터 많은 영향을 받았다. 그리고 다윈의 진화론은 과학의 이론으로 끝나는 것이 아니라 세상을 바라보는 새로운 방법으로서 인문, 사회, 철학 등의 다른 학문 분야뿐만 아니라 음악, 미술 등의 예술 분야까지 광범위하게 영향을 미치고 있다.

수행평가 TIP		
탐구 수행	• 다윈의 진화론이 사회 전반에 걸쳐 미친 영향에 관한 조사 활동에 적극적으로 참여한다.	☆ ☆ ☆
	• 조사 결과를 다른 사람들이 이해하기 쉽게 정리한다.	☆ ☆ ☆
탐구 결과	• 다윈의 진화론이 형성되는 데 영향을 미친 사회·과학 이론에 관하여 정리한 내용을 발표한다.	☆ ☆ ☆
	• 다윈의 진화론이 다른 학문 및 예술 분야에 미친 영향에 관하여 정리한 내용을 발표한다.	☆ ☆ ☆

3 다윈의 진화론이 과학과 사회에 미친 영향

과학에 미친 영향	• 생물의 분류를 진화적 관점으로 해석하게 되었다. • 유전학, 분자생물학 등 생물을 연구하는 다른 학문의 발전에 도움을 주었다.
사회에 미친 영향	• 경쟁을 기반으로 하는 자본주의 사회의 발달에 영향을 미쳤다. • 인종 차별, 사회의 불평등 구조를 정당화하는 이론이 되었다. • 철학, 사회학, 정치학 등 다양한 인문 사회학 분야에 영향을 미쳤다.

• 확인하기

1. 이해 같은 집단 내에서 나타나는 변이의 종류에는 무엇이 있을까?

예시 환경 요인의 작용으로 나타나는 비유전적 변이와 유전자의 변화로 나타나는 유전적 변이가 있다. 비유전적 변이는 유전되지 않지만, 유전적 변이는 자손에게 그 형질이 유전된다.

2. 적용 같은 형질을 가진 개체들로만 이루어진 집단과 다양한 형질을 가진 개체들로 이루어진 집단 중에서 어느 집단이 진화에 더 유리하겠는가?

예시 다양한 형질을 가진 개체들로 이루어진 집단일수록 환경이 변했을 때 그 변화된 환경에 적합한 형질을 가진 개체가 존재하여 살아남을 가능성이 크다. 따라서 다양한 형질을 가진 개체들로 이루어진 집단일수록 환경 변화에 적응하여 진화가 일어나는 데 더 유리할 것이다.

✅ 개념 확인 문제

1 자손이 어버이로부터 유전자를 물려받는 과정에서 발생하는 변이로 자손에게 유전되는 변이를 무엇이라고 하는가?

2 같은 생물종 내에 일어나는 생존 경쟁에서 환경에 적합한 형질을 가진 개체가 살아남아 자손을 남기는 것을 무엇이라고 하는가?

②단계 해결하기 | **2. 슈퍼 박테리아는 어떻게 생겨났을까?**

항생제를 자주 사용하거나 의사의 처방 없이 임의로 사용하면 항생제의 효과가 줄어들고, 더 강력한 항생제를 사용해야 질병을 치료할 수 있다. 그 이유는 동일한 항생제를 남용할 경우 그 항생제에 내성이 있는 세균이 증가하여 항생제의 효과가 줄어들기 때문이다. 여기서는 이와 같이 항생제 내성 세균이 증가하는 이유를 다윈의 자연 선택설과 연관 지어 설명하고, 다양한 항생제에 내성을 갖는 슈퍼 박테리아의 형성 과정에 관하여 알아본다.

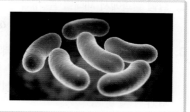

탐구 2 [모의실험] 내성 생명체 출현 모의실험

 목표

과학적 탐구 능력

내성 생명체 출현에 관한 모의실험을 통해 내성 세균의 출현 과정을 추론할 수 있다.

과정

❶ 흰색 바둑알 25개, 검은색 바둑알 5개를 섞어 모형 항생제* 배지* 위에 뿌린다.

❷ 결과표의 '1세대'에서 '야생형 세균의 수'와 '항생제 내성 세균의 수'란에 각각 모형 항생제 배지 위에 있는 흰색 바둑알과 검은색 바둑알의 개수를 기록하고, '총 개체 수'란에 바둑알의 총 개수를 기록한다.

구분	1세대
야생형 세균의 수	25
항생제 내성 세균의 수	5
총 개체 수	30

과정 1~4

❸ 눈을 감고 모형 항생제 배지 위의 바둑알을 잘 섞은 다음, 모형 항생제 배지에서 항생제에 해당하는 검은 사각형에 닿은 바둑알을 제거한다. 이때 야생형 세균에 해당하는 흰색 바둑알은 검은색 사각형에 조금이라도 닿으면 제거하고, 항생제 내성 세균에 해당하는 검은색 바둑알은 흰색 사각형에 닿지 않고 검은색 사각형 안으로 완전히 들어간 경우에만 제거한다.

❹ 남아 있는 흰색 바둑알과 검은색 바둑알의 개수만큼 모형 항생제 배지 위에 흰색 바둑알과 검은색 바둑알을 각각 추가한다.

❺ 결과표의 '2세대'에서 '야생형 세균의 수'와 '항생제 내성 세균의 수'란에 각각 모형 항생제 배지 위에 남아 있는 흰색 바둑알과 검은색 바둑알의 개수를 기록하고, '총 개체 수'란에 바둑알의 총 개수를 기록한다.

❻ 과정 ❸~❹를 반복하면서 3세대~8세대의 결과를 결과표에 기록한다.

＊항생제
세균을 죽이거나 생장을 억제하는 물질로 세균성 질병의 치료제로 사용한다.

＊배지
세균의 증식, 보존, 수송 등을 위해 사용되는 액체 또는 고체 재료이다.

⚠ 유의 사항
• 모형 항생제 배지는 그림과 같이 A3 용지에 가로 세로 각각 5 cm × 5 cm 크기의 흰색, 검은색 사각형이 번갈아 교차하도록 출력하여 사용한다.

• 흰색 바둑알은 야생형 세균, 검은색 바둑알은 항생제 내성 세균으로 가정하고, 모형 항생제 배지의 검은 사각형이 항생제라고 가정한다.

결과/정리

1. 실험 결과 모형 항생제 배지 위에 남아 있는 바둑알 수의 변화를 표로 정리해 보자.

구분	1세대	2세대	3세대	4세대	5세대	6세대	7세대	8세대
야생형 세균의 수	25	16	12	6	2	2	0	0
항생제 내성 세균의 수	5	4	4	6	12	22	36	52
총 개체 수	30	20	16	12	14	24	36	52

2. 실험 결과에서 세대별 총 개체 수의 변화를 오른쪽 그래프에 나타내 보자.

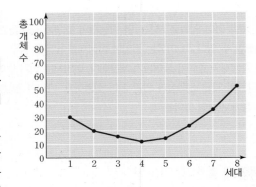

3. 세대를 지나면서 모형 항생제 배지의 총 개체 수가 어떻게 변하는가? 이와 같은 변화를 나타내는 까닭을 설명해 보자.

예시 총 개체 수는 일시적으로 감소하다가 다시 증가한다. 그 까닭은 처음에는 항생제 사용으로 인해 야생형 세균의 수가 감소하므로 총 개체 수가 감소하지만, 세대가 거듭될수록 항생제 내성 세균의 수가 급격하게 증가하기 때문에 총 개체 수가 증가한다.

4. 항생제 내성 세균이 나타나는 원리를 이 실험의 결과와 관련지어 설명해 보자.

예시 세균 집단 내에서 유전적 변이에 의해 항생제에 내성이 있는 세균이 존재하는데, 이때 항생제를 사용하면 항생제에 내성이 없는 세균은 제거되지만, 항생제에 내성이 있는 세균은 살아남아 증식한다. 항생제를 반복하여 사용할 경우 여러 세대가 지나면 세균 집단 내에 내성이 있는 세균만 존재하게 된다.

💡 **탐구 분석**

모의실험을 통해 항생제를 사용하기 전에는 세균 집단 내에 매우 적은 비율로 존재하던 항생제 내성 세균들이 항생제 사용 과정에서 자연 선택되어 비율이 증가하게 되는 원리를 깨닫고, 이와 같은 원리를 통해 진화가 일어난다는 것을 이해한다.

수행평가 TIP

탐구 수행	· 모둠 구성원과 협력하여 내성 생명체 출현 모의실험을 수행한다.	☆	☆	☆
	· 실험에서 얻은 데이터를 이용하여 표와 그래프를 정확하게 작성한다.	☆	☆	☆
탐구 결과	· 모형 항생제 배지의 총 개체 수가 변화되는 까닭을 자연 선택과 관련지어 논리적으로 설명한다.	☆	☆	☆
	· 항생제 내성 세균이 나타나는 원리를 이 실험의 결과와 관련지어 논리적으로 설명한다.	☆	☆	☆

1 자연 선택과 진화

(1) 항생제 내성 세균의 자연 선택 과정

① 항생제 내성[1] 세균
- 항생제에 노출되어도 생존할 수 있는 세균을 말한다.
- 특정 항생제 내성 세균에 의해 발병한 질병은 그 항생제로 치료할 수 없다.

② 항생제 내성 세균의 자연 선택 과정

변이		자연 선택		생물의 진화
세균 집단에서 유전적 변이에 의해 일부 세균이 항생제에 내성을 가지게 된다.	항생제 사용 →	항생제에 내성이 없는 세균은 죽고, 내성이 있는 세균은 생존하여 번식한다.	항생제 반복 사용 →	항생제에 내성이 있는 세균으로만 이루어진 집단이 형성된다.
집단 내 모든 세균은 항생제에 내성이 없었지만, 유전적 변이가 일어나 항생제 내성 유전자가 만들어지면서 집단 내 일부 세균이 항생제에 내성을 가지게 된다.		항생제를 사용하면 항생제에 내성이 있는 세균이 항생제에 내성이 없는 세균보다 많이 살아남아 증식하여 자손에게 항생제 내성 유전자를 전달한다.		항생제를 반복 사용하면 집단 내 항생제 내성 세균의 비율이 증가하는 방향으로 집단이 진화한다.

항생제 내성이 없는 세균 → 돌연변이 → 변이 → 항생제 사용 → 적자생존 → 항생제 사용 자연 선택 → 집단의 진화

(항생제 내성 유전자, 항생제 내성 세균)

➡ 항생제를 반복 사용하는 환경에서는 항생제 내성 세균이 자연 선택되어 항생제 내성 세균 집단으로 진화할 수 있다.
└ 진화는 주어진 환경에 적응한 변이를 가진 개체가 자연 선택되는 것이다.

❶ 항생제 내성

세균이 항생제에 노출되어도 생존할 수 있는 성질을 말한다. 일반적으로 돌연변이로 생긴 항생제 내성 유전자에 의해 나타나는 형질이다. 항생제 내성 유전자는 세균 사이에서 수평적으로 옮겨질 수 있다.

(2) **핀치 부리의 자연 선택 과정**

① **변이** 갈라파고스 제도의 각 섬에 사는 같은 종의 핀치 사이에 다양한 부리 모양을 가진 핀치들이 있었다.

② 각 섬은 환경에 따라 핀치의 먹이 종류도 다르게 나타났다.

③ **생존 경쟁** 핀치는 먹이와 서식지 등을 차지하기 위해 경쟁하였다.

④ **자연 선택(적자생존)** 각 섬의 먹이 환경에 적합한 부리를 가진 핀치가 살아남아 자손을 남겼다. — 📖 곤충이 많은 섬에서는 곤충을 잡아먹기 유리한 부리를 가진 핀치가 살아남았다.

⑤ **진화** 현재 갈라파고스 제도의 핀치는 각 섬마다 먹이를 먹기 가장 적합한 형태의 부리 모양을 가진 핀치들이 번성하고 있다.

➡ 같은 종의 핀치라도 오랜 시간 동안 다른 먹이 환경에 적응하여 서로 다른 부리 모양을 가진 종으로 진화한 것이다.
└ 현재 갈라파고스 제도에는 부리의 모양이 조금씩 다른 14종의 핀치가 살고 있다.

❷ **자연 선택에 의한 진화**
자연 선택에 의한 진화는 갈라파고스 제도의 핀치와 같이 오랜 시간에 걸쳐 서서히 일어나지만, 항생제 내성 세균의 형성처럼 급격한 환경 변화가 일어나면 짧은 시간 내에 일어나기도 한다.

곤충을 먹는 새 / 선인장을 먹는 새 / 나뭇잎을 먹는 새 / 씨를 먹는 새 / 열매를 먹는 새

(3) **다양한 생물의 출현과 진화** 지구 환경은 지속적으로 변화해 왔으며, 환경 변화는 자연 선택의 방향에 영향을 준다. 생태계의 환경은 다양하므로 생물은 서로 다른 환경에 적응하여 다양한 방향으로 자연 선택되었다. ➡ 그 결과 지구상에는 다양한 생물이 나타나게 되었다.

해 보기 3 〔자료 해석〕 슈퍼 박테리아의 출현

교과서 240쪽

목표
과학적 사고력

항생제 내성 세균의 형성 과정을 통해 슈퍼 박테리아의 형성 과정을 설명할 수 있다.

과정

그림 (가)는 항생제 A에 내성을 가진 세균 집단이 형성되는 과정을, (나)는 다양한 항생제에 내성을 가진 슈퍼 박테리아가 형성되는 과정을 나타낸 것이다.

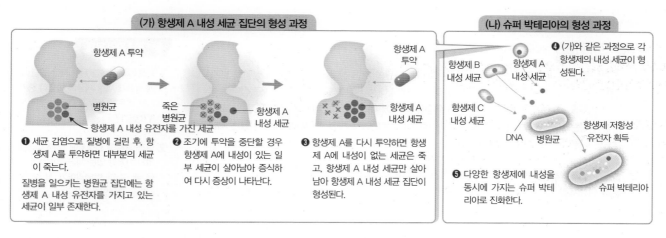

(가) 항생제 A 내성 세균 집단의 형성 과정

항생제 A 투약 / 병원균 / 항생제 A 내성 유전자를 가진 세균 / 죽은 병원균 / 항생제 A 내성 세균 / 항생제 A 투약 / 항생제 A 내성 세균

❶ 세균 감염으로 질병에 걸린 후, 항생제 A를 투약하면 대부분의 세균이 죽는다.
질병을 일으키는 병원균 집단에는 항생제 A 내성 유전자를 가지고 있는 세균이 일부 존재한다.

❷ 조기에 투약을 중단할 경우 항생제 A에 내성이 있는 일부 세균이 살아남아 증식하여 다시 증상이 나타난다.

❸ 항생제 A를 다시 투약하면 항생제 A에 내성이 없는 세균은 죽고, 항생제 A 내성 세균만 살아남아 항생제 A 내성 세균 집단이 형성된다.

(나) 슈퍼 박테리아의 형성 과정

항생제 B 내성 세균 / 항생제 A 내성 세균 / 항생제 C 내성 세균 / DNA / 병원균 / 항생제 저항성 유전자 획득 / 슈퍼 박테리아

❹ (가)와 같은 과정으로 각 항생제의 내성 세균이 형성된다.

❺ 다양한 항생제에 내성을 동시에 가지는 슈퍼 박테리아로 진화한다.

1. 그림 (가)를 보고 항생제 A에 내성을 갖는 세균의 형성 과정을 단계별로 설명해 보자.

예시 ❶ 질병을 유발한 세균 집단 내에는 유전적 변이로 인해 항생제 A 내성 유전자를 가진 세균이 일부 존재한다. 이때 항생제 A를 투약하면 대부분의 세균이 죽는다.
❷ 항생제 A 투약을 조기에 중단하면 항생제 A에 내성이 있는 세균은 살아남아 증식하여 다시 증상이 나타난다.
❸ 항생제 A를 다시 투약하면 항생제 A에 내성이 있는 세균은 더 많이 살아남아 증식하여 개체 수가 점점 증가한다. 이러한 과정이 반복되면 항생제 A에 내성이 있는 세균으로만 이루어진 세균 집단이 형성된다.

2. 그림 (나)를 보고 슈퍼 박테리아가 다양한 항생제에 내성을 갖게 되는 과정을 설명해 보자.

예시 다양한 항생제에 각각 내성을 가진 세균들이 섞여 있을 때 유전자의 이동이 일어나 한 종류의 항생제에 내성 유전자를 가진 세균이 또 다른 항생제에 대한 내성 유전자를 획득할 수 있다. 이러한 과정을 통해 다양한 항생제에 내성을 동시에 가지는 슈퍼 박테리아가 형성된다.

탐구 분석

항생제 A 내성 세균 집단의 형성 과정을 이해하고, 이와 같은 원리로 생성된 여러 가지 항생제 내성 세균들이 유전자를 교환하여 슈퍼 박테리아가 형성되는 과정을 이해한다.

수행평가 TIP		
탐구 수행	• 항생제 A 내성 세균 집단이 형성되는 과정을 정확히 이해한다.	☆ ☆ ☆
	• 슈퍼 박테리아가 형성 되는 과정을 이해하기 쉽게 설명한다.	☆ ☆ ☆
탐구 결과	• 항생제 내성 세균과 슈퍼 박테리아의 차이점을 이해한다.	☆ ☆ ☆
	• 항생제 내성 세균 집단이 형성되는 과정을 자연 선택설과 연관 지어 논리적으로 설명한다.	☆ ☆ ☆

2 슈퍼 박테리아 형성

(1) 슈퍼 박테리아

- 다양한 항생제에 대한 내성을 동시에 가지는 세균을 말한다.
- 슈퍼 박테리아에 감염될 경우 슈퍼 박테리아가 내성을 가지고 있는 항생제들로는 슈퍼 박테리아를 제거할 수 없기 때문에 치료가 매우 어렵다.

(2) 슈퍼 박테리아 형성 과정

항생제 내성 세균 형성		유전자 이동		슈퍼 박테리아 형성
세균 집단 내에 다양한 항생제에 각각 내성을 갖는 다양한 세균이 형성된다.	→	각기 다른 항생제에 내성을 갖는 세균 개체들 사이에 유전자의 이동이 일어난다.	→	여러 가지 항생제에 대한 내성을 동시에 갖는 세균이 형성된다.

• 확인하기

1. 이해 항생제 내성 세균 집단이 형성되는 과정을 다윈의 자연 선택설과 연관 지어 설명해 보자.
예시 세균 집단 내에 유전적 변이에 의해 특정 항생제 내성 세균이 존재할 때 이 세균 집단에 특정 항생제를 사용하면 자연 선택에 의해 특정 항생제에 내성이 없는 세균은 제거되고 항생제에 내성이 있는 세균이 살아남아 증식한다. 이 과정이 반복되면서 특정 항생제에 내성이 있는 세균들로만 이루어진 세균 집단이 형성된다.

2. 적용 슈퍼 박테리아에 의한 피해를 줄이기 위해서는 어떻게 해야 하는지 말해 보자.
예시 항생제를 남용하지 않으며, 꼭 필요한 경우 의사 또는 약사의 처방에 따라 정확한 용법과 용량만을 사용해야 한다.

 개념 확인 문제

1 항생제를 사용할 경우 세균 집단 내에 항생제 내성 세균의 비율이 증가하는 이유를 설명할 수 있는 원리는 무엇인가?

2 여러 종류의 항생제에 대한 내성을 각각 가지고 있는 세균들이 섞여 있을 때, 슈퍼 박테리아가 형성되는 까닭은 무엇인가?

생명의 기원에 관한 가설 − 가설의 장단점 토론하기 −

초기 지구는 온도가 매우 높아 표면과 내부가 온통 뜨거운 마그마로 되어 있었기 때문에 생명체가 살기 어려운 환경이었다. 하지만 시간이 지나면서 지구의 온도가 서서히 내려가자 대기 중의 수증기가 비가 되어 내렸고, 빗물이 낮은 곳으로 모여 원시 바다를 형성하였다. 이렇게 형성된 원시 바닷속에서 약 38억 년 전 최초로 생명체가 생겨났다.

최초의 생명체는 어떻게 생겨났을까? 아직도 지구상에 생명체가 생겨난 과정은 명확하게 밝혀지지 않고 있지만 많은 과학자가 그 비밀을 풀기 위하여 여러 가지 가설을 제시하였다. 다음 자료를 통해 생명의 기원에 관한 가설을 알아보자.

화학 진화설　　심해 열수구설　　외계 유입설

1 조사하기

1. 세 가지 가설에서 주장하는 내용이 무엇인지 조사해 보자.

가설	주장하는 내용
화학 진화설	원시 지구의 무기물에서 유기물이 만들어졌으며, 이 유기물에서 원시 생물이 나왔다는 가설
심해 열수구설	최초의 유기물은 원시 지구의 심해 열수구 부근에서 합성되었을 것이라는 가설
외계 유입설	생명체의 탄생에 필요한 유기물 또는 생명체가 우주로부터 유입되었다는 가설

2. 각각의 가설을 뒷받침하는 증거를 조사해 보자.

가설	뒷받침하는 증거
화학 진화설	밀러와 유리의 실험: 플라스크에 원시 대기 성분이라고 생각되는 수증기와 수소, 메테인, 암모니아를 넣고 100 ℃로 가열한 다음, 번개가 치는 것 같은 방전을 일으켰더니 플라스크에서 아미노산과 뉴클레오타이드 등 생명체를 구성하는 유기물이 생성되었다.
심해 열수구설	심해 열수구는 화산 활동으로 에너지가 공급되고, 수소, 암모니아, 메테인 등의 환원성 물질과 촉매 작용을 할 수 있는 철, 망가니즈 등의 금속 이온도 풍부하므로 생명체의 탄생 장소로 유력하다.
외계 유입설	오스트레일리아 남동부의 머치슨 마을에 떨어진 운석에서 90종 이상의 유기물이 검출되었다. 또한, 우주 공간과 같은 극한 상황에서도 일부 생명체의 포자가 살아남을 수 있다는 것이 확인되었다.

3. 조사한 내용을 바탕으로 각 가설의 장단점을 분석해 보자.

가설	장점	단점
화학 진화설	원시 지구의 대기 성분을 정확히 알면 실험을 통해 유기물의 생성 여부를 확인할 수 있다.	원시 지구의 대기 성분을 추측하는 데 한계가 있다.
심해 열수구설	심해 열수구는 수소, 암모니아, 메테인 등과 같은 유기물을 만들기 위한 재료가 풍부하며 화산 활동으로 에너지가 공급되므로 유기물이 생성되기에 적합한 장소이다.	만들어진 유기물이 주변의 높은 온도에 의해 파괴될 가능성이 있다.
외계 유입설	우주의 어딘가에는 유기물의 생성이나 생물의 진화에 적당한 환경을 가진 곳이 반드시 존재할 것이다. 또한 우주의 역사는 지구의 역사보다 훨씬 길기 때문에 유기물이 생성되고 생물이 진화하기에 충분한 시간이 있었다.	생명체의 외계 유입을 증명할 수 있는 직접적인 증거를 찾기가 매우 어려우며, 지구로 유입된 생명체의 기원을 밝히기 어려운 문제가 여전히 남는다.

2 토론하기

1. 모둠별 토의를 통해 자신의 모둠이 지지하는 가설을 결정해 보자.

해설 모둠별로 각 가설의 장단점을 분석하고 토의를 통해 각 모둠이 지지하는 가설을 결정하여 발표 자료를 정리한다.

2. 각 모둠에서 조사한 내용을 발표하고, 어떤 가설이 타당한지 토론해 보자.

해설 자신의 모둠에서 선택한 가설의 장점을 부각시키고, 단점을 보완할 수 있는 근거를 찾아 선택한 가설의 타당성을 논리적으로 설명한다.

미국에 있는 카이바브고원에 서식하는 사슴을 보호하고 사냥으로 인해 줄어든 개체 수를 복원하기 위해 미국 정부는 사슴의 포식자에 해당하는 퓨마, 늑대 등의 사냥을 허용하였다. 하지만 예상과 달리 사슴 개체 수는 일시적으로 증가했지만, 시간이 지나자 증가한 사슴으로 인해 초원이 황폐화되어 오히려 사슴의 개체 수가 급격하게 줄어들었다. 여기서는 이 사례를 바탕으로 생물 다양성의 구성 요소와 각 다양성의 의미를 이해하고, 생물 다양성이 생태계 평형을 유지하는 데 어떤 역할을 하는지를 알아본다.

해 보기 4 자료 해석 생물 다양성

교과서 242쪽

목표

과학적 의사소통 능력

생물 다양성을 구성하는 요소에 따라 생물 다양성을 구분할 수 있다.

과정

다음은 생물 다양성을 구성하는 요소를 나타낸 것이다.

⊙ **생태계 다양성**: 어떤 지역을 구성하는 생태계의 다양함.

(가)

ⓒ **유전적 다양성**: 한 개체군에 속하는 생물들이 지닌 다양한 유전적 변이

(나)

ⓒ **종 다양성**: 한 지역에 서식하는 생물의 전체 종 수

(다)

결과/정리

1. (가)~(다)와 ⊙~ⓒ을 관련이 깊은 것끼리 연결해 보자.

   예시 ⊙-(다), ⓒ-(가), ⓒ-(나)

2. (가)~(다)가 나타내고 있는 생물 다양성의 예를 조사해 보자.

   예시 • (가): 다람쥐 개체군 내에서 다람쥐의 털색이 개체마다 다양하다. 무당벌레 개체군 내에서 딱지날개 무늬가 개체들마다 다양하다. 코스모스의 꽃잎 색깔이 다양하다.
   • (나): 우포늪에 사는 생물 – 곤충류는 딱정벌레목 55종, 노린재목 32종, 잠자리목 24종, 매미목 21종, 메뚜기목 16종, 날도래목 3종, 하루살이목 1종, 파리목 1종으로 총 8목 57과 153종이 서식한다. 조류는 논병아리과 1종, 백로과 8종, 황새과 1종, 오리과 19종, 수리과 3종, 매과 1종, 멧닭과 1종, 꿩과 1종, 뜸부기과 2종, 물떼새과 2종, 도요과 4종, 장다리물떼새과 1종, 갈매기과 1종, 비둘기과 1종, 두견과 1종, 올빼미과 1종, 물총새과 2종, 파랑새과 1종, 후투티과 1종, 딱따구리과 2종, 종다리과 1종 제비과 1종, 할미새과 2종, 직박구리과 1종, 때까치과 3종, 굴뚝새과 1종, 딱새과 5종, 오목눈이과 1종, 박새과 2종, 멧새과 3종, 되새과 4종, 참새과 1종, 찌르레기과 1종, 꾀꼬리과 1종, 까마귀과 3종 등 90여 종을 볼 수 있다. 어류는 고유종인 몰개, 각시붕어, 돌마자 등이 있고, 외래종인 베스, 떡붕어, 블루길 등 총 15과 42종의 어류가 서식한다.
   • (다): 특정한 지역이 바다, 산, 초원, 강, 습지 등 다양한 종류의 생태계로 구성되어 있다.

3. (가)~(다)의 생물 다양성이 각각 높을 때와 낮을 때 생태계에 어떤 영향을 미치는지 설명해 보자.

생물 다양성	다양성이 높을 때	다양성이 낮을 때
유전적 다양성	환경 변화, 전염병 등이 생겼을 때 변화에 적응하여 살아남을 수 있는 확률이 높다.	환경 변화, 전염병 등에 적응하지 못하고 멸종할 수 있다.
종 다양성	먹이 그물에 변화가 생겨도 생태계 평형이 안정적으로 유지되거나, 생태계 평형이 깨져도 회복될 확률이 높다.	먹이 그물에 변화가 생겨 생태계 평형이 깨지면 회복될 확률이 낮다.
생태계 다양성	각각의 환경에 다양한 생물종이 서식하며, 다양한 상호 작용이 나타난다.	생태계에 서식하는 생물종이 적으며, 생물종 간의 상호 작용이 단순하다.

탐구 분석

생물 다양성에는 유전적 다양성, 종 다양성, 생태계 다양성의 3가지 요소가 있다. 본 활동을 통해 생물 다양성의 3가지 요소의 의미를 이해하고, 각 다양성의 예를 찾아본다. 또 생물 다양성이 생태계에 미치는 영향을 알아본다.

수행평가 TIP

탐구 수행	• 인터넷, 과학 잡지, 단행본 등 다양한 매체를 이용하여 각 질문의 답을 찾는다.	☆ ☆ ☆
	• 모둠 구성원 간의 토의를 통해 각 질문의 해답을 도출한다.	☆ ☆ ☆
탐구 결과	• 생태계를 구성하는 모든 생물들은 서로 밀접한 관계를 맺으며 살아가고 있다는 것을 이해한다.	☆ ☆ ☆
	• 생물 다양성의 3가지 구성 요소의 의미를 이해한다.	☆ ☆ ☆
	• 생물 다양성의 3가지 구성 요소의 예를 구체적으로 말한다.	☆ ☆ ☆

1 생물 다양성

지구상에는 다양한 환경에서 각각의 환경에 적응하여 진화한 다양한 종류의 생물이 살고 있는데, 이를 생물 다양성이라고 한다. 생물 다양성에는 유전적 다양성, 종 다양성, 생태계 다양성의 3가지 요소가 있다.

(1) 유전적 다양성❶

① 같은 종이라도 하나의 형질을 결정하는 유전자가 다양하여 개체마다 다양한 형질이 나타나는 것이다.
  └─하나의 형질을 결정하는 유전자가 다양할수록 유전적 다양성이 높아진다.

  ⑩ 코스모스·튤립의 꽃잎 색깔, 무당벌레의 딱지날개 무늬와 색깔, 바지락의 껍데기·메추라기 알의 껍데기 무늬와 색깔

코스모스의 꽃잎 색깔

바지락의 껍데기 무늬

메추라기 알의 껍데기 무늬

② 유전적 다양성이 낮은 개체군은 급격한 환경 변화나 전염병 등에 적응하지 못하고 멸종할 가능성이 큰 반면, 유전적 다양성이 높아 다양한 형질을 가진 개체들로 구성된 개체군은 급격한 환경 변화나 전염병 등에 적응하여 살아남을 가능성이 크다.
  ⑩ 아일랜드 대기근❷, 씨 없는 바나나

(2) 종 다양성❸

• 일정한 지역에 사는 생물 군집 내에 얼마나 많은 종이 균등하게 분포하며 살고 있는지를 나타낸 것이다.

• 한 지역에 서식하는 종의 수가 많을수록, 한 지역에 서식하는 생물의 전체 종 수에 대한 각 종의 개체 수 비율이 균등할수록 종 다양성이 높다.

• 종 다양성이 높을수록 생태계의 평형이 안정적으로 유지되는 반면, 종 다양성이 낮은 경우 생태계 평형이 쉽게 깨진다.

❶ **유전적 다양성과 적응**
유전적 다양성이 높은 집단일수록 다양한 환경 변화에 대처하여 살아남는 개체가 존재할 가능성이 커지므로 환경 변화에 적응하고, 성공적으로 진화하여 개체군을 유지해 나갈 가능성이 크다.

❷ **아일랜드 대기근**
1800년대에 아일랜드에서는 품종 개량으로 인해 유전적 다양성이 매우 낮은 감자만을 키우고 있었는데, 1847년 아일랜드 전역에 '감자 잎마름병'이 발병하자 이에 대한 저항성을 가진 감자가 없어 병이 걷잡을 수 없이 퍼졌고, 이 지역에서 더 이상 감자를 생산할 수 없게 되었다. 이로 인해 이 지역의 인구가 절반으로 감소하였다.

❸ **종 다양성과 생태계 평형**
생태계는 먹이 사슬에 기초하여 유지되는데, 생태계를 구성하는 종이 다양할수록 먹이 관계가 복잡하게 얽히게 된다. 먹이 관계가 복잡할수록 특정 종이 사라지더라도 대체할 수 있는 종이 있기 때문에 생태계는 크게 영향을 받지 않고 안정적으로 유지될 수 있다.

(3) 생태계 다양성

- 한 지역에 존재하는 생태계 종류의 다양함을 의미한다.
- 생태계는 환경과 생물로 구성되므로, 생태계 다양성은 환경의 다양성과 각 환경에서 살아가는 생물의 다양성을 모두 포함한다.
  - 예) 습지, 갯벌, 삼림, 바다, 열대 우림, 농경지, 사막, 초원, 강
- 생태계의 종류에 따라 환경 요인과 다양하게 나타난다.

  서식하는 종이 다르며, 생물의 상호 작용 또한 강수량이 많고 기온이 높아 식물의 종류가 많으므로 이를 이용하는 동물 등의 다른 종이 많아 생물 다양성이 높다.

- 다양한 생태계로 구성된 지역에서는 각각의 생물이 다양한 환경에 적응하여 종의 분화가 활발하게 일어나므로 종 다양성과 유전적 다양성이 높아진다.

④ 습지와 갯벌
습지와 갯벌은 육상 생태계와 수중 생태계를 잇는 완충 지대로, 두 생태계의 자원이 모두 있으므로 종 다양성이 높다.

습지　　　　　　　　　바다　　　　　　　　　사막

해 보기 5 [자료 해석] 종 다양성

교과서 243쪽

목표

과학적 사고력

종 다양성이 높은 조건을 알고 종 다양성이 높은 지역을 구분할 수 있다.

과정

그림은 다양한 버섯 종이 서식하는 가상적인 두 지역의 버섯 분포를 나타낸 것이다.

(가)　　　　　　　(나)

결과/정리

1. 두 지역 (가)와 (나)의 개체 수와 종 수를 비교해 보고, 두 지역에서 버섯 분포의 공통점과 차이점을 말해 보자.

구분	지역 (가)	지역 (나)
개체 수(개)	20	20
종 수(종)	4	4

[예시] • 공통점: 지역 (가)와 (나)에 살고 있는 버섯 종의 개체 수와 종 수가 같다.
• 차이점: 지역 (가)에는 4종이 비슷한 비율로 균등하게 분포하지만, 지역 (나)에는 한 종이 주로 분포하고 있다.

2. 두 지역 (가)와 (나) 중에서 종 다양성이 높은 지역을 선택해 보자. 그렇게 생각하는 까닭은 무엇인가?

[예시] 지역 (가), 한 지역에 서식하는 종의 수가 많을수록, 생물의 전체 종 수에 대한 각 종의 개체 수 비율이 균등할수록 종 다양성이 높다. 두 지역을 비교해 보면 지역 (나)에 비해 (가)에서는 4종의 버섯이 비슷한 비율로 균등하게 분포하고 있다.

탐구 분석

종 다양성은 그 지역에 서식하는 종의 수가 많을수록, 각 종이 균등하게 분포할수록 더 높다.

탐구 수행	• 생물 다양성의 구성 요소가 생태계에 미치는 영향에 관한 자신의 의견을 모둠 구성원에게 정확하게 전달한다.	☆ ☆ ☆
탐구 결과	• 생물 다양성의 구성 요소와 각 다양성의 의미를 정확하게 설명한다.	☆ ☆ ☆
	• 종 다양성이 높은 지역을 옳게 선택하고, 그렇게 생각한 까닭을 논리적으로 설명한다.	☆ ☆ ☆

2 생물 다양성의 중요성

(1) **생물 다양성과 생태계 평형** 유전적 다양성, 종 다양성이 높을수록 생태계가 안정적으로 유지되어 생태계 평형이 쉽게 깨지지 않으며, 깨지더라도 곧 회복될 수 있다.

(2) **생물 다양성과 생물 자원**

① 인간은 생물로부터 의약품❺, 식량, 섬유 원료, 자재 등 수많은 자원을 얻고 있다.

② 생물은 인간이 살아가는 데 필요한 사회적 가치와 심미적 안정 등을 제공하며, 다양한 관광자원으로 이용될 수 있다.

③ 오염 물질을 처리하는 습지와 해안 지역의 정화 기능, 홍수나 산사태와 같은 자연재해 예방 등의 환경 조절 기능을 한다.

❺ **의약품**
인류가 사용하는 의약품은 대부분 생물 자원에서 찾아냈거나 생물 자원을 활용하여 생산한다.

푸른곰팡이	항생제인 페니실린 원료
주목 열매	항암제 원료
팔각	독감 치료제 원료
개똥쑥	말라리아 치료제 원료
청자고둥	진통제 원료
인삼	항암제, 면역 강화제 원료

벼(식량)　　　목화(직물)　　　치자(염색)　　　고무나무(고무)

 탐구 3 조사·토의 **생물 다양성 보전을 위한 노력**

교과서 244~245쪽

목표　　　　　　　　　　　　　　　　과학적 의사소통 능력

생물 다양성 보전을 위한 실천 방안을 찾아보고, 우리가 실천할 수 있는 노력에는 무엇이 있는지 토의할 수 있다.

과정

❶ 다음은 매*의 개체 수 감소에 관한 글이다. 매의 사례처럼 생물 다양성이 빠르게 감소하고 있는 원인은 무엇인지 조사해 보자.

> 매는 과거에 우리나라의 해안이나 도서의 절벽에서 흔히 볼 수 있는 새였다. 그러나 지금은 우리나라에서 매의 모습을 보기가 어려울 정도로 개체 수가 감소하였다. 매의 사례처럼 우리나라뿐만 아니라 현재 지구상의 생물 다양성은 빠른 속도로 감소하고 있다.

* **매(Falco peregrinus)**
우리나라에서는 드물게 관찰되는 텃새로, 해안이나 섬 등의 암벽에서 번식하고, 강 하구, 호수, 농경지, 습지 등지에서 생활한다. 번식기 외에는 단독 생활하며, 공중에서 먹이를 낚아채 사냥하기도 하고 땅 위의 먹이는 덮쳐 발톱으로 움켜쥐어 잡는다. 환경부 지정 멸종위기 야생동물 1급이며, 문화재청 지정 천연기념물 323-7호로 지정되어 있다.

예시 무분별한 개발로 인해 서식지의 면적이 감소하였고, 먹이가 될 동물의 수가 감소하여 매와 같은 포식자가 살아남기 힘들게 되었다. 그뿐 아니라 사람에 의한 불법 포획 등에 의해서도 개체 수가 감소하였다.

❷ 다음은 생물 다양성을 보전하기 위한 국가적, 국제적 활동 내용을 나타낸 것이다.[*]

국가적 노력

1. 국립생물자원관 설립: 우리나라 생물 자원 전체에 대한 보전과 관리 시스템을 갖추고 생물 자원을 발굴, 확보, 보전, 연구하기 위해 설립되었다.
2. 생물 다양성 관련 주요 법령 제정: 국내의 생물 다양성을 확보하고 생물 자원을 보전, 이용하기 위하여 관련 법률이 만들어졌다.

국제적 노력

1. 생물 다양성 협약: 생물 다양성의 보전과 생물 자원의 지속 가능한 이용, 생물 자원을 이용하여 얻어지는 이익을 공정하게 분배할 것을 목적으로 만들어진 협약이다.
2. 람사르 협약: 소중한 자원인 습지와 습지 생태계를 보전하기 위해 만들어진 국제 협약이다.

생물 다양성 협약 로고

국립생물자원관   국회   우포늪(람사르 등록 습지)

서적과 인터넷으로 생물 다양성 보전을 위한 국가적 노력과 국제적 노력에 관한 구체적인 활동 사례를 조사해 보자.

구분	사례	내용
국가적 노력	국립생물자원관	국가의 생물자원을 연구하고, 효율적 관리 시스템을 구축하며, 전시 · 교육을 통한 생물 다양성 인식 제고
	주요 법령 제정	자연 환경 보전법, 야생 동식물 보호법, 습지 보전법 등 다양한 법률 제정 및 시행
	기타	환경 보전을 위한 계획 수립 및 시행, 환경 보호의 중요성 홍보, 환경 보호 단체 지원, 야생 생물과 그 서식지 보호, 국립 공원 지정, 희귀종과 멸종 위기종 보호 및 복원, 생태 통로 건설 등
국제적 노력	생물 다양성 협약	생물 다양성 보전 및 생물자원의 지속 가능한 이용 등을 위해 1992년 '유엔 환경 개발 회의'에서 채택
	람사르 협약	'물새 서식처로서 국제적으로 중요한 습지에 관한 협약'으로서 1971년 이란의 람사르에서 체결
	기타[*]	유엔 환경 개발 회의, 유엔 지속 개발 위원회 등의 국제기구 운영 및 몬트리올 의정서, 기후 변화 협약 등을 체결

결과/정리

1. 생태계 측면에서 생물 다양성 보전이 필요한 까닭은 무엇인지 말해 보자.

예시 생물 다양성이 높은 생태계일수록 생태계 평형이 안정적으로 유지되는 반면, 생물 다양성이 낮은 생태계는 작은 환경 변화에도 쉽게 평형이 파괴될 가능성이 크다. 따라서 생태계 평형 유지를 위해 생물 다양성을 보전해야 한다.

2. 모둠별로 생물 다양성 보전을 위해 우리가 할 수 있는 노력에는 무엇이 있는지 조사해 보자.

구분	내용
사회적 노력	학자, 전문가 중심의 연구, 시민 중심의 환경 보전 단체 활동, 기업의 기후 변화 대응과 환경 법규 준수 및 환경과 생태계 보호 노력, 에너지 절약, 자원 재활용 등
개인적 노력	이산화 탄소 발생량 줄이기, 대중교통 이용하기, 자원 재활용, 물자 아껴 쓰기, 동식물 보호, 저탄소 제품 사용, 정부의 정책에 관심을 가지고 참여하기 등

✱세계 3대 환경 협약
• 생물 다양성 협약: 생물의 멸종을 막기 위해 동식물 및 천연 자원을 보전하기 위한 국제 협약
• 기후 변화 협약: 지구 온난화 방지를 위해 온실 가스 방출을 억제하기 위한 국제 협약
• 사막화 방지 협약: 심각한 사막화나 토지 황폐화 현상이 나타나는 국가들을 지원하여 사막화 현상을 방지하기 위한 국제 협약

✱생물 다양성 관련 국제 협약
멸종 위기에 처한 야생 동식물의 국제 거래에 관한 협약(CITES), 이동성 야생 동물종 보전에 관한 협약(CMS) 등이 있다.

💡 **탐구 분석**

생물 다양성 감소의 원인을 알아보고, 생물 다양성을 보전해야 하는 까닭에 관하여 조사해 본다. 또한, 생물 다양성 보전을 위한 다양한 노력들을 개인적, 사회적, 국가적, 국제적 노력으로 구분하여 조사해 본다.

탐구 수행	• 생물 다양성 보전을 위한 자료 조사에 적극적으로 참여한다.		☆ ☆ ☆
	• 생활 속에서 실천할 수 있는 생물 다양성 보전 방안에 관해 자신의 의견을 발표하고, 모둠 구성원의 의견을 경청한다.		☆ ☆ ☆
탐구 결과	• 생물 다양성이 감소하는 원인을 옳게 설명한다.		☆ ☆ ☆
	• 생물 다양성을 보전해야 하는 까닭을 논리적으로 설명한다.		☆ ☆ ☆
	• 생물 다양성을 보전하기 위한 개인적, 사회적, 국가적, 국제적 노력의 구체적인 사례를 정리하여 발표한다.		☆ ☆ ☆

3 생물 다양성 보전

(1) 생물 다양성 감소 원인

서식지 파괴와 단편화	• 생물 다양성 감소의 가장 큰 원인 • 서식지 파괴: 삼림 훼손, 습지 매립 등으로 생물의 서식지가 파괴되는 것 ➡ 서식지가 파괴되면 서식지 면적이 줄어들어 생물이 살기 어려움. • 서식지 단편화: 철도 · 도로 등의 건설로 인해 서식지가 소규모로 분할되는 것 ➡ 서식지가 분할되면 서식지의 면적이 감소되고, 생물의 이동이 제한됨.
환경 오염	• 대기 오염으로 인한 산성비, 지구 온난화, 쓰레기나 폐수 속에 포함된 화학 물질과 중금속에 의해 생태계 평형이 깨짐.
외래종 도입	• 외래종⑥ 중 일부는 천적이 없으므로 기존 생태계의 먹이 관계를 파괴함. • 고유종의 서식지를 차지하여 생존을 위협함.
불법 포획과 남획	• 보호 동식물을 불법 포획하거나 특정 야생 동식물을 남획하면 해당 생물의 멸종을 초래 • 특정 종의 멸종은 생태계에서의 먹이 관계에 영향을 미쳐 생물 다양성을 감소시킴.

(2) 생물 다양성 보전을 위한 노력

우리나라의 종자 은행은 농촌진흥청의 농업유전자원센터, 국립수목원, 국립백두대간수목원 등에 설립되어 있다.

국제적 노력	국제적 협약을 통해 생물 다양성 보전
사회적 · 국가적 노력	• 고유종이나 멸종 위기종의 식물 종자를 관리하기 위해 종자 은행을 설립 • 개체 수가 적은 생물을 멸종 위기종으로 지정 및 보호 • 멸종 위기종 복원 사업 실시 및 유전자 관리 ─── 세계적인 멸종 위기 동물의 예: 코뿔소, 표범, 남중국호랑이, 쌍봉낙타, 오랑우탄 등 • 야생 생물 보호 및 관리에 관한 법률 등 생물 다양성에 관한 법률 제정 • 야생 동식물이 많은 지역을 국립 공원으로 지정 • 생태 통로⑦를 건설해 단편화된 서식지를 연결 • 환경 단체의 생태 모니터링 및 환경 영양 평가를 통해 무분별한 개발 방지
개인적 노력	• 자원 및 에너지 절약 • 일회용품 사용 줄이기 • 음식물 쓰레기 줄이기 • 정부의 정책에 관심을 가지고 참여

⑥ 외래종
원래 살고 있던 서식지가 아닌 다른 지역으로 이동한 생물을 말한다. 외래종은 사람들이 의도적으로 옮기거나 우연히 옮겨지기도 한다. 대부분의 외래종은 새로운 환경에 적응하지 못하지만, 일부 외래종은 도입된 지역에 원래 살고 있는 고유종보다 번성하기도 한다. 이 경우 천적이 없으므로 과도하게 번식하여 고유종의 생존을 위협하거나 먹이 사슬 등을 변화시켜 생태계 평형을 깨뜨릴 수 있다.

⑦ 생태 통로 설치
서식지 단편화로 작게 나누어진 서식지에 생태 통로를 설치하면 동물의 이동 경로를 확보하여 동물 교통사고를 방지할 수 있다.

• 확인하기

1. **이해** 생물 다양성의 세 가지 요소는 무엇인가?
   예시 유전적 다양성, 종 다양성, 생태계 다양성

2. **적용** 생물 다양성이 생태계 평형 유지에 어떻게 기여하는지 설명해 보자.
   예시 어떤 지역의 생물 다양성이 높을 경우 그 지역의 생물들 간에 복잡한 먹이 그물이 형성된다. 먹이 그물이 복잡할수록 급격한 환경 변화나 어떤 돌발적인 상황으로 특정 종이 사라져도 생태계 평형이 안정적으로 유지될 수 있으며, 생태계 평형이 일시적으로 깨지더라도 곧 회복될 확률이 높다.

✔ 개념 확인 문제

1 같은 종이라도 하나의 형질을 결정하는 유전자가 개체마다 달라 다양한 형질이 나타나는 것을 무엇이라고 하는가?

2 생물 다양성이 감소하는 원인을 3가지만 쓰시오.

❸ 단계 생각 모으기

핵심 내용 정리하기

1 진화의 원리 교과서 234~237쪽

생물 집단 내 다양한 **❶ 유전적 변이** 이/가 존재한다면 환경이
변하더라도 변화된 환경에 유리한 형질을 가진 개체들이 살아남
는 **❷ 자연 선택** 이/가 일어나 그 환경에 유리한 형질을 가진 개
체들의 비율이 점점 증가한다. 이러한 과정의 결과가 축적되어
진화가 일어난다.

자연 선택

2 슈퍼 박테리아의 진화 교과서 238~241쪽

슈퍼 박테리아가 나타나는 과정 중 내성 세균 집단이 형성되는 과정을 다윈의 자연 선택설로 정리하면 다음과 같다.

세균 집단 내 일부 개체의 **❸ 유전적 변이** 에 의해 항생제 내성 세균 존재	항생제를 사용하면 내성이 없는 세균은 죽고, 내성이 있는 세균이 살아남는 **❹ 자연 선택** 이/가 일어남.	항생제를 반복 사용하면 항생제 내성 세균으로만 이루어진 집단이 형성됨.

3 생물 다양성 유지 교과서 242~245쪽

생물 다양성에는 같은 종 내에 다양한 형질을 가진
개체들이 나타나는 **❺ 유전적 다양성**, 생물 군집 내
에 얼마나 많은 종이 균등하게 분포하고 있는지를
나타내는 **❻ 종 다양성**, 한 지역에 다양한 형태의
생태계가 존재하는 **❼ 생태계 다양성** 이/가 있다.

생물 다양성

활동으로 확인하기

다음은 유전적 다양성의 부족으로 인해 멸종 위기에 처한 바나나에 관한 자료
이다.

> 우리가 흔히 먹는 바나나는 야생 바나나를 개량하여 씨를 없앤 것이다. 씨가 없
> 기 때문에 바나나를 재배하기 위해서는 무성 생식[*]으로 번식시켜야 하는데, 이
> 때문에 바나나는 유전적 다양성이 매우 낮다. 유전적 다양성이 낮은 바나나 개체
> 군은 전염병에 매우 취약하여 '파나마병'이라는 전염병에 의해 멸종 위기에 처해
> 있다.

위 자료에서 유전적 다양성이 낮은 개체군이 전염병에 취약한
까닭을 설명해 보자.

예시 유전적 다양성이 높은 개체군일 경우 개체군 내에 특정 전염병에 내성이 있는 개
체와 내성이 없는 개체들이 모두 존재할 수 있다. 따라서 그 전염병이 발병했을 때 전
염병에 취약한 개체들이 죽더라도 내성이 있는 개체들은 살아남아 자손을 남길 수 있
기 때문에 개체군이 유지될 수 있다. 반면, 유전적 다양성이 낮은 개체군 내에 특정 전
염병이 발병할 경우 개체군 내 전염병 내성 유전자가 없을 확률이 높다. 전염병 내성
유전자가 없으면 전염병에 의해 개체군 전체가 멸종할 수 있다.

*무성 생식
암수 배우자의 융합 없이 이루어지는
생식이다. 단세포 생물의 경우 체세포
분열을 통해 모세포와 동일한 딸세포
를 만들어 번식한다. 식물에서는 뿌리,
줄기, 잎 등 식물체의 일부를 떼어 내서
다시 생장시켜 새로운 개체를 만든다.

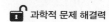

고대에서 근대에 이르기까지 우리의 사고에는 언제나 인간 중심적인 사상이 있었다. 세균이나 원생생물 등과 같은 단세포 생물은 가장 열등한 생물이고, 곤충, 어류, 양서류, 포유류 순으로 점점 고등한 생물로 발달해 왔으며, 인간은 지구상의 모든 생물 중에서 가장 고등하고 고귀한 존재라는 것이다.

이러한 인간 중심적인 사고가 흔들리게 된 계기는 바로 코페르니쿠스의 지동설이었다. 지동설 이전에는 우주의 중심에 태양계가 있고, 태양계의 중심에 지구가 있으며 그 지구의 중심에 인간이 있다고 생각하였으나, 코페르니쿠스가 주장한 지동설로 인해 인간은 우주의 중심에서 밀려나게 되었다.

이렇게 흔들리기 시작한 인간 중심주의는 다윈이 주장한 진화론을 통해 완전히 무너졌다. 다윈은 '진화는 진보가 아니라 다양성이 증가하는 것이다.'라고 생각하였다.

이러한 관점에서 보면 인간은 지구상에서 가장 고등한 생물이 아니라 가지가 많이 달린 나무의 한 가지와 같은 존재에 불과하다. 현재 지구상에 사는 모든 생물은 환경에 성공적으로 적응하여 사는 동등한 존재라고 볼 수 있다.

인간 중심 주의적 관점

진화론적 관점

① 핵심 내용 파악

진화론 이전과 이후에 인간의 지위가 어떻게 달라졌는지 설명해 보자.

[예시] 진화론 이전에는 인간은 모든 생물 중 가장 고등하고 고귀한 존재라고 생각하였다. 진화론 이후에는 지구상에 사는 모든 생물은 환경에 성공적으로 적응하여 사는 동등한 존재이며, 인간은 가지가 많이 달린 나무의 한 가지와 같은 존재에 불과하다고 생각하게 되었다.

② 자기 생각 논술

'진화는 진보적이며, 단순한 것에서 복잡한 것을 향해 나아간다. 진화가 진행될수록 생물은 점점 더 완벽해진다.'라는 말에 찬성하는지, 반대하는지 자신의 생각을 써 보자.

[예시] 반대한다. 그 까닭은 진화는 진보가 아니라 다양성의 증가이기 때문이다. 진화에는 방향성이 없으며 단지 특정한 환경에서 살아남기에 유리한 형질을 가진 개체가 자연 선택될 뿐이다. 환경이 변화된다면 살아남아 있는 생물들의 모습은 그에 따라 달라질 것이다.

[해설] 위의 주장에 찬성하는 주장에 대해서도 그 근거를 들어 이야기해 본다.

③ 토의하기

다윈의 진화론적 입장에서 생태계를 보전해야 하는 까닭을 토의해 보자.

[예시] 생태계를 보전하여 건강한 생태계를 유지하면 생태계의 생물 다양성이 높아져 환경 변화에 적응력이 커지게 되며, 진화가 일어나기 위해 필요한 다양한 유전적 변이를 제공해 줄 수 있다.

④ 스스로 평가

'진화란 무엇인가?'라는 질문에 관한 자신의 생각을 말해 보고, 다른 사람의 생각과 어떻게 다른지 비교해 보자.

[예시] 개체군 내에는 다양한 원인에 의해 유전적 변이가 생겨 다양한 형질을 가진 개체들이 함께 살아간다. 이 중 환경에 가장 적합한 개체가 살아남아 자손을 남기는 자연 선택에 의해 개체군 내에서 특정한 형질을 가진 개체의 비율이 달라진다. 이러한 원리를 통해 여러 세대를 거치는 동안 환경에 따라 개체군 내 특정한 형질을 가진 개체의 비율이 변화되는 현상이 진화라고 생각한다.

7 생물 다양성과 유지

교과서 248~250쪽

기본 개념 정리하기

01 다음 물음에 답해 보자.

(1) 과거에 살았던 생물의 유해나 흔적이 보존된 것을 무엇이라고 하는가? **화석**

(2) 지질 시대를 구분하는 기준은 무엇인가?
생물의 출현과 번성, 멸종

(3) 지질 시대를 구분하는 이름을 순서대로 써 보자.
선캄브리아 시대, 고생대, 중생대, 신생대

(4) 지질 시대 동안 많은 생물이 갑자기 멸종한 것을 무엇이라 하는가? **대멸종**

(5) 동일 종의 개체 사이에 다양한 변이가 나타나는 까닭은 무엇인가?
자손이 어버이로부터 유전자를 물려받는 과정과 환경 요인에 의해 변이가 나타난다.

(6) 다양한 변이를 가진 동일 종 내에서 환경에 적합한 형질을 가진 개체가 살아남아 자손을 퍼뜨리는 것을 무엇이라고 하는가? **자연 선택**

(7) 다양한 항생제에 내성을 동시에 가지는 세균을 무엇이라고 하는가? **슈퍼 박테리아**

(8) 생물 다양성의 세 가지 유형은 무엇인가?
유전적 다양성, 종 다양성, 생태계 다양성

02 다음 생물을 지구에 출현한 순서대로 나열해 보자.

> ㉠ 포유류　　　　　㉡ 갑주어
> ㉢ 겉씨식물　　　　㉣ 남세균

㉣-㉡-㉢-㉠

해설 선캄브리아 시대에 남세균이 출현하였다. 고생대 초기에 갑주어가, 고생대 후기에 겉씨식물이 출현하였다. 포유류는 중생대에 출현하였다.

03 선캄브리아 시대 초기에 육지에 생물이 살 수 없었던 까닭을 설명해 보자.

예시 선캄브리아 시대 초기에는 대기 중에 산소가 없었고 생물에게 해로운 자외선을 차단하는 오존층도 없어서 육지에 생물이 살 수 없었다.

해설 우주 공간에서 지구로 들어오는 자외선은 생물에 유해하다. 선캄브리아 시대에는 대기 중 산소의 양이 충분하지 않아 자외선을 차단하는 오존층이 형성되지 못해서 육지에 생물이 살 수 없었다.

04 그림은 어떤 생물 군집 내에서 특정 형질의 발현 빈도가 변화되는 과정을 나타낸 것이다.

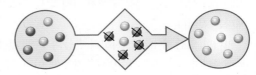

(1) 위의 집단에서 형질의 발현 빈도가 변화하는 원리는 무엇인가?

예시 집단 내에 다양한 형질을 가진 개체들이 섞여 있을 때 환경에 불리한 개체들은 죽고, 환경에 유리한 개체들은 살아남아 자손을 남긴다. 이와 같은 자연 선택 과정에 의해 집단 내에서 특정 형질의 발현 빈도가 변화한다.

(2) 위와 같이 환경에 따라 집단의 형질 발현 빈도가 변화하는 현상을 무엇이라고 하는가? **적응 또는 진화**

05 그림은 면적이 같은 두 지역의 식물 군집을 나타낸 것이다.

(가)　　　　　　(나)

(1) 두 지역 (가)와 (나) 중에서 서식하고 있는 종의 수는 어느 쪽이 더 많은가? **4종으로 같다.**

(2) 두 지역 (가)와 (나) 중에서 종 다양성이 더 높은 지역은 어느 쪽인가? **지역 (가)**

해설 지역 (가)와 (나)에 서식하는 식물의 종 수는 같지만, 지역 (나)에서는 특정한 한 종이 대부분을 차지하고 다른 종의 분포 비율은 낮다. 반면, 지역 (가)에서는 4종의 식물이 고르게 분포해 있으므로 종 다양성은 지역 (가)에서 더 높다.

06 그림은 두 지역에 형성되어 있는 먹이 관계를 나타낸 것이다.

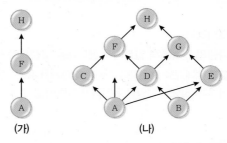

(가)　　　　　　(나)

(1) 두 지역 중 생태계 평형이 더 안정적으로 유지되는 지역은 어느 곳인가? **지역 (나)**

(2) 그렇게 생각하는 까닭을 말해 보자.

예시 지역 (나)는 한 종의 개체 수가 변화되어도 다른 종이 그 종의 역할을 대신하므로 생태계 평형이 안정적으로 유지될 수 있다.

핵심 개념 적용하기

07 그림은 지질 시대 동안 지구 대기의 산소 농도 변화를 나타낸 것이다. 이에 관한 설명으로 옳은 것만을 〈보기〉에서 있는 대로 골라 보자.

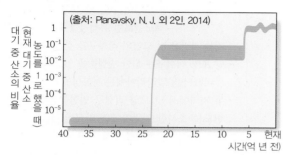

보기

✔ㄱ 육상 생물의 출현은 오존층 형성 이후에 일어났다.
✔ㄴ 생물의 광합성으로 대기 중 산소 농도가 증가하였다.
ㄷ 오존층이 형성된 후 대기 중의 산소가 증가하였다.

해설 ㄱ 오존층 형성으로 자외선이 차단되어 육지에 생물이 서식할 수 있게 되며 육상 생물이 출현하였다.
ㄴ 선캄브리아 시대에 바다에서 남세균의 광합성으로 대기 중 산소 농도가 증가하기 시작하였다.
ㄷ 광합성으로 대기 중 산소 농도가 증가한 이후에 오존층이 형성되었다.

08 그림은 지질 시대 동안 생물 종류의 수 변화를 나타낸 것이다. 이에 관한 설명으로 옳은 것만을 〈보기〉에서 있는 대로 골라 보자.

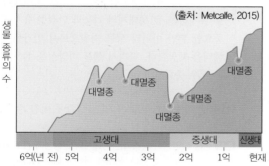

보기

ㄱ 대멸종 후 생물 종류의 수는 지속적으로 감소하였다.
✔ㄴ 대멸종 후 새로운 생물들이 출현하기도 했다.
✔ㄷ 대멸종은 생물 다양성이 증가하는 계기가 되었다.

해설 ㄱ 생물 종류의 수는 대멸종으로 급격히 감소하였으나, 이후 다시 증가하였다.
ㄴ 대멸종에서 살아남은 개체 중 일부가 변화된 환경에 적응하며 새로운 종으로 진화하기도 하였다.
ㄷ 대멸종 직후 생물 종류의 수가 급격히 감소하였지만, 이후 시간이 지나면서 새로운 종이 출현하며 생물 다양성이 증가하였다.

09 그림은 기린의 목이 길어지는 과정을 나타낸 것이다. 이에 관한 설명으로 옳은 것만을 〈보기〉에서 있는 대로 골라 보자.

(가) 기린 집단 내에는 목이 긴 기린과 목이 짧은 기린이 있다.　(나) 목이 짧은 기린은 도태된다.　(다) 결국 목이 긴 기린이 살아남는다.

보기

ㄱ (가)에서 기린의 목 길이가 다양한 것은 비유전적 변이에 해당한다.
✔ㄴ (나)에서 자연 선택이 일어났다.
✔ㄷ 기린 개체군 내에서 목이 긴 기린의 빈도가 증가한 것은 환경에 대한 적응이다.

해설 ㄱ (가)에서 기린의 목 길이가 다양한 것은 유전적 변이에 해당한다.
ㄴ (나)에서는 목이 짧은 기린은 도태되고 목이 긴 기린만 살아남아 자손을 남기는 자연 선택이 일어났다.
ㄷ 환경의 변화가 일어났을 때 개체군 내에서 자연 선택에 의해 특정한 형질을 가진 개체의 빈도가 변화되는 것을 적응 또는 진화라고 한다.

10 다음은 토끼의 바이러스 저항성에 관한 자료이다. 이에 관한 설명으로 옳은 것만을 〈보기〉에서 있는 대로 골라 보자.

1950년 호주에서는 농작물에 피해를 주는 토끼를 제거하기 위해 토끼에게 치명적인 질병을 일으키는 바이러스를 살포하였다. 처음 바이러스를 살포한 후에는 일시적으로 토끼의 개체 수가 급격히 감소하였으나 반복하여 살포할수록 개체 수 감소 속도는 점차 느려졌고, 이후 6년간 토끼의 개체 수는 서서히 늘어났다.

보기

✔ㄱ 토끼 집단 내에 바이러스에 내성이 있는 토끼가 일부 존재하여 처음 바이러스 살포 후에 살아남았다.
✔ㄴ 바이러스 살포 후 6년 동안 바이러스에 내성이 있는 토끼에 대한 자연 선택이 일어났다.
ㄷ 바이러스에 감염된 토끼는 바이러스에 대한 면역력을 갖게 되며, 이는 자손에게 유전된다.

해설 ㄴ 바이러스를 반복하여 살포함에도 토끼의 개체 수가 서서히 늘어난 것으로 보아 바이러스에 내성이 있는 토끼가 자연 선택되었음을 알 수 있다.
ㄷ 바이러스에 감염된 이후 갖게 되는 면역력은 환경의 영향으로 나타나는 비유전적 변이에 해당하므로 자손에게 유전되지 않는다.

과학과 핵심 역량 기르기

| 과학적 탐구 능력 |

11 그림은 어느 지역 지층의 단면을 나타낸 것으로, 지층 A~D에서는 화석이 발견되었다.

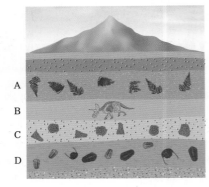

A — 고사리 화석
B — 공룡 화석
C — 산호 화석
D — 삼엽충 화석

(1) 지층 D가 지층 B보다 더 오래전에 퇴적된 것으로 판단할 수 있다. 그 까닭은 무엇인지 말해 보자.

예시 지층 D에서는 고생대에 번성했던 삼엽충 화석이, 지층 B에서는 중생대에 번성했던 공룡 화석이 발견되기 때문이다.

(2) 이 지역의 지층이 퇴적될 당시의 기후나 수륙 분포와 같은 환경이 변하였다. 지층 D에서 지층 A로 가면서 환경이 어떻게 변했는지, 그렇게 판단한 까닭을 설명해 보자.

예시 이 지역은 지층 D와 C가 퇴적되던 시기에 바다였으나, 지층 B와 A가 퇴적되던 시기에는 육지 환경이었다. 지층 D의 삼엽충과 C의 산호 화석은 바다에, 지층 B의 공룡과 A의 고사리 화석은 육지에서 서식하던 생물이기 때문이다.

| 과학적 문제 해결력 |

12 과학자들은 중생대와 신생대의 경계에 있는 지층에서 이리듐(Ir) 농도가 높은 것을 알아내고, 이를 바탕으로 중생대 말 생물 대멸종의 원인을 소행성 충돌설로 제시하였다. 이 연구진이 관찰한 자료를 바탕으로 소행성 충돌설을 제시한 까닭을 서술해 보자.

예시 이리듐은 지각에는 그 함량이 매우 적지만 운석이나 소행성에 상대적으로 많이 존재하므로 이 지층에 포함된 이리듐이 소행성에서 기원한 것이라고 가정하여 소행성 충돌설을 제시할 수 있다.

예시 낫 모양 적혈구 헤모글로빈 유전자를 하나만 가진 사람은 약한 빈혈증을 앓지만 말라리아에 저항성을 갖기 때문에 말라리아가 자주 발생하는 지역에서는 낫 모양 적혈구 헤모글로빈 유전자를 하나 가진 사람의 생존 확률이 높다. 따라서 이러한 지역에서는 낫 모양 적혈구 헤모글로빈 유전자를 하나 가진 사람의 출현 빈도가 다른 지역에 비해 높다.

| 과학적 사고력 |

13 다음은 낫 모양 적혈구 빈혈증에 관한 자료이다.

- 정상 헤모글로빈 유전자를 2개 가지고 있는 사람의 적혈구는 원반 모양이지만, 낫 모양 적혈구 빈혈증을 일으키는 헤모글로빈 유전자를 1개 또는 2개 가지는 사람은 낫 모양의 적혈구를 갖는다.
- 낫 모양 적혈구는 심한 빈혈증을 일으키므로 생존에 불리하지만, 말라리아에는 저항성을 갖는다.
- 두 지역에서 낫 모양 적혈구 빈혈증을 앓는 사람의 빈도를 조사한 결과가 그림과 같았다. (가)는 정상 헤모글로빈 유전자를 2개 가진 사람, (나)는 정상 헤모글로빈 유전자와 낫 모양 적혈구 헤모글로빈 유전자를 각각 1개씩 가진 사람, (다)는 낫 모양 적혈구 헤모글로빈 유전자를 2개 가진 사람이다.

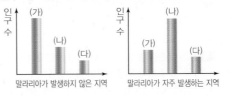

말라리아가 자주 발생하는 지역에서 낫 모양 적혈구 헤모글로빈 유전자를 1개 가진 사람의 빈도가 높은 까닭을 설명해 보자.

| 과학적 의사소통 능력 |

14 다음은 생물 다양성에 관한 설명이다.

생물 다양성은 생물의 멸종을 막고 생태계의 평형을 유지하는 등 생태계의 기능과 안정성 유지에 매우 중요할 뿐만 아니라 생물 자원으로서 인간에게 많은 혜택을 제공한다. 따라서 생물 다양성을 유지하는 것은 매우 중요하다.

(1) 생물 다양성의 파괴가 인간 생활에 미칠 수 있는 영향을 말해 보자.

예시 생물 다양성이 파괴되면 생태계의 안정성이 감소하여 생태계 평형이 쉽게 깨질 수 있다. 생태계 평형이 깨져 생태계가 파괴되면 인간 생활에도 식량 생산 감소, 기후 변화 등과 같은 여러 가지 영향이 나타난다.

(2) 생물 다양성을 보전하기 위해 개인적으로 할 수 있는 노력에는 무엇이 있는지 말해 보자.

예시 에너지 절약, 쓰레기 감소 및 자원 재활용, 나무 심기 등

(3) 생물 다양성을 보전하기 위해 국제적인 협력이 필요한 까닭을 말해 보자.

예시 생물 다양성의 유지는 어느 한 지역, 한 국가만의 노력으로는 불가능하며, 전 세계적인 협력을 통한 광범위한 노력이 필요하기 때문이다.

우리 주변의 다양한 생태계 관련 전시관을 방문하여 생태계 연구 자료를 확인해 보자.

생물 다양성은 생태계를 유지하는 데 중요한 역할을 할 뿐만 아니라 사람에게 중요한 자원을 제공해 주고 있으므로 생물 다양성을 유지하고 생태계를 보전하기 위해 많은 연구자가 노력하고 있다. 생태계를 연구하는 과학자들은 숲, 습지, 바다와 같은 다양한 생태계와 그 생태계를 구성하는 생물을 연구하고 있는데, 자연사박물관, 생태원, 생물자원관 등과 같은 생태 전시관을 방문하면 생태학자들의 연구 결과를 간접적으로 경험해 볼 수 있다. 다음에서 제시한 곳 이외에도 전국에는 많은 생태 전시관이 있다.

국립생태원: http://www.nie.re.kr
국립생물자원관: https://www.nibr.go.kr
국립낙동강생물자원관: http://www.nnibr.re.kr
국립해양생물자원관: http://www.mabik.re.kr
서대문자연사박물관: https://namu.sdm.go.kr
전라남도해양수산과학관: http://www.jmfsm.or.kr
평창동강민물고기생태관: http://fish.maha.or.kr/main/main.asp

전국 생태 전시관

체험하기

1. **목적:** 전시관을 방문하여 관람하고, 생태계 및 생물 다양성을 연구하는 방법을 알 수 있다.
2. **계획 세우기**
   - 자신이 살고 있는 지역 또는 관심이 있는 분야를 경험할 수 있는 생태 전시관 또는 연구소를 조사하고, 견학 날짜와 시간을 정한다.
   - 전문가의 설명을 들을 수 있도록 방문 전에 미리 견학을 신청한다.
3. **견학하기**
   - 준비물: 사진기, 수첩, 필기도구
   - 견학 과정에서 알게 된 내용을 수첩에 자세히 기록한다.
   - 의문점은 전문가에게 바로 질문한다.
   - 필요한 내용은 사진으로 촬영한다.

보고서 작성하기

- 견학 목적, 날짜와 시간, 장소 등을 기록한다.
- 견학 과정에서 알게 된 내용을 자세하게 정리하고, 수집한 자료와 사진 등을 첨부한다.
- 견학을 통해 느낀 점을 쓰고, 스스로 주변의 생태계를 연구할 수 있는 방법이 있다면 써 보자.
- 계획 단계부터 보고서 작성에 이르기까지의 견학 과정을 스스로 평가해 보자.

7-❶ 지질 시대와 생물의 변천

01 그림 (가)와 (나)는 서로 다른 지층에서 발견된 화석을 나타낸 것이다.

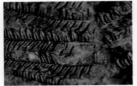

(가) 삼엽충   (나) 고사리

두 지층에 대한 설명으로 옳은 것만을 〈보기〉에서 있는 대로 고른 것은?

┌ 보기 ┐
ㄱ. 두 지층은 같은 시기에 만들어졌다.
ㄴ. 두 지층은 모두 바다 환경에서 퇴적되었다.
ㄷ. (나)를 이용하여 이 지층이 퇴적될 당시의 기후 환경을 유추할 수 있다.

① ㄱ   ② ㄴ   ③ ㄷ
④ ㄴ, ㄷ   ⑤ ㄱ, ㄴ, ㄷ

02 그림은 지질 시대의 상대적 길이를 나타낸 것이다.

이에 대한 설명으로 옳은 것만을 〈보기〉에서 있는 대로 고른 것은?

┌ 보기 ┐
ㄱ. A와 B 시기를 구분하는 기준은 생물의 존재 여부이다.
ㄴ. C 시기에 현재의 생태계와 유사한 모습을 갖추었다.
ㄷ. D 시기에 포유류가 번성하였다.

① ㄱ   ② ㄴ   ③ ㄷ
④ ㄴ, ㄷ   ⑤ ㄱ, ㄴ, ㄷ

03 선캄브리아 시대의 환경과 생물에 대한 설명으로 옳은 것만을 〈보기〉에서 있는 대로 고른 것은?

┌ 보기 ┐
ㄱ. 초기에는 대기 중에 산소가 없었다.
ㄴ. 대표적인 화석은 스트로마톨라이트이다.
ㄷ. 남세균이 출현하여 광합성을 시작하였다.

① ㄱ   ② ㄴ   ③ ㄷ
④ ㄴ, ㄷ   ⑤ ㄱ, ㄴ, ㄷ

04 그림은 대기 중 산소 농도 변화를 나타낸 것이다. 이에 대한 설명으로 옳은 것만을 〈보기〉에서 있는 대로 고른 것은?

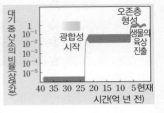

┌ 보기 ┐
ㄱ. 오존층 형성 후 생물이 육상으로 진출했다.
ㄴ. 최초로 육상으로 진출한 생물은 양서류이다.
ㄷ. 산소 농도 증가는 생물권, 수권, 기권의 상호 작용에 의한 것이다.

① ㄴ   ② ㄷ   ③ ㄱ, ㄴ
④ ㄱ, ㄷ   ⑤ ㄱ, ㄴ, ㄷ

05 그림은 어느 지질 시대의 생태계를 복원한 모습이다.

이 시기에 대한 설명으로 옳지 않은 것은?

① 공룡이 번성하였다.
② 기후가 전반적으로 온난하였다.
③ 몸집이 작은 포유류가 출현하였다.
④ 바다에서는 암모나이트가 번성하였다.
⑤ 대륙이 이동하여 초대륙 판게아를 형성하였다.

06 다음은 아메리카 원주민(인디언)의 이동에 대한 글이다.

┌──────────────────────────────────┐
빙하기에는 바닷물이 눈과 얼음 형태로 육지에 쌓여서 해수면이 낮아진다. 현재는 유라시아 대륙과 북아메리카 대륙을 바다가 갈라놓고 있지만, 빙하기에는 해수면이 내려가서 두 대륙이 서로 연결되어 있었다. 아메리카 원주민은 약 3만 년 전에 이 통로를 통해 아시아에서 북아메리카로 이동했다.
└──────────────────────────────────┘

아메리카 원주민이 대륙을 건너 이동한 시기에 대한 설명으로 옳은 것만을 〈보기〉에서 있는 대로 고른 것은?

┌ 보기 ┐
ㄱ. 말, 소와 같은 포유류가 번성하였다.
ㄴ. 빙하기와 간빙기가 반복되어 나타났다.
ㄷ. 대규모로 용암이 분출하며 대멸종이 일어났다.

① ㄱ   ② ㄴ   ③ ㄷ
④ ㄱ, ㄴ   ⑤ ㄱ, ㄴ, ㄷ

07 그림은 지질 시대 동안 생물 종류의 수 변화와 대멸종을 나타낸 것이다.

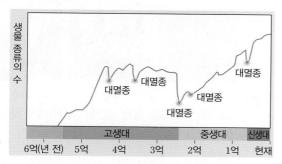

이에 대한 설명으로 옳은 것만을 〈보기〉에서 있는 대로 고른 것은?

┌─ 보기 ┐
ㄱ. 모든 지질 시대에 대멸종이 일어났다.
ㄴ. 대멸종 이후 생태계는 다시 회복되었다.
ㄷ. 생물의 종류가 가장 다양한 시기는 신생대이다.
└─────┘

① ㄱ   ② ㄴ   ③ ㄷ
④ ㄴ, ㄷ   ⑤ ㄱ, ㄴ, ㄷ

7-❷ 진화와 생물 다양성

08 그림 (가)와 (나)는 2가지 변이의 예를 나타낸 것이다.

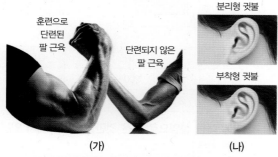

이에 대한 설명으로 옳은 것만을 〈보기〉에서 있는 대로 고른 것은?

┌─ 보기 ┐
ㄱ. (가)는 자손에게 유전된다.
ㄴ. (가)는 진화의 원인이 된다.
ㄷ. (나)는 유전자의 차이에 의해 나타난다.
└─────┘

① ㄱ   ② ㄴ   ③ ㄷ
④ ㄱ, ㄴ   ⑤ ㄴ, ㄷ

---

09 그림은 생물의 진화에 대한 학생들의 설명이다.

생물의 진화에 대해 옳게 설명한 학생만을 있는 대로 고른 것은?

① A   ② B   ③ C
④ A, B   ⑤ B, C

---

10 다윈의 진화론이 사회에 미친 영향에 대한 설명으로 옳은 것만을 〈보기〉에서 있는 대로 고른 것은?

┌─ 보기 ┐
ㄱ. 세계관의 전환을 가져오는 원인이 되었다.
ㄴ. 새로운 철학 사조가 나타나는 원인이 되었다.
ㄷ. 과학뿐만 아니라 사회, 경제, 예술 등 다양한 분야에 영향을 미쳤다.
└─────┘

① ㄱ   ② ㄷ   ③ ㄱ, ㄴ
④ ㄴ, ㄷ   ⑤ ㄱ, ㄴ, ㄷ

---

11 그림은 자연 선택에 의한 기린의 진화 과정을 나타낸 것이다.

이에 대한 설명으로 옳지 <u>않은</u> 것은?

① (가)의 집단 내에는 유전적 변이에 의해 목 길이가 다양한 기린이 섞여 있다.
② (나)에서 자연 선택이 일어난다.
③ 여러 세대에 걸쳐 (나) 과정의 결과가 축적되어 진화가 일어난다.
④ 목이 긴 기린은 목이 짧은 기린보다 생존하여 자손을 남길 확률이 높다.
⑤ 높은 곳의 잎을 먹기 위해 목을 늘리면 점점 목이 길어지고, 그 형질이 자손에게 전달된다.

12 그림은 항생제 A에 대한 내성 세균 집단이 만들어지는 과정을 나타낸 것이다.

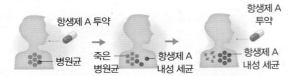

이에 대한 설명으로 옳은 것만을 〈보기〉에서 있는 대로 고른 것은?

┌ 보기 ┐
ㄱ. (가)에서 항생제 A에 대한 내성은 환경의 영향으로 나타난 변이이다.
ㄴ. (나)에서는 항생제 A 내성 세균이 자연 선택되었다.
ㄷ. (가)~(다)는 자연 선택에 의한 진화 과정의 예이다.
└─────┘

① ㄱ   ② ㄴ   ③ ㄱ, ㄷ
④ ㄴ, ㄷ   ⑤ ㄱ, ㄴ, ㄷ

13 다음은 생물 다양성의 3가지 구성 요소 중 하나와 관련된 사례이다.

> 1800년대에 아일랜드는 단일 품종의 감자만을 키우고 있었다. 그런데 1847년에 아일랜드에서 '감자 잎마름병'이 발생하자 ㉠이에 대한 저항성을 가진 감자가 없어 병이 아일랜드 전역으로 퍼졌다. 결국, 이 지역에서 감자를 더 이상 생산할 수 없게 되었다.

이에 대한 설명으로 옳은 것만을 〈보기〉에서 있는 대로 고른 것은?

┌ 보기 ┐
ㄱ. ㉠은 생태계 내에 형성된 먹이 사슬이 단순할 경우 나타나는 현상이다.
ㄴ. '바지락 집단은 다양한 껍데기 무늬를 가진 개체들로 구성되어 있다.'는 이 사례와 관련 있는 생물 다양성의 예이다.
ㄷ. 생식세포에 일어나는 돌연변이에 의해 이 사례와 관련 있는 생물 다양성이 높아질 수 있다.
└─────┘

① ㄱ   ② ㄴ   ③ ㄱ, ㄷ
④ ㄴ, ㄷ   ⑤ ㄱ, ㄴ, ㄷ

14 그림은 생물 다양성의 3가지 구성 요소를 나타낸 것이다. (가)~(다)는 각각 생태계 다양성, 종 다양성, 유전적 다양성 중 하나이다.

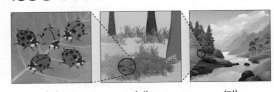

이에 대한 설명으로 옳은 것만을 〈보기〉에서 있는 대로 고른 것은?

┌ 보기 ┐
ㄱ. (가)는 유전적 변이에 의해 나타난다.
ㄴ. (나)가 높을수록 생태계가 안정적으로 유지된다.
ㄷ. (다)가 높을수록 다양한 생물이 서식한다.
└─────┘

① ㄱ   ② ㄴ   ③ ㄱ, ㄷ
④ ㄴ, ㄷ   ⑤ ㄱ, ㄴ, ㄷ

15 그림은 도로 건설로 인한 서식지 단편화 전후의 종 A~E의 분포를, 표는 서식지 단편화 전후 A~E의 총 개체 수를 나타낸 것이다.

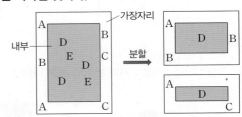

구분	A	B	C	D	E
전	200	200	160	80	40
후	200	180	120	40	0

이에 대한 설명으로 옳은 것만을 〈보기〉에서 있는 대로 고른 것은?

┌ 보기 ┐
ㄱ. 서식지 단편화 후 생물 다양성이 감소하였다.
ㄴ. 서식지 단편화는 가장자리 분포종에게 유리하게 작용하였다.
ㄷ. 생태 통로를 건설하면 분할된 서식지를 연결하는 효과가 있다.
└─────┘

① ㄱ   ② ㄴ   ③ ㄱ, ㄷ
④ ㄴ, ㄷ   ⑤ ㄱ, ㄴ, ㄷ

16 그림은 어느 지역의 지층 A~E에서 발견되는 화석 (가)~(마)의 산출 범위를 나타낸 것이다.
이 지층에서 지질 시대를 구분할 수 있는 경계는 어느 곳인지 쓰고, 그렇게 판단한 까닭을 서술하시오.

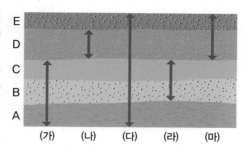

≫ 과학적 사고력
화석, 지질 시대의 구분

17 다음은 중생대 전기에 판게아가 분리될 때 지권의 변화가 생물권과 기권에 영향을 미쳐서 생물이 번성하게 된 과정을 나타낸 것이다.

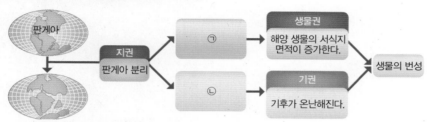

㉠과 ㉡에 알맞은 내용을 각각 한 문장으로 서술하시오.

≫ 과학적 문제 해결력
중생대의 지구 환경 변화

[18~19] 다음은 항생제 A 내성 세균의 출현과 진화 과정을 순서대로 나타낸 것이다.(단, 주어진 진화 과정만을 고려한다.)

(가)	(나)	(다)
모든 세균이 항생제 A 내성이 없는 세균 집단에서 항생제 A 내성 유전자가 만들어지면서 일부 세균이 항생제 A에 내성을 가지게 되었다.	항생제 A가 존재하는 환경에서 항생제 A 내성 세균의 비율이 증가하였다.	모든 세균이 항생제 A에 내성이 있는 항생제 A 내성 세균 집단이 형성되었다.

≫ 과학적 사고력
항생제 내성 세균 집단의 형성 과정

18 단계 (가)에서 일부 세균이 항생제 내성을 가지게 되는 원리를 서술하시오.

19 단계 (나)에서 항생제 내성 세균의 비율이 증가하는 원리를 서술하시오.

20 다음은 생물 다양성의 중요성에 대한 설명이다. ㉠은 생물 다양성의 구성 요소 중 하나이다.

> • (㉠)이 높은 생태계에서는 생물들 간에 먹이 사슬이 복잡하게 형성되므로 생태계가 안정적으로 유지된다.
> • (㉠)이 높을수록 인간은 식량, 약품, 목재 등과 같은 유용한 물질을 많이 얻을 수 있다.

㉠에 해당하는 알맞은 말을 쓰고, ㉠의 의미를 서술하시오.

≫ 과학적 사고력
생물 다양성

8

생태계와 환경

전 지구적인 기후 변화는 생물에게 어떤 영향을 미칠까?

생태계에서는 인간을 포함한 생물이 환경에 적응하며 살아가고 있다.
그러면 생태계와 환경은 어떤 관계가 있을까? 그리고 우리는 전 지구적인 기후·환경
문제에 어떻게 대처하고 있을까?
이 단원을 마치면 지속 가능한 과학 기술 개발, 생태계 평형 유지와
기후 변화에 대처하기 위해서 인류는 어떤 노력을 하고 있는지 알 수 있을 것이다.

1 생태계의 구성과 생태계 평형
생물과 환경은
어떻게 상호 작용 할까?

2 지구 환경 변화와 인간 생활
우리는 기후 변화에 어떻게 대처해야 할까?

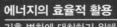

3 에너지의 효율적 활용
기후 변화에 대처하기 위해
인류는 어떤 노력을 하고 있을까?

학습 계획 세우기

이 단원에서는 생태계를 이해하여 인류의 생존을 위한 생태계 보전 필요성을 이해하고 엘니뇨, 사막화 등과 같은 지구 환경 변화가 인간 생활에 미치는 영향과 효율적인 에너지 사용에 관해 탐구한다. 각 소단원에서 공부할 내용을 미리 살펴보고 학습 계획을 세워 보자.

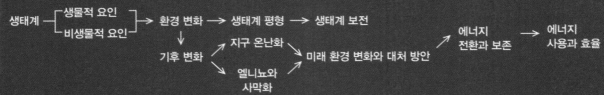

8 - ❶ 생태계의 구성과 생태계 평형

교과서 254~255쪽

❶단계 생각 펼치기 생태계는 어떻게 구성되어 있을까?

교과서 254쪽 글은 영화 ≪마션≫의 기반이 된 소설 ≪마션≫에서 주인공이 생존을 위해 생태계를 구성해 가는 과정을 정리한 것이다. 글에서는 완벽하게 생태계를 구성하지는 못하였으므로 논리적으로 부족한 부분은 과학적 지식과 상상을 더하여 보다 실현 가능한 방법을 생각해 본다.

또한, 비판적인 시각을 통해 새로운 곳에 생태계를 구성하기 위해 노력하기보다 지구 생태계 보전의 중요성을 함께 생각하여 토의해 본다.

토의하기

❶ 다음 질문에 관한 자신의 생각을 써 보자.
  (1) 주인공의 생존에 필요한 물질 중 인공 생태계❶가 공급하는 물질을 원에 써 넣어 그림 (가)를 완성해 보자.
  (2) 감자의 생장에 필요한 물질 중 인간을 포함한 인공 생태계가 공급하는 물질을 원에 써 넣어 그림 (나)를 완성해 보자.

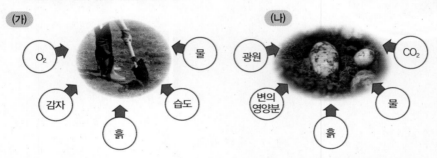

(가) O_2 물 감자 습도 흙
(나) 광원 CO_2 변의 영양분 물 흙

❷ 인간과 감자 사이에서 물질은 어떻게 이동하는가? 이를 바탕으로 인간과 감자 중 한쪽이 사라지면 주인공이 만든 인공 생태계는 어떻게 될지 토의해 보자.
  예시 인간이 만드는 이산화 탄소(CO_2)와 분해자에 의해 분해된 변의 영양분은 감자로 이동하고, 감자가 만드는 탄수화물과 산소(O_2)는 사람에게 이동한다. 따라서 인간과 감자 중 한쪽이 사라지면 다른 쪽도 계속 생존하기 어렵고 인공 생태계도 지속하지 못한다.❷

알고 있나요?

❶ 생태계 구성 요소를 말해 보자.
  예시 생물적 요인과 비생물적 요인으로 구성되며, 생물적 요인에는 생산자, 소비자, 분해자가 있고, 비생물적 요인에는 빛, 온도, 물, 공기 등이 있다.

❷ 먹이 사슬과 먹이 그물❸을 설명해 보자.
  예시 • 먹이 사슬: 생산자에서 최종 소비자까지 먹고 먹히는 관계를 나타낸 것이다.
  • 먹이 그물: 먹이 사슬이 복잡하게 얽혀 그물처럼 나타나는 것이다.

❸ 생태계 평형이 무엇인지 설명해 보자.
  예시 생태계 평형은 생태계가 급격하게 변하지 않고 안정된 상태를 유지하는 것이다.

---

❶ 인공 생태계
생태계는 사람의 간섭 정도에 따라 자연 생태계와 인공 생태계로 구분하기도 한다. 인공 생태계는 집, 철도, 댐, 정원 등과 같이 인간이 만들어 낸 인공 환경에 의해 형성되는 생태계이다.

❷ 지속 가능한 생태계를 만들기 위해서 고려해야 할 요인
생태계가 지속 가능하려면 에너지는 계속 유입되어 영양 단계를 따라 흐르고, 물질은 생태계 속에서 계속 순환해야 한다. 먼저 생산자, 소비자, 분해자로 영양 단계를 구성한다. 각 영양 단계에서 감자는 생산자, 사람은 소비자, 세균은 분해자에 해당한다. 생태계에서 에너지를 광원 → 감자(생산자) → 사람(소비자) → 세균(분해자) 순으로 흐르게 하고, 이때 물질이 계속 순환하면서 물질의 양을 유지하기 위해서 감자와 사람 사이에 탄소의 손실을 최소화할 수 있도록 분해자를 구성해야 한다.

❸ 먹이 사슬과 먹이 그물
먹이 사슬은 영양 단계를, 먹이 그물은 한 생태계의 먹고 먹히는 관계를 나타낼 때 주로 사용되며, 먹이 사슬에 대한 연구가 발전하여 먹이 그물을 만들 수 있게 되었다.

❷단계 해결하기 생물과 환경은 어떤 관계를 맺고 있을까?

1994년 담수 호수를 만들기 위해 바닷물을 막아 방조제에 물을 가두어 물이 오염되면서 물고기와 조개가 폐사한 것은 부정적인 영향이었다면, 해수를 다시 유통시킨 후 다시 숭어떼가 몰려들고 저어새가 찾아온 것은 긍정적인 영향이었다. 이렇게 환경의 변화가 생물에게 미치는 영향에는 긍정적인 것도 있고 부정적인 것도 있다. 여기서는 생태계의 구성 요소인 환경과 생물이 서로 어떤 관계를 맺고, 어떻게 영향을 미치는 알아본다.

탐구 1 [조사] 우리 주변의 생태계 조사하기

교과서 256~257쪽

 목표

과학적 탐구 능력

주변의 생태계를 파악하고 생물과 환경의 관계를 설명할 수 있다.

과정

❶ 모둠별로 학교에서 다양한 조사 지역을 선택해 보자.
❷ 조사 지역으로 이동하여 가로세로 각각 5 m 크기로 사각형의 구획을 정해 보자.
❸ 조도계를 이용하여 각 지역의 빛의 세기를 측정해 보자.
❹ 온도계를 이용하여 각 조사 지역에서 지표의 기온과 지표에서 1 m 윗부분의 기온을 측정하여 기록해 보자.
❺ 조사 지역의 사각형 구획에서 관찰되는 생물들을 최대한 기록하고, 도감을 이용하여 생산자, 소비자, 분해자로 분류해 보자.

❶ 조도(조명도)
단위 시간 동안에 단위 면적이 받는 빛의 양을 조도라고 한다. 조도는 빛을 받는 면의 밝기를 나타내는 척도로, 단위는 lx(룩스)를 사용하며, 조도계를 이용하여 측정한다.

조도계

결과/정리

1. 우리 모둠에서 조사한 지역의 환경과 관찰되는 생물들을 표에 정리해 보자.

구분	빛의 세기 (lx)	기온(℃)		생산자	소비자	분해자
		지표	지표 윗부분			
장소 1	385	15	14	조릿대	메뚜기	버섯
장소 2	5,300	24	23	민들레	여치	버섯

2. 조사 결과를 모둠별로 발표하고, 우리 주위의 생태계를 구성하고 있는 요소에는 어떤 것이 있는지 정리해 보자.

비생물적 요인	생물적 요인		
	생산자	소비자	분해자
빛, 온도	조릿대, 민들레	메뚜기, 여치	버섯

3. 조사 지역에서 빛과 온도 이외에 어떤 것들을 추가로 조사하면 좋을지 말해 보자.
[예시] 습도, 흙의 상태 등

💡 탐구 분석

우리 주변의 생태계를 살펴보면 생산자, 소비자, 분해자로 구성된 생물적 요인과 빛, 온도 등으로 구성된 비생물적 요인으로 구분할 수 있다. 생물적 요인과 비생물적 요인은 서로 영향을 주고받고 있어 이들의 구성이 달라지면 서로 다른 생태계를 구성하게 된다.

수행평가 TIP

탐구 수행	• 모둠 구성원과 협력하여 생태계 구성 요소를 비생물적 요인과 생물적 요인으로 구분하여 조사한다.	☆ ☆ ☆
	• 학교 내 안전을 위협하는 요소들을 주의하면서 안전하게 조사한다.	☆ ☆ ☆
탐구 결과	• 조사한 지역의 환경과 관찰한 생물들을 표에 자세히 정리한다.	☆ ☆ ☆
	• 빛, 온도 이외의 비생물적 요인을 2가지 이상 나열한다.	☆ ☆ ☆

1 생태계의 구성

(1) 생태계

① **생태계** 생물과 환경❶이 서로 영향을 주고받으며 이룬 하나의 커다란 생명 시스템으로, 구성 단계에 따라 개체, 개체군, 군집으로 구분한다.

- **개체** 독립된 하나의 생명체
- **개체군** 한 지역에 서식하는 같은 종의 집단
- **군집** 특정 지역에 서식하는 모든 개체군의 집단

생태계의 구성

인간이 만들어 낸 인공 환경도 생태계에 포함된다.

② **생태계의 종류** 초원, 삼림, 열대 우림, 갯벌, 해양, 연못, 늪, 공원, 인공 정원, 어항 등

(2) 생태계 구성 요소 생태계는 생물적 요인과 비생물적 요인으로 구성된다.

① **생물적 요인** 영양 단계에 따라 생산자, 소비자, 분해자로 구분한다.

생산자	광합성을 통해 무기물로부터 유기물을 스스로 생산하여 살아가는 생물 예 식물 플랑크톤, 해조류, 녹색 식물
소비자	스스로 영양분을 합성하지 못해 다른 생물을 먹이로 섭취하여 영양분을 얻는 생물 예 동물 플랑크톤, 토끼, 새, 곰, 호랑이
분해자	생산자와 소비자의 사체나 배설물을 분해하여 영양분을 얻는 생물 예 세균, 곰팡이, 버섯

② **비생물적 요인** 생물을 둘러싸고 있는 환경 요인이다. 예 공기, 빛, 온도, 물, 흙

(3) 생태계 구성 요소 간의 관계❷

- 비생물적 요인이 생물적 요인의 형태와 생활 방식에 영향을 준다.
- 생물적 요인이 비생물적 요인에 영향을 주어 환경 요인을 변화시킨다.
- 생물적 요인 간에 서로 영향을 주고받기도 한다.

생물은 살아가면서 생물적 요인과 비생물적 요인의 영향을 받는다.

비생물적 요인

빛 흙 물 온도 공기 그 외

생물이 주는 영향 →

환경이 주는 영향 →

생물적 요인

생산자 분해자

상호 작용

생물들 간에 서로 영향을 주고받는 것

소비자

---

❶ **환경**
한 생물체의 환경은 무기 환경뿐 아니라 다른 생물들과의 상호 작용이 만드는 환경도 있다.

❷ **생태계 구성 요소 간의 관계**
생태계는 생물적 요인과 비생물적 요인이 서로 영향을 주고받는 하나의 생명 시스템이다.

해 보기 1 　자료 해석　 생물과 환경의 상호 관계

목표

과학적 탐구 능력

제시된 자료를 보고 각 사례에서 생물과 환경 사이의 주고받는 영향을 설명할 수 있다.

과정

그림은 생물과 환경의 관계에 관한 사례를 조사한 것이다.

사례 1 미생물은 생물의 사체나 배설물을 분해하여 토양 내 영양분을 증가시키며, 지렁이와 두더지는 토양의 통기성을 높여 산소가 필요한 미생물과 식물들이 살아가기 좋은 환경을 만든다.

사례 2 양지에 적응한 소나무는 강한 빛을 받아야 잘 자라고, 음지에 적응한 서어나무는 약한 빛에서도 잘 자란다. 나무가 자라면 숲의 지표에 닿는 빛이 감소한다.

사례 3 고산 지대를 지나는 여행자는 산소의 압력이 부족하여 고산병에 걸릴 수 있지만, 고산 지대에 사는 사람은 혈액 내 적혈구의 수가 평지의 사람들보다 많아 고산 지대에 적응하였다.

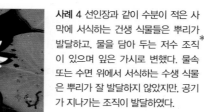

사례 4 선인장과 같이 수분이 적은 사막에 서식하는 건생 식물들은 뿌리가 발달하고, 물을 담아 두는 저수 조직*이 있으며 잎은 가시로 변했다. 물속 또는 수면 위에서 서식하는 수생 식물은 뿌리가 잘 발달하지 않았지만, 공기가 지나가는 조직이 발달하였다.

＊저수 조직
물을 저장하는 조직으로, 건조한 곳에 사는 식물의 잎이나 줄기에 발달해 있다. 수분이 있을 때 세포에 수분을 저장하였다가 건조할 때 다른 조직에 수분을 공급해 준다.

알로에의 단면

＊연근
연꽃의 뿌리줄기로, 공기나 수증기가 이동할 수 있는 통기 조직이 발달해 있다.

연근의 단면

결과/정리

각 사례에서 생물적 요인과 비생물적 요인을 찾고, 생물적 요인이 비생물적 요인에 영향을 준 것, 비생물적 요인이 생물적 요인에 영향을 준 것, 생물적 요인 간에 서로 영향을 준 것을 각각 찾아보자.

　예시　 • 생물적 요인과 비생물적 요인 찾기

구분	사례 1	사례 2	사례 3	사례 4
생물적 요인	미생물, 지렁이, 두더지, 식물	소나무, 서어나무, 이끼	사람	선인장, 사막에 사는 동물, 수생 식물, 수생 동물
비생물적 요인	토양 내 영양분, 토양의 통기성	빛의 세기, 수분	고산 지대의 산소 압력, 온도	온도, 토양, 수분(물)

• 비생물적 요인이 생물적 요인에 영향을 준 것

사례 1	• 빛이 없고 습한 땅속에 사는 지렁이는 피부가 얇고 축축함.
사례 2	• 소나무는 강한 빛에 적응함. • 서어나무는 약한 빛에 적응함.
사례 3	• 고산 지대의 낮은 산소 압력 → 여행자가 고산병에 걸릴 수 있음. 그 지역에 사는 사람들은 적혈구 수가 평지에 사는 사람들보다 많게 적응함.
사례 4	• 수분이 적은 사막에 사는 식물 → 선인장의 경우 잎이 가시로 변하여 수분 증발을 최소화하고, 물을 저장하는 저수 조직이 발달. • 물속이나 수면에 사는 식물 → 수생 식물은 공기가 지나가는 통기 조직이 발달함.

＊바오바브나무
높이 20 m, 가슴높이둘레 10 m, 퍼진 가지 길이 10 m 정도이며, 원줄기는 술통처럼 생긴 큰 나무로 주로 아프리카 사막에 산다. 건조한 기후에 적응하여 소량의 물을 이용하여 광합성을 하고, 기공을 조금씩 열어 수분 증발을 최소화하며, 크고 튼튼한 뿌리로 적은 양의 물을 흡수할 수 있다. 크고 굵은 원줄기에 대량의 수분을 집중적으로 저장하고 있어 12만 L 이상의 물을 저장할 수 있다고 한다.

- 생물적 요인이 비생물적 요인에 영향을 준 것

사례 1	• 미생물의 분해 작용 결과 토양 내 영양분 증가 • 지렁이와 두더지가 토양의 통기성을 높임.
사례 2	• 나무가 자라면 지표에 닿는 빛의 양이 감소함. • 낙엽 등에 의해 토양 내 영양분 증가
사례 4	• 수생 식물의 물질대사 결과 수질이 좋아짐.

- 생물적 요인 간에 영향을 준 것

사례 1	• 지렁이에 의해 토양의 통기성이 높아지면 식물의 뿌리에서 산소와 무기물을 흡수하기 좋아지고, 지렁이의 물질대사 결과 식물에 필요한 영양분이 증가함.
사례 2	• 서어나무가 잘 발달된 숲의 지표면에 이끼 같은 음지 식물이 번성함.
사례 4	• 사막에 사는 동물은 선인장과 같은 식물에서 수분을 얻을 수 있음.

2 환경과 생물

(1) 생물은 빛, 물, 온도, 토양 공기 등 여러 환경 요인에 적응하며 살아간다.

(2) 환경이 생물에 영향을 준 예

① 빛

빛의 세기	• 빛의 세기가 강한 곳에 서식하는 식물의 잎은 두껍고, 약한 곳에 서식하는 식물의 잎은 얇고 넓다. • 한 식물에서도 강한 빛을 받는 쪽의 잎은 두껍고, 약한 빛을 받는 쪽의 잎은 얇고 넓다.❸
빛의 파장	• 청색광이 적색광보다 바다 깊은 곳까지 투과하므로, 바다 깊이에 따라 주로 서식하는 해조류의 종류가 다르다. ➡ 얕은 바다에는 적색광을 주로 이용하는 녹조류가, 깊은 바다에는 청색광을 주로 이용하는 홍조류가 많이 분포한다.

❸ 빛의 세기에 따른 잎의 단면 비교

울타리
조직
해면
조직

강한 빛을 받는 잎

울타리
조직
해면
조직

약한 빛을 받는 잎

② 물

┌ 표피와 바로 밑의 결합 조직으로 되어 있고, 몸의
  바깥쪽을 둘러싸서 몸을 지지하거나 보호한다.
- 조류와 파충류의 알은 단단한 껍데기로 싸여 있어 수분 증발을 막는다.
- 곤충은 외골격이 키틴질❹로 되어 있어 수분 증발을 막는다.
- 파충류는 몸 표면이 비늘로 덮여 있어 수분 증발을 막는다.

❹ 키틴질
곤충류나 갑각류 몸의 바깥쪽을 둘러싸고 몸을 지지·보호하는 외골격을 이루고 있는 물질로, 수분이 증발하는 것을 막는다.

타조 알

풍뎅이

뱀

- 건조한 곳에 사는 식물은 잎이 가시로 변해 수분 증발을 최소화하고, 저수 조직이 발달해 있다.
- 연이나 수련 같은 수생 식물은 줄기에 통기 조직이 발달되어 있다.

③ 온도

┌ 주변 온도에 따라 체온이 변하는 동물
- 뱀과 같은 변온 동물은 추운 겨울에는 물질대사가 잘 일어나지 않아 스스로 체온을 유지하지 못해 겨울잠을 잔다.

외부로의 열 방출량이 많아 더운 곳에서 체온 유지에 효과적이다.
- 사막여우는 북극여우보다 몸집이 작고 귀와 같은 몸의 말단 부위가 길다. ┘

사막여우

붉은여우

북극여우

- 온대 지방의 낙엽수는 기온이 내려가면 잎을 떨어뜨리지만, 상록수는 잎의 큐티클 층이 두껍고 삼투압을 변화시켜 잎을 떨어뜨리지 않으면서 체온을 유지한다.
- 추운 곳에 사는 털송이풀과 같은 식물은 줄기, 잎 등에 털이 나 있어 체온을 유지한다.

④ 토양
- 토양의 산성에 따라 서식하는 식물이 달라진다.❺
- 공기를 많이 포함하고 있는 토양의 표면에는 호기성 세균이 산다.

⑤ 공기 대기 중 산소 압력이 낮은 고산 지대에 사는 사람들은 혈액 내 적혈구 수가 많아 산소를 효율적으로 운반한다.

(3) 생물이 환경에 영향을 준 예
- 식물이 광합성을 하면 공기 중의 이산화 탄소 농도는 감소하고, 산소 농도는 증가한다.
- 숲이 울창해지면 지표에 도달하는 빛의 세기가 약해지고, 토양이 비옥해진다.
- 식물에서 분비하는 피톤치드❻와 같은 물질에 의해 주변 공기의 성분이 달라진다.
- 수생 식물에 의해 수질이 정화된다.
- 지렁이가 이동하면서 토양의 통기성❼을 높여 주고 낙엽이나 썩은 뿌리 등을 분해하여 토양을 비옥하게 한다.

❺ 토양의 산도에 따른 수국의 꽃 색깔
수국 중에는 토양의 산도에 따라 색깔이 변하는 것이 있다. 산성이면 청색, 중성이면 흰색, 염기성이면 분홍색으로 변한다.

❻ 피톤치드
식물이 병원균·해충·곰팡이에 저항하려고 내뿜거나 분비하는 물질로, 살균 효과가 있고, 장과 심폐 기능을 강화하는 데 도움을 준다.

❼ 통기성
흙에서 발생하는 이산화 탄소와 공기 중의 산소가 교환되는 정도를 말한다.

탐구 2 [토의] 생태계 보전의 가치 알아보기

교과서 258~259쪽

목표

과학적 의사소통 능력/과학적 참여와 평생 학습 능력

인류의 생존을 위한 생태계 보전 필요성을 토의할 수 있다.

과정

다음은 우포늪의 개발을 둘러싼 사회적 갈등에 관한 글이다.

> 경상남도 창녕군의 우포늪은 다양한 생물이 사는 습지이다. 하지만 이곳은 1997년 자연 보전 지역으로 지정되고 다음 해 람사르 협약*에 등록되기까지 일부는 논으로 이용되었고 주변에 공장이 들어서 있었다. 그러나 이 지역의 생태적 중요성에 관한 관심이 높아지면서 개발과 보전을 둘러싼 사회 갈등이 나타났다.

❶ 글을 읽고 모둠 구성원별로 지역 주민, 지역 개발자, 환경 단체, 과학자의 역할 중 하나를 선택하자.
❷ 우포늪의 개발과 보전에 관한 각 역할의 입장을 정하고, 반대 입장을 설득할 수 있는 근거를 조사해 보자.

*람사르 협약
1971년 이란의 람사르에서 물새가 서식하는 습지대를 보호하기 위해 채택된 국제 협약으로 우리나라는 1997년에 가입하였다.

결과/정리

1. 조사한 자료를 바탕으로 우포늪을 보전해야 할지, 개발해야 할지 토의해 보자.

지역 주민	개발	무조건 보호하기보다 활용할 수 있는 가능성을 열고 필요한 선에서 주민들의 편의를 고려하며 개발해야 한다.
	보전	조금이라도 개발하기 시작하면 개발이 조금씩 계속되어 어느 순간 늪 주변의 본모습은 사라지고 늪만 남을 수 있으며, 결국 늪도 사라질 수 있다. 따라서 개발을 시작하는 것을 원하지 않는다.
지역 개발자	개발	공원과 같은 편의 시설로 개발하여 활용하는 것이 지역 주민들의 삶을 더 윤택하게 해줄 수 있다.
	보전	대규모의 개발만이 능사가 아니라 환경을 보전하며 생태 관광을 할 수 있도록 하는 정도에서 타협해야 한다.

환경 단체	개발	환경 영향 평가를 통해 외부에서 들어오는 오염 물질들을 제거할 수 있는 선에서만 개발하는 것은 꼭 필요하다.
	보전	주요 습지가 육지화되지 않도록 보호 방법에 관한 대책을 세워야 한다. 특히 생태 관광을 이유로 외부 사람들이 많이 방문하는 것은 오히려 생태계 평형을 깨뜨릴 수 있으므로 적절한 선에서 제한되어야 한다.
과학자	개발	이 지역은 철새 휴식지가 있으므로 서식지 유지 및 복원 사업을 통해 생태계 구성 요소 관리를 적극적으로 해야 한다.
	보전	생태의 역사를 간직하고 있고, 보호종과 철새 휴식지로서의 가치가 있으므로 인간의 개입 없이 원형 그대로 보전해야 한다.

2. 우포늪의 보전에 관해 자신은 어떻게 생각하는지 번호를 고르고, 그렇게 생각하는 까닭을 정리해 보자.

❶ 적극 찬성한다.　　　　❷ 찬성한다.　　　　❸ 반대한다.　　　　❹ 적극 반대한다.

구분	번호	까닭
지역 주민	❸	습지로 보호도 해야 하지만 지역 주민이 함께 살아갈 수 있는 방법도 찾아야 하므로 우리는 꼭 필요한 선에서 개발하는 것에 찬성한다.
지역 개발자	❹	개발 방향이 중요하다. 습지를 농경지로 전환하는 것은 쌀 소비가 줄어들고 있는 현 시점에서 경제적 가치가 떨어진다. 따라서 생태 공원과 놀이 공원을 접목한 복합 관광단지로 개발하여 관광 자원으로 적극 활용하는 것이 좋다.
환경 단체	❶	우포늪은 자연과 인류의 유산이므로 자연 그대로 후대에 전해줄 의무가 있다. 따라서 자연 환경에 인간의 의도적 개입을 막아야 한다.
과학자	❷	우포늪은 연구 가치와 생태적 가치가 높으므로 보호해야 하지만, 훼손되거나 오염된 곳은 인간의 관리가 필요하다. 따라서 보전해야 한다.

3. 학급별로 우포늪 생태계 보전에 관한 찬반 투표를 하여 투표 결과를 학급에 게시해 보자.

예시 • 투표 주제: 우포늪의 생태계를 원형 그대로 보전해야 한다.

• 투표 결과

총 인원 / 투표 참여 인원(명)	찬성	반대	기권	결과
28 / 28	20	5	3	찬성

 탐구 분석

각자의 입장에서 객관적인 근거를 가지고 토론에 임하도록 하며, 답이 먼저 정해지지 않고 입장이 균형 잡히도록 한다.

수행평가 TIP

탐구 수행	• 모둠 구성원과 협력하며 자신의 역할을 충실하게 수행한다.	☆ ☆ ☆
	• 자신이 맡은 역할의 입장에서 반대 입장을 설득할 수 있는 객관적인 근거를 찾는다.	☆ ☆ ☆
	• 토의 활동에 적극적으로 참여한다.	☆ ☆ ☆
탐구 결과	• 우포늪 개발에 대한 자신의 입장을 객관적 근거에 기반하여 제시한다.	☆ ☆ ☆
	• 자신의 생각을 글로 정리하여 명확하게 표현한다.	☆ ☆ ☆

• 확인하기

1. 이해 생태계 구성 요소에는 어떤 것들이 있는가?

　예시 생물적 요인과 비생물적 요인이 있다. 생물적 요인은 생산자, 소비자, 분해자로 구분하며, 비생물적 요인에는 빛, 온도, 물, 공기, 토양 등과 같은 환경 요인이 있다.

2. 적용 숲이 울창해지면 숲의 지표 부근에서 살아가는 풀의 생장에는 어떤 영향이 있을지 말해 보자.

　예시 숲이 울창해지면 숲의 지표에 도달하는 빛의 세기가 약해지므로 이끼, 고사리, 맥문동 등과 같이 음지에 적응한 식물이 번성하게 된다.

✔ 개념 확인 문제

1 생물적 요인을 구성 단계에 따라 구분하시오.

2 비생물적 요인이 생물적 요인에 주는 영향의 예를 1가지만 쓰시오.

②단계 해결하기 2. 생태계의 평형은 어떻게 유지될까?

저인망 어선이 성어와 치어까지 싹쓸이하면 이로 인해 종 다양성 감소하고 먹이 그물이 단순해진다. 이와 같이 인간의 활동으로 생물 다양성이 감소하면 생태계가 단순해진다. 단순한 생태계는 일시적으로 안정적일 수 있지만, 장기적으로 지속되기는 어렵다. 따라서 바다 생태계에서 생물 다양성의 감소는 바다 생태계의 생태계 평형을 깨뜨리고 심한 경우 더 이상 생태계 평형을 회복하기 어려운 상태가 될 수 있다. 여기서는 먹이 사슬과 생태 피라미드를 중심으로 생태계 평형이 유지되는 과정을 알아본다.

 해 보기 2 [자료 해석] 생물 다양성과 생태계 평형

교과서 260쪽

목표 　　　　　　　　　　　과학적 탐구 능력

생물 다양성과 생태계 평형은 어떤 관계가 있는지 설명할 수 있다.

결과/정리

1. (가)와 (나)의 먹이 관계에서 다람쥐가 사라지면 독수리는 어떻게 될지 말해 보자.

   예시 (가)에서는 다람쥐가 사라지면 독수리는 뱀이나 새를 더 많이 잡아먹을 것이므로 독수리는 생존할 수 있다. 하지만 (나)에서는 다람쥐가 사라지면 독수리가의 먹이가 없으므로 독수리는 더 이상 생존할 수 없다.

2. 환경의 변화가 있을 때 (가), (나) 중에서 어떤 생태계가 더 안정적인지 생각해 보고, 그 까닭을 말해 보자.

   예시 다람쥐의 멸종과 같은 환경의 변화가 있을 때 (가)는 (나)보다 더 안정적이다. 예를 들면 (가)는 여러 개의 먹이 사슬이 복잡하게 얽혀 있으므로 다람쥐와 같은 특정 종이 멸종하더라도 멸종한 종을 대신할 수 있는 뱀이나 새 같은 다른 종이 있으므로 전체 생태계는 안정을 회복할 수 있다.

과정

그림은 먹이 관계를 구성하는 생물종이 다양한 경우와 생물종이 적은 경우를 비교한 것이다.

(가) 생물종이 다양한 경우　　　(나) 생물종이 적은 경우

---

1 생태계 평형

(1) 먹이 관계

- 먹이 사슬　생산자 → 1차 소비자 → 2차 소비자 → … → 최종 소비자까지 먹고 먹히는 관계❶를 사슬처럼 연결한 것
  └─ 생태계의 먹이 관계에서 더 이상 다른 생물에게 잡아먹히지 않는 최상위 단계의 포식자

  예 식물 → 누에 → 새 → 독수리

- 먹이 그물　각각의 먹이 사슬이 복잡하게 얽혀 그물처럼 복잡하게 나타나는 것

(2) 생태계 평형

- 생태계 평형　생태계를 구성하는 생물의 종류와 개체 수 등이 급격하게 변하지 않으면서 생태계가 안정된 상태를 유지하는 것이다.

- 먹이 관계와 생태계 평형　생물이 살아가는 데 필요한 에너지는 생산자의 광합성을 통해 유기물에 저장된 후 먹이 관계의 영양 단계❷를 따라 전달된다.

  ➡ 생태계 평형은 먹이 관계에 의해 유지된다.

- 생물 다양성과 생태계 평형　먹이 그물이 복잡한 생태계일수록 생태계 평형이 잘 유지된다. ➡ 생물 다양성은 생태계 평형을 위한 전제 조건이다.

❶ 포식자와 피식자
- 포식자: 다른 동물을 먹이로 하는 육식 동물
- 피식자: 포식자의 먹이 공급원이 되는 동물

❷ 영양 단계
먹이 관계의 각 단계를 영양 단계라고 한다.

(3) **생태 피라미드**[3] 안정된 생태계에서 상위 영양 단계로 갈수록 개체 수, 에너지, 생물량[4] 등이 점점 줄어드는 피라미드 형태를 이루는 것을 말한다. 개체 수 피라미드, 생물량 피라미드, 에너지 피라미드 등이 있다.

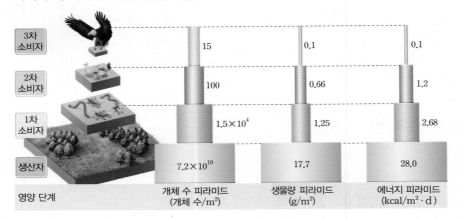

영양 단계	개체 수 피라미드 (개체 수/m²)	생물량 피라미드 (g/m²)	에너지 피라미드 (kcal/m²·d)
3차 소비자	15	0.1	0.1
2차 소비자	100	0.66	1.2
1차 소비자	1.5×10^4	1.25	2.68
생산자	7.2×10^{10}	17.7	28.0

(4) **생태계 평형의 회복 과정** 안정된 생태계는 한 영양 단계의 개체 수가 일시적으로 변해도 먹이 관계에 의해 다른 영양 단계의 개체 수가 변함으로써 다시 회복할 수 있다.

평형 상태 → 1차 소비자의 개체 수가 일시적으로 증가 → 2차 소비자의 개체 수 증가, 생산자의 개체 수 감소 → 1차 소비자의 개체 수 감소 → 생산자의 개체 수 증가 → 회복된 상태

❸ 생태 피라미드
- 개체수 피라미드: 먹이 그물을 구성하는 각 생물의 개체 수를 생산자를 하단에 두어 쌓아올린 것이다. 일반적으로 피식자의 수가 많아 하나의 축을 중심으로 쌓으면 피라미드 형태가 된다.
- 생물량 피라미드: 생태 피라미드 중 영양 단계에 따라 총 생물량(생체량)을 순서대로 쌓은 것이다.
- 에너지 피라미드: 생태 피라미드 중 영양 단계에 따라 생산량 또는 단위 시간당 에너지양을 순서대로 쌓은 것이다.

❹ 생물량(생체량)
단위 면적당 생물체의 양을 무게 또는 에너지양으로 나타낸 것이다. 일반적으로 상위 영양 단계로 갈수록 개체 하나의 몸집은 커지지만, 개체 수가 적어지므로 생물량은 감소한다.

❺ 생태 피라미드의 예외
한 그루의 나무에 많은 곤충이 서식하는 경우 개체 수 피라미드는 피라미드 모양이 나타나지 않지만 생물량 피라미드는 피라미드 모양이 나타난다.

 탐구 3 실험 **멸치가 생태계에서 차지하는 위치 파악하기**

교과서 262~263쪽

🏁 목표   과학적 탐구 능력

멸치의 위를 해부하여 멸치가 해양 생태계에서 차지하는 위치를 파악하고, 멸치의 개체 수 변화가 생태계 평형에 미치는 영향을 설명할 수 있다.

🚩 결과/정리

1. **멸치가 먹은 먹이에는 어떤 것이 있는지 그림으로 그리고, 특징을 기록해 보자.**

   예시 작은 녹색의 구나 유리 조각 같이 빛이 나는 규조류를 많이 관찰할 수 있다.

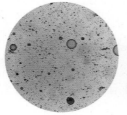

(배율: ×400)

2. **멸치의 위에서 발견한 내용물을 확인하고 멸치가 생태계에서 차지하는 위치를 알아보자.**

   예시 멸치가 먹은 먹이는 식물(또는 동물) 플랑크톤이다. 멸치는 1차(또는 2차) 소비자로서의 위치를 차지하고 있다.

📋 과정

(가) 멸치 해부하기
❶ 뜨거운 물을 비커에 붓고, 멸치를 5분간 담가 두었다가 꺼내자.
❷ 2개의 핀셋으로 머리와 몸통을 각각 잡고 머리를 떼어 내자.
❸ 핀셋으로 배 쪽을 조심스럽게 들고, 검은 덩어리 부분(유문수)을 분리하자.
❹ 유문수 부분을 조심스럽게 제거하여 안쪽에 있는 노란색의 위를 꺼내자.

과정 2

과정 3

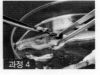
과정 4

(나) 멸치의 위 내용물 확인하기
❺ 면도날을 이용해 위를 반으로 절개한 다음 핀으로 위의 안쪽을 긁어 내 현미경 표본*을 만들고, 현미경으로 관찰하자.

과정 5

1. 다음 세 종류의 생물이 생태계에서 차지하는 위치를 오른쪽 생태 피라미드에 써 보자.

> • 식물 플랑크톤   • 참다랑어   • 멸치

2차 소비자 ㉠ 참다랑어
1차 소비자 ㉡ 멸치
생산자 ㉢ 식물 플랑크톤

2. 다음은 어떤 원인으로 생태계의 평형이 깨졌을 때 생태계가 평형을 회복하는 과정을 나타낸 것이다. ㉠~㉤의 괄호에 들어갈 말을 증가와 감소라는 단어를 이용해 채워 넣고, 생태 피라미드에서 먹이 관계에 의해 생태계가 평형을 찾는 과정을 토의해 보자.

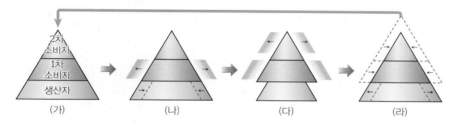

2차 소비자 / 1차 소비자 / 생산자

(가) → (나) → (다) → (라)

> (가) 생태 피라미드가 평형인 상태
> (나) 1차 소비자가 증가하면 그 먹이인 생산자가 ㉠(감소)한다.
> (다) 1차 소비자의 증가로 1차 소비자를 먹는 2차 소비자가 ㉡(증가)한다.
> (라) 2차 소비자가 증가하면 그 먹이인 1차 소비자가 ㉢(감소) 한다. 그 결과 다시 그 먹이인 생산자가 ㉣(증가)하고, 2차 소비자가 ㉤(감소)하여 다시 평형을 회복한다.

3. 1번의 생물로만 구성된 생태계에서 멸치가 절멸한다면 생태계의 다른 구성원들은 어떻게 될지 말해 보자.

> **예시** 멸치가 절멸하면 참다랑어도 절멸하게 된다. 또한, 식물 플랑크톤은 일시적으로 증가할 수 있지만 무기염류의 부족으로 결국 감소하게 된다.

 탐구 분석

실제 멸치는 식물 플랑크톤이나 동물 플랑크톤을 먹는다. 그런데 위를 해부하여 내용물을 확인하면 동물 플랑크톤은 소화가 되어 관찰하기 어렵고 규조류와 같은 식물 플랑크톤은 단단한 껍데기가 남아 있어 관찰하기 쉽다. 따라서 멸치는 1차 소비자도 되고, 2차 소비자도 된다.

수행평가 TIP

탐구 수행	• 안전사항에 유의하여 실험을 진행한다.	☆ ☆ ☆
	• 멸치의 위를 해부한 후, 과정에 맞게 현미경 표본을 제작한다.	☆ ☆ ☆
	• 현미경 관찰 시 저배율에서 관찰하여 상을 찾고 고배율에서 상을 확대하여 확인한다.	☆ ☆ ☆
탐구 결과	• 관찰 결과를 토대로 생태계에서 멸치의 위치를 옳게 분석한다.	☆ ☆ ☆
	• 멸치의 개체 수 변화가 생태계 평형에 미치는 영향을 먹이 사슬과 연관 지어 옳게 추론한다.	☆ ☆ ☆
	• 생태계 평형이 깨졌을 때 생태계 평형이 회복되는 과정을 정확한 용어를 사용하여 옳게 설명한다.	☆ ☆ ☆

• 확인하기

1. **이해** 생태계 평형과 생물 다양성의 관계를 설명해 보자.
> **예시** 생물 다양성이 높으면 먹이 관계가 복잡해지므로 생태계 평형이 유지될 가능성이 높다.

2. **적용** 사자 등의 육식 동물은 잡아먹히는 일이 없음에도 불구하고 무한하게 계속 증식하지 않는 까닭은 무엇인가?
> **예시** 생태계의 각 영양 단계를 구성하는 생물의 개체 수, 생물량, 에너지양은 피라미드 모양을 이루고 있다. 따라서 자연 상태에서 최상위 영양 단계는 하위 영양 단계의 개체 수, 생물량, 에너지양 이상으로 증가할 수 없다.

✓ 개념 확인 문제

1 생태계를 이루는 생물의 종류와 수가 안정된 상태를 유지하는 것을 무엇이라고 하는가?

2 각 영양 단계에 속하는 생물의 에너지양, 생물량, 개체 수를 하위 영양 단계부터 차례로 쌓아 피라미드 형태로 나타낸 것을 무엇이라고 하는가?

　　자연 현상이나 인간의 활동으로 발생하는 환경의 변화는 생태계에 긍정적인 영향과 부정적인 영향을 모두 줄 수 있다. 하지만 지구 온난화의 영향 등 부정적인 영향이 더 두각 되고 있는 현 상황에서 우리는 무엇을 해야 할지 생각해 보는 것이 필요하다. 여기서는 환경 변화로 인한 생물 다양성 파괴가 생태계 평형에 영향을 미치는 다양한 사례를 찾아보고, 자연에 의한 환경 변화와 인간에 의한 환경 변화로 구분해 본다.

탐구 4 　[그리기·토의] 환경 변화가 생태계에 미치는 영향을 정보 그림으로 나타내기 　　교과서 264~265쪽

 목표 　　　　　　　　　　　　　　　　　　　　　　　　　　**과학적 사고력**

환경 변화가 생태계에 영향을 미치는 다양한 사례를 조사한 후 토의할 수 있다.

과정

❶ 환경 변화가 생물 다양성과 생태계 평형에 영향을 미치는 사례를 인터넷을 통해 찾아보고, 다음 예시와 같이 정보 그림*으로 나타내 보자.

　　[환경 변화 사례: 섬진강은 바다가 되는가?]

> 　　재첩의 주산지인 섬진강 하류에서는 염분 농도가 증가하는 현상이 심각해지고 있다. 1990년도 이전과 비교하면 재첩 서식지가 33 %나 줄었다. 댐 건설 등으로 강물의 양이 줄어들어 바닷물이 역류하고 있는 것으로 보인다. 이에 재첩에 의존해 살아가는 어민들의 생활이 점점 어려워지고 있다.
>
> 　　　　　　　(출처: EBS 동영상 '섬진강 하류의 바다화의 원인')

*정보 그림 그리기

• **인포그래픽**: 인포메이션 그래픽의 줄임말로 정보, 데이터, 지식을 시각적으로 표현한 것이다. 그림을 통해 오래 기억에 남을 수 있도록 하는 것이 목적이며, 색과 그래픽으로 지식에 대한 핵심적인 내용을 전달한다.

• **비주얼씽킹**: 글과 그림을 함께 이용하여 정보와 생각을 표현하고 기록하는 것이다. 몇 가지 아이콘을 만들어 생각을 보다 빠르고 간단하게 전달할 수 있는 방법이다.

❷ 사례에 나타난 핵심 단어를 찾아 나열하고 이를 나타내는 그림을 그려 보자.

섬진강　　　　재첩　　　　염분 농도　　　어민　　재첩 채집량 감소　　　댐

❸ 추가로 넣고 싶은 정보를 찾아 표나 그림으로 정리해 보자.

❹ 단어와 그림을 이용해 환경 변화가 생태계에 미치는 영향을 표현하고, 환경 변화로 생태계가 받은 영향을 변화 후의 그림에 써 보자.

결과/정리

1. 다른 모둠의 발표를 듣고 환경 변화가 생물 다양성과 생태계에 어떤 영향을 주었는지 정리해 보자.

사례	영향
자연에 의한 것	가뭄으로 인한 수량 감소, 강의 토사 누적으로 인한 홍수 등
인간에 의한 것	댐 건설, 유량 감소 및 염분 농도 증가, 재첩 개체 수 감소, 어민 생활이 어려워짐. 등

탐구 분석

인포그래픽이나 비쥬얼씽킹의 제작 과정을 알아보고 기본적으로 사용하는 아이콘 등을 이용하여 표현한다. 환경 변화를 자연에 의한 것과 인간에 의한 것으로 구분하여 알아본다.

2. 각 사례에서 환경 변화에 따른 생태계 파괴를 막기 위한 방안이 무엇인지 토의해 보자.

예시 댐에서 방류하는 물의 양을 증가시키고 바닷물의 역류 방지를 위한 구조물을 설치한다.

수행평가 TIP

탐구 수행	• 모둠에서 역할을 분담하고 자신의 역할을 책임지고 수행한다.	☆ ☆ ☆
	• 정보 그림을 그릴 때 핵심 단어를 정확히 선택하고, 한눈에 알아보기 쉽게 창의적으로 나타낸다.	☆ ☆ ☆
	• 각 이미지에 적절한 설명을 추가하여 효과적으로 전달한다.	☆ ☆ ☆
탐구 결과	• 모둠의 활동 내용을 효과적으로 발표한다.	☆ ☆ ☆

1 환경 변화와 생태계

(1) 안정된 생태계에서는 환경 변화가 일어나 일시적으로 생물의 종류와 개체 수가 변하더라도 대부분 생태계 평형을 회복할 수 있지만, 그 한계를 넘는 환경 변화가 일어나면 생태계 평형이 깨질 수 있다.

(2) **생태계 평형이 깨지는 환경 변화**

① 자연에 의한 환경 변화(자연 재해)

홍수, 산사태, 산불	자연 재해에 의해 환경의 변화가 일어나면 생물들의 서식지 환경이 변화되어 기존에 서식하던 생물들이 살기 어려워진다. 반면, 새로운 생물들이 살 수 있는 환경이 조성되기도 한다.
화산 폭발	화산재 등에 의해 대기 오염이 일어나면 일시적인 저온 현상을 일으키는 등 생물의 생명에 영향을 미쳐 생태계 평형이 깨질 수 있다.
빙하기, 지구 온난화	빙하기와 지구 온난화 지구 온도의 점진적 변화는 생물의 서식지 환경을 변화시켜 생물이 살 수 있는 범위를 제한하거나 확장시킨다.

② 인간에 의한 환경 변화

외래종[1] 도입	외래종이 도입된 생태계에 외래종의 포식자나 질병이 없으므로 외래종이 대량 번식하면서 고유종의 생존을 위협한다.
환경 오염	중금속이나 폐수 등에 의해 서식지가 오염되면 기존 생물들이 살기 어려워지고 오염 물질에 내성을 가진 생물만 살아남게 된다.
지역 개발	댐 건설, 도시 개발, 농경지 확대 등 인간에 의한 지역 개발로 서식지가 단절되거나 줄어드는 등 서식지 환경의 근본적인 변화를 가져오게 되어 개체군의 크기가 감소하게 된다.
생태계 복원	생태계 복원, 생태 통로 설치 등과 같은 인간의 노력은 서식지 환경을 회복시키고 생물 다양성을 증가시킨다.

❶ 외래종

원래 살던 곳을 벗어나 다른 곳에서 사는 생물

뉴트리아

황소개구리

붉은귀거북

돼지풀

· 확인하기

1. 이해 환경 변화로 인해 생태계가 파괴된 사례를 말해 보자.

예시 댐 건설로 인해 섬진강에서는 바다화 현상이 일어났다. 도로 건설로 야생 동물의 이동 통로가 차단되었다. 콘크리트 제방 설치로 서식지가 파괴되고, 수질이 나빠졌다. 등

2. 적용 야생 여우를 복원하려는 노력은 생태계에 어떤 영향을 줄까?

예시 야생 여우를 복원하면 야생 여우가 쥐를 잡아먹는 등 새로운 먹이 사슬이 형성되고, 이로 인해 먹이 그물이 복잡해진다. 따라서 생태계 평형에 긍정적인 영향을 줄 수 있다.

✓ 개념 확인 문제

1 자연에 의한 환경 변화에는 어떤 것이 있는가?

2 사람에 의한 환경 변화에는 어떤 것이 있는가?

핵심 내용 정리하기

1 생물과 환경의 관계 교과서 256~259쪽

(1) 생태계는 **❶ 생물적** 요인과 비생물적 요인이 밀접한 관계를 맺고 상호 작용하는 시스템이다.

(2) 생태계의 생물적 요인에는 생산자, 소비자, **❷ 분해자** 이/가, 비생물적 요인에는 빛, 흙, 공기 등이 있다.

2 생태계 평형 유지 교과서 260~263쪽

(1) 어떤 먹이 사슬의 수량적 관계를 피라미드 모양으로 나타낼 수 있는데, 이것을 **❸ 생태 피라미드** (이)라고 한다.

(2) 한 생태계를 구성하는 생물종과 개체 수가 일정한 상태를 유지하는 것을 생태계 **❹ 평형** (이)라고 한다.

3 환경 변화와 생태계 평형 교과서 264~265쪽

(1) 환경 오염과 같은 환경의 변화는 안정을 유지하고 있는 생태계 **❺ 평형** 을/를 깨뜨리고 있다.

(2) 환경 변화에 의해 평형이 깨진 생태계의 회복을 위해서 생물 **❻ 다양성** 을/를 보전해야 한다.

생태 피라미드

활동으로 확인하기

다음은 제주조릿대의 분포 변화를 나타낸 것이다.

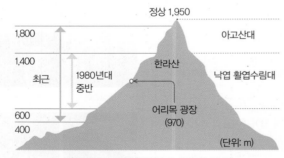

제주조릿대의 분포 변화(출처: 공우석, 2012)

제주조릿대의 분포 변화

제주 한라산에는 온난한 기후에서 잘 자라는 대나무의 일종인 제주조릿대가 퍼져 가면서 일부 지역에서 고산 식물인 시로미 군락과 눈개쑥부쟁이, 한라고들빼기 등이 멸종한 것으로 나타났다. 제주조릿대가 땅속 공간 경쟁에서 다른 식물보다 유리하기 때문이다. 제주조릿대의 급격한 확산은 지구 온난화와 함께 1985년 소와 말의 방목을 금지했기 때문으로 보인다.

1 제주조릿대의 분포에 영향을 준 생물적 요인과 비생물적 요인에는 어떤 것들이 있을까?

예시 • 생물적 요인: 시로미, 눈개쑥부쟁이, 한라고들빼기, 말
• 비생물적 요인: 온난한 기후

해설 제주조릿대는 시로미, 눈개쑥부쟁이, 한라고들빼기 등과의 경쟁을 통해 서식지를 확보하였으며, 말의 방목이 금지되면서 제주 조릿대를 먹는 초식 동물이 없어졌다. 지구 온난화도 제주조릿대가 고산 지대까지 서식할 수 있는 환경을 제공하였다.

2 말의 방목 금지와 같은 인간의 개입이 한라산 생태계에 어떤 영향을 주었는가?

예시 말의 방목 금지는 고산 식물의 멸종을 가져와 한라산 생태계의 종 다양성을 감소시켰다.

해설 말의 방목 금지라는 인간의 개입은 오히려 제주조릿대의 번식을 가져와 종 다양성을 감소시키는 결과를 가져왔다.

④ 단계 생각 넓히기 | 생태계 복원을 위한 인류의 노력

 과학적 의사소통 능력

다음은 우리나라를 포함하여 전 세계적으로 진행된 생태계 복원을 위한 노력을 요약한 것이다.

(가) 미국 키시미강

S자형으로 굽이치는 강의 90 km를 수로로 개발하자 오히려 수질이 악화하고 습지에 서식하던 동식물의 서식지가 사라졌다. 이에 복원 사업을 통해 배수로를 다시 메우고 원래의 강이 지나던 길을 복구하고 있다.

(나) 뉴질랜드 마운가타우타리

다양한 외래종으로 인해 뉴질랜드 고유종의 생존이 위협을 받게 되자 보호 구역을 설정하고 외래종이 넘어오지 못하게 담장을 설치하였다. 또한, 멸종 위기종이 다시 적절한 개체군의 크기를 유지할 수 있도록 연구가 계속되고 있다.

(다) 대구 수목원

1990년까지 생활 쓰레기를 매립하던 공간으로 악취가

나던 지역을 2002년에 다양한 생물들이 사는 수목원으로 조성하였다. 약초류를 비롯해 다양한 생물들이 자라고 있어 우리나라 종 다양성 보전에 도움을 주고 있다.

(라) 대암산 용늪

국내 람사르 습지 등재 1호인 강원도 인제군 대암산의 용늪은 70년대 군부대의 개발 등으로 훼손되면서 90년대에는 절반이 육지화되어 소멸 위기에 놓였었다. 하지만 관광객들의 출입을 제한하고, 인근 군부대 시설을 이전하는 등 습지를 다시 살리기 위해 노력하는 등 습지 환경을 복원하면서 생태계 평형이 회복되고 있다.

대암산 용늪

① 핵심 내용 파악

세계 각국에서 생태계 복원을 위해 어떤 노력을 했는지 각 사례에서 특징이 되는 단어를 나열해 보자.

예시 (가) 원래의 강이 지나던 길 복구, (나) 보호 구역 설정, (다) 수목원 조성, (라) 습지 환경 복원

② 자기 생각 논술

각 사례를 비교하여 생태계 복원에서 중요한 점은 무엇인지 말해 보자. 자신이 생각하는 복원 방법의 장단점을 논술해 보자.

예시 생태계 복원에서 가장 중요한 점은 원래 생태계가 평형을 이루고 있던 모습을 찾아주는 것이다. 내가 생각하는 복원 방법은 인간이 훼손하기 전의 모습을 연구하고, 가능하면 최대한 그 상태로 복원하는 것이다. 그곳에 사는 생물의 서식지가 안정되고, 서식지가 파괴되면서 떠난 생물종이 다시 돌아올 수 있어 생물 다양성이 증가하고 생태계가 안정적으로 유지될 수 있다. 이와 함께 원래의 복원된 모습이 더 아름다운 것이라는 것을 알리도록 노력해야 한다. 반면, 원래의 모습으로 복원하면 사람이 생활하기에 불편한 방향으로 개발한 경우가 많으므로 사람이 그곳에서 생활하기 불편할 수 있다. 이러한 단점을 보완하기 위해 사람들의 편리성도 고려되어야 장기적으로 생태계가 훼손되지 않고 보전될 수 있다.

③ 토의하기

우리나라에서 생태계를 복원할 때 어떤 점을 고려해야 할지 자신의 생각을 발표해 보고, 다른 사람의 생각과 어떤 차이가 있는지 비교해 보자.

예시 우리 주변에서 생태계 복원이 진행되는 곳을 보면 사람들이 보기에 아름답게 공원이 조성되거나 산책로 등 여전히 사람이 중심이 되어 복원되고 있는 모습이 보인다. 하지만 이러한 복원은 생태계 평형을 찾아가는 복원이라고 하기 어렵다.

④ 스스로 평가

나의 주장에 따라 내가 생태계 복원을 위해 실천할 수 있는 것은 어떤 것이 있는지 생각해 보자.

예시 생태계 복원이 필요한 곳을 정리하여 사람들에게 알리고 특히 생태 통로가 필요한 곳을 찾아 생태 통로의 필요성 홍보 활동에 참여한다. 환경 오염이 심한 지역은 사진을 찍어 지역 환경 단체나 주민센터 등에 알리고 오염 물질이 유입되는 곳이 어떤 곳인지 찾아 학생 감시단을 운영할 수 있다. 또한, 외래종들이 산책로에 번식하고 있는지 알아보는 활동을 전개할 수도 있다.

8 – ② 지구 환경 변화와 인간 생활

① 단계 생각 펼치기 우리나라의 기후는 변하고 있을까?

최근 우리나라의 여름이 점점 더워지고 있다. 도심에서는 폭염에 열섬 효과가 더해지며 기온이 40 ℃에 이르기도 한다. 많은 사람이 폭염으로 불편을 겪고, 농업과 축산업 등 여러 분야에서도 피해가 발생한다. 이렇게 우리나라의 여름이 더워지는 것은 기후 변화 때문이라고 하는데, 기후 변화에 의한 지구 환경의 변화는 전 지구적으로 나타나고 있다. 우리나라의 기후가 변하고 있는 것을 주요 과일의 재배지 변화를 통해 알아보고, 이러한 기후 변화가 계속되면 우리 생활에는 어떤 영향을 미칠지 생각해 본다.

기후❶는 여러 해 동안의 평균적인 기상 상태를 말하는 것이기 때문에 우리는 일상에서 그 변화를 느끼기 어렵다. 기후가 변한 것을 어떻게 알 수 있는지 우리나라의 주요 과일 재배지 변화를 통해 알아본다.

토의하기

❶ 1980년대 이후 새로 형성된 사과와 복숭아의 주산지는 1980년대와 비교하여 어떤 변화가 있는가?

> **예시** 사과와 복숭아의 주산지가 모두 북쪽으로 이동하였다.

❷ 사과와 복숭아의 재배 환경❷을 고려할 때 각각의 주산지에 변화가 생긴 까닭이 무엇인지 토의해 보자.

> **예시** 우리나라 전 지역의 평균 기온이 상승했기 때문이다. 따뜻한 곳에서 자라는 복숭아가 북부 지역에서도 재배 가능해진 것은 북부 지역의 평균 기온이 상승했기 때문이고, 비교적 한랭한 곳에서 자라는 사과의 주산지가 북쪽으로 이동한 것은 남부 지역의 평균 기온이 상승했기 때문이다.

❸ 이와 같은 변화가 계속되면 우리 생활에는 어떤 영향을 미칠지 예측해 보자.

> **예시** 평균 기온이 상승하면 우리나라의 기후가 아열대 기후로 변할 것이다. 기후 변화에 적응하지 못하는 생물이 멸종하고 뎅기열과 말라리아 등의 열대성 질병과 식중독의 발생이 증가할 것이다. 또한, 여름철에 폭염❸과 집중호우 및 지역적 가뭄의 피해가 증가할 것이다.

알고 있나요?

❶ 지구에 도달하는 태양 복사 에너지양과 지구가 방출하는 지구 복사 에너지양의 관계를 설명해 보자.

> **예시** 지구 외부로부터 유입되는 태양 복사 에너지량과 지구가 방출하는 지구 복사 에너지량이 평형을 이루고 있어서 지구의 평균 기온이 일정하게 유지된다.

❷ 바람이 부는 원리를 기압의 차이로 설명해 보자.

> **예시** 고기압에서 저기압 방향으로 작용하는 압력에 의해 공기가 이동하면서 바람이 분다.

---

❶ 기상과 기후
기상은 바람, 비, 눈, 구름 등 대기 중에서 일어나는 현상을 말한다. 기압, 기온, 상대 습도, 바람, 강수량 등의 요소로 나타낼 수 있다. 기후는 어떤 지역에서 규칙적으로 되풀이되는 일정 기간의 평균 기상 상황으로, 세계기상기구(WMO)에서는 기온이나 강수량 등 기상 요소의 30년 동안의 평균값을 기준으로 한다.

❷ 사과와 복숭아의 재배 환경
사과와 복숭아의 재배 환경이 다름에 유의한다 사과는 약간 한랭한 곳이 좋고, 복숭아는 추위에 약하므로 너무 춥지 않은 곳이 좋다. 사과와 복숭아의 재배 환경이 북상한 현상은 같지만, 그 원인은 다르다. 즉, 사과는 한랭한 곳을 찾아 북상한 것이지만 복숭아는 북쪽도 따뜻해져서 재배가 가능해진 것이다.

❸ 폭염
매우 심한 더위를 말한다. '폭염주의보'는 낮 최고 기온이 최고 33 ℃ 이상인 경우가 2일 정도 지속될 때, '폭염경보'는 낮 최고 기온이 35 ℃ 이상인 경우가 2일 이상 지속될 때 발령된다.

② 단계 해결하기 　　**1. 지구 온난화는 지구 환경에 어떤 영향을 미칠까?**

쓰쓰가무시 균에 감염된 털진드기에 물렸을 때 발병하는 쓰쓰가무시병의 확산이 최근 우리나라에서 문제가 되고 있다. 이것은 지구 온난화로 인해 우리나라의 기온이 높아지면서 털진드기의 서식지가 북쪽으로 확대되었기 때문이라고 한다. 우리나라 기온이 높아진 까닭이 무엇일까? 우리나라와 전 세계의 평균 기온 변화 경향을 살펴보고 지구 온난화의 원인을 파악해 본다. 그리고 지구 온난화의 영향으로 어떤 현상이 일어나는지 알아본다.

 해 보기 1 [자료 해석] **평균 기온 변화**

교과서 270쪽

목표　　　　　　　　　　　　　　　　과학적 탐구 능력

평균 기온 관측 자료를 통해 우리나라의 기후 변화 경향성을 파악하고 지구 전체의 경향성과 비교할 수 있다.

결과/정리

1. 우리나라와 전 세계의 연평균 기온이 지난 100여 년 동안 각각 어떻게 변화했는지 말해 보자.

   [예시] 우리나라와 전 세계의 연평균 기온이 모두 상승했다.

2. 1912~1941년과 1986~2015년의 30년 동안 연평균 기온 평균값을 비교하여 우리나라와 전 세계의 기온이 각각 얼마나 상승했는지 설명해 보자.

   [예시] 전 세계의 30년간 연평균 기온 평균은 8.2 ℃에서 9.0 ℃로 0.8 ℃ 상승했고, 우리나라는 12.1 ℃에서 13.5 ℃로 1.4 ℃ 상승했다.

3. 한반도의 평균 기온 상승 폭과 전 세계의 평균 기온 상승 폭은 어떤 차이가 있는지 말해 보자.

   [예시] 1912~1941년과 1986~2015년의 연평균 기온 평균값의 변화를 비교하면 전 세계보다 우리나라의 평균 기온 상승 폭이 약 2배 크다.

과정

다음은 우리나라와 지구의 연평균 기온 변화를 나타낸 것이다.

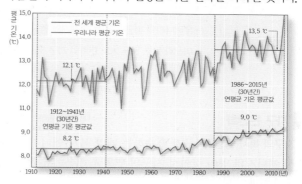

💡 **탐구 분석**

우리나라와 전 세계의 연평균 기온 변화 자료를 해석하여 평균 기온의 변화 경향을 파악한다. 지난 100여 년 동안 우리나라와 전 세계의 평균 기온이 모두 상승했고, 우리나라의 기온 상승 폭이 더 크다.

 해 보기 2 [자료 해석] **지구 온난화의 원인**

교과서 271쪽

목표　　　　　　　　　　　　　　　　과학적 탐구 능력

이산화 탄소 농도와 평균 기온 변화 자료 해석을 통해 대기 중 이산화 탄소가 기온에 미치는 영향을 파악하여 지구 온난화의 원인을 추론할 수 있다.

결과/정리

1. 이산화 탄소 평균 농도는 어떤 변화 경향을 보이는지 말해 보자.

   [예시] 이산화 탄소의 평균 농도가 꾸준히 증가하고 있다. 특히, 1960~70년대부터 이산화 탄소 농도 증가 폭이 커졌다.

과정

다음은 지구 대기 중의 이산화 탄소 평균 농도와 지구 평균 기온 변화를 나타낸 그림이다.

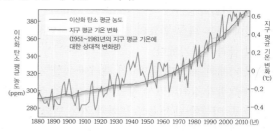

2. 최근 30년간의 이산화 탄소 평균 농도 변화 추세는 1800년대 후반과 비교하여 어떤 차이가 있는지 설명해 보자.

> **예시** 1980~2010년의 농도 증가율은 1880~1910년의 농도 증가율보다 약 3배 정도 크다. 1880년부터 1910년까지 이산화 탄소의 평균 농도는 약 10 ppm 증가한 반면, 1990년부터 2010년까지 이산화 탄소 평균 농도는 약 30 ppm 정도 증가했다. 또한, 그래프의 기울기가 1980~1910년 구간에서는 완만한 반면 1990~2010년 구간에서는 가파르다.

3. 이산화 탄소 평균 농도 변화와 지구 평균 기온 변화는 어떤 관계가 있는지 추론해 보자.

> **예시** 1800년대 후반 이후 지구 평균 기온은 지속적으로 상승했으며, 이산화 탄소의 평균 농도 역시 1800년대 후반 이후 지속적으로 증가했다. 특히, 두 값의 변화 양상은 매우 유사한 모습을 보인다. 이산화 탄소는 온실 효과를 일으키는 온실 기체이므로 이산화 탄소의 평균 농도 증가는 지구 평균 기온의 상승에 영향을 주었을 것이다.

탐구 분석

지구 평균 기온과 대기 중 이산화 탄소의 평균 농도 변화 경향성이 일치하는데, 이는 이산화 탄소의 농도 증가가 지구 평균 기온 상승의 주요 원인이라는 것을 나타낸다.

수행평가 TIP

탐구 수행	• 우리나라와 지구의 연평균 기온 변화 그래프를 비교하여 기온 상승의 정도를 파악한다.	☆ ☆ ☆
	• 이산화 탄소 평균 농도 변화 양상을 비교하기 위해 그래프의 기울기를 분석한다.	☆ ☆ ☆
탐구 결과	• 우리나라의 평균 기온과 전 세계의 평균 기온 상승 폭의 차이를 설명한다.	☆ ☆ ☆
	• 이산화 탄소 평균 농도 변화와 지구 평균 기온 변화의 관계를 설명한다.	☆ ☆ ☆

1 지구 온난화

(1) **지구의 복사 평형** 지구가 흡수하는 태양 복사 에너지┌의 양과 지구가 방출하는 지구 복사 에너지의 양이 같아서 지구의 연평균 기온이 일정하게 유지되는 것을 의미한다.

> 태양이 방출하는 여러 가지 파장의 복사 에너지로, 가시광선 영역이 대부분이라서 단파 복사라고 한다.

(2) **온실 효과** ┌ 지구가 지표와 대기로부터 방출하는 복사 에너지로, 파장이 긴 적외선으로 방출하므로 장파 복사라고 한다.

① 온실 기체 지구 복사 에너지를 흡수하여 온실 효과를 일으키는 기체로, 이산화 탄소(CO_2), 수증기, 메테인(CH_4), 클로로플루오로탄소(CFC) 등이 있다.

② 온실 효과 대기 중의 온실 기체가 짧은 파장의 태양 복사 에너지는 통과시키고 긴 파장의 지구 복사 에너지를 흡수한 후 재방출하여 대기가 없을 때보다 지구 평균 기온이 높게 유지[1]되는 현상이다.

지구의 복사 평형

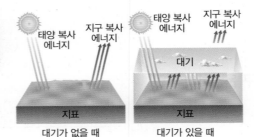

대기의 온실 효과

❶ 온실 효과와 지구 평균 기온

온실 효과로 인해 지구 평균 기온이 약 15 ℃로 유지되는데, 만약 온실 효과가 없다면 지구 평균 기온은 −18 ℃ 정도로 내려갈 것이다.

(3) **지구 온난화**

① 지구 온난화 지구의 평균 기온이 높아지는 현상[2]을 말한다.

② 지구 온난화의 원인

- 산업화 이후 화석 연료의 사용이 급증하면서 대기 중으로 유입되는 온실 기체의 양이 급격히 증가했다.
- 온실 기체의 농도가 증가하면 대기에 의한 지구 복사 에너지의 흡수량이 증가하여 온실 효과가 강화되면서 지구 평균 기온이 상승하고 지구 온난화로 이어진다.
- 대기 중 이산화 탄소 농도 변화와 기온 변화의 양상이 일치하는 것은 지구 온난화가 인간 활동에 의한 온실 기체 배출량 증가와 밀접한 관련이 있음을 의미한다.

❷ 지구 평균 기온 상승과 지구 온난화

지구의 평균 기온이 높아지고 낮아지는 현상은 과거에도 있었지만, 주로 19세기 후반부터 나타나고 있는 현상을 지구 온난화라고 한다.

해 보기 3 [스토리텔링] 지구 온난화의 영향에 관한 이야기 만들기

교과서 272쪽

목표

과학적 사고력, 과학적 의사소통 능력

지구 온난화가 지구 환경과 인간 생활에 미치는 영향을 파악하여 이야기로 만들 수 있다.

결과/정리

1. 각각의 경우에 지구 온난화가 지구 환경 또는 인간 생활에 미친 영향이 무엇인지 말해 보자.

   [예시] (가) 봄꽃이 빨리 피면 그 시기에 맞추어 번식하는 곤충이나 동물들이 피해를 입는다.
   (나) 북극의 빙하가 녹으면 북극곰의 생활 터전이 사라진다.
   (다) 극지방의 빙하가 녹으면 해수면의 높이가 상승한다.
   (라) 해수면 상승으로 해안 저지대와 섬이 침수된다.

2. 주어진 그림을 모두 사용하여 이야기를 만들어 보자. 이때 이야기의 흐름에 맞도록 그림을 나열하고, 서로 주고받는 영향을 고려하여 각 그림 간의 관계를 생각해 보자.

   [예시] 지구 온난화로 지구 평균 기온이 높아지면서 극지방의 빙하가 빠르게 녹아내리고(그림 (다)) 빙하를 터전으로 살아가는 북극곰이 먹이를 구할 수 없어서 멸종 위기에 처한다(그림 (나)). 빙하가 녹아내리고 바닷물의 수온이 높아져 부피가 팽창하면서 해수면이 상승하여 투발루와 같은 작은 섬나라와 해안 저지대가 물에 잠겨서 사람들이 생활 터전을 잃는다(그림 (라)). 기온 상승은 식물에도 영향을 미쳐서 봄에 피는 꽃의 개화 시기가 빨라져서 다른 생물이 피해를 입는다(그림 (가)).

3. 짝과 서로 이야기를 나누고, 자신의 이야기를 보완해 보자.

과정

다음은 지구 온난화가 지구 환경과 인간 생활에 미치는 영향을 나타낸 것이다.

(가) 우리나라에서 봄꽃의 개화 시기가 빨라지고 있다.

(나) 북극곰이 멸종 위기에 처해 있다.

(다) 극지방의 빙하가 빠르게 녹아내리고 있다.

(라) 남태평양의 섬나라인 투발루가 바닷물에 잠기고 있다.

탐구 분석

지구 온난화로 기온이 상승하면서 지구 환경과 인간 생활에 여러 가지 영향을 미친다. 지구 온난화의 영향은 어느 한 지역에 국한되지 않고 전 지구적으로 나타난다.

2 지구 온난화의 영향

(1) **해수면 상승** 해수의 온도가 높아져서 부피가 팽창하고 극지방의 빙하가 녹아 바다로 유입되어 해수면이 상승하여 해안 저지대가 침수되고 주민들이 삶의 터전을 잃는다.

(2) **기후 변화** 각 지역의 기후가 변하면서 분포하는 식생이 변하고, 생태계 변화로 농작물 생산량이 감소한다. 기온 상승으로 인하여 열대성 질병의 발생이 증가한다.

(3) **기상 이변의 발생 급증** 특정 지역에서는 폭우나 홍수의 발생 빈도가 증가하고, 가뭄이 극심해져 농지가 황폐해지는 지역도 나타난다.

확인하기

1. [이해] 지구 온난화의 원인이 무엇인지 말해 보자.
   [예시] 대기 중 온실 기체의 농도가 급증하여 대기에 의한 지구 복사 에너지의 흡수량이 증가하고, 지구의 기온이 상승하여 지구 온난화로 이어진다.

2. [적용] 지구 온난화가 인간 생활에 미치는 영향을 예를 들어 설명해 보자.
   [예시] 해수면이 상승하여 해안 저지대가 침수되고, 기후 변화로 기상 이변의 발생 빈도가 급증하며 피해가 발생한다.

개념 확인 문제

1. 대기 중 온실 기체 농도가 증가하는 주요 원인은 (   )의 사용 급증이다.

2. 극지방의 빙하가 녹아내리면서 해수면이 (   )한다.

2. 엘니뇨와 사막화는 지구 환경에 어떤 영향을 미칠까?

2015년 가을에는 평년보다 비가 많이 내리는 이상 강수 현상이 전국적으로 발생하면서 충북 영동 지역 곶감의 60 %에 곰팡이가 피거나 썩는 피해가 발생했다. 이와 같이 과거와 매우 다른 기상을 기상 이변이라 하는데, 기상 이변은 인간 생활뿐만 아니라 지구 환경에도 큰 영향을 미친다. 기상 이변이 발생하는 까닭이 무엇일까? 지구 온난화와 더불어 기상 이변을 일으키고 있는 원인으로 엘니뇨와 사막화가 있다. 대기와 해양의 순환을 알아보고, 엘니뇨와 사막화가 발생하는 과정과 그 영향에 관해 알아본다.

1 대기 대순환과 표층 순환

(1) 대기 대순환

① **위도별 에너지 불균형** 지표면에 입사하는 태양 복사 에너지양과 지구가 방출하는 지구 복사 에너지양이 위도에 따라 차이가 난다.❶ 그 결과 저위도는 에너지 과잉 상태, 고위도는 에너지 부족 상태가 된다.

② **대기 대순환** 지구 전체 규모에서 일어나는 대기의 순환을 말한다.

- 위도별 에너지 불균형에 의해 저위도의 따뜻한 공기가 상승하여 고위도로 이동하고 고위도의 차가운 공기가 하강하여 저위도로 이동하는 흐름이 생긴다. 이러한 공기의 흐름에 지구가 자전하는 효과가 더해지면서 북반구와 남반구에 각각 **3개의 순환 세포**가 만들어진다.

- **극 순환** 극지방에서 하강한 공기가 저위도로 이동하여 위도 60°에서 상승하면서 지상에 극동풍이 형성된다.

- **페렐 순환** 위도 30°에서 하강❷한 공기가 고위도로 이동하여 위도 60°에서 상승하며 지상에 편서풍이 형성된다.

- **해들리 순환** 적도 지방에서 상승한 공기가 고위도로 이동하여 위도 30°에서 하강하며 지상에 무역풍이 형성된다.

(2) 표층 순환

① **표층 해류** 대기 대순환으로 형성된 바람이 해수 표면에 지속적으로 불면 표층의 해수가 이동하며 표층 해류가 형성된다.

② **표층 순환** 대기 대순환에 의한 표층 해류에 대륙의 분포와 지구 자전의 영향이 더해지면서 표층 해수가 순환한다.

- 무역풍으로 해수가 동쪽에서 서쪽으로 이동하며 북적도 해류와 남적도 해류가 발생한다.

- 편서풍으로 해수가 서쪽에서 동쪽으로 이동하며 북태평양 해류와 북대서양 해류가 발생한다.

- 북반구에서는 시계 방향, 남반구에서는 반시계 방향의 흐름이 나타난다.
  → 적도를 기준으로 대칭을 이룬다.

- 대기와 해수의 순환으로 저위도의 남는 에너지가 고위도로 이동하며 지구의 에너지 불균형을 해소한다.

---

❶ **지구에서 위도별 에너지 불균형이 발생하는 까닭**

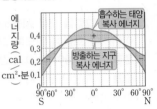

지구가 구형이므로 단위 면적 당 입사하는 태양 복사 에너지양이 저위도에서는 많고 고위도에서는 적다.

❷ **중위도 고압대**

해들리 순환과 페렐 순환에 의해 위도 30°에서 하강하는 공기로 인해 고기압이 형성되며, 이 지역을 중위도 고압대라고 한다. 중위도 고압대에서는 맑고 건조한 날씨가 지속된다.

❸ **난류와 한류**

- 난류: 저위도에서 고위도로 흐르는 해류로, 수온과 염분이 높다.
- 한류: 고위도에서 저위도로 흐르는 해류로, 수온과 염분이 낮다.

2 엘니뇨

(1) **엘니뇨**[4] 적도 부근 동태평양 해역의 표층 수온이 평상시보다 높아지는 현상이다.

   ① 엘니뇨의 발생 원인 대기 대순환의 변화로 표층 해류가 영향을 받아서 발생한다.
엘니뇨는 기권과 수권의 상호 작용으로 나타나는 현상이다.

   ② 적도 태평양의 표층 수온 분포와 대기 순환 비교

구분	평상시	엘니뇨 발생 시
모식도	상승 기류 / 강수 지역 / 남아메리카 / 무역풍 / 따뜻한 물 / 차가운 물 / 서쪽 / 동쪽	상승 기류 / 약한 무역풍 / 남아메리카 / 따뜻한 물 / 강수 지역 / 차가운 물 / 서쪽 / 동쪽
대기 대순환과 해수의 이동	무역풍이 동쪽에서 서쪽으로 불어서 표층의 따뜻한 해수가 서쪽으로 이동한다.	무역풍이 평상시보다 약해지면서 따뜻한 해수가 서쪽으로 이동하지 못하고 동쪽에 분포한다.
적도 부근 동태평양의 기후	따뜻한 해수가 서쪽으로 이동하면서 깊은 바다의 차가운 해수가 상승[5]하여 수온이 낮다. 하강 기류가 형성되며 고기압이 분포하여 날씨가 맑다.	평상시보다 수온이 높아지면서 상승 기류가 발달하여 저기압이 분포하고 강수량이 증가한다.
적도 부근 서태평양의 기후	수온이 높아서 상승 기류가 발달하고 저기압이 분포하며 강수 구역이 형성된다.	평상시보다 수온이 낮아지면서 하강 기류가 발달하고 고기압이 분포하며 강수량이 감소한다.

(2) **엘니뇨의 영향**

   ① 적도 부근 동태평양(페루 연안) 강수량이 증가하여 홍수 피해가 발생한다.

   ② 적도 부근 서태평양(동남아시아 지역) 강수량이 감소하여 가뭄 피해가 발생한다.

   ③ 전 지구적 기상 이변 발생 엘니뇨 발생 시 태평양 주변의 기압 분포 변화는 다른 지역의 대기 순환에 영향을 미쳐서 가뭄, 홍수, 냉해, 태풍 등 전 지구적인 기상 이변이 발생한다.

❹ 엘니뇨
스페인어로 남자 아이라는 뜻으로, 엘니뇨가 크리스마스 전후로 발생하기 때문에 아기 예수를 의미하여 붙여진 이름이다.

❺ 차가운 해수의 상승
깊은 바다의 차가운 해수에는 영양 염류가 풍부해서 동태평양의 페루 연안에 좋은 어장이 형성된다. 엘니뇨 시기에는 차가운 해수의 상승이 약해지면서 어획량이 감소한다.

 해 보기 4 　조사　 엘니뇨의 영향

목표   과학적 사고력

엘니뇨의 영향에 관한 자료를 조사하여 엘니뇨가 지구 환경과 인간 생활에 미치는 영향을 설명할 수 있다.

결과/정리

1. 가장 최근에 엘니뇨가 발생했던 시기에 우리나라와 전 세계의 기상 이변을 인터넷에서 조사해 보자.

   예시 2015년 3월 ~ 2016년 5월에 발생한 엘니뇨의 영향으로 우리나라에서는 여름철에 폭염과 열대야가 계속되었다. 미국에서는 최악의 가뭄이 이어졌고, 인도에서는 50 ℃에 이르는 살인적인 폭염과 가뭄으로 수백 명이 목숨을 잃었다. 인도네시아에서는 극심한 가뭄으로 산불이 자주 발생했고 베트남과 태국 등도 가뭄으로 쌀 부족 현상이 나타났다.

과정

다음은 엘니뇨에 대한 신문 기사의 내용 중 일부를 옮긴 것이다.

> 2015년 겨울 미국 동부 지역의 절반 이상이 평년보다 훨씬 높은 약 21 ℃의 초여름 기온을 보였다. 뉴욕의 경우 2015년 12월에 단 한 차례도 영하로 내려간 적이 없을 만큼 기상 관측 이래 가장 따뜻한 겨울이었다. 동부 지역과는 반대로 일 년 내내 따뜻한 날씨가 이어지는 미국 서부 지역인 캘리포니아는 눈이 내리고 폭풍우가 몰아치는 등 혹독한 겨울 날씨가 이어졌다. 이와 같은 기상 이변은 그해 발생한 강력한 엘니뇨 현상 때문이라고 한다.

2. 엘니뇨가 지구 환경과 인간 생활에 어떤 영향을 끼치는지 토의해 보자.

> **예시** 기권과 수권의 상호 작용으로 발생하는 엘니뇨는 지구 시스템의 각 권에 또 다른 영향을 미친다. 엘니뇨가 발생하면서 태평양 주변의 대기 순환이 평상시와 달라지고, 이러한 변화는 다른 지역의 대기 순환에도 영향을 주어 전 지구적인 기상 이변이 발생한다.

탐구 분석

엘니뇨 시기에 발생한 기상 이변을 조사하여 적도 태평양 지역의 엘니뇨가 세계 곳곳에 영향을 미친다는 사실을 확인한다.

---

3 사막화

(1) 자연적인 사막의 형성

① **중위도 고압대** 위도 30° 부근에는 대기 대순환의 하강 기류로 고기압이 발달하여 맑고 건조한 날씨가 지속되어서 건조 기후가 분포하며 사막이 형성⁶된다.

② **대륙 내부** 바다의 습한 공기에 의한 영향이 적은 대륙 내부에 사막이 형성되기도 한다. └ 중앙아시아·타클라마칸·고비 사막 등

(2) 사막화 사막 주변의 초원 지대까지 사막이 확대되는 현상을 말한다.

① **사막화의 원인** 자연적 요인인 가뭄에 과도한 방목, 경작과 삼림 벌채 등의 인위적 요인이 더해지면서 생태계가 파괴되어 사막이 형성된다.

② **사막화의 영향** 사막화 지역에서는 물 부족과 농작물 생산량 감소 등의 피해⁷가 발생하고, 일부 지역에서는 난민 발생으로까지 이어진다.

(3) 사막화 방지를 위한 노력 사막화의 원인이 되는 과도한 방목과 무분별한 삼림 벌채 등을 규제하고, 국가 간의 협력을 통해 사막화 확산을 억제한다.

⑥ 중위도 고압대의 사막
위도 30° 부근의 중위도 고압대에서 형성된 사막은 사하라·아라비아·그레이트 빅토리아·칼라하리·아타카마 사막 등이다.

⑦ 사막화 피해 사례: 사헬 지역
아프리카 사하라 사막 남쪽의 사헬 지역은 인구가 급증하면서 초원을 개간하여 토양이 황폐해졌고, 극심한 가뭄까지 겹쳐서 사막화가 급격히 진행되었다. 그 결과 수많은 야생 동물이 멸종하고 경작지가 감소하면서 이 지역 주민들이 극심한 식량난을 겪고 있다.

건조 기후 지역과 사막화 지역

✏️ 과제 1

고비 사막 주변의 사막화로 우리나라에 사회적, 경제적, 환경적으로 어떤 피해가 발생하는지 조사해 보자.

> **예시** 고비 사막은 우리나라에 영향을 미치는 황사의 발원지이므로 고비 사막 주변에 사막화가 진행되면 우리나라에는 황사로 인한 피해가 증가할 것이다. 호흡기 관련 질환의 발생이 증가하며 각종 외부 행사를 취소해야 하는 등의 사회적 피해가 발생할 것이다. 섬세한 기계를 생산하거나 다루는 산업 분야에서는 먼지로 인해 경제적 손실이 발생할 것이다.

✓ 확인하기

1. **이해** 엘니뇨가 발생하는 시기에 동남아시아 지역의 강수량이 어떻게 변하는지 설명해 보자.
> **정답** 강수량이 감소한다.

2. **적용** 사막화를 지구 시스템의 각 권의 상호 작용으로 설명해 보자.
> **예시** 사막화는 인간 활동으로 생태계가 파괴되어 사막 주변의 초원 지대까지 사막이 확대되는 것으로, 생물권과 지권의 상호 작용의 결과로 나타나는 현상이다.

✓ 개념 확인 문제

1 무역풍의 약화로 적도 부근 동태평양의 표층 수온이 높아지는 현상을 무엇이라고 하는가?

2 인위적 요인으로 사막 주변의 초원 지대까지 사막이 확대되는 현상을 무엇이라고 하는가?

❷단계 해결하기 **3. 기후 변화로 미래 환경은 어떻게 변할까?**

최근 제주도 용머리 해안의 둘레길 일부가 물에 잠겨서 문제가 되고 있는데, 이는 지구 온난화로 제주도의 해수면이 상승했기 때문이라고 한다. 이처럼 해수면 상승으로 인한 해안 지역의 침수는 먼 나라의 이야기로만 생각할 것이 아니다. 이미 우리나라에서도 여러 해안 지역에서 침수 현상이 나타나고 있다. 지구 온난화는 해수면 상승뿐만 아니라 여러 가지 지구 환경 변화를 일으킨다. 이와 같은 기후 변화가 계속된다면 미래의 지구 환경이 어떻게 변할지 알아본다.

탐구 1 시나리오 작성 **기후 변화에 따른 미래 시나리오 만들기**

목표
과학적 문제 해결력, 과학적 의사소통 능력

기후 변화에 따른 미래 시나리오를 작성하고 그 대처 방안을 찾을 수 있다.

과정

(가) 미래 시나리오 작성하기

다음은 정부 간 기후 변화 협의체(IPCC)*에서 2100년까지의 지구 평균 기온 변화와 지구 온난화의 영향을 예측한 자료이다.

*정부 간 기후 변화 협의체(IPCC)
인간 활동에 의한 기후 변화의 위험을 평가하고자 1988년에 설립된 국제기구로, 기후 변화에 관한 연구 보고서를 발간한다.

(ㄱ) 지구 평균 기온 변화

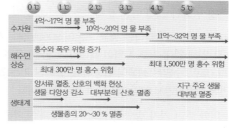

(ㄴ) 지구 온난화의 영향

❶ 50년 후와 10년 후 지구 환경 변화와 인간 생활의 변화를 예측해 보자.

구분	지구 환경 변화			인간 생활 변화
	기후(기상) 변화	생태계 변화	환경 변화	
50년 후	• 열대 기후 지역 확대 • 평균 기온 약 2 ℃ 상승 • 홍수와 폭우 위험 증가	• 양서류 멸종, 산호의 백화 현상 • 여러 생물의 멸종으로 생물 다양성 감소	• 해수면 상승으로 해안 저지대 침수 • 건조 기후 지역의 가뭄 증가	• 10~20억 명 물 부족 • 최대 300만 명이 홍수의 위험에 노출됨
100년 후	• 평균 기온 약 4 ℃ 상승 • 홍수와 폭우 위험이 더욱 증가	• 산호를 비롯한 지구 주요 생물의 대부분이 멸종함.	• 열대·아열대 기후 지역 확대 • 건조 기후 지역의 가뭄이 더욱 심각해짐.	• 약 11억~32억 명 물 부족 • 최대 1,500만 명이 홍수의 위험에 노출됨. • 식량 생산 감소로 난민 발생

❷ 과정 ❶의 결과를 바탕으로 모둠 구성원과 토의하여 미래 시나리오를 작성해 보자. 이때 일기, 대본, 지구 환경 보고서 등 다양한 형식으로 지구 환경과 인간 생활에 나타나는 변화를 구체적으로 표현해 보자.

예시 지구 환경 보고서 형식의 미래 시나리오

지구 환경 보고서			
조사 일자	2100년 8월 8일	조사자	홍길동
활동 동기	기후 변화로 인해 지구의 모습이 과거보다 얼마나 변했는지 알아보기 위해		
조사 방법	인터넷을 활용한 자료 조사 및 도서 자료 조사		
분야별 지구 환경	기후	수십 년 전까지만 해도 지구는 지금보다 훨씬 시원했고, 적도 근처 지역에서만 열대 기후가 나타났다고 한다. 그러나 현재는 극지방을 제외한 거의 모든 지역에서 열대 기후가 나타난다.	
	생태계	과거의 지구에는 바다에 산호라는 멋진 생물이 살았으나, 수십 년 전에 멸종했다. 이외에도 많은 생물이 멸종하여 사진으로만 찾아볼 수 있다.	
	환경	기온이 너무 높아지면서 곡물 재배가 어려운 지역이 증가하여 많은 사람들이 식량 부족에 시달리고 있다. 극지방의 빙하가 대부분 녹아서 빙하의 모습은 과거의 사진으로만 볼 수 있다. 해수면이 상승하여 태평양의 섬들이 사라졌고, 해안 저지대는 이미 오래전에 물에 잠겨서 사람들이 살 수 없는 곳으로 바뀌었다.	
	인간 생활	지역에 따라 물 부족 또는 홍수와 폭우로 인한 피해가 늘어나고 있다. 강력한 태풍과 허리케인이 자주 발생하는 등, 기상 이변으로 매년 수많은 인명 피해와 재산 피해를 입고 있다. 해안 저지대가 침수되어 수많은 난민이 발생했다.	
느낀 점	과거의 지구는 현재보다 살기 좋은 곳이었던 것 같다. 지구의 온도를 낮춰서 과거 지구의 모습으로 돌아갈 수 있다면 좋겠다.		

❸ 모둠별로 작성한 시나리오를 포스터로 만들어 발표해 보자.

(나) 지구 환경 변화에 대처하기 위한 방안 찾기

❹ 모둠별 발표를 듣고, 예측되는 지구 환경 변화와 그에 따른 문제점을 정리해 보자.

예시 이산화 탄소 등의 온실 기체를 현재와 같이 배출한다면 평균 기온이 2050년에는 약 2 ℃, 2100년에는 약 4 ℃ 높아질 것이다. 이로 인해 열대 기후 지역이 확대되고, 홍수, 폭우 및 가뭄 등의 기상 이변의 발생이 증가할 것이다. 또한, 수많은 생물이 멸종하고, 높아진 기온으로 빙하가 녹고 해수의 부피가 팽창하여 해수면이 상승하면서 해안 저지대가 침수될 것이다.

❺ 예측되는 지구 환경 변화에 대처하기 위한 여러 가지 방안을 모둠 구성원과 토의해 보자.

예시 지구 온난화와 같은 기후 변화의 주요 원인은 대기 중 이산화 탄소 등의 온실 기체의 증가이므로 화석 연료의 사용을 줄여서 온실 기체의 배출을 줄여야 한다. 이를 위해 대중교통 이용하기, 에너지 효율 등급이 높은 제품 사용하기, 과도한 냉난방 하지 않기 등을 실천해야 한다. 국가 차원에서도 화석 연료의 사용을 줄이기 위한 여러 가지 정책이 필요하다.

포스터 예시

결과/정리

1. 지구 환경 변화에 대처하기 위한 방안을 개인적, 국가적, 국제적 노력으로 분류해 보자.

예시 • 개인적 노력: 대중교통 이용하기, 에너지 효율 등급이 높은 제품 사용하기, 과도한 냉난방 하지 않기, 일회용품 사용 줄이기 등
• 국가적 노력: 에너지 고효율 제품 지원 정책, 친환경 발전 정책 등
• 국제적 노력: 온실 기체 배출량 감축을 위한 국제 협약

2. 지구 환경 변화에 대처하기 위해 개인뿐만 아니라 국가적, 국제적으로 노력해야 하는 까닭이 무엇인지 토의해 보자.

예시 지구 온난화의 주요 원인인 이산화 탄소는 거의 모든 국가에서 배출하고 있고 지구 온난화로 인한 여러 가지 문제는 전 지구적으로 영향을 미치기 때문에 개인이나 어느 한 국가의 노력만으로는 해결할 수 없다. 따라서 각 국가에서 이산화 탄소 배출량 감소 정책을 시행하고, 국제 협약 등을 통해서 여러 국가가 협력해야 한다.

 탐구 분석

지구 온난화에 의해 지구의 평균 기온이 지속적으로 상승하면 지구 환경에 많은 변화가 나타나고 인간 생활에도 영향을 미친다. 과학자들이 예측한 지구의 기온 변화와 환경 변화 자료를 바탕으로 미래 시나리오를 작성하여 지구 환경 변화에 대처하기 위한 방안을 생각해 본다.

탐구 수행	• 주어진 자료를 해석할 때 모둠 구성원들과 토의하며 활발하게 의견을 주고받는다.	☆ ☆ ☆
	• 예측한 내용을 바탕으로 모둠 구성원들과 토의하여 구체적인 미래 시나리오를 작성한다.	☆ ☆ ☆
탐구 결과	• 기후 변화의 문제점을 포스터 형식으로 효과적으로 표현했다.	☆ ☆ ☆
	• 기후 변화에 대처하기 위해 국가적, 국제적 노력이 필요한 까닭을 설명한다.	☆ ☆ ☆

1 기후 변화의 원인

(1) **기후 변화** 수십 년 또는 그 이상 지속되는 기후의 변동을 의미한다.

(2) **기후 변화의 원인** 기후 변화의 원인은 지구 내적 요인과 지구 외적 요인 등의 자연적 원인과 인간의 활동에 의한 인위적 원인으로 구분한다.

① **기후 변화의 자연적 원인** 기후 변화는 지구 내적 요인뿐만 아니라 지구 외적 요인에 의해서도 자연적으로 발생할 수 있으며, 지질 시대 동안 온난했던 시기와 한랭했던 시기가 반복적으로 나타났다.
└ 신생대에도 빙하기와 간빙기가 반복되며 기후가 변화했다.

지구 내적 요인	화산 폭발	화산 폭발 시 화산재가 햇빛을 차단하여 기온이 낮아진다.
	대륙의 이동	수륙 분포 변화로 해류가 달라지며 기후의 분포가 변한다.
	대기 조성 변화	대기 중 온실 기체 농도 변화에 따라 기온이 높아지거나 낮아진다.
지구 외적 요인	태양 활동 변화	태양의 활동에 따라 태양이 방출하는 복사 에너지양이 달라진다.
	천문학적 요인❶	지구 공전 궤도 모양의 변화, 지구 자전축의 경사 변화, 지구 자전축의 방향 변화에 따라 지구에 도달하는 태양 복사 에너지양이 달라진다.

② **기후 변화의 인위적 원인** 화석 연료 사용에 의한 온실 기체 배출량 증가는 기후 변화를 일으키는 인위적 원인이다.

2 기후 변화 문제 해결을 위한 노력

(1) **최근 기후 변화의 문제점** 최근의 기후 변화는 자연적 요인이 아닌 온실 기체의 인위적 배출에 의한 지구 온난화로, 과거의 그 어느 때보다 평균 기온이 빠르게 상승하는 것이 큰 문제이다.

(2) **화석 연료의 사용량 줄이기** 지구 온난화의 주원인은 대기 중 온실 기체의 증가 때문이므로 화석 연료의 사용을 줄여서 온실 기체의 배출량을 줄여야 한다.

(3) **개인적, 국가적, 국제적 노력** 화석 연료는 전 세계 거의 모든 국가에서 사용하고 있으며 지구 온난화의 영향은 온실 기체 배출량이 많은 일부 지역에 국한되지 않고 전 지구적으로 나타난다. 따라서 온실 기체 배출량을 줄이기 위해 개인적, 국가적 노력뿐만 아니라 국제적 노력이 필요하다. 이를 위해 세계 여러 국가는 유엔 기후 변화 협약❷, 파리 협정❸과 같은 국제 협약에 동참하며 노력하고 있다.

❶ 천문학적 요인

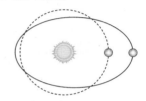

지구 공전 궤도 모양의 변화

지구 자전축의 경사 변화 / 지구 자전축의 방향 변화

❷ 유엔 기후 변화 협약(UNFCC)
온실 기체의 배출을 제한하여 지구 온난화를 방지하기 위한 국제 협약이다.

❸ 파리 협정
온실 기체 배출량을 감축하기 위해 2020년 이후에 모든 국가가 이산화 탄소 배출량을 감축하는 데 참여할 것을 촉진하는 내용으로, 2015년 프랑스 파리에서 열린 유엔 기후 변화 협약 당사국 총회에서 채택한 합의문이다.

✔ 개념 확인 문제

1 최근의 기후 변화의 원인은 ( )의 배출량 증가에 따른 지구 온난화이다.

2 지구 온난화 문제를 해결하기 위해서는 개인적, 국가적 노력뿐만 아니라 ( ) 노력이 필요하다.

• 확인하기

1. [이해] 기후 변화에 대처하기 위해 국제적인 협력이 필요한 까닭이 무엇인지 말해 보자.
[예시] 지구 시스템이 상호 작용 하면서 지구 온난화가 지구 전체에 영향을 미치기 때문이다.

2. [적용] 기후 변화에 대처하기 위해 개인이 일상 생활에서 지속적으로 실천할 수 있는 방법에는 무엇이 있는지 말해 보자.
[예시] 대중교통 이용하기, 일회용품 사용 줄이기, 과도한 냉난방 하지 않기 등

핵심 내용 정리하기

1 **지구 온난화** 교과서 270~272쪽

지구의 평균 기온이 높아지는 현상을 [**❶ 지구 온난화**](이)라고 한다. 그 원인은 산업 혁명 이후 화석 연료의 사용이 늘어 대기 중에 이산화 탄소와 같은 [**❷ 온실 기체**]의 농도가 증가했기 때문이다.

2 **엘니뇨** 교과서 273~274쪽

수년에 한 번씩 남반구 저위도의 태평양에서 부는 [**❸ 무역풍**]이/가 약해지면서 따뜻한 해수가 분포하는 지역과 저기압의 위치가 동쪽으로 이동하는 현상을 [**❹ 엘니뇨**](이)라고 한다. 이로 인해 전 세계적으로 기상 이변이 나타나 피해가 발생한다.

3 **사막화** 교과서 275쪽

과도한 방목, 경작과 삼림 벌채로 생태계가 파괴되어 사막 주변의 초원 지대까지 사막이 확대되는 현상을 [**❺ 사막화**](이)라고 한다. 최근에는 가뭄과 같은 기상 이변이 겹쳐지며 [**❻ 사막화**]이/가 가속화되고 있다.

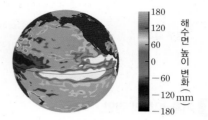

엘니뇨 시기의 해수면 높이 변화

사막화 지역

활동으로 확인하기

그림은 지구의 평균 기온 변화를 나타낸 것이다.

지난 130년 동안 기온 변화의 추세선
최근 30년 동안 기온 변화의 추세선

(그래프: 지구 평균 기온 변화(℃), 1880~2010년, (1951~1981년의 지구 평균 기온에 대한 상대적 변화량))

1 위 그래프에 지난 130년 동안과 최근 30년 동안 기온 변화의 추세선[*]을 각각 그려 넣자.

2 지난 130년 동안과 최근 30년 동안의 평균 기온 변화는 어떤 차이가 있는지 설명해 보자.

예시 최근 30년간의 평균 기온이 130년 동안보다 2배 정도 빠르게 상승했다. 지난 130년 동안 기온 변화의 추세선(점선)과 최근 30년 동안 기온 변화의 추세선(실선)의 기울기를 비교하면 최근 30년 동안의 추세선의 기울기가 약 2배 정도 크기 때문이다.

3 앞으로 지구 평균 기온이 현재와 같은 추세로 변할 경우 지구 환경과 인간 생활에 어떤 영향을 미칠지 말해 보자.

예시 지구 평균 기온이 점점 더 빠르게 상승하면서 기후가 변화하고 지구 환경에 큰 영향을 미칠 것이다. 기후 변화에 적응하지 못한 생물이 멸종하고, 기상 이변과 해수면 상승에 의한 피해가 증가할 것이다.

＊추세선
어떤 현상의 자료를 나타낸 그래프에서 그 현상이 일정한 방향으로 나아가는 경향을 나타내는 선을 의미한다.

❹ 단계 **생각 넓히기** **과거 지구의 기후 변화를 어떻게 알아낼 수 있을까?** 🔍 과학적 탐구 능력

과거 지구의 기후가 어떤 변화를 거쳐 왔는지를 연구하면 기후 변화의 원인을 이해할 수 있고, 이를 통해 미래의 기후를 예측할 수 있다. 그러나 인간이 기후를 관측하기 시작한 것은 수백 년밖에 되지 않았고, 기상 관측 장비를 이용한 전 지구적인 기상 관측은 1800년 대 후반부터 시작되었다. 그러면 기후에 관한 기록이 없는 오랜 과거의 지구 기후 변화는 어떻게 알아낼 수 있을까?

과학자들은 지층 또는 빙하를 분석하여 과거 지질 시대의 기후를 추정한다. 극지방의 대륙에 오랜 시간 동안 층층이 쌓인 빙하를 시추하여 빙하의 얼음에 포함된 작은 공기 방울을 분석한다. 이로부터 빙하가 만들어진 각 시기의 대기 조성과 기온을 알아낼 수 있다.

그림은 남극에 있는 보스토크 기지의 빙하를 시추하여 알아낸 과거 42만 년 동안의 이산화 탄소와 메테인의 농도와 기온 변화를 나타낸 것이다.

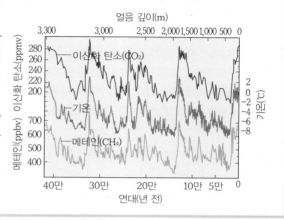

① **자료 조사**

과거 지구의 기후가 어떤 변화를 거쳐 왔는지 알아내는 방법은 빙하 코어를 분석*하는 방법 외에 퇴적물의 구조나 지층에 포함된 동식물 화석, 나무의 나이테 등을 분석하는 방법이 있다. 모둠 구성원들과 함께 각각의 방법을 조사해 보자.

방법	설명
꽃가루 화석 분석	꽃가루 화석을 분석하여 과거의 그 지역에 어떤 식물이 서식했는지 알아내고 이를 통해 과거의 기후가 한랭했는지 온난했는지를 추정한다.
나무의 나이테 분석	나무는 계절에 따른 성장 속도가 달라서 1년 단위로 나이테가 만들어지며 나무의 성장은 기온, 강수량 등의 기후 요소에 영향을 받는다. 어떤 지역에 서식하는 나무의 나이테를 분석하여 그 지역의 과거의 기후를 알아낼 수 있다.
퇴적물 분석	퇴적층의 구조와 퇴적물에 포함된 여러 가지 성분을 분석하여 그 지역의 과거의 기후를 알아낸다. 예를 들어, 어떤 지역의 지층에서 빙하에 의해 운반된 퇴적물이 발견되면 과거 이 지역에는 빙하가 분포했음을 알 수 있다.
생물 화석 분석	화석을 통해 그 지역에 서식했던 생물을 알아내고 그 지역의 기후를 알아낼 수 있다. 예를 들어, 고사리는 온난 습윤한 곳에서 서식하므로 고사리 화석이 발견되는 지역의 과거 기후는 온난 습윤하였다고 추정할 수 있다.
고문헌 연구	역사 시대 이후에 기록된 문서의 날씨와 기후 자료를 바탕으로 과거의 기후를 알아낼 수 있다.

＊빙하 코어 분석
남극이나 북극의 오염되지 않은 빙하의 두꺼운 얼음층을 뚫어서 긴 원통 모양의 얼음, 즉 빙하 코어를 채취하고 빙하에 포함된 공기를 추출하여 분석한다. 이 공기 중에 포함된 이산화 탄소, 메테인 등의 함량을 알아낼 수 있을뿐만 아니라, 수소와 산소의 동위 원소 비율로부터 그 당시의 기온을 알아낼 수 있다.

② **모둠 토의**

조사한 결과를 비교적 최근의 기후와 오래전의 기후를 알아낼 수 있는 방법으로 구분하고, 각각의 장단점을 말해 보자.

구분	연구 방법	장단점
비교적 최근의 기후를 알아낼 수 있는 방법	빙하 코어 분석, 고문헌 연구	정확하고 자세한 정보를 얻을 수 있는 장점이 있다. 그러나 기후 정보를 담고 있는 시기가 짧기 때문에 비교적 최근의 기후만 알아낼 수 있다는 단점이 있다.
오래전의 기후를 알아낼 수 있는 방법	화석 분석(꽃가루, 생물), 퇴적물의 구조 분석	화석이나 퇴적물의 구조 등을 이용하면 수십 억 년 전까지 매우 오래전의 기후를 알아낼 수 있다는 장점이 있다. 그러나 비교할 수 있는 자료를 찾기 어려우며, 화석이 제대로 보존되지 않는 문제 등으로 인해 정확성이 떨어지는 단점이 있다.

수행평가 TIP

• 모둠 구성원과 역할을 분담하여 자료를 조사한다.

• 조사한 자료에서 필요한 내용을 요약하여 정리한다.

• 토의하는 과정에서 상대방의 의견을 존중한다.

8 – ③ 에너지의 효율적 활용

교과서 280~281쪽

 ❶단계 생각 펼치기 에너지 소비는 환경에 어떤 영향을 줄까?

화석 연료는 현대 문명사회에서 가장 많이 사용되는 에너지원으로, 발전, 산업, 수송 분야 등 다양한 분야에서 사용 중이다. 즉, 화석 연료는 현대 문명을 밑받침하는 토대 중 하나이므로 사용량이 계속 증가하고 있다. 현재 많은 학자들은 지구 환경 문제의 중요한 원인 중 하나로 화석 연료의 사용량 증가를 꼽고 있다. 화석 연료의 사용량을 줄이고 에너지를 효율적으로 사용하는 것은 지구의 환경 문제를 개선하는데 중요하므로, 여기에서는 이러한 노력을 살펴본다.

에너지를 효율적으로 사용하기 위해서는 사회 전체적으로 개선할 부분도 있지만 에너지 효율이 높은 제품을 사용하는 것처럼 각 개인적인 차원에서 실천할 수 있는 부분도 있다. 냉장고, 자동차 등 에너지를 소비하는 제품에 붙어 있는 에너지 소비 효율 등급❶ 라벨에 표시되어 있는 정보의 의미를 살펴보고 에너지 소비 효율 등급 표시 제도를 시행하는 이유를 설명해 보자.

❶ 에너지 소비 효율 등급제
에너지 소비 효율 등급 표시 제도는 제품을 에너지 소비 효율 또는 에너지 사용량에 따라 5등급으로 구분하여 표시하도록 하는 의무 제도이다. 이로써 소비자들이 에너지 효율이 높은 에너지 절약형 상품을 쉽게 알아보도록 하고 제조업체들이 에너지 절약형 상품을 생산하도록 독려하기 위한 제도이다.

토의하기

1 라벨에 표시된 에너지 관련 정보에는 어떤 것이 있는가?

예시 효율 등급, 월간소비전력량, 연비(1 km 주행시 필요한 연료량), CO_2 배출량, 예상 연간 전기요금

2 에너지 소비 효율 등급이 낮은 제품일수록 이산화 탄소 배출량이 많은 까닭은 무엇일까?

예시 같은 효과를 얻기 위해 더 많은 에너지를 소비해야 한다. 소비 과정에서는 전기 에너지를 사용할 때 이산화 탄소를 배출하지 않지만 전기 에너지를 생산하는 과정에서 화력 발전이 큰 비중을 차지하므로 결국은 이산화 탄소를 배출한다고 할 수 있다.

3 에너지 소비 효율 등급이 높은 제품을 구입하면 어떤 장점이 있는지 경제적, 환경적 측면에서 말해 보자.

경제적 측면	효율 등급이 높은 제품은 똑같이 써도 전기요금이나 연료비를 적게 낸다.
환경적 측면	에너지를 적게 소비하므로 환경 오염 물질을 적게 배출한다.

4 에너지 소비 효율 등급 표시 제도를 시행하는 까닭은 무엇일지 자기 생각을 써 보자.

예시 에너지 비용이 적게 들고 환경에도 좋은 제품을 소비자가 쉽게 선택할 수 있게 한다. 기업이 에너지 소비와 환경적인 측면에서 우수한 제품을 개발하도록 한다.

알고 있나요?

1 에너지의 종류에는 어떤 것이 있는지 나열해 보자.

예시 열에너지, 빛에너지, 역학적 에너지(위치 에너지, 운동 에너지), 전기 에너지 등

2 에너지 전환이란 무엇인지 설명해 보자.

예시 에너지에는 다양한 종류가 있으며, 한 종류에서 다른 종류의 에너지로 형태가 바뀔 수 있는데 이를 에너지 전환이라고 한다.

② 단계 해결하기 | **1. 에너지의 전환과 보존은 어떻게 일어날까?**

자연에는 빛에너지, 전기 에너지, 화학 에너지, 역학적 에너지 등 여러 가지 에너지가 있다. 전등에서 전기 에너지를 빛에너지로 전환하는 것처럼 우리 주변에서는 에너지의 전환이 끊임없이 일어나며 빛, 열, 동력 등으로 에너지를 활용하고 있다. 에너지 전환이 어떻게 일어나며 그 과정에서 전체 에너지의 양은 어떠한지를 알아보자.

 해 보기 1 [자료 해석] **우리 주변의 에너지 전환**

교과서 282쪽

목표   과학적 사고력

가정에서 사용하는 에너지의 전환을 정리해 설명할 수 있다.

과정

가정에서 에너지를 사용하는 다양한 상황을 보고, 각 사례에서 에너지 전환이 어떻게 일어나는지 알아본다.

결과/정리

1. 위의 사례에서 사용되는 에너지의 종류를 모두 나열해 보자.

> [예시] ・컴퓨터 게임을 하는 경우: 전기 에너지, 빛에너지, 열에너지, 소리 에너지, 역학적 에너지
> ・청소기: 전기 에너지, 운동 에너지, 열에너지
> ・선풍기: 전기 에너지, 열에너지, 운동 에너지, 소리 에너지
> ・가스레인지: 화학 에너지, 열에너지, 빛에너지
> ・세탁기: 운동 에너지, 전기 에너지, 열에너지, 화학 에너지
> ・텔레비전: 전기 에너지, 소리 에너지, 빛에너지, 열에너지
> ・에어컨: 전기 에너지, 열에너지, 운동 에너지

2. 그림에 나타난 사례 중 하나를 골라 아래 예시와 같이 에너지 전환 과정을 나타내 보자.

> [예시] 컴퓨터를 사용하는 경우

⌁ 탐구 분석

이 탐구를 통해 일상생활 속에서 수많은 에너지 전환이 일어나고 있음을 확인할 수 있으며, 특히 그 과정에서 원래 사용하려는 에너지 이외에도 열에너지가 항상 발생하고 있음을 알 수 있다.

3. 각각의 사례에서 공통으로 나타나는 에너지는 무엇일까?

> [예시] 열에너지가 공통적으로 나타나고 있다.

---

1 에너지의 의미

(1) **에너지** 일을 할 수 있는 능력. 단위는 J(줄)❶을 사용한다.

(2) **여러 가지 에너지**

운동 에너지	운동하는 물체가 가지는 에너지	열에너지	물질을 구성하는 입자들이 가지는 에너지.
위치 에너지❷	물체의 위치에 따라 잠재적으로 가지고 있는 에너지	핵에너지	핵반응(핵분열, 핵융합)을 통해 방출되거나 흡수되는 에너지.
전기 에너지	전자와 같은 전하의 이동으로 발생하는 에너지	화학 에너지	화학 결합을 통해 화합물 속에 저장되며, 화학 반응 과정에서 흡수, 방출되는 에너지

❶ **줄(J)의 크기**

1J은 1N의 힘을 가해 물체를 1m 옮기는데 사용한 일의 양을 의미한다.

❷ **퍼텐셜 에너지**

위치 에너지를 다른 말로 퍼텐셜 에너지라고도 한다. 또한 운동 에너지와 위치 에너지의 합을 역학적 에너지라고 한다.

2 에너지의 전환과 보존

(1) **에너지 전환** 에너지가 한 형태로부터 다른 형태로 변화하는 과정이다.

(2) **에너지 보존 법칙** 에너지가 전환되는 동안 에너지가 생성되거나 소멸되지 않아 전환되기 전과 후에 에너지의 전체 양은 일정하다. [3]

(3) **버려지는 에너지의 발생** 에너지가 전환될 때, 전환되기 전과 전환된 후의 전체 양은 같지만 전환된 에너지의 일부가 다시 사용하기 어려운 열에너지 형태로 바뀌어 버려지게 된다. 이렇게 에너지가 전환될수록 쓸 수 있는 에너지양이 줄어들게 된다.

[3] 역학적 에너지 보존
마찰이나 공기 저항이 없이 운동하고 있는 물체는 운동 에너지와 위치 에너지 사이에 전환이 일어나지만 이 둘을 합한 역학적 에너지는 보존된다. 하지만 실제로는 운동 과정에서 열에너지가 발생하므로 역학적 에너지는 보존되지 않으며, 이들 에너지를 포함한 전체 에너지는 보존된다.

 해 보기 2 〔글쓰기〕 에너지 전환과 보존

교과서 283쪽

목표   과학적 사고력

에너지의 소비 효율에 관하여 과학 글쓰기를 할 수 있다.

결과/정리

1. **두 선풍기에 에너지 소비 효율 등급 라벨이 붙어 있다면 어느 선풍기의 등급이 더 높을까? 자신의 주장을 한 문장으로 써 보자.**

   〔예시〕 (나) 선풍기, 왜냐하면 날개가 더 가벼워서 적은 동력으로도 날개를 돌릴 수 있고 진동과 소음의 형태로 전환되는 에너지의 양이 적을 것이기 때문이다.

2. **두 선풍기에서 일어나는 에너지의 전환과 보존을 각각 정리해 보자.**

   〔예시〕 • 에너지 전환: 전기 에너지 → 열에너지 / 모터의 운동 에너지 → 바람의 역학적 에너지 / 진동에 의한 역학적 에너지 / 소리 에너지
   • 에너지 보존: 전체 에너지의 양은 일정하게 보존된다.

3. **위에서 정리한 내용을 바탕으로 어느 선풍기의 소비 효율 등급이 더 높을지 자신의 주장을 논리적으로 써 보자.**

   〔예시〕 에너지 소비 효율 등급을 비교하기 위해서는 같은 바람의 세기와 양을 얻을 때 필요한 전기 에너지를 따져보아야 한다. 두 선풍기의 에너지 전환 과정은 똑같다. 하지만 (가) 선풍기의 날개는 철제로 되어있어 이를 (나)와 같은 빠르기로 돌리기 위해 더 많은 전기 에너지가 필요하며, 진동과 소음을 통해서 에너지가 더 많이 빠져나가기 때문에 이 에너지도 더 필요하다. 또한 모터에서 발생하는 열에너지도 많을 것이다. 따라서 같은 사용 조건에서 (가) 선풍기가 더 많은 전기 에너지가 필요하다. 이는 (나) 선풍기의 에너지 소비 효율 등급이 더 높음을 뜻한다.

과정

다음 글을 읽고 에너지 효율 등급 측면에서 두 개의 선풍기를 비교한 글을 작성한다.

> 선풍기 (가)는 바람을 일으키는 본래의 기능 이외에도 예스러운 멋을 내는 소품으로 활용된다. 이 선풍기는 날개가 철재로 만들어졌고, 일반적인 선풍기에 비해 진동과 소음이 심하다. 반면 선풍기 (나)는 가볍고 소음이 적지만 특별한 멋은 없다.

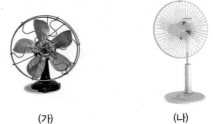

(가)   (나)

탐구 분석

에너지는 다른 형태로 변환되거나 다른 곳으로 옮겨가도 새롭게 생성되거나 없어지지 않으므로 에너지의 총합은 항상 일정하다는 에너지 보존 법칙을 이용하면, 불필요한 에너지가 많이 발생할 때 선풍기의 효율은 낮아진다는 것을 쉽게 예측할 수 있다.

• 확인하기

1. 〔이해〕 **우리 주변에서 일어나는 에너지의 전환과 보존을 예를 들어 설명해 보자.**

   〔예시〕 달리기를 할 때 다리의 근육에서는 몸 안에 저장되어 있는 화학 에너지(영양분에 저장)가 운동 에너지와 열에너지로 전환된다. 이때 소비된 화학 에너지의 양은 운동 에너지와 열에너지의 총량과 같다.

2. 〔적용〕 **식물은 햇빛을 이용하여 광합성을 하고, 광합성을 통해 만들어진 양분을 생명 활동에 이용하거나 저장한다. 이 과정에서 일어나는 에너지의 전환과 보존을 설명해 보자.**

   〔예시〕 빛에너지 → 화학 에너지→ 생명 활동(역학적 에너지 / 열에너지)

✓ 개념 확인 문제

1 에너지 전환 과정에서 공통적으로 발생하는 에너지는 무엇인가?

2 에너지 전환 측면에서 선풍기에서와 동일한 형태의 전환이 일어나는 가전제품을 쓰시오.

❷ 단계 해결하기 **2. 유용하게 사용하는 에너지는 얼마나 될까?**

따뜻한 차를 마시기 위해서는 물을 끓여야 한다. 가정에서는 보통 가스레인지로 물을 끓이지만, 야외에서는 그릴에 장작으로 물을 끓일 수도 있다. 같은 양의 물을 끓일 때도 가스레인지로 끓일 때는 장작으로 끓일 때에 비해 낭비되는 에너지가 적어서 더 적은 에너지만 소비한다. 여기서는 에너지를 소비하는 양의 차이는 왜 발생하며, 에너지를 좀 더 효율적으로 사용하는 방법은 어떤 것이 있을지 알아본다.

해 보기 3 [자료 해석] 화석 연료의 이용과 효율

교과서 284쪽

 목표

과학적 사고력

열에너지로 흩어지는 에너지를 고려하여 에너지 효율을 계산할 수 있다.

과정

그림을 통해 화력 발전소와 자동차의 에너지 이용에 관해 알아본다.

결과/정리

1. 화력 발전소와 자동차는 각각 어떤 에너지를 얻기 위한 장치인가?

[예시] 화력 발전소 – 전기 에너지, 자동차 – 역학적 에너지

2. 화력 발전소에 공급된 석탄의 에너지가 1,000,000 J이라면 생산된 전기 에너지는 몇 J인가? 또, 같은 양의 에너지를 자동차에 연료로 공급할 때, 동력에 쓰이는 역학적 에너지는 몇 J인가? 다음 표에 각각 계산 결과를 기록해 보자.

전기 에너지	역학적 에너지
1,000,000 J × 0.4 = 400,000 J	1,000,000 J × 0.25 = 250,000 J

3. 화력 발전소와 자동차에서 유용하게 이용되는 에너지는 각각 몇 %인가?

[예시] 각각 전기 에너지와 운동 에너지로 전환되는 것만 유용하게 사용된 것이므로 화력 발전소는 40 %, 자동차는 25 %이다.

> **탐구 분석**
>
> 에너지 전환 과정에서 공급된 에너지에 대해 유용하게 사용된 에너지의 비율을 에너지 효율이라고 한다. 그림에서 공급된 에너지가 무엇이고 공급된 에너지가 전환된 에너지 중에서 유용한 에너지가 무엇인지 정한 후 에너지 효율을 구한다.

1 열기관

(1) **열기관** 주로 화석 연료로부터 열에너지를 공급받아 일을 하는 장치이다.[❶]

(2) **열기관에서의 에너지 전환** 연료의 연소 때문에 발생하는 높은 온도의 열에너지가 발생하고, 이렇게 공급받은 열에너지 중 일부는 일을 하는 데 사용되고 나머지는 온도가 낮은 열에너지 형태로 버려지게 된다.

> **❶ 열기관의 종류**
> 열기관은 크게 열기관 내부에서 연소가 이뤄지는 내연 기관과, 열기관 외부에서 연소가 이뤄지고 이 열이 간접적으로 전달되어 사용되는 외연 기관으로 나뉜다. 자동차의 엔진은 내연 기관이며, 화력 발전소의 터빈은 외연 기관이다.

(3) 열기관의 예

자동차의 엔진은 휘발유를 연소할 때 발생하는 열에너지를 이용하여 동력을 만드는 열기관이다.

화력 발전소는 연료를 연소시켜 나오는 열에너지로 물을 끓이고, 이때의 수증기를 이용하여 터빈을 회전해 전력을 생산하는 열기관이다.

(4) 열기관의 효율[2]

$$\text{열기관의 효율(\%)} = \frac{\text{열기관이 한 일}}{\text{공급한 열에너지}} \times 100$$

사용 조건이나 출력에 따라 다르지만 일반적으로 열기관의 열효율은 약 30~50 % 정도이다.[4]

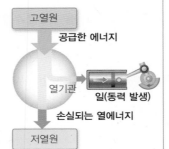

고열원

공급한 에너지

열기관

일(동력 발생)

손실되는 열에너지

저열원

2 에너지 효율

(1) 에너지 효율의 계산

$$\text{에너지 효율(\%)} = \frac{\text{유용하게 사용한 에너지}}{\text{공급한 에너지}} \times 100$$

(2) 에너지 효율의 의미

① 에너지 보존 법칙에 의하면 공급한 에너지의 양은 유용하게 사용한 에너지와 버려진 에너지의 합과 같다.

② 에너지 효율이 높다는 의미는 버려지는 에너지가 적다는 것을 의미하며, 버려진 에너지는 결국 우리가 다시 사용하기 어려운 열에너지로 전환된다.

과제 1

에너지의 총량은 변하지 않는데 에너지를 절약해야 하는 까닭은 무엇인가?

예시 에너지는 없어지지 않기 때문에 언제나 그 총량은 보존된다. 이러한 사실만 보면 에너지는 영원히 쓸 수 있어 절약할 필요가 없어 보인다.

그러나 모든 에너지를 유용하게 쓸 수 있는 것은 아니다. 열에너지의 특징 때문에 주변으로 흩어진 열에너지는 다시 모아서 쓸 수 없으므로[5] 에너지의 총량은 일정해도 유용하게 사용 가능한 에너지의 양은 점점 줄어들게 된다. 우리가 에너지를 절약해야 하는 까닭이 여기에 있다.

· 확인하기

1. **이해** 그림 8-15를 참고하여 가스레인지로 물을 끓일 때 열효율은 얼마인지 계산해 보자.
   예시 가스레인지로 물을 끓일 때는 물의 온도 상승에 쓰인 열에너지가 유용하게 사용된 에너지이므로 열효율은 35 %이다.

2. **적용** 가정이나 학교에서 에너지 이용 효율을 높일 수 있는 생활 속 실천 방법은 무엇인지 써 보자.
   예시 냉·난방기기 작동 시 창문이나 출입문을 닫아 불필요하게 이동하는 열에너지를 차단한다.

---

[2] 열기관의 열효율
열기관에서 열에너지를 전부 일로 전환하기 위해서는 저열원의 열에너지가 0이 되어야 한다. 하지만 이를 위해서는 열기관의 온도가 절대 영도(−273 ℃)까지 내려가야 하므로 현실적으로 이는 불가능하다. 따라서 열기관의 열효율은 절대 100 %가 될 수 없다.

[3] 열효율의 계산
에너지 보존 법칙에 의해 공급한 에너지는 저열원으로 손실되는 열에너지와 열기관이 한 일의 합과 같아야 하므로 열기관의 효율은 다음과 같이 계산할 수도 있다.

열기관의 효율(%)

$$= \frac{\text{공급한 열에너지−손실된 열에너지}}{\text{공급한 열에너지}} \times 100$$

$$= \left(1 - \frac{\text{손실된 열에너지}}{\text{공급한 열에너지}}\right) \times 100$$

[4] 열효율과 출력과의 관계
열기관을 사용하는 첫 번째 목적은 동력을 얻으려는 것이다. 따라서 열효율 향상에만 신경쓰다 보면 동력을 충분하게 얻지 못하는 경우도 발생한다. 결국 더 강한 출력을 얻기 위해 열효율이 약간 낮아지도록 열기관을 가동하는 경우도 있다. 예를 들어 자동차의 경제 속도란 열효율이 가장 좋게 운행할 수 있는 속도를 말하며, 이보다 속도를 더 높이면 열효율은 떨어진다.

[5] 다시 모아 사용하기 어려운 에너지
열에너지 이외에도 소리 에너지, 빛에너지 등도 한번 주변으로 흩어지면 다시 모아서 사용하기 어렵다. 다만 이러한 에너지들은 열에너지에 비해 아주 작은 양이기 때문에 보통 열에너지를 대표적으로 언급한다.

✔ 개념 확인 문제

1 전자 제품의 에너지 효율을 구하는 과정을 서술하시오.

2 100 J의 열을 공급한 열기관이 동력을 생산한 뒤 65 J의 열을 배출하였다면 이 열기관의 열효율은 얼마인가?

❷ 단계 해결하기 **3. 열에너지의 이용 효율을 왜 높여야 할까?**

2010년을 전후로 우리나라에서는 신호등을 백열전구 방식에서 발광 다이오드 방식으로 서서히 교체하여, 현재는 거의 모든 신호등이 LED 전구를 사용하고 있다. 이렇듯 공공시설은 현재 대부분 LED등을 사용하고 있다. LED등은 백열전구에 비해 에너지 효율이 높아서 적은 전력으로도 훨씬 밝은 빛을 낼 수 있기 때문이다. 이렇게 에너지 효율이 높은 제품을 활용하면 더 적은 에너지만 사용해도 되지만, 대신 개발비 등의 이유로 일반 제품보다 비싼 경우가 많다. 그런데도 에너지 효율이 높은 제품을 사용하는 것이 왜 필요한지에 대해 알아본다.

 해 보기 4 **자료 해석** **에너지 효율 개선의 사회적 의미**

목표   과학적 사고력

에너지 효율 향상 활동으로 인한 영향을 설명할 수 있다.

결과/정리

1. 에너지 효율 향상 활동이 없었다면 에너지 사용량은 어떻게 변했을까?

예시 실제 에너지 사용량과 에너지 효율 향상 활동이 없었을 경우 예상되는 에너지 사용량과의 차이에 해당하는 에너지 자원을 더 소비했을 것이다. 이는 에너지 효율이 개선되지 않았다면 에너지 자원의 소비량이 점점 증가했을 것임을 의미한다.

2. 에너지 효율을 높이면 어떤 장점이 있는지 다양한 관점에서 조사해 보자.

과정

그래프를 분석하여 에너지 효율 향상 활동의 필요성을 알아본다.

(그래프: 에너지 소비 절감량 / 실제 에너지 사용량, 에너지 효율 향상 활동이 없었을 경우의 예상 에너지 사용량, 실제 에너지 사용량. 세로축 사용량(J): 2.1×10^{19}, 4.2×10^{19}, 6.3×10^{19}, 8.4×10^{19}, 10.5×10^{19}, 12.6×10^{19}, 14.7×10^{19}, 16.8×10^{19}. 가로축: 1973 1975 1977 1979 1981 1983 1985 1987 1989 1991 1993 1995 1997 1999 2001 2003 2005 2007 2009 2011(년))

환경적 측면	경제적 측면	에너지 자원 활용 측면
에너지 자원의 소비가 줄어들어 환경 오염 물질이 적게 배출된다.	에너지 자원의 생산, 유통, 구입에 들어가는 비용이 줄어들고, 환경 문제 해결에 들어가는 비용도 줄어들어 경제적으로 이익이 된다.	에너지 자원은 유한하기 때문에 자원 사용량을 줄이면 더 오래 사용할 수 있고, 에너지원 이외에도 석유 화학 등 다양한 분야에 활용이 가능하다.

3. 에너지 효율을 개선한 예들을 찾아보자.

예시 하이브리드 자동차, 인버터 에어컨, 콘덴싱 보일러 등

1 에너지 사용량의 증가

인류 문명이 발전하면서 인류 생활에 필요한 에너지의 양은 증가하고 있다. 에너지의 사용으로 인한 온실 기체 발생(기후 변화), 오염 물질 배출(환경 문제), 자원 고갈 등과 같은 문제가 발생하고 있다.

2 에너지 문제의 해결 방안

(1) 에너지의 효율적 사용 버려지는 에너지를 줄이고 효율적으로 에너지를 사용해야 한다.

(2) 에너지의 효율적 사용을 위한 여러 가지 노력

① 에너지 소비 효율 등급 각 제품의 상황에 맞게 에너지 소비 효율 등급을 1~5등급으로 표시하여❷ 소비자들이 고효율 제품을 구매할 수 있도록 유도한다.

② 대기 전력 저감 프로그램 가전 기기를 사용하지 않고 플러그만 꽂혀 있어도 사용되는 전력을 줄이는 제품을 인증하여 사용을 유도한다.

❶ 에너지 문제 해결과 인류

기후 변화, 환경 문제, 자원 고갈 문제를 완화할 뿐만 아니라 일자리와 같은 새로운 경제적 기회를 창출한다. 또한 현대적 에너지 서비스를 받지 못하고 있는 세계 수십억 명에게 보다 나은 에너지를 제공할 수 있다.

❷ 에너지 소비 효율 등급 표시

③ **회생 제동 기술** 마찰력을 이용하여 멈추어 열에너지로 소비하는 대신 모터를 발전기로 활용하여[3] 전기 에너지로 전환하면서 속력을 늦추는 기술을 말한다.

④ **하이브리드 자동차** 기존의 엔진에 전기 모터를 같이 장착한 자동차이다. 높은 출력이 필요할 때는 엔진과 모터를 동시에 활용하여 연료 소모를 줄이고, 감속하거나 내리막일 때는 회생 제동 기술을 사용하며, 정속 주행일때는 열효율이 높은 구간이므로 엔진을 가동한다.

⑤ **효율이 높은 조명 기구** 에너지 효율이 낮은 백열등이나 형광등[4]보다 에너지 효율이 높은 LED로 조명 기구를 교체한다.

(3) **신재생 에너지의 개발** 사용 과정에 온실 기체가 발생하지 않고, 오염 물질을 배출하지 않으며, 고갈의 염려가 없는 신재생 에너지를 개발한다.

❸ **모터와 발전기**
모터와 발전기는 같은 구조를 가지고 만들 수 있어서 서로 호환이 가능하다. 이에 관해서는 9−①단원에서 살펴볼 것이다.

❹ **형광등과 환경**
형광등을 LED등으로 대체하려는 것은 형광등의 환경 문제 때문이기도 하다. 형광등의 경우 빛에너지를 만들기 위해 관 안에 수은 기체를 조금 넣게 된다. 따라서 폐형광등을 제대로 처리하지 않게 되면 소량이지만 수은이 유출되는 문제도 있다.

 탐구 1 [실계 및 토의] **에너지 제로 하우스 설계하기**　　　　교과서 288쪽

목표　　　　　과학적 참여와 평생 학습 능력

에너지 제로 하우스를 설계하여 미래형 주거 형태를 말할 수 있다.

결과/정리

1. 에너지 제로 하우스를 설계할 때 고려한 사항에는 어떤 것이 있는지 써 보자.
   [예시] 가족 구성원의 수, 건물을 지을 곳의 지형 조건 등

2. 다른 모둠의 발표를 듣고 우리 모둠이 구상한 것과 비교하여 장단점을 평가해 보자.

3. 에너지 제로 하우스와 관련하여 미래의 주거 형태는 어떤 모습일지 토의해 보자.
   [예시] 수동형 기술로 에너지를 효율적으로 사용할 수 있는 바탕을 마련해 놓고, 능동형 기술을 적극적으로 적용하여 에너지 자립을 구현한다. 전기 요금이나 가스비가 전혀 들지 않아 경제적이면서도 환경 오염 물질을 배출하지 않는 친환경 주거 형태가 보편화 될 것이다.

과정

❶ 그림과 자료를 통해 에너지 제로 하우스의 의미를 파악하고, 수동형과 능동형 기술로 구분한다.

단열 진공 유리창 (수동형)　　소형 풍력 발전기 (능동형)　　태양 전지 (능동형)
단열 벽체 (수동형)　　고효율 발광 다이오드 조명 (수동형)

❷～❸ 조사한 결과를 바탕으로 에너지 제로 하우스를 구상하고 설계도를 그린 뒤 발표한다.

 탐구 분석 수동형 기술과 능동형 기술을 통해 에너지 효율을 높이는 여러 가지 접근 방법을 알 수 있다.

· 확인하기

1. [이해] 에너지 소비 효율이 높은 제품을 써야 하는 까닭을 설명해 보자.
   [예시] 고효율 제품을 사용하면 제품 사용에 필요한 에너지 비용을 줄일 수 있어 경제적으로도 이익이 있으며, 사회적으로도 환경 문제 해결, 자원 활용 측면에서 도움이 된다.

2. [적용] 우리나라는 2014년부터 백열전구의 생산과 판매를 금지하고 있다. 그 까닭은 무엇인지 말해 보자.
   [예시] 백열전구는 사용된 전기 에너지 대부분이 열에너지로 전환되고, 빛에너지는 조금만 전환되므로 효율이 낮은 조명 기구이다. 효율이 낮은 백열전구를 계속 사용하면 환경적·경제적·에너지 자원 활용 측면에서 많은 문제가 있고, 이를 대체할 만한 조명 장치가 충분히 개발되어 있으므로 생산과 판매를 금지하는 것은 타당하다.

✔ 개념 확인 문제

1 효율이 높은 LED 전구를 사용하여 얻을 수 있는 개인적 이익에는 어떤 것이 있는지 서술하시오.

2 정부는 가정용 태양광 발전시설 설치를 지원하고 있다. 그 까닭을 서술하시오.

에너지 효율 개선을 위한 사회적 노력

에너지 소비 효율이 높은 제품을 사용하는 것은 사회적으로 여러 가지 긍정적인 의미가 있다. 하지만 일반적으로 이러한 제품은 가격이 일반 제품보다 비싸므로 소비자들이 쉽게 선택하기 힘들다. 우리나라는 소비자들이 에너지 효율이 높은 제품을 구매할 때 도움이 되도록 다양한 제도를 마련하고 있다. 이러한 제도에는 어떤 것이 있는지 알아보자.

탄소 포인트 제도

환경부와 한국환경공단, 지방 자치 단체에서 실시하는 제도로, 전기·수도·도시가스를 절약하는 가정이나 기관에 혜택을 부여하고 있다. 이를 통해 에너지 고효율 기기 설치 등 에너지를 절약하기 위해 발생하는 비용을 보상받을 수 있다.

친환경 자동차 구매 지원 제도

하이브리드 자동차나 전기 자동차는 일반 자동차보다 가격이 비싸므로 환경을 고려해서 구매하려고 해도 부담이 될 수 있다. 정부에서는 친환경 자동차를 구매하는 경우 자동차 가격의 일부와 충전 시스템 설치 비용을 지원해 주는 등 소비자들의 친환경 자동차 구매를 유도하고 있다.

이러한 제도는 세금을 통한 보상의 형식을 띠고 있어서 사회적 공감대가 형성되지 않으면 시행하기 어렵다. 일부 국가에서는 에너지를 사용하는 주요 제품들에 대해 에너지 효율 등급이 일정 수준 이하이면 판매를 금지하는 등의 제도를 운용하고 있다.

탄소 포인트 제도

---

① **조사하기**
위에 나온 예시 외에 우리나라를 포함한 여러 나라에서 에너지 효율 개선을 위해 노력한 사례를 찾아보자.

예시 스마트 그리드, 그린 IT 기술 등 기술 개발 차원과 에코 마일리지, 고효율 제품 구매시 지원금 혜택 제공 등 정책적인 차원으로 분류하여 사례를 찾아볼 수 있다.

② **토의하기**

1. 이러한 제도가 필요한 까닭은 무엇인가?

예시 자원의 효율적 활용, 환경 문제 해결, 자원 및 에너지 절약을 통한 경제적 이익

2. 현재 시행되고 있는 제도에서 부족한 점이나 한계점이 있다면 무엇일지 토의해 보자.

예시 에너지 효율이 높은 신제품들은 대부분 제품 가격이 비싸 소비자들이 구매를 망설이게 된다. 그렇다고 이러한 제품에 무분별하게 지원금 혜택을 제공할 경우 저렴한 가격에 새 제품을 구매할 수 있게 되어 불필요한 지출을 유도하는 부정적인 효과가 생긴다. 따라서 적정 수준의 지원금을 제공함과 동시에 어떤 사용자들에게 이런 제품이 유리한지, 어느 정도 사용해야 경제적 이익을 볼 수 있을지에 대해 다양한 경우를 분석하고 이러한 정보를 소비자들에게 제공함으로써 구매를 유도해야 할 것이다.

③ **아이디어 발표하기** 자신이 국가의 정책이나 법을 만드는 사람이라면 에너지 효율 개선을 위하여 어떤 제도를 만들 것인지 생각해 보자.

예시 저효율 제품에 대한 생산 및 판매 규제책, 고효율 제품으로의 소비 유도를 위한 정책, 에너지 절약에 대한 인센티브 제도, 에너지 과소비에 대한 규제책 등 다양한 방식으로 접근하는 정책들을 생각해 볼 수 있다.

핵심 내용 정리하기

1 에너지의 전환과 보존 `교과서` 282~283쪽

에너지는 다양한 형태로 존재하며, 에너지가 다른 형태로 바뀌는 현상을
[**❶ 에너지 전환**](이)라고 한다. 에너지가 전환되는 과정에서 그 총량은 보존되
는데, 이것을 [**❷ 에너지 보존 법칙**](이)라고 한다.

2 에너지 효율 `교과서` 284~285쪽

에너지를 사용할 때는 다양한 에너지 전환이 일어나는데, 이때 발생한
[**❸ 열에너지**] 때문에 에너지 이용 효율이 낮아진다. 에너지 효율은

[**❹** $\dfrac{\text{유용하게 쓰이는 에너지}}{\text{공급한 에너지}} \times 100$] (으)로 나타낼 수 있으며, 에너

지 효율이 높을수록 화석 연료를 적게 쓰고도 같은 효과를 낼
수 있다.

3 에너지 효율 개선의 사회적 의의 `교과서` 286~288쪽

화석 연료는 [**❺ 온실 기체**] 배출 때문에 지구 온난화의 원인이
된다. 따라서 그 사용량을 줄이기 위해 여러 나라가 힘을 모으
고 있다. 에너지 효율을 높이는 것은 그 노력 중 하나이며, 사
회적 차원에서 효율 개선을 장려하고 있다.

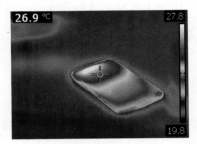

스마트폰의 열 손실

자동차의 열효율

활동으로 확인하기

다음은 주요 에너지 효율에 관한 자료이다.

에너지 이용 분야			에너지 효율
화력 발전			40 %
열병합 발전	발전 효율	25~40 %	75~90 %
	열에너지 회수율	50 %	
송전 효율			96 %
자동차(하이브리드 제외)			18~25 %
자동차(하이브리드)			27~38 %
자동차(전기 자동차)			82 %

※ 열병합 발전: 발전 시 발생하는 열에너지를 회수하여 지역난방 등에 쓰는 방식
(출처: 한국 에너지 공단, 2013, 한국 전력 공사, 2015, U.S. dept. of Energy, 2014)

1 화력 발전소에 공급된 석탄의 에너지가 1,000,000 J이라면 생산된 전기 에너지는 몇 J인가?

`예시` 1,000,000 J × 0.4 = 400,000 J

2 열병합 발전의 에너지 효율이 90 % 정도로 높은 까닭은 무엇인가?

`예시` 발전 과정에서 발생한 열에너지를 회수하여 유용하게 사용하기 때문이다.

3 발전 단계부터 전기 자동차 운행까지의 전 과정을 고려했을 때 전기 자동차의 실제 에너지 효율은 대략 몇 % 정도인가?

`예시` 발전소에서 100의 에너지를 투입한다고 가정하면 이 중 40의 에너지가 전기로 생산되고, 송전 과정에서
40 × 0.96 = 38.4의 에너지가 남게 된다. 이 에너지의 82 % 정도를 전기 자동차가 사용하므로 자동차가 사용한 에너지는
38.4 × 0.82 = 31.49가 된다. 결국 100의 에너지를 투입하여 31.49의 에너지를 사용하므로 전체 효율은 31.49 % 정도이다.

④ 단계 **생각 넓히기** **전기 자동차는 정말 친환경적일까?** 과학적 의사소통 능력

전기 자동차는 정말 친환경적일까?

기후 변화를 비롯한 환경 문제가 세계적인 관심사가 되면서 전기 자동차의 이용을 장려하고 있는 나라도 있다. 전기 자동차를 이용하는 것은 환경 문제 해결에 도움이 될까?

휘발유나 디젤과 같은 화석 연료를 사용하는 자동차와는 다르게 배기가스를 배출하지 않는다는 이유로 전기 자동차를 친환경 자동차라고 할 수 있을까?

다음은 전기 자동차에 대한 여러 의견이다. 각 의견을 읽고 자기 생각을 정리해 보자.

환경 문제에 도움이 된다.	환경 문제에 도움이 되지 않는다.
• 소규모로 일어나는 에너지 전환보다 대규모로 일어나는 에너지 전환의 열효율이 일반적으로 더 높다. 발전소의 열효율과 전기 자동차의 에너지 효율을 모두 고려하더라도 전기 자동차의 효율이 더 높을 것이다. • 전기 자동차는 주행할 때 온실 기체 및 환경 오염 물질을 배출하지 않아 친환경적이다. 또한, 고르게 퍼져 있는 오염 물질은 정화하기 어렵지만, 대규모 발전소에서 배출되는 오염 물질은 비교적 정화가 쉽다.	• 에너지는 전환이 일어날 때마다 열 손실이 일어난다. '발전 → 송전 → 배터리 충전 → 모터에서 동력 생산'의 여러 단계를 거치는 것보다 엔진에서만 에너지 전환이 일어나는 일반 자동차의 열효율이 더 높을 것이다. • 전기 자동차가 사용하는 전기 에너지도 발전소에서 생산되며, 발전소의 온실 기체 배출 비중은 상당량을 차지한다. 또한, 배터리를 폐기할 때 발생하는 오염 물질의 처리도 고려해야 한다.

토의하기

1. 위의 의견 중 내가 지지하는 의견을 선택하고, 그 의견을 뒷받침할 수 있는 과학적 근거를 조사해 보자.

예시 ① 도움이 된다: 비록 전기 에너지를 생산하는 과정에서 온실 기체가 배출되지만, 오염원이 여러 곳으로 분산되어 있는 것보다 발전소에 모여있으면 이를 처리하고 저감하는 것이 훨씬 쉽다. 현재 발전소에서의 오염 물질 저감 기술은 자동차보다 더 발전되어 있음을 조사할 수 있다.

② 도움이 되지 않는다: 전기를 생산하는 과정에서 이미 환경 오염이 발생하고 있고, 현재 다른 분야에서 사용하는 전력만으로도 전력 부족 현상이 벌어지고 있는 시점에서 전기차가 활성화될 경우 전력 생산 때문에 발생하는 환경 문제가 더 심각해질 수 있다. 단순히 최종 소비 과정만 생각하면 전기 자동차가 더 환경적일 수 있으나, 전력 생산, 충전 등 전 과정을 고려하면 꼭 환경적이라고 보기 어려울 수도 있다.

2. 내가 생각한 전기 자동차의 장단점은 무엇인지 말해 보자.

예시 • 장점: 운행 과정에서 온실 기체 및 매연을 배출하지 않는다. 또한 전기 모터를 이용하므로 소음이 발생하지 않고, 속도를 높이거나 낮추기가 기존의 자동차보다 쉽다.

• 단점: 연료를 주유할 때보다 충전할 때 시간이 오래 걸린다. 발전, 충전, 운동 에너지 이용 등 여러 단계의 에너지 전환을 거치므로 사용하는 에너지가 기존 자동차보다 더 크다. 아직은 보편화되지 않아 충전소를 찾기가 어렵다.

3. 전기 자동차가 환경에 미치는 영향에 대해 자신의 의견을 정리하여 발표해 보자.

해설 위에서 조사, 정리한 내용을 바탕으로 과학적 근거를 바탕으로 발표한다.

4. 나와 다른 의견을 발표한 친구의 주장에 대해 동의하는 내용과 반박할 만한 내용을 적어 보자.

해설 다른 학생들이 발표할 때 중요 사항을 미리 메모해 두고, 반박할 내용에 대해서는 명백한 근거를 들어 반박한다.

5. 나와 다른 주장을 한 사람을 설득하기 위해 어떤 활동을 해야 할지 토의해 보자.

해설 상대의 주장에 근거가 부족하다면 근거를 바탕으로 설득할 수 있으며, 상대가 미처 생각하지 못한 장단점이 있다면 그 부분을 강조할 수 있다. 또한 상대의 의견 중에서 괜찮은 부분이 있으면 어느 정도는 수용해서 자신의 주장에 반영하여 더 나은 결론을 만들어가려는 것도 좋다.

📄 **기본 개념 정리하기**

01 다음 물음에 답해 보자.

(1) 한 지역의 생물 다양성이 높으면 (먹이 그물)이/가 복잡하게 얽혀 안정된 생태계가 된다.

(2) 안정된 생태계는 장기적으로 일정하게 유지되면서 (평형)을/를 이룬다.

(3) 환경의 급격한 변화는 생물 다양성을 (감소)시킨다.

(4) 지구 온난화의 주요 원인이 되는 온실 기체는 무엇인가? 이산화 탄소

(5) 남반구 저위도 동태평양 주변에서 발생하는 해수의 이상 고온 현상을 무엇이라고 하는가? 엘니뇨

(6) 사막 주변의 초원이었던 지역이 과도한 방목, 경작 및 삼림 벌채로 생태계가 파괴되어 사막이 되는 현상을 무엇이라고 하는가? 사막화

(7) 에너지가 다른 형태로 바뀌는 것을 무엇이라고 하는가? 에너지 전환

(8) 에너지의 전환 과정에서 버려지는 에너지는 무엇인가? 열에너지

(9) 에너지가 전환되기 전후 에너지의 양은 어떻게 될까? 보존된다.

(10) 열기관에 공급한 에너지 중 열기관이 한 일의 비율을 무엇이라고 하는가? 열효율

02 생태계에 관한 설명으로 옳은 것만을 〈보기〉에서 있는 대로 골라 보자.

> ㉠ 서식지 파괴는 생태계의 비생물적 요인에만 영향을 미친다.
> ✔㉡ 생태계가 보전되지 않으면 인류의 생존이 위협을 받는다.
> ✔㉢ 미생물이 생물의 사체를 분해하여 토양 영양분을 증가시키는 것은 생물적 요인이 비생물적 요인에 영향을 미친 사례이다.

해설 ㉠ 서식지 파괴는 생태계의 생물적 요인과 비생물적 요인에 모두 영향을 미친다.

03 먹이 관계가 복잡하고 안정된 생태계에서 생태계 평형이 깨질 때 일어나는 현상에 관한 설명으로 옳지 <u>않은</u> 것만을 〈보기〉에서 있는 대로 골라 보자.

> ㉠ 먹이 사슬을 통한 물질 순환에 변화가 생긴다.
> ㉡ 영양 단계를 통한 에너지의 이동에 변화가 생긴다.
> ㉢ 각 영양 단계의 생물들이 일시적으로 증가하거나 감소한다.
> ✔㉣ 스스로 평형을 이룰 수 없어 복원을 위한 인간의 개입이 필수적이다.

해설 생태계 평형이 깨지면 각 영양 단계의 생물들이 일시적으로 증가하거나 감소하지만 복잡한 먹이 관계에 의해 스스로 평형을 유지할 수 있다.

04 사과는 연평균 기온이 8 ℃~11 ℃인 서늘한 곳에서 재배하기 좋은 작물이다. 그런데 우리나라의 사과 재배지가 최근 20년간 북상했는데, 그 까닭이 무엇인지 설명해 보자.

예시 지구 온난화로 우리나라의 평균 기온이 상승했기 때문이다.
해설 지구 온난화로 우리나라의 평균 기온이 상승하면서 남쪽 지방에서만 재배되던 과일이 점점 더 북쪽에서 재배되고 있다.

05 북반구 저위도와 중위도 지역에서 부는 바람과 이로 인해 태평양에 형성되는 해류의 이름을 각각 써 보자.

위도	바람의 이름	해류의 이름
0°~30° 지역	㉠ 북동 무역풍	㉡ 북적도 해류
30°~60° 지역	㉢ 편서풍	㉣ 북태평양 해류

해설 ㉠, ㉡ 북반구의 위도 0°~30° 지역에서는 북동 무역풍이 불고 이로 인해 북적도 해류가 형성된다.
㉢, ㉣ 북반구의 위도 30°~60° 지역에서는 편서풍이 불고, 이로 인해 북태평양 해류가 형성된다.

06 다음과 같은 장치에서는 주로 어떤 에너지 전환이 이루어지는지 써 보자.

(1) 전등 전기 에너지 → 빛에너지

(2) 전기난로 전기 에너지 → 열에너지

(3) 스피커 전기 에너지 → 소리 에너지

(4) 전동기 전기 에너지 → 운동 에너지

07 에너지 효율을 높이는 것이 지구 온난화 문제 해결에 어떤 영향을 미치는지 설명해 보자.

예시 화석 연료를 덜 쓰고도 같은 효과를 낼 수 있어서 온실 기체 배출량을 줄일 수 있다.

핵심 개념 적용하기

08 그림은 어떤 원인으로 안정적인 생태계에서 일시적으로 1차 소비자의 증가 때문에 생태계 평형이 깨졌을 때 생태계 평형 회복 과정을 나타낸 것이다. 이에 관한 설명으로 옳은 것만을 〈보기〉에서 있는 대로 골라 보자.

┌ 보기 ┐
✔㉠ 생산자가 감소하면 1차 소비자는 감소한다.
✔㉡ 1차 소비자가 일시적으로 증가하면 생산자가 감소한다.
㉢ 1차 소비자가 일시적으로 증가하면 2차 소비자는 감소한다.
└─────┘

해설 ㉠, ㉡ 생산자가 감소하면 1차 소비자도 감소하지만, 1차 소비자가 증가하면 생산자는 감소한다.
㉢ 1차 소비자가 증가하면 2차 소비자도 증가한다.

09 그림은 지구 대기 중 이산화 탄소 평균 농도와 지구 평균 기온 변화를 나타낸 것이다. 이에 관한 설명으로 옳은 것만을 〈보기〉에서 있는 대로 골라 보자.

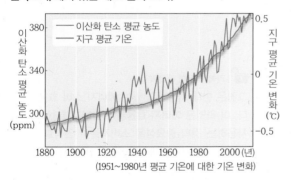

(1951~1980년 평균 기온에 대한 기온 변화)

┌ 보기 ┐
✔㉠ 이산화 탄소의 평균 농도는 1900년대 초반보다 최근의 증가율이 더 크다.
✔㉡ 지구 평균 기온 상승은 이산화 탄소 증가와 밀접한 관련이 있다.
㉢ 이산화 탄소의 증가는 자연적인 현상이다.
└─────┘

예시 ㉠ 최근 들어 대기 중 이산화 탄소 농도 증가율이 더 커지고 있다.
㉡ 이산화 탄소의 증가 곡선과 지구 평균 기온의 증가 곡선은 유사한 경향을 보인다. 이산화 탄소는 온실 기체이므로 지구 온난화에 큰 영향을 미친다.
㉢ 화산 폭발이나 산불과 같은 자연적 원인으로 대기 중 이산화 탄소가 증가하기도 하지만, 산업 혁명 이후 급격한 이산화 탄소의 증가는 인간의 화석 연료 사용이 주된 원인이다.

10 그림은 자동차에 공급된 에너지가 다양한 형태로 전환되는 것을 나타낸 것이다. 이에 관한 설명으로 옳은 것만을 〈보기〉에서 있는 대로 골라 보자(단, 주어진 것 이외의 에너지 전환은 없다고 가정한다.).

엔진에서의 열 손실 70 %
동력 전달 장치에서의 손실 4 %
전력 생산 4 %
바퀴의 구동력   A

┌ 보기 ┐
✔㉠ A는 22 %이다.
✔㉡ 이 자동차의 에너지 효율은 26 %이다.
✔㉢ 바퀴의 구동력으로 전달된 에너지는 마찰, 공기 저항으로 인해 열에너지로 전환된다.
└─────┘

해설 에너지 보존 법칙에 의해 전체가 100 %이므로, A는 22 %이며, 동력과 전력으로 유용하게 사용하였으므로 에너지 효율은 26 %이다.

11 그림은 화석 연료의 연소에 의한 온실 기체 배출 비율을 나타낸 것이다. 이에 관한 설명으로 옳은 것만을 〈보기〉에서 있는 대로 골라 보자.

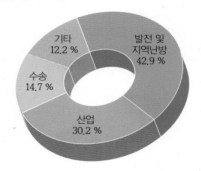

발전 및 지역난방 42.9 %
기타 12.2 %
수송 14.7 %
산업 30.2 %

┌ 보기 ┐
㉠ 화석 연료 대신 전기 에너지를 사용하면 온실 기체가 배출되지 않는다.
✔㉡ 자동차의 열효율을 개선하면 수송 분야의 온실 기체 배출 비율이 줄어들 것이다.
✔㉢ 건물의 단열 성능을 향상하면 겨울철 온실 기체 배출량이 줄어들 것이다.
└─────┘

해설 ㉠ 전기 에너지도 화력 발전을 통해 생산되는 경우가 많으므로 전기 에너지를 사용해도 결국은 온실 기체가 배출된다.
㉡ 자동차에서 발생하는 온실 기체는 수송 분야에 포함된다.
㉢ 건물의 단열 성능을 향상하면 겨울철 난방에 쓰이는 화석 연료가 줄어들어 온실 기체 배출량이 줄어들 것이다.

과학과 핵심 역량 기르기

| 과학적 사고력 |

12 그림은 어떤 지역에서 댐 건설에 따른 환경의 변화가 어민의 삶에 미친 영향을 나타낸 것이다. 그림에 나타난 비생물적 요인과 생물적 요인을 나열하고, 비생물적 요인이 생물적 요인에 영향을 준 것과 생물적 요인이 비생물적 요인에 영향을 준 것을 구분하여 설명해 보자.

예시 • 비생물적 요인: 유량, 염분 농도, 댐 등
• 생물적 요인: 재첩, 어민
• 비생물적 요인이 생물에 준 영향: 유량 감소와 염분 농도 증가로 재첩 채집량 감소
• 생물적 요인이 비생물적 요인에 준 영향: 사람의 댐 건설로 인한 유량 감소

| 과학적 의사소통 능력 |

13 그림은 평범한 학생이 일상생활 중에 배출하는 이산화 탄소의 양을 나타낸 것이다. 이렇게 발생하는 이산화 탄소의 양을 '탄소 발자국'이라고 하며, 온실 기체 배출 지표로 활용할 수 있다. 일상생활 중 직접 화석 연료를 사용하지 않아도 이산화 탄소가 발생하는 까닭이 무엇인지 토의해 보고, 일상생활에서 탄소 발자국을 줄일 방안을 제시해 보자.

예시 가정에서 사용하는 전기를 생산하는 과정에서 이산화 탄소가 배출되며, 일상생활에서 사용하는 여러 가지 물건을 생산할 때 에너지를 사용하므로 이 과정에서도 이산화 탄소가 배출된다. 따라서 일상생활 전반에서 직·간접적으로 이산화 탄소가 발생한다. 화석 연료의 사용을 직접적으로 줄이기 위해서는 대중 교통을 이용하거나 가까운 거리는 자전거를 타거나 걸어 다닌다. 간접적인 탄소 사용을 줄이기 위해서는 전기 사용량을 줄이거나 물건을 아껴 쓴다.

| 과학적 참여와 평생 학습 능력 |

14 집에 있는 텔레비전이 오래되어 새 제품을 구입하려는데 부모님께서 효율이 높은 텔레비전이 가격이 비싸다며 구입을 망설이고 계신다. 부모님께 에너지 효율이 높은 제품을 사용해야 하는 까닭을 합리적 근거를 들어 설명해 보자.

예시 효율이 높고 가격이 비싼 제품을 살 때 발생하는 추가 비용만큼을 에너지 절약을 통해 얻을 수 있음을 근거로 삼고, 이렇게 절약된 에너지에 해당하는 탄소 배출량 저감을 통해 지구 환경을 지키는 것이 결국 우리에게 긍정적인 효과로 돌아온다는 것을 주요 논거로 하여 설득할 수 있다.

| 과학적 문제 해결력 |

15 그림은 현재 사용하고 있는 에너지 소비 효율 등급 라벨이다. 이 라벨은 에너지 효율을 개선하고 효율이 높은 제품을 사용하는 것의 중요성을 소비자들이 인식할 수 있도록 구성되어 있는가? 현재 사용하는 라벨에서 부족하다고 생각하는 부분을 개선하여 새로운 에너지 소비 효율 등급 라벨을 만들어보자.

예시 라벨에 나와 있는 정보의 양을 줄이고, 소비자가 쉽게 알아볼 수 있도록 개선한다.

과학과 논쟁

지구 온난화는 인간 활동에 의한 것일까, 자연적인 현상일까?

지구 온난화로 빙하가 녹아내리고 해수면이 상승하면서 해발 고도가 낮은 섬나라와 해안 저지대에 사는 사람들은 삶의 터전을 잃고 있다. 또한, 기후 변화로 생태계가 교란되고 있으며, 세계 각지에 홍수나 가뭄 등의 기상 이변으로 큰 피해가 발생하고 있다.

이러한 지구 온난화는 자료 1과 같이 인간의 화석 연료 사용 때문에 의해 일어나고 있는 현상이라는 주장이 있다. 하지만 일부에서는 자료 2와 같이 지질 시대 동안 지구 평균 기온이 상승과 하강을 반복하였으므로 현재의 지구 온난화 현상은 자연적인 현상이라는 의견도 있다.

[자료 1]

지구는 대기에 의한 온실 효과로 생명체가 살 수 있는 적정한 온도를 유지한다. 그러나 대기 중 온실 기체의 농도가 증가하면 지구에서 방출하는 지구 복사 에너지를 대기가 더 많이 흡수하여 지구의 기온이 올라간다. 그런데 산업 혁명 이후 화석 연료의 사용이 급증하여 대기 중 이산화 탄소의 농도가 증가하면서 지구 온난화로 이어졌다. 실제로 대기 중 이산화 탄소 농도의 증가 곡선과 지구의 평균 기온 증가 곡선이 일치하는 것이 이를 뒷받침한다. 따라서 지구 온난화는 인간에 의한 온실 기체 방출 때문이다.

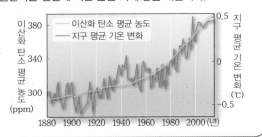

[자료 2]

태양계 행성의 기온을 결정하는 가장 큰 요소는 행성에 입사하는 평균 태양 복사 에너지이다. 따라서 지구의 평균 기온도 지구에 입사하는 평균 태양 복사 에너지에 영향을 받는다. 지구에 도달하는 태양 복사 에너지는 태양 활동에 따라 변한다. 또한 지구 공전 궤도의 변화, 지구 자전축의 경사 변화와 자전축의 방향이 바뀌는 세차 운동 등의 여러 요인 역시 지구에 입사하는 태양 복사 에너지양을 변화시킨다. 따라서 지구 온난화는 지구 외적인 요인에 의해 나타나는 자연적인 현상이다.

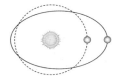

지구 공전 궤도 변화 | 지구 자전축 경사 변화 | 지구 자전축 세차 운동

글쓰기

1. 지구 온난화의 원인에 관한 두 가지 학설 중 어떤 주장이 옳다고 생각하는가? 자신의 의견을 정하고 자료를 조사하여 그 까닭과 근거를 정리해 보자.

> **예시**
> • 지구 온난화는 인간에 의한 온실 효과 때문이다. 최근 100여 년 동안 이산화 탄소 농도 변화와 기온 변화 경향이 일치하고, 빙하 코어 연구를 통해 알아낸 과거 수십만 년 동안의 지구 기온 변화와 이산화 탄소 농도 변화 경향 역시 일치한다. 따라서 이산화 탄소 농도 증가가 지구의 기온 상승에 큰 영향을 미친다고 할 수 있다.
> • 지구 온난화는 자연적인 현상이다. 과거 지구의 기후 변화를 살펴보면 빙하기와 간빙기가 주기적으로 되풀이되는데 이는 지구의 기온에 영향을 주는 외부 요인이 주기적으로 변하기 때문이다. 현재는 간빙기에 속하므로 기온이 상승하고 있는 것은 자연적인 현상이다.

2. 지구 온난화의 원인에 관해 친구와 짝을 이루어 어떤 의견이 타당한지 토론해 보자.

> **해설** 상대방의 의견을 경청하고, 객관적 자료를 기반으로 반론을 펼치도록 한다.

3. 화석 연료의 사용을 줄여야 하는 또 다른 까닭이 무엇인지 토의해 보자.

> **예시** 지구 온난화 문제를 해결하기 위해서는 이산화 탄소 배출량을 줄여야 하므로 화석 연료의 사용을 줄여야 한다. 또한 화석 연료는 그 매장량이 한정되어 있어서 언젠가는 고갈될 것이므로 화석 연료를 대체할 에너지원을 개발해야 한다. 그리고 화석 연료를 사용할 때 각종 오염 물질이 배출되기 때문에 지구 환경을 보존하기 위해서 화석 연료의 사용을 줄여야 한다.

8-① 생태계의 구성과 생태계 평형

01 그림은 생태계의 구성 요소를 나타낸 것이다.

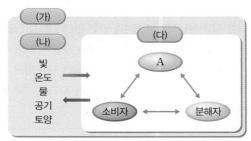

이에 대한 설명으로 옳은 것만을 〈보기〉에서 있는 대로 고른 것은?

┤ 보기 ├
ㄱ. (가)는 비생물적 요인, (나)는 생물적 요인이다.
ㄴ. 개체, 개체군, 군집은 (다)와 관련된 개념이다.
ㄷ. A는 무기물로부터 유기물을 합성한다.

① ㄴ   ② ㄷ   ③ ㄱ, ㄴ
④ ㄱ, ㄷ   ⑤ ㄴ, ㄷ

02 생태계 구성 요소 간의 상호 작용 중 비생물적 요인이 생물적 요인에 영향을 미친 예만을 〈보기〉에서 있는 대로 고른 것은?

┤ 보기 ├
ㄱ. 지렁이에 의해 토양의 통기성이 높아진다.
ㄴ. 사막에 사는 동물은 선인장에서 수분을 얻기도 한다.
ㄷ. 고산 지대는 산소 압력 낮아 여행자가 고산병에 걸릴 수 있다.
ㄹ. 연이나 수련 같은 수생 식물은 줄기에 통기 조직이 발달되어 있다.

① ㄱ, ㄴ   ② ㄴ, ㄷ   ③ ㄷ, ㄹ
④ ㄱ, ㄴ, ㄹ   ⑤ ㄱ, ㄷ, ㄹ

03 멸치의 위 속 내용물을 관찰하는 실험에 대한 설명으로 옳은 것만을 〈보기〉에서 있는 대로 고른 것은?

┤ 보기 ├
ㄱ. 마른 멸치를 뜨거운 물에 불린 후 해부하여 위를 분리한다.
ㄴ. 현미경으로 관찰할 때는 고배율부터 관찰한다.
ㄷ. 멸치는 멸치의 위 속에서 관찰된 생물보다 하위 영양 단계에 속한다.

① ㄱ   ② ㄴ   ③ ㄷ
④ ㄱ, ㄴ   ⑤ ㄴ, ㄷ

04 그림은 지역에 따른 여우의 적응을 나타낸 것이다. (가)와 (나)는 각각 북극 여우와 사막여우 중 하나이다.

(가)   (나)

이에 대한 설명으로 옳은 것만을 〈보기〉에서 있는 대로 고른 것은?

┤ 보기 ├
ㄱ. (가)는 (나)보다 추운 지역에 산다.
ㄴ. (나)는 (가)보다 몸의 말단 부위가 작아 열의 방출량이 적다.
ㄷ. (가)와 (나) 모두 온도에 적응하여 생김새가 변화한 사례에 해당한다.

① ㄴ   ② ㄷ   ③ ㄱ, ㄴ
④ ㄱ, ㄷ   ⑤ ㄴ, ㄷ

05 다음 글은 환경 변화가 생태계에 미친 사례이다.

(가) 보르네오섬에서 말라리아 모기를 없애기 위해 DDT라는 살충제를 뿌렸다. 살포된 DDT로 모기는 줄었지만 DDT를 먹은 바퀴벌레를 도마뱀이 먹고 이를 먹은 고양이가 죽었다.
(나) 무분별한 벌목으로 그곳에 살던 생물의 서식지가 작게 나누어지고 줄어들어 개체군의 크기가 감소하고 종류가 줄어들었다.

이에 대한 설명으로 옳은 것만을 〈보기〉에서 있는 대로 고른 것은?

┤ 보기 ├
ㄱ. (가)는 자연에 의해 환경 변화가 일어난 사례이다.
ㄴ. (나)는 인간의 활동에 의해 환경 변화가 일어난 사례이다.
ㄷ. (나)에서는 생태 통로를 설치하면 서식지가 나누어지는 것을 막을 수 있다.

① ㄱ   ② ㄷ   ③ ㄱ, ㄴ
④ ㄴ, ㄷ   ⑤ ㄱ, ㄴ, ㄷ

8-❷ 지구 환경 변화와 인간 생활

06 최근 우리나라의 기후 변화에 대한 설명으로 옳은 것은?

① 봄과 가을이 길어지고 있다.

② 여름철에 폭염 발생 일수가 감소하고 있다.

③ 우리나라의 평균 기온 상승이 점차 둔화되고 있다.

④ 여름철에 집중 호우와 태풍의 발생이 증가하고 있다.

⑤ 우리나라의 평균 기온 상승폭은 전 세계의 평균 기온 상승 폭보다 작다.

07 그림은 대기 중 이산화 탄소 평균 농도와 지구 평균 기온 변화를 나타낸 것이다.

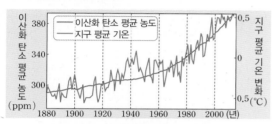

이에 대한 설명으로 옳은 것만을 〈보기〉에서 있는 대로 고른 것은?

┌ 보기 ┐
ㄱ. 기온 변화와 이산화 탄소 농도 변화는 밀접한 관련이 있다.
ㄴ. 최근 30년 동안 화석 연료의 사용량이 점점 감소하고 있다.
ㄷ. 최근 극지방의 빙하 면적은 1800년대 후반보다 넓어졌다.

① ㄱ ② ㄴ ③ ㄷ
④ ㄱ, ㄴ ⑤ ㄱ, ㄴ, ㄷ

08 그림은 대기 대순환을 나타낸 것이다. 이에 대한 설명으로 옳은 것만을 〈보기〉에서 있는 대로 고른 것은?

┌ 보기 ┐
ㄱ. 위도 30° 부근에는 주로 저기압이 분포한다.
ㄴ. 대기 대순환은 표층 해류에 영향을 미친다.
ㄷ. 대기 대순환을 통해 지구의 에너지 불균형이 강화된다.

① ㄱ ② ㄴ ③ ㄱ, ㄴ
④ ㄱ, ㄷ ⑤ ㄴ, ㄷ

09 그림은 건조 기후 지역과 사막화 지역을 나타낸 것이다.

이에 대한 설명으로 옳은 것만을 〈보기〉에서 있는 대로 고른 것은?

┌ 보기 ┐
ㄱ. 사막은 주로 위도 30° 부근에 분포한다.
ㄴ. 사막 주변의 생태계 파괴로 사막이 확대된다.
ㄷ. 지구 온난화는 사막화의 진행과 관련이 없다.

① ㄱ ② ㄴ ③ ㄷ
④ ㄱ, ㄴ ⑤ ㄱ, ㄴ, ㄷ

10 엘니뇨에 대한 설명으로 옳지 않은 것은?

① 기권과 수권의 상호 작용으로 발생한다.

② 무역풍이 평상시보다 약해질 때 발생한다.

③ 적도 동태평양의 표층 수온이 평상시보다 높아진다.

④ 엘니뇨의 영향으로 대기의 순환에 변화가 나타난다.

⑤ 적도 태평양을 제외한 다른 지역의 기후에는 영향을 미치지 않는다.

11 그림은 온실 기체 배출량이 현재와 같이 유지될 때 예상되는 평균 해수면 상승을 나타낸 것이다.

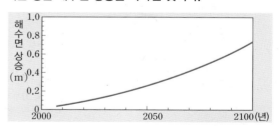

2100년에 예상되는 지구 환경 변화로 옳은 것만을 〈보기〉에서 있는 대로 고른 것은?

┌ 보기 ┐
ㄱ. 지구 평균 기온이 상승할 것이다.
ㄴ. 극지방의 빙하 면적이 증가할 것이다.
ㄷ. 해안 저지대의 침수로 인하여 주민들의 피해가 증가할 것이다.

① ㄱ ② ㄷ ③ ㄱ, ㄴ
④ ㄱ, ㄷ ⑤ ㄴ, ㄷ

8-❸ 에너지의 효율적 활용

12 그림은 가정에서 에너지를 사용하는 다양한 예를 나타낸 것이다.

이에 대한 설명으로 옳은 것만을 〈보기〉에서 있는 대로 고른 것은?

┌ 보기 ┐
ㄱ. TV에서는 빛에너지가 소리 에너지로 전환된다.
ㄴ. 청소기에서 발생하는 소리 에너지는 버려지는 에너지이다.
ㄷ. 선풍기에서는 전기 에너지가 모두 역학적 에너지로 전환된다.

① ㄱ   ② ㄴ   ③ ㄱ, ㄴ
④ ㄴ, ㄷ   ⑤ ㄱ, ㄴ, ㄷ

13 그림은 자동차에 공급된 연료의 화학 에너지가 전환된 에너지를 모두 나타낸 것이다.

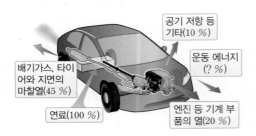

공기 저항 등 기타(10 %)
운동 에너지 (? %)
배기가스, 타이어와 지면의 마찰열(45 %)
연료(100 %)
엔진 등 기계 부품의 열(20 %)

이에 대한 설명으로 옳은 것만을 〈보기〉에서 있는 대로 고른 것은? (단, 표시된 것 이외의 에너지 전환은 없다.)

┌ 보기 ┐
ㄱ. 자동차의 운동 에너지는 25 %이다.
ㄴ. 자동차의 에너지 효율은 25 %이다.
ㄷ. 자동차의 운동 에너지는 에너지 보존 법칙으로 구할 수 있다.

① ㄱ   ② ㄷ   ③ ㄱ, ㄷ
④ ㄴ, ㄷ   ⑤ ㄱ, ㄴ, ㄷ

14 그림 (가), (나)는 LED 전구와 형광등의 모습이다.

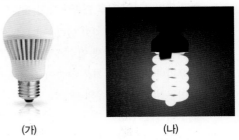

(가)   (나)

(가), (나)의 효율에 대한 설명으로 옳은 것만을 〈보기〉에서 있는 대로 고른 것은?

┌ 보기 ┐
ㄱ. (가)는 (나)에 비해 효율이 높다.
ㄴ. (가)에서 발생하는 열에너지는 (나)에 비해 작다.
ㄷ. (가)에서 발생하는 빛에너지는 항상 (나)에 비해서 크다.

① ㄱ   ② ㄷ   ③ ㄱ, ㄴ
④ ㄱ, ㄷ   ⑤ ㄱ, ㄴ, ㄷ

15 그림은 국제에너지기구 회원국의 에너지 사용량과 에너지 효율 향상 활동이 없을 경우 에너지 사용량을 연도에 따라 나타낸 것이다.

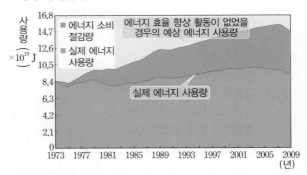

시간이 지남에 따라 증가하는 양만을 〈보기〉에서 있는 대로 고른 것은?

┌ 보기 ┐
ㄱ. 버려진 에너지
ㄴ. 유용하게 사용된 에너지
ㄷ. 에너지 효율

① ㄱ   ② ㄴ   ③ ㄱ, ㄷ
④ ㄴ, ㄷ   ⑤ ㄱ, ㄴ, ㄷ

16 그림은 어떤 바다 생태계에서 멸치의 위치를 먹이 사슬로 나타낸 것이다.

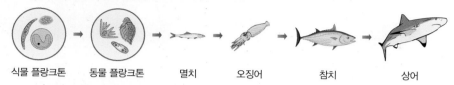

식물 플랑크톤　　동물 플랑크톤　　멸치　　오징어　　참치　　상어

멸치의 개체 수가 어획에 의해 급격히 감소할 때 나타나는 다른 생물의 개체 수 변화를 서술하시오.(단, 개체 수의 증가와 감소는 주어진 먹이 사슬만 고려한다.)

> **과학적 사고력**
> 환경 변화와 생태계 평형

17 그림은 연근과 알로에의 단면을 나타낸 것이다.

연근　　　　　　　　　알로에

두 식물의 조직 구조가 차이 나는 이유를 환경 요인과 연관 지어 공통점과 차이점으로 구분하여 각각 서술하시오.

> **과학적 탐구 능력**
> 생물과 환경

18 그림은 평상시 적도 태평양 지역의 대기 순환과 표층 수온 분포를 나타낸 것이다. 엘니뇨 발생 시 호주와 동남아시아 지역의 강수량 변화를 표층 수온 변화와 연관 지어 서술하시오.

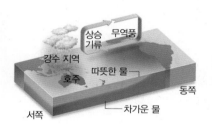

> **과학적 사고력**
> 엘니뇨

19 다음은 나이테 연대기에 관한 신문 기사의 일부이다.

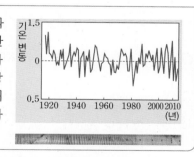

산림청 국립산림과학원은 소나무를 이용하여 과거 기후를 알아낼 수 있는 '나이테 연대기'를 완성했다고 밝혔다. '나이테 연대기'는 나무가 자라면서 생기는 나이테를 통해 그 해의 기온과 강수량 등을 알아낼 수 있는 자료이다. 이를 통해 과거의 기후 변화를 분석하고 미래의 기후 변화를 예측할 수 있다.

과거 지구의 기후 변화를 알아낼 수 있는 또 다른 방법을 3가지만 서술하시오.

> **과학적 탐구 능력**
> 과거의 기후 변화를 알아내는 방법

20 그림은 에너지 제로 하우스에 설치된 장치의 일부를 나타낸 것이다. 그림에 나와 있는 장치를 능동형 기술과 수동형 기술로 나눌 때 수동형 기술에 해당되는 것만을 있는 대로 고르고, 각 장치가 에너지를 효율적으로 사용하는 원리를 서술하시오.

단열 진공 유리창
소형 풍력 발전기
태양 전지
고효율 발광 다이오드 조명
단열 벽체

> **과학적 참여와 평생 학습 능력**
> 에너지 제로 하우스

9

발전과 신재생 에너지

에너지를 계속해서 사용할 수 있을까?

지구 환경은 화석 연료의 사용 증가로 급격한
온난화 과정을 거치고 있다. 환경 문제가 인류를 비롯한
생태계에 위협을 주는 상황에서 생존을 위해
인류가 환경과 에너지 문제에 어떻게 대처하고 있는지
파악하고 미래를 위한 대안을 찾아보자.

① 전기 에너지의 생산과 수송

발전	송전
전자기 유도	손실 전력
발전기	안전한 전력 수송

② 신재생 에너지

태양 에너지의 근원	기후 변화와 발전	신재생 에너지
질량 에너지 등가 원리	태양광 발전	조력 발전
태양 에너지의 전환	핵발전	파력 발전
	풍력 발전	연료 전지

전기 에너지의 생산과 수송 ①
전기 에너지는 어떻게 만들고 수송할까?

② **신재생 에너지**
신재생 에너지에는 무엇이 있을까?

학습 계획 세우기

이 단원에서는 우리가 사용하는 전기 에너지가 어떻게 만들어지고 수송되는지, 그리고 전기 에너지를 만드는 새로운 방법에는 어떤 것이 있는지를 탐구한다. 각 소단원에서 공부할 내용을 미리 살펴보고 학습 계획을 세워 보자.

전자기 유도 현상 ⟶ 전기 에너지 생산 ⟶ 안전하고 효율적인 전력 수송

태양 에너지 이용 ⟶ 신재생 에너지 ⟶ 해양 에너지
ㅤㅤㅤㅤㅤㅤㅤㅤㅤㅤㅤㅤㅤㅤ⟶ 연료 전지

9 – ① 전기 에너지의 생산과 수송

① 단계 생각 펼치기 전기 에너지는 어디서 올까?

일상생활에서 우리는 콘센트를 이용해 전기를 사용한다. 콘센트 뒤에 커다란 건전지가 있는 재미있는 상상을 해 볼 수도 있다. 물론 이미 여러 곳에 발전소가 있고, 곳곳에 전선을 볼 수 있으므로 발전소에서부터 전선을 거쳐서 우리가 사용하는 곳까지 올 것이라는 점은 쉽게 짐작할 수 있을 것이다. 그렇다면 우리가 사용하는 전기는 어디에서 만들어지고 어떻게 가정까지 송전되는지를 구체적으로 알아보는 것이 이번 단원의 목표이다.

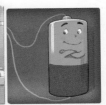

실제로 우리가 사용하는 전기 에너지는 발전소에서 만들어져 가정까지 송전된다. 발전소에서는 화석 연료의 화학 에너지나 핵에너지, 물이나 바람의 운동 에너지, 태양 에너지 등 다양한 에너지를 이용하여 전기 에너지를 만들고 있다. 교과서 자료를 통해 우리나라의 발전 현황을 알아보자.

토의하기

1 가정에서 사용하는 대부분의 기기는 전기 에너지를 사용한다. 이처럼 전기 에너지의 활용도가 높은 까닭은 무엇일까?

예시 전기 에너지는 다른 에너지로의 전환이 매우 쉽고 간편하며, 에너지를 얻는 방법이 다양하다. 또한, 화석 연료와는 달리 사용할 때에는 환경 오염 물질을 배출하지 않아 깨끗하게 사용할 수 있다.

2 전기 에너지를 만들 때 가장 많이 쓰는 에너지원은 무엇인가? 그로 인한 문제점은 무엇이 있을지 써 보자.

예시 교과서의 그림 9–1을 살펴보면 현재 우리나라에서 가장 많이 사용하는 에너지원은 화석 연료이고, 두 번째로 사용량이 많은 에너지원은 원자력 발전소에서 이용하는 핵에너지임을 알 수 있다. 화력 발전의 경우 온실 기체, 미세 먼지와 같은 환경 오염 물질을 많이 배출하여 지구 온난화 등의 환경 문제를 유발하며, 자원 고갈의 우려를 안고 있다. 핵에너지의 경우 온실 기체나 자원 고갈의 문제는 적으나, 발전 과정에서 배출되는 방사성 폐기물의 처리가 어려우며, 특히 예기치 못한 사고가 발생하면 엄청난 환경 재앙이 닥칠 수 있는 우려가 있다.

3 주요 발전소 위치를 고려할 때 발전소에서 만든 전기를 가정, 학교, 공장 등에서 사용하려면 어떻게 해야 할지 토의해 보자.

예시 발전 용량이 큰 주요 발전소는 대부분 해안가에 위치하며, 소비지와 멀리 떨어진 곳이 많다. 여기서 만든 전기를 소비지까지 수송하는 방법이 필요하다.

알고 있나요?

1 전력이란 무엇인지 알고 있는 내용을 써 보자.

예시 전류가 단위 시간 동안에 하는 일을 전력이라고 한다. 전력의 단위 W는 1초 동안 1J의 전기 에너지를 전환할 때의 전력이다. 전력량의 단위 Wh는 1W의 전력을 1시간 동안 사용한 전력량이다.

2 전동기의 구조를 그려 보고 원리를 설명해 보자.

예시 자석 사이에 놓여 있는 코일에 전류가 흐를 때, 자석과 코일 사이에 작용하는 자기력에 의해 코일이 회전한다.

---

❶ 전기 에너지
전류가 흐를 때 공급되는 에너지이며, 다른 종류의 에너지로 쉽게 전환할 수 있어 많이 사용된다. 역학적 에너지, 열에너지, 화학 에너지와 같은 형태의 에너지를 전환시켜 얻을 수 있다.

❷ 발전소의 입지 조건
화력 발전소, 원자력 발전소의 경우 터빈을 돌린 수증기를 냉각하기 위해서 냉각수가 필요하다. 따라서 물을 공급하기 쉬운 해안가, 강가 등이 적절하며, 특히 화력 발전소의 경우 화석 연료를 대량으로 운반하는 화물선이 접근하기 쉬운 해안가가 좋다.

❸ 전동기의 구조

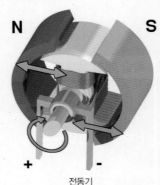

전동기

❷단계 **해결하기** **1. 발전소에서는 어떻게 전기 에너지가 만들어질까?**

선풍기는 전동기를 이용하여 바람을 만들어 내는 전자 제품이다. 선풍기에 달린 전동기에 전기 에너지를 공급하면 전동기에 있는 코일에 전류가 흐르면서 전자석이 되고, 이 전자석과 코일에 있는 영구 자석 사이의 자기력에 의해 회전 운동이 발생한다. 즉 전기를 이용하여 자기장을 만드는 것이다. 그렇다면 거꾸로 자기장을 이용하여 전기를 만들 수도 있지 않을까 하는 발상을 해 볼 수도 있다. 지금부터 그러한 발상이 실제 이뤄지는지 알아보자.

탐구 1 **실험** **전자기 유도 현상**

교과서 300쪽

목표   과학적 탐구 능력

전자기 유도 현상을 이해하고, 전기 에너지가 만들어지는 원리를 설명할 수 있다.

결과/정리

1. 과정 ❷에서 검류계의 바늘은 어떻게 되는가?

  예시 가까이 할 때와 멀리 할 때 서로 반대 방향으로 바늘이 움직인다. 이때 자석을 가만히 들고 있으면 자석의 위치에 상관없이 바늘이 움직이지 않으며, 자석을 움직일 때만 바늘이 움직인다.

2. 과정 ❸에서 조건을 다르게 했을 때 검류계의 바늘은 어떻게 되는가?

  예시 자석의 개수를 늘릴수록 같은 속력에도 바늘이 더 크게 움직이며, 같은 개수의 자석을 더 빠르게 움직이면 바늘도 더 크게 움직인다.

3. 실험 결과를 바탕으로 전류가 더 세게 흐르게 하려면 어떻게 해야 하는지 설명해 보자.

  예시 전류를 더 세게 흐르게 하려면 강한 자석을 빠르게 움직인다.

과정

❶~❷ 솔레노이드 코일과 검류계를 연결하고, 자석을 코일에 넣었다 뺐다를 반복하며 검류계의 변화를 관찰한다.
❸ 다음과 같이 조건을 변화하며 같은 실험을 반복한다.

  • 자석의 개수를 2, 3개로 늘려서 같은 극을 겹쳐 잡은 뒤 같은 속력으로 움직인다.
  • 자석 하나를 잡고, 움직이는 속력에 변화를 준다.

탐구 분석

코일 주위의 자기장이 변하면 전류가 발생하며, 자석의 개수가 늘어나고, 자석을 더 빠르게 움직이면 전류가 강해진다.

수행평가 TIP

탐구 수행	• 서로 다른 조건의 차이가 구별되도록 실험을 한다.	☆ ☆ ☆
	• 실험 과정에서 관찰되는 검류계 바늘의 변화를 말로 잘 정리한다.	☆ ☆ ☆
탐구 결과	• 자석의 개수와 유도 전류의 세기와의 관계를 잘 이해한다.	☆ ☆ ☆
	• 자석의 속력과 유도 전류의 세기와의 관계를 잘 이해한다.	☆ ☆ ☆
	• 실험 결과를 이용하여 전자기 유도 현상의 원리를 설명할 수 있어야 한다.	☆ ☆ ☆

---

1 전자기 유도

코일❶을 통과하는 자기장의 변화로 인해 코일에 전류가 유도되는 현상이다. 코일 주변에서 자석이 운동하는 경우도 있지만, 반대로 자석이 가만히 있고 코일이 운동하는 경우에도 코일을 통과하는 자기장이 변하므로 유도 전류❷가 흐른다.

• 자기장이 변화하지 않을 경우에는 유도 전류가 발생하지 않는다.

  예 코일 내부에 자석을 넣은 뒤, 움직이지 않고 가만히 둘 때

❶ 코일
도선을 둥글게 여러 번 감은 기구이다. 특히 원통 모양으로 감은 코일을 솔레노이드라고 한다.

❷ 유도 전류
전자기 유도에 의해 발생하는 전류를 가리켜 유도 전류라고 한다.

(1) **유도 전류의 세기** 코일을 통과하는 자기장이 크게 변화할수록 유도 전류의 세기는 커진다.[3]

① 자석의 세기가 클수록 유도 전류의 세기는 커진다.
② 코일의 감은 수가 많을수록 유도 전류의 세기는 커진다.
③ 코일에 대한 자석의 속력이 클수록 유도 전류의 세기는 커진다.

(2) **발전기의 원리** 고정된 자석 사이에서 코일이 회전하는 경우 코일을 통과하는 자기장이 변해 코일에 유도 전류가 흐른다. 또는 고정된 코일 사이에서 자석이 회전해도 같은 원리로 유도 전류가 흐른다.

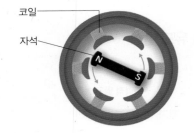
코일
자석

❸ 유도 전류의 방향
코일에 자기장이 더 강해질 때와 더 약해질 때 유도 전류는 서로 다른 방향으로 발생한다. 또한 N극이 강해질 때와 S극이 강해질 때도 유도 전류는 다른 방향으로 발생한다. 유도 전류가 발생할 때에도 전류가 흐르는 것이므로 자기장이 발생하게 되는데, 이 자기장의 방향이 자석의 움직임을 방해하는 방향이다.

 탐구 2 〔실험〕 **간이 발전기 만들기**

교과서 302쪽

목표 　　　　　　　　　　　과학적 탐구 능력

전자기 유도 현상을 이용하여 간이 발전기를 만들고, 에너지 전환 과정을 설명할 수 있다.

결과/정리

1. 발광 다이오드를 더 밝게 빛나게 하는 방법을 토의해 보자.
〔예시〕 줄감개를 더 빠르게 회전시키면 LED가 더 밝게 빛난다. 또한 네오디뮴 자석을 더 많이 붙이고, 에나멜선을 더 많이 촘촘하게 감아도 더 밝게 빛난다.

2. 간이 발전기에서 운동 에너지가 전기 에너지로 전환되는 과정을 설명해 보자.
〔예시〕 손의 운동 에너지 → 줄감개를 통해 자석의 운동 에너지로 전환 → 전자기 유도 현상에 의해 전기 에너지로 전환 → LED에서 전기 에너지가 빛에너지로 전환

과정

❶ 가운데 작은 구멍을 뚫은 페트병에 에나멜선을 감는다.
❷ 줄감개의 고리 부분을 구멍에 끼워넣고 고리에 네오디뮴 자석을 붙인다.
❸ 에나멜선 끝부분을 사포로 갈아 피복을 벗긴 후, 집게 달린 전선을 이용해 LED로 연결한다.
❹ 줄감개를 돌려 자석이 코일 속에서 회전하게 하고, LED의 변화를 관찰해 보자.

과정 2

과정 4

더 알아보기

우리 주변의 놀이 기구나 운동 기구를 이용한 간이 발전기를 고안해 보자.
〔예시〕 걸어 다닐 때 불이 들어오는 유아용 신발을 고안할 수 있다. 원통에 코일을 감고 그 안에 영구 자석을 넣은 뒤, 걸어 다니면 영구 자석이 위아래로 움직이면서 원통에 자기장이 변화하고 이 때문에 코일에 전류가 발생하여 신발에 불이 들어오게 한다. 즉, 다리가 움직일 때의 운동 에너지를 이용하여 전기 에너지를 생산한다.

탐구 분석

탐구 1과 달리 이번 탐구에서는 회전 운동을 통해 자기장의 변화를 만든다는 차이가 있다. 하지만 자기장의 변화를 통해 전기를 만든다는 사실은 동일하며, 이는 대형 발전소에서도 이용하는 방식이다.

수행평가 TIP		
탐구 수행	• 간이 발전기를 잘 동작하도록 정교하게 만든다.	☆ ☆ ☆
	• LED를 밝게 만들기 위해 앞서 배운 지식을 활용하여 간이 발전기를 개선해 본다.	☆ ☆ ☆
탐구 결과	• 간이 발전기에 전자기 유도 현상을 잘 적용해야 한다.	☆ ☆ ☆
	• 간이 발전기에서 에너지 전환을 잘 설명할 수 있어야 한다.	☆ ☆ ☆

해 보기 1 [자료 해석] 발전소에서의 전기 에너지 생산

목표
과학적 탐구 능력

전자기 유도 현상을 이용한 발전 과정을 이해하고, 이때의 에너지 전환 과정을 설명할 수 있다.

과정

화력 발전과 핵발전의 과정을 통해 발전소에서 일어나는 에너지 전환을 탐구한다.

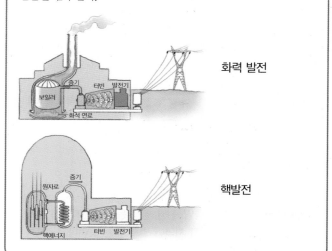

화력 발전

핵발전

결과/정리

1. 각 발전소에서 화석 연료와 핵에너지가 전기 에너지로 전환되는 과정을 써 보자.

   [예시] 화력 발전 : 화석 연료의 화학 에너지 → 보일러에서 연소를 통한 열에너지 → 물의 열에너지 → 증기의 운동 에너지 → 터빈 및 발전기의 운동 에너지(회전) → 발전기의 전기 에너지.
   핵발전 : 핵에너지가 원자로에서 열에너지로 전환 → 열에너지를 이용하여 물을 끓이고 증기의 운동 에너지로 전환 → 터빈 및 발전기의 운동 에너지(회전) → 발전기의 전기 에너지.

2. 각 발전소에서 공통으로 나타나는 에너지 전환은 무엇인가?

   [예시] 열에너지에 의해 터빈이 회전하며 운동 에너지로 전환되고, 발전기에서 운동 에너지가 전기 에너지로 전환된다.

---

2 발전소에서의 전기 에너지 생산

화력 발전소에서는 화석 연료의 연소를 통해, 원자력 발전소에서는 핵분열 과정에서 나오는 열에너지를 이용하여 보일러에서 물을 끓여 만든 증기를 통해, 수력 발전소에서는 물의 위치 에너지를 통해 각각 터빈을 회전시키게 되고, 이를 통해 발전기를 돌려 전자기 유도에 의해 전기 에너지를 생산한다.

- **화력 발전소의 에너지 효율** 30~40 % 정도

④ 터빈
증기, 가스, 물, 공기 등 액체 또는 기체가 흐를 때의 운동 에너지를 이용하여 회전 운동을 일으키게 하는 장치이다. 바람으로 회전하는 바람개비도 터빈 장치의 일종이다.

화력 발전소(하동)

원자력 발전소(월성)

수력 발전소(대청)

✓ 개념 확인 문제

1 화력 발전소와 원자력 발전소에서 전기 에너지를 생산하는 과정에서 공통점을 서술하시오.

2 화력 발전소에서 전기를 생산하는 과정에서 에너지 전환 과정을 서술하시오.

· 확인하기

1. [이해] 발전기에서 일어나는 에너지 전환 과정을 말해 보자.
   [예시] 발전기를 돌리는 운동 에너지가 전자기 유도 현상을 통해 전기 에너지로 전환된다.

2. [적용] 우리 주변에서 전자기 유도를 이용하는 다른 예는 어떤 것이 있는지 써 보자.
   [예시] 교통 카드, 무선 충전기, 금속 탐지기, 인덕션레인지, 도난 방지 장치

도시를 벗어나서 자동차나 철도로 여행을 가다 보면 높은 송전탑 위에 굵은 전선들이 지나가는 모습을 종종 볼 수 있다. 이러한 전선은 멀리 떨어진 곳에 있는 발전소에서 소비지까지 전기 에너지를 전달하기 위해 설치한 것임을 쉽게 알 수 있다. 한편 가끔 정전 사고가 발생했을 때 언론 기사를 보면 변전소에서 사고가 나서 정전이 발생했다고 보도하는 경우가 많다. 여기서는 전력이 발전소에서 생산된 이후 각 가정의 콘센트에 이르기까지 전기 에너지가 어떻게 전달되는지, 그 과정에서 변전소는 어떤 역할을 하는지를 알아 보자.

해 보기 2 [자료 해석] 지역별 발전량과 전력 소비량

교과서 304쪽

목표

과학적 사고력

자료를 통해 전력 수송의 필요성을 이해할 수 있다.

결과/정리

1. **발전량이 많은 지역의 공통점은 무엇인가?**

   예시 발전량이 더 많은 충남, 전남, 경북 등은 해안지역이 넓으며, 상대적으로 주거 밀집 지역이 별로 없는 곳이다. (교과서 298쪽의 그림 9-2 참조)

2. **소비량이 많은 지역의 공통점은 무엇인가?**

   예시 서울, 경기, 울산 등의 소비량이 발전량보다 많은 것으로 보아, 수도권이나 산업 단지가 많은 주거 및 산업 밀집 지역이다.

3. **소비량이 발전량보다 많은 지역은 부족한 전기 에너지를 어떻게 공급할까?**

   예시 발전소와 소비지 사이에 전선을 이용하여 서로 연결해 주어야 한다.

과정

지역별 전기 생산량과 소비량을 통해 각각의 공통점을 파악한다.

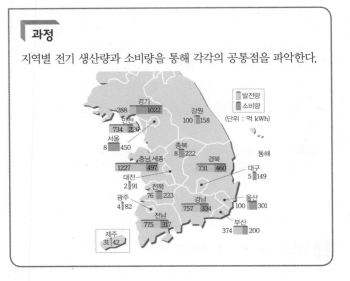

해 보기 3 [실험] 전류가 흐르는 전선

교과서 305쪽

목표

과학적 탐구 능력

전류가 흐르는 전선에서 열손실이 발생함을 설명할 수 있다.

결과/정리

1. **전선의 온도는 어떻게 되는가?**

   예시 전선을 만지면 뜨겁다. 따라서 전선의 온도가 올라간다.

2. **전선에서는 어떤 에너지 전환이 일어나는가?**

   예시 전기 에너지가 열에너지로 전환되었다.

3. **발전소와 소비지 사이의 거리가 매우 먼 경우 송전선을 이용한 전기 에너지 수송에는 어떤 문제가 발생할지 토의해 보자.**

   예시 전선에 전류가 흐르면 열에너지가 발생한다. 발전소와 소비지 사이를 연결하는 송전선은 길기 때문에 그만큼 열에너지로의 손실도 많을 것이므로 발전량이 늘어나야 할 것이다.

과정

❶ 그림과 같이 전선을 건전지에 바로 연결하고 전선을 손으로 살짝 만져 본다.

1 송전

발전소는 여러 가지 입지 조건으로 인해 전기 에너지를 필요로 하는 지역에서 떨어져 있어 전기 에너지를 수송해야 한다.

(1) 전력 매 초당 소비되는 에너지의 양을 의미하며, 단위는 와트(W)이다.

$$전력(W) = 전압(V) \times 전류(A)$$

(2) 전력 손실 도선에서 전류가 흐르는 과정에서 전기 에너지의 일부는 도선의 열에너지로 전환되어 에너지 손실이 발생한다.[1]

① 손실 전력의 크기 송전 전류의 제곱과 송전선의 저항에 각각 비례한다.[2]

$$손실 전력 = (전류)^2 \times 저항$$

② 손실 전력을 줄이는 방법 높은 전압을 사용하여 송전소에 흐르는 전류를 가능한 작게 하거나, 송전선의 전기 저항을 줄이면 된다.

---

❶ 전류와 전자
전류는 자유 전자의 흐름이다. 도선을 통과하는 자유 전자는 도선을 구성하는 원자와 충돌하는 과정에서 전기 에너지의 일부가 도선의 열에너지로 바뀌게 되어 전력이 손실된다. 이동하는 전자가 많을수록(전류가 클수록) 전력 손실은 커진다.

❷ 송전 전압과 손실 전력
송전하는 전압은 발전소와 소비지 사이의 전압이다. 이 중 대부분의 전압은 소비지에서 작용하며 송전선에서는 일부의 전압만 작용하므로 이 값을 알아내는 것은 어렵다. 그에 비해 송전선의 전기 저항은 송전선의 특성상 고정되어 있으므로, 손실 전력을 계산할 때는 전압×전류가 아니라 옴의 법칙을 통해 유도할 수 있는 (전류)²×저항을 이용한다.

해 보기 4 자료 해석 원거리 전력 수송의 이해

교과서 306쪽

목표

과학적 탐구 능력

자료를 통해 발전소에서 소비지까지의 송전 과정을 이해할 수 있다.

결과/정리

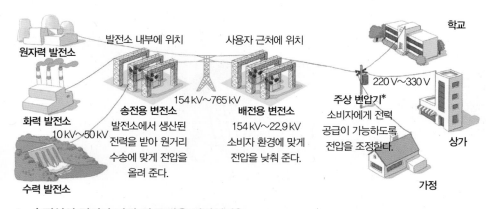

원자력 발전소
발전소 내부에 위치
사용자 근처에 위치
학교

화력 발전소
10 kV~50 kV

송전용 변전소
발전소에서 생산된 전력을 받아 원거리 수송에 맞게 전압을 올려 준다.
154 kV~765 kV

배전용 변전소
154 kV~22.9 kV
소비자 환경에 맞게 전압을 낮춰 준다.

주상 변압기*
소비자에게 전력 공급이 가능하도록 전압을 조정한다.
220 V~330 V

상가
가정
수력 발전소

*주상 변압기
전신주 위에 매달아 놓은 변압기로, 보통 원통형이며, 최종적으로 각 소비지에 전달하도록 전압을 낮춰주는 역할을 한다.

*변전소
전력을 송전, 배전하기에 적당한 전압으로 바꾸어서 내보내는 시설.

1. 송전선의 길이가 가장 긴 구간은 어디인가?

예시 일반적으로 발전소와 소비지 사이가 매우 멀다는 것을 생각하면, 발전소 내부에 위치한 송전용 변전소*와 소비지 근처에 있는 배전용 변전소 사이가 가장 멀 것이다.

2. 송전용 변전소와 배전용 변전소 사이의 송전 전압을 높게 하는 까닭은 무엇일까?

예시 두 변전소 사이의 거리는 보통 매우 멀기 때문에 송전 과정에서 전력 손실도 많다. 따라서 송전선에 흐르는 전류를 작게 하여 손실되는 열에너지를 줄이기 위해 송전 전압을 높인다.

3. 송전용 변전소가 발전소와 가까운 곳에 위치하는 까닭은 무엇일까?

예시 고압으로 전력 수송을 하는 구간이 길수록 송전 효율이 높기 때문이다.

4. 전기 에너지의 수송 과정에서 변전소의 역할을 설명해 보자.

예시 송전 과정에서 전력 손실을 줄이기 위해 전압을 높이는 역할과, 소비지에서 안전하게 전기 에너지를 사용할 수 있도록 전압을 다시 낮추는 역할을 한다.

2 송전 방법

발전소	화력, 원자력, 수력 등 여러 가지 방식으로 전력을 생산한다. 이때의 전압은 약 10~50 kV[3] 정도이다.

↓

송전용 변전소	발전소에서 생산된 전력을 받아서 원거리 수송에 맞게 전압을 높여 준다. 이때 송전선의 설비나, 송전하는 전력량 등에 따라 154 kV~765 kV까지 높인다.

↓

배전용 변전소	소비자 환경에 맞게 22.9 kV~154 kV로 전압을 낮춰준다. 대규모로 전력을 소비하는 전철이나 대형 빌딩, 공장 등에는 배전용 변전소에서 바로 전력을 공급한다.

↓

주상 변압기	소비자가 사용할 전압에 맞춰 전력 공급이 가능하도록 220 V~330 V로 전압을 낮춘다.

↓

소비지	소형 공장에서는 330 V, 가정이나 상가, 학교 등에는 220 V로 전압을 공급한다.

(1) 변압기 송전 과정에서 전압을 높이거나 낮출 때 변압기를 이용한다. 변압기는 발전기와 마찬가지로 전자기 유도 현상을 이용하여 전압을 높이거나 낮춰준다.[4]

❸ 단위의 접두어 붙이기
매우 크거나 작은 큰 숫자를 표시할 때 일일이 0을 표기하면 읽기가 어려우므로, 그 대신 단위에 접두어를 붙이는 방식을 사용하기도 한다. 가장 대표적인 접두어로 1,000을 의미하는 k(kilo)가 있다. 즉 10 kV는 10,000 V를 의미한다.
예 1 kV = 1,000 V
1 kW = 1,000 W

❹ 변압기의 원리
변압기는 철심의 양쪽에 두 개의 코일을 감은 형태로 이뤄져 있다. 1차 코일에 교류 전류가 흐르면 철심에 세기와 방향이 변하는 자기장이 형성되고, 이 자기장이 변함에 따라 2차 코일에 전자기 유도에 의해 전류가 흐르게 된다. 이때 코일의 감은 수에 따라 전압이 달라진다.

1차 코일   2차 코일

해 보기 5 [토의] 안전한 전력 수송

교과서 307쪽

목표

과학적 문제 해결력

안전한 전력 수송을 위한 장치의 역할을 이해하고, 이를 설명할 수 있다.

과정

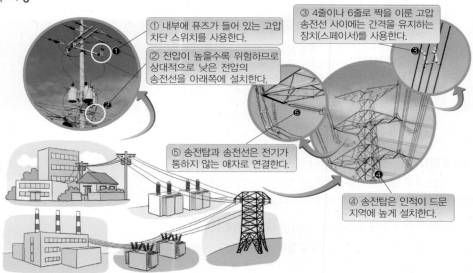

① 내부에 퓨즈가 들어 있는 고압 차단 스위치를 사용한다.

② 전압이 높을수록 위험하므로 상대적으로 낮은 전압의 송전선을 아래쪽에 설치한다.

③ 4줄이나 6줄로 짝을 이룬 고압 송전선 사이에는 간격을 유지하는 장치(스페이서)를 사용한다.

⑤ 송전탑과 송전선은 전기가 통하지 않는 애자로 연결한다.

④ 송전탑은 인적이 드문 지역에 높게 설치한다.

결과/정리

1. 각 안전장치 ①~⑤가 어떤 역할을 하는지 조사해 보자.

예시 ① 퓨즈가 들어있는 고압 차단 스위치는 허용 전압 이상의 전기가 흐를 때 자동으로 전기를 차단하여 전력 수송 설비를 안전하게 보호한다.

② 전압이 높을수록 위험하므로 높은 전압의 송전선은 가급적 위쪽에, 상대적으로 낮은 전압의 송전선은 아래쪽에 설치한다.

③ 스페이서를 통해 송전선 사이의 간격을 유지하여 줌으로써 전선 사이의 충돌, 엉킴을 통한 사고를 방지한다.

④ 송전선에는 매우 높은 전압의 전기가 흐르기 때문에 송전탑을 통해 높은 곳에 설치하며, 송전탑 또한 인적이 드문 곳에 설치하여 사람들의 접근을 막는다.

⑤ 송전선을 타고 흐르는 전류가 송전탑을 통해 지면으로 누설되면 위험하기 때문에 전기를 통하지 않고 단단한 애자*를 통해 송전탑에 고정시킨다.

2. 자신이 알고 있는 전기 안전 상식을 써 보고, 모둠 구성원들과 의견을 공유해 보자.

예시 • 문어발식 사용은 전선이 견딜 수 있는 전류 한계를 넘어서게 할 수 있어 화재의 위험이 있다.

• 피복이 벗겨지거나 오래되어 끊어진 전선은 합선의 위험이 있으므로 사용을 중지하고 새것으로 교체한다.

• 에어컨, 전열기 등 전력 소비가 많은 전기 제품은 별도의 콘센트를 이용한다.

3. 전기 안전 상식을 안전한 전력 수송에 적용할 수 있는 방안을 토의해 보자.

예시 전선은 재질과 굵기에 따라 허용되는 전류의 최댓값(송전 용량)이 정해져 있으므로 허용된 범위 내에서 사용해야 하며,* 그 이상의 전류가 흐를 때 전류를 차단하는 장치를 설치한다. 전선끼리 달라붙어 합선이 일어나면 매우 위험하므로 절연 물질로 표면을 처리하거나, 전선끼리 간격을 두고 설치한다.

＊ 애자
전선을 지탱하고 절연하기 위해 전봇대 등에 다는 기구로 주로 사기나 유리 등의 절연체를 이용한다.

＊ 정격 전력
법에 의해 시중에 판매되는 모든 전기 제품에는 허용되는 정격 전압과 전류를 표시하도록 되어 있다. 다만 일부 제품의 경우 정격 전류 대신 정격 소비 전력을 대신 표기하는 경우도 있다. 이 경우에는 전류×전압=전력을 이용하면 정격 전류를 알 수 있다.

---

3 안전한 송전

(1) 송전 과정에서 높은 전압은 매우 위험하다. 따라서 송전선이 지나는 위치에 따라 송전 전압을 변전소에서 적절하게 변화시켜 주는 것이 좋다.

(2) 산간 지역에서는 높은 전압으로 송전하며, 높은 송전탑을 세워 안전사고를 예방한다.

(3) 주거 지역에서는 낮은 전압으로 송전하며, 가정에 공급할 때는 전압을 더 낮춰 220 V로 전력을 공급한다.

4 효율적이며 안전한 송전을 위한 여러 가지 기술

(1) **초고압 직류 송전(HVDC)** 교류⑤로 발전된 전력을 직류로 바꿔 송전하는 기술

(2) **무선 전력 송수신** 송전선을 연결하지 않고 무선으로 전력을 송수신하는 기술

(3) **초전도 케이블을 이용한 전력 수송** 송전 과정에서 열에너지로 인한 전력 손실을 막기 위해 초전도체를 케이블로 이용하는 기술

(4) **스마트 그리드** 발전소와 송전 시설, 사용자의 센서가 쌍방향으로 실시간 정보를 교환하며 최적의 시간에 전력을 주고받으면서 전력을 효율적으로 생산, 소비할 수 있는 기술

(5) **전력 지중화** 송전선이나 송전 장비를 땅속에 매설하는 작업으로 도시 미관이 개선되며 전선에 의해 발생하는 여러 안전사고를 예방할 수 있다.

⑤ 직류와 교류
직류란 (+)극과 (−)극이 일정하여 전류가 한쪽으로만 계속 흐르는 전류이며, 교류란 (+)극과 (−)극이 수시로 바뀌는 전류이다. (현재 우리나라에 공급되는 전력은 1초에 60번씩 방향이 바뀐다.) 건전지를 통해 얻는 전류는 직류이므로 건전지를 끼울 때는 (+)극과 (−)극을 구분해야 하지만, 콘센트로 공급되는 전류는 교류이므로 플러그를 꽂을 때 방향을 바꿔 끼워도 문제가 없다.

> **• 확인하기**
>
> **1.** 이해 발전소에서 우리 집까지 전기 에너지가 전달되는 과정을 설명해 보자.
>
> 예시 발전소에서 만들어진 전기 에너지는 송전 효율을 높이기 위해 여러 단계의 변전소를 거치며 154 kV에서 765 kV까지 전압을 높인다. 소비지와 가까운 변전소에서는 사용 전압인 220 V에서 330 V 사이로 전압을 다시 낮추어 각 건물로 나누어 보낸다.
>
> **2.** 적용 높은 전압으로 전기 에너지를 안전하게 수송하기 위해 필요한 기술에는 무엇이 있을지 말해 보자.
>
> 예시 해보기 5의 1번 문제에 관한 해답을 통해 다양한 기술을 확인할 수 있다.

> **✔ 개념 확인 문제**
>
> **1** 송전 과정에서 높은 전압을 사용하는 까닭을 서술하시오.
>
> **2** 고압 송전탑을 높은 곳에 설치하는 까닭을 서술하시오.

핵심 내용 정리하기

1 **전기 에너지의 생산** 교과서 300~303쪽

(1) 전기 에너지는 주로 발전소의 발전기에서 만들어진다. 발전기는 회전하는 물체의 [**①** 운동 에너지]을/를 전기 에너지로 전환하는 장치이다. 발전기는 코일 내부의 자기장이 변할 때 전류가 흐르는 현상을 이용하는데, 이 현상을 [**②** 전자기 유도](이)라고 한다.

(2) 발전소에서는 주로 [**③** 화석 연료](이)나 핵에너지를 이용하여 전기를 만든다. 이 때문에 전기 에너지를 사용하는 것은 기후 변화, 환경 오염과 같은 문제를 일으킬 수 있다.

전자기 유도

2 **전기 에너지의 수송** 교과서 304~307쪽

(1) 전기 에너지를 수송할 때는 송전선을 이용한다. 송전선에 전류가 흐르면 [**④** 열]이/가 발생하는데, 이 때문에 송전 효율이 낮아진다. 송전 효율을 높이는 방법으로는 [**⑤** 전압]을/를 높이는 방법이 쓰이고 있다.

(2) 고전압 송전은 전력 수송의 [**⑥** 효율성]을/를 높여 주는 장점이 있지만, 안전에 유의해야 한다. 따라서 안전하면서도 효율적인 전력 수송을 위해 다양한 방법이 이용되고 있다.

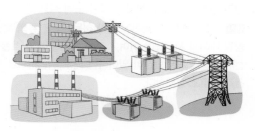

송전 과정

활동으로 확인하기

그림은 수력 발전의 원리를 나타낸 것이다. 수력 발전은 댐의 상류에 물을 가두었다가 하류로 떨어뜨려서 터빈을 돌리고 발전기를 작동한다.

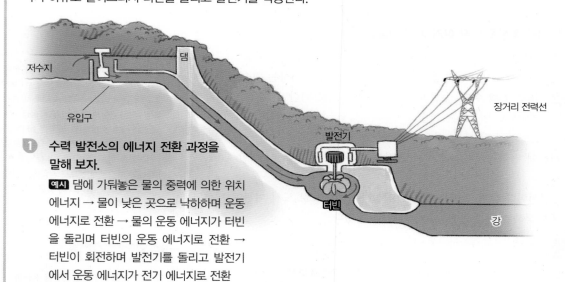

1 **수력 발전소의 에너지 전환 과정을 말해 보자.**

예시 댐에 가둬놓은 물의 중력에 의한 위치 에너지 → 물이 낮은 곳으로 낙하하며 운동 에너지로 전환 → 물의 운동 에너지가 터빈을 돌리며 터빈의 운동 에너지로 전환 → 터빈이 회전하며 발전기를 돌리고 발전기에서 운동 에너지가 전기 에너지로 전환

2 **수력 발전소와 화력 발전소의 공통점과 차이점을 말해 보자.**

예시 공통점 : 터빈의 회전 운동 에너지가 발전기를 돌리며, 발전기에서 운동 에너지가 전기 에너지로 전환된다.

차이점 : 터빈을 회전시키는 에너지원이 다르다. 수력 발전소는 물의 운동 에너지가, 화력 발전소는 고온/고압의 증기가 갖는 운동 에너지가 터빈을 회전시킨다.

④ 단계 생각 넓히기 미래의 전력 수송 기술 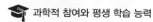 과학적 참여와 평생 학습 능력

우리나라에도 아직 전기가 들어오지 않는 곳이 있다. 이러한 곳에 사는 주민들은 소형 자가 발전기를 사용한다. 그런데 자가 발전기를 이용하는 경우에, 발전기가 작동을 멈추거나 연료가 부족하면 전력 공급이 중단되는 문제가 있어서 안정적인 전력 수급이 어렵다. 해결책은 전력 소비지 근처에 변전소를 짓고 전력망에 연결하는 것이지만, 아직 해결해야 할 여러 가지 문제가 있다.

이러한 문제는 송전선을 이용한 전력 수송 방식의 한계 때문에 발생한다. 발전소에서 멀리 떨어진 전력 소비지까지 전선을 길게 연결하려면 송전탑을 중간에 설치해야 한다. 하지만 깊은 산속이나 육지와 멀리 떨어진 섬의 경우는 송전탑을 이용해 연결하기가 어렵다. 이런 경우 어떻게 하면 문제를 해결할 수 있을까?

해저 케이블 건설
섬에 전력을 공급하는 문제는 해저 케이블을 이용하여 해결할 수 있다. 물속에 전선을 설치하는 것은 고려해야 할 사항이 많은 어려운 작업으로 고도의 기술력이 필요하다.

무선 전력 송수신 기술
현재는 작은 스마트 기기나, 전기 버스를 충전하는 경우와 같이 일부 장비에서만 사용할 수 있다. 아직은 송전 효율이 낮고 송전 가능 거리가 짧은 한계가 있지만, 미래에는 먼 거리까지 전기 에너지를 안전하게 보낼 수 있을 것이다.

❶ 더 알아보기

초고압 직류 송전(HVDC; High Voltage Direct Current)을 조사해 보자.

예시 발전소에서는 (+)극과 (−)극이 수시로 바뀌는 교류로 발전이 되는데, 이 전류를 현재와 같이 교류 그대로 송전하지 않고 발전된 전력을 직류로 전환한 뒤 전압을 높여 송전하는 방식을 초고압 직류 송전이라고 한다. 이 방식은 교류 송전에 비해 전력의 손실이 적고, 특히 전압이 일정하므로 유도 전류*로 인한 장애의 발생이 적다는 장점이 있다. 따라서 대용량 장거리 송전, 해저 케이블 송전에 유리한 방식이다. 현재 우리나라에서는 해저 케이블을 이용하여 전남 진도와 제주 사이에 HVDC 송전 시설을 설치, 운영 중이다.

＊ 직류와 유도 전류
전류가 일정하게 흘러도 전선 주위에는 자기장이 발생한다. 하지만 전류가 일정하므로 이때 발생하는 자기장 역시 일정하다. 따라서 직류 도선 주위에는 자기장의 변화가 없으므로 유도 전류는 발생하지 않는다.

❷ 토의하기

1. 깊은 산속이나 외딴 섬마을 이외에 전선을 이용한 전력 수송이 어려운 경우는 어떤 곳이 있을지 생각해 보자.

예시 군사 작전 지역, 해상 선박, 지구 이외의 다른 행성을 탐사하기 위해 보낸 우주 탐사선이나 인공위성 등 지구 밖의 장치

2. 무선 전력 송수신 기술을 활용할 수 있는 다른 방안에는 어떤 것이 있을지 토의해 보자.

예시 원거리 무선 전력 송수신 기술이 개발된다면 군사 작전 지역, 해상 선박, 외딴 섬마을, 깊은 산속, 우주 탐사선, 인공위성과 같은 곳에 전력을 송전할 때 무선 전력 송수신 기술을 활용할 수 있다.

9 – ❷ 신재생 에너지

 ❶단계 생각 펼치기 화석 연료는 언제까지 사용할 수 있을까?

우리는 전기 에너지를 포함하여 에너지 대부분을 화석 연료에서 얻는다. 석유와 석탄, 천연가스와 같은 화석 연료는 에너지원으로서 발전, 수송, 난방 등 다양한 분야에 쓰일뿐 아니라, 화학적 처리를 거쳐서 필요한 성분을 추출하면 플라스틱이나 합성 섬유 등 일상생활에 필요한 다양한 합성 물질의 주원료로 사용되기도 한다. 이렇게 우리 생활에서 중요하게 쓰이고 있는 화석 연료는 어떻게 만들어지며, 언제까지 사용할 수 있을지 예측해 보자.

석탄, 석유와 같은 화석 연료가 생성되는 데에는 오랜 세월이 걸린다. 따라서 화석 연료는 유한한 자원이며, 지금처럼 소비한다면 언젠가는 고갈될 것이며, 완전히 고갈되기 전에도 생산량 감소 때문에 가격이 상승하여 문제가 될 것이다. 더구나 화석 연료가 연소 과정에서 방출되는 온실 기체와 오염 물질은 인류의 생존을 위협하고 있다. 화석 연료를 대체할 수 있는 신재생 에너지에는 어떤 것들이 있는지 알아보자.

토의하기

❶ 그림을 참고하여 석탄과 석유가 생성되는 과정을 쓰고, 무한한 자원이 아닌 까닭을 설명해 보자.

예시 식물이나 미생물이 땅에 묻혀 오랫동안 압력과 열을 받아 석탄이나 석유가 된다.**❶** 따라서 화석 연료는 오랜 기간에 걸쳐 생성된 것이므로 무한한 자원이 아니다.

❷ 다음은 연도에 따른 세계 석유 생산량을 나타낸 것이다. 석유의 총매장량이 1.7×10^{12}배럴이라고 추정할 때, 생산량의 변화를 고려하여 석유 자원이 고갈되는 시점을 예측해 보자.

예시 매년 석유의 생산량이 2014년과 같다고 가정하면 $\frac{1.7 \times 10^{12}}{3.25 \times 10^{10}} \simeq 52.3$년이 된다. 하지만 매년 생산량이 증가하고 있으므로 고갈 시기는 앞당겨진다.

❸ 자원의 고갈과 관련지어 에너지를 사용하는 바람직한 방법을 토의해 보고, 개인과 사회가 할 수 있는 일에는 어떤 것이 있을지 생각해 보자.

예시 개인적 측면: 에너지를 절약하거나 에너지 효율이 높은 제품을 사용하여 자원이 고갈되는 시점을 늦출 수 있게 노력한다.

사회적 측면: 화석 연료의 사용을 줄이고 신재생 에너지의 사용을 늘리기 위해 시설을 투자하고 연구 개발에 노력한다.

알고 있나요?

❶ 전기 에너지를 만드는 방법을 알고 있는 대로 써 보자.

예시 수력 발전, 화력 발전, 핵발전 등

❷ 화석 연료를 이용한 발전의 문제점을 말해 보자.

예시 다른 발전 방식에 비해 많은 양의 환경 오염 물질과 기후 변화를 유발하는 물질을 배출한다.

❶ 화석 연료의 생성
석탄은 아주 오래전에 살았던 식물이 흙 속에 매몰되어 변질된 것이다. 죽은 식물이 공기와 차단되면 부식이 진행되지 않고 긴 세월 동안 지하에서 열과 압력을 받으면 석탄이 된다. 석탄을 형성하는 식물은 주로 육생 식물이지만 석유는 일반적으로 수생 생물이며 바다나 호수의 바닥 등에 침적한 후 땅에 묻혀 고압·고열 하에서 오랜 세월 동안 석유로 변화되었다고 알려져 있다.

❷단계 해결하기 **1. 태양은 엄청난 에너지를 어떻게 만들까?**

태양이 계속해서 밝게 빛나며 지구로 엄청난 빛을 내뿜고 있는 까닭은 오랫동안 수수께끼였다. 한때 태양이 석탄으로 이루어져 있을 것이라는 주장도 있었지만, 태양의 크기를 통해 계산해 보니 만약 석탄이 연소하는 것이었다면 이미 오래전에 다 타버려서 태양이 소멸했을 것이라는 결과가 나와서 이 주장은 힘을 잃었다. 사실 지구 전체가 1시간 동안 받는 태양 에너지는 전 세계가 1년 동안 사용하는 에너지의 양과 같다. 결국, 1930년대에 이르러 해 보기 1에서 살펴볼 원인이 밝혀지기까지 태양의 에너지원은 과학계의 수수께끼였다. 여기서는 태양은 어떻게 막대한 에너지를 방출할 수 있고, 지구상에서 그 에너지를 어떻게 활용하고 있는지를 알아본다.

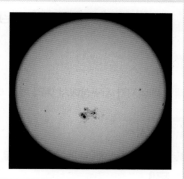

해 보기 1 (추론) 태양 에너지의 생성

목표
과학적 사고력

태양 에너지의 근원을 설명할 수 있다.

결과/정리

1. 그림을 참고하여 태양에서 일어나는 수소 핵융합 반응 과정을 설명해 보자.

   예시 수소 원자핵 4개가 서로 반응하여 헬륨 원자핵 1개가 만들어진다.

2. 핵융합 반응으로 4개의 수소 원자핵으로부터 1개의 헬륨 원자핵이 만들어질 때 질량은 어떻게 변할까? 또 변화된 질량은 어떤 형태로 전환될까?

   예시 수소 원자핵 4개의 질량과 헬륨 원자핵 1개의 질량을 비교하면 헬륨 원자핵의 질량이 약 0.044×10^{-27} kg $= 4.4 \times 10^{-29}$ kg 더 작다. 따라서 핵융합 반응 이후 질량은 감소하며, 이 질량 차이의 대부분이 에너지로 전환된다.

3. 시간이 지나면 태양을 구성하는 성분의 비율은 어떻게 변할까?

   예시 수소 원자핵의 개수는 감소하고 헬륨 원자핵은 증가한다. 또한, 전체 태양의 질량은 감소하게 된다.

과정

❶ 그림을 통해 수소 핵융합 반응의 과정을 알아본다.

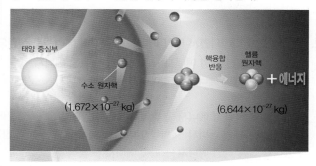

태양 중심부

핵융합 반응

수소 원자핵 $(1.672 \times 10^{-27}$ kg$)$

헬륨 원자핵 $(6.644 \times 10^{-27}$ kg$)$ $+$ 에너지

탐구 분석

태양에서 일어나는 핵융합 반응과 질량 에너지 등가 원리 사이의 관계를 잘 이해해야 한다.

1 태양 에너지의 근원

(1) 질량 에너지 등가 원리($E = mc^2$)

- 물질의 질량과 에너지가 서로 바뀔 수 있으며, 이 과정에서 질량과 에너지의 총합이 일정하다는 원리이다.
- 질량과 에너지의 상호 전환은 주로 핵반응에서 일어나며 핵반응 과정에서 질량 보존 법칙❶과 에너지 보존 법칙은 성립되지 않는다.
- 1 g의 질량이 전환된 에너지는 1000톤의 물을 끓이는 데 필요한 에너지와 같다.

(2) 수소 핵융합 반응

- 플라즈마❷ 상태인 별에서 일어나는 수소 핵융합 반응은 실제로는 복잡한 과정을 거치게 되지만, 결국 4개의 수소 원자핵이 결합하여 헬륨 원자핵이 된다. 이때 질량 감소분이 질량 에너지 등가 원리에 의해 에너지로 전환된다.

❶ 질량 보존 법칙
물질이 화학 반응에 의해 다른 물질로 변화하여도 반응 이전 물질의 모든 질량과 반응 이후 물질의 모든 질량은 변하지 않고 항상 일정하다는 법칙이다.

❷ 플라즈마
온도가 높아지면 물질의 상태가 고체 → 액체 → 기체로 변하게 된다. 기체보다 온도가 훨씬 더 높아지면 결국 원자핵과 전자가 분리되는데 이러한 상태를 플라즈마 상태라고 한다.

해 보기 2 　추론　 태양 에너지의 전환

교과서 313쪽

목표　　　　　　　　　　　　　　　　　　　　　　　　과학적 사고력

태양 에너지가 지구상에서 여러 가지 에너지로 전환되는 과정을 설명할 수 있다.

결과/정리

1. 각 단계에서 에너지는 어떤 형태로 존재하는지 괄호 안에 적어 보자.

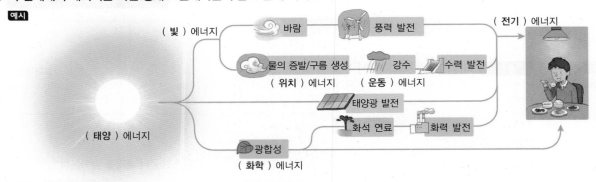

2. 각 화살표를 따라가면서 태양 에너지가 각각의 에너지로 전환되는 과정을 말해보자.

　예시　• 풍력 발전: 태양 에너지 → 빛에너지 → 운동 에너지 → 풍력 발전 → 전기 에너지
　　　• 수력 발전: 태양 에너지 → 빛에너지 → 위치 에너지 → 운동 에너지 → 수력 발전 → 전기 에
　　　　너지
　　　• 태양광 발전: 태양 에너지 → 빛에너지 → 태양광 발전 → 전기 에너지
　　　• 화력 발전: 태양 에너지 → 화학 에너지 → 화석 연료 → 화력 발전 → 전기 에너지
　　　• 음식물 섭취: 태양 에너지 → 화학 에너지 → 음식물

3. 햇빛이 지구에 도달하지 못하면 어떤 일들이 일어날지 발표해 보자.

　예시　대기와 해수의 대순환이 느려지게 되고 식물이 광합성을 못하여 죽게 되면서, 이를 섭취하
　며 살아가야 할 동물들까지 식량이 없어지므로 결국 지구의 생명체는 멸종하게 될 것이다.

---

2 태양 에너지의 전환

① 태양에서 방출되는 에너지는 진공에서도 전달이 가능한 빛에너지 형태로 지구에
　도달한다.
② 빛에너지를 흡수한 물체의 온도가 높아진다면 열에너지로 전환된 것이다.
③ 식물에서는 물과 이산화 탄소를 포도당으로 합성하는 광합성을 한다. 이때 빛에너
　지는 포도당에서의 화학 결합을 통해 화학 에너지로 전환된다.
④ 발전 과정에서는 다양한 에너지를 전기 에너지로 전환한다.

✔ 개념 확인 문제

1 핵융합 과정에서 질량 보존 법칙이
　성립하는가?

2 지구에서의 태양 에너지의 전환 과
　정에서 에너지 보존 법칙이 성립하
　는가?

• 확인하기

1. 　이해　 태양에서 에너지가 어떻게 생성되는지 설명해 보자.
　예시　 수소 핵융합 과정에서 감소된 질량에 해당되는 에너지가 만들어진다.

2. 　적용　 지구 시스템에서 태양 에너지를 사용하지 않는 에너지에는 어떤 것들이 있을까?
　예시　 밀물과 썰물에 의한 물의 운동 에너지, 원자력 발전소의 핵분열 에너지, 온천물의 열에너지

❷단계 해결하기 **2. 기후 변화에 대응할 수 있는 발전 방법에는 어떤 것이 있을까?**

지구는 매일 태양으로부터 막대한 양의 에너지를 받고 있지만 인류는 이 에너지의 극히 일부만을 사용하고 있다. 인류가 실제로 사용하는 에너지는 대부분 화석 연료로부터 얻고 있다. 그런데 화석 연료는 고갈 문제와 더불어 온실 효과로 인한 지구 온난화 문제, 미세 먼지 배출 문제 등지구 환경에도 여러 가지 안 좋은 영향을 미치고 있다. 그렇다면 화석 연료를 대신해서 사용할 수있는 발전 방식의 예로 풍력 발전, 태양광 발전, 핵발전의 특징과 장단점을 살펴보자.

탐구 1 [토의] **기후 변화에 대응할 수 있는 발전 방식**

목표 과학적 사고력 / 과학적 의사소통 능력

화석 연료를 사용하지 않는 발전 방식의 특징을 알고, 그 장단점을 평가할 수 있다.

결과/정리

1. 태양광 발전, 풍력 발전, 핵발전의 공통점은 무엇일까? 화력 발전 대신 위의 발전 방식을 사용하면 기후 변화에 어떤 영향을 줄 수 있을까?

[예시] 발전 과정에서 온실 기체를 방출하지 않는다는 공통점이 있다. 이들 발전 방식은 온실 효과를 막는 측면에서 기후 변화 방지에 바람직한 발전 방식이다.

2. 전문가들의 발언을 바탕으로 각 발전의 원리를 조사해 보자.

[예시] 태양광 발전: 태양 전지를 이용하여 빛에너지를 전기 에너지로 전환한다.
풍력 발전: 바람의 운동 에너지를 이용하여 풍차를 돌려 전기 에너지를 생산한다.
핵발전: 핵분열 과정에서 질량 에너지 등가 원리에 의해 발생하는 에너지를 이용하여 전기를 생산한다.

3. 태양광 발전, 풍력 발전, 핵발전을 발전 비용, 에너지원, 환경, 발전량 조절 등의 관점에서 화력 발전과 비교하여 각각의 발전 방식의 장단점을 써 보자.

과정

❶ 환경 정책 담당자와 각 분야 전문가들의 입장을 살펴보고 이에 관해 더 조사해 본다.

환경 정책 담당자

요즘 전 지구적으로 기후 변화 문제가 심각합니다. 우리나라도 화석 연료 사용을 줄여야 합니다. 화력 발전을 대신할 수 있는 발전 방식에는 어떤 것이 있을까요?

태양광 발전 전문가

태양광 발전은 태양의 빛에너지를 직접 전기 에너지로 바꾸어 전력을 생산하는 발전 방식입니다. 따라서 태양광 발전은 에너지원이 사실상 무제한이며, 오염 물질도 배출하지 않습니다. 대규모 발전뿐만 아니라 일반 주택이나 아파트에서도 태양 전지를 이용하면 전기 에너지를 생산할 수 있습니다.

풍력 발전 전문가

풍력 발전은 바람의 운동 에너지를 전기 에너지로 전환하는 발전 방식입니다. 풍력 발전은 환경 오염 물질을 배출하지 않고, 대기나 수질에도 영향을 주지 않으므로 친환경 에너지라고 할 수 있습니다.

핵발전 전문가

핵발전은 핵분열 반응을 이용하여 발전하는 방식입니다. 현재 화석 연료를 사용하지 않는 발전 방식 중에서 가장 많이 사용되고 있는 것이 핵발전입니다. 화석 연료를 사용하지 않으니 이산화 탄소와 같은 온실 기체도 배출하지 않습니다.

예시	장점	단점
화력 발전	발전 비용이 낮고 발전량 조절이 용이하며, 안전성이 높음.	온실 기체를 방출함. 미세 먼지가 발생함.
태양광 발전	안전성이 높으며, 온실 기체를 방출하지 않음.	발전 비용이 많이 들고, 일사량에 따라 발전량이 변동됨. 공간이 많이 필요함.
풍력 발전	안전성이 높으며, 온실 기체를 방출하지 않음.	발전 비용이 많이 들고, 바람의 방향과 세기에 따라 발전량이 변동됨. 발전 시 소음이 문제가 됨.
핵발전	일정한 출력으로 발전하며, 온실 기체를 방출하지 않음. 발전 비용이 중간 정도임.	사고 발생 시 큰 문제가 발생하며, 방사성 폐기물의 처리가 어려움.

＊ 발전량 조절과 변동
화력 발전의 경우 연료량을 조절하면 수요에 따라 발전량을 조절할 수 있다. 즉 전력 수요가 급증할 때는 발전소 가동량을 최대로 하는 대신, 수요가 적은 심야에는 가동량을 줄이거나 발전을 일시 중지할 수 있다. 그에 비해 태양광이나 풍력 발전의 경우에는 날씨에 따라 발전량이 변동되므로 전력 수요가 많은데 생산량이 적을 수도 있다. 현재 우리나라에서는 핵발전을 통해 기본적으로 전력을 공급하도록 하고, 여기에 수요에 따라 화력과 수력 발전의 발전량을 조절하는 방식을 사용한다.

4. 태양광 발전, 풍력 발전, 핵발전의 단점을 보완할 방법을 토의해 보자.

예시 태양광 발전, 풍력 발전: 발전량이 불안정하므로 전기 에너지를 저장할 수 있는 장치와 연동하거나 전력망을 개선해야 하며, 사전에 환경을 조사해 최적지에 설치한다.
핵발전: 방사성 폐기물을 처리할 수 있는 기술이 개발되어야 하며, 지진, 해일 등 자연재해로 인한 사고 발생을 막기 위해 안전기준을 엄격하게 마련해 건설, 운영하여야 한다.

수행평가 TIP

탐구 수행	• 기후 변화와 관련지어 탐구 계획을 수립한다.	☆ ☆ ☆
	• 역할 분담을 통해 다양한 정보를 수집한다.	☆ ☆ ☆
탐구 결과	• 태양광 발전, 풍력 발전, 핵발전의 원리를 설명할 수 있어야 한다.	☆ ☆ ☆
	• 태양광 발전, 풍력 발전, 핵발전의 장점, 단점을 정리한다.	☆ ☆ ☆
	• 태양광 발전, 풍력 발전, 핵발전의 단점을 보완할 방법을 찾아 토의한다.	☆ ☆ ☆

1 온실 기체를 방출하지 않는 발전

(1) 태양광 발전

① 에너지원 태양의 빛에너지 – 지구가 1시간 동안 받는 태양 에너지는 세계가 1년 동안 사용하는 에너지와 같다.

② 원리 빛에너지를 직접 전력으로 바꾸는 태양 전지[1]를 이용하여 전력을 생산한다.

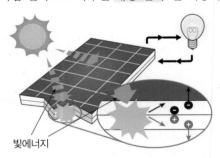

빛에너지

③ 단점 빛에너지를 전기 에너지로 전환하는 효율이 낮고, 태양 전지 설치를 위해 많은 면적을 필요로 하며 일조량에 따라 발전량이 달라진다.

(2) 풍력 발전

① 에너지원 바람 – 세계 전체의 풍력 에너지는 세계 전체의 에너지 사용량보다 훨씬 많다.

② 원리 바람으로 발전기에 연결된 날개를 회전시켜 전력을 생산한다.

발전기

날개

③ 단점 소음이 발생하며 많은 면적을 필요로 하고, 풍속에 따라 발전량이 달라진다.

(3) 핵발전

① 에너지원 우라늄[3]을 사용하며, 채굴할 수 있는 기간은 약 70년 정도이지만, 기술의 발전으로 계속 증가하고 있다.

❶ **태양광 발전의 원리**
태양 전지 패널은 반도체로 이루어져 있다. 여기에 빛을 비춰주면 패널에서 전류가 흐른다.

❷ **태양광 발전과 태양열**
태양광 발전은 태양 전지를 이용하여 태양의 빛에너지를 전기 에너지로 직접 전환하는 발전 방식인데 비해, 태양열은 태양 빛으로 전달되는 열전도 현상을 이용하여 물을 끓이는 등 열을 이용하는 방식이다. 현재 태양열은 태양광에 비해 발전 효율이 떨어져서 발전으로는 거의 이용하지 않고 온수 공급 등에 활용되고 있다.

❸ **우라늄(U)**
원자번호 92번인 물질로, 지구상에 자연에서 발견되는 원소 중에서는 가장 무거운 원소이다.

② **원리** 중성자^④가 불안정한 우라늄 원자핵에 충돌하면 작은 원자핵들로 쪼개지면서 여러 개의 중성자가 방출된다. 이때 방출된 중성자는 다른 우라늄과 충돌하게 된다. 이렇게 연쇄적으로 핵분열을 일으키는 과정에서 쪼개진 원자핵들의 전체 질량이 원래 우라늄의 질량보다 작아지며, 이것이 질량 에너지 등가 원리에 의해 에너지로 전환된다.

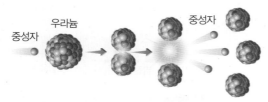

③ **단점** 핵분열 과정에서 처리하기 어려운 방사성 물질이 생성된다. 평상시에는 잘 제어^⑤가 되므로 문제가 없으나, 발전소에 사고가 발생하여 핵분열이 적절히 제어되지 않으면 엄청난 환경적인 재앙이 될 수 있다.

(4) 그 외의 발전

① **수력 발전** 댐에 물을 가둔 다음, 물의 위치 에너지를 이용하여 터빈을 회전시켜 발전하는 방식이다. 발전량의 조절이 다른 어떤 발전 방식보다도 쉽다는 장점이 있으나, 발전소를 건설할 수 있는 곳이 제한되며, 댐 건설로 인해 수몰 지역이 발생하고 기후가 변화하는 단점이 있다.

② **열병합 발전** 화력 발전의 일종으로 발전소를 대규모 거주 단지 인근에 건설한 뒤, 연료를 연소해서 나오는 폐열을 난방이나 온수 등으로 공급해 에너지 효율을 높임과 동시에 가정에서 소모하는 화석 연료의 양을 줄이는 효과를 가져온다. 또한, 연료로 화석 연료를 사용하는 대신 가연성 폐기물을 고온으로 연소하여 폐기물 처리를 겸하는 경우도 있다.

수력 발전소(대청댐)

열병합 발전소(서울 목동)

(5) 다양한 발전 방식의 비교

발전 방식	발전 비용	안전성	환경 부담	발전량 조절
화력 발전	낮음	안전	온실 기체가 방출됨	조절 가능
태양광 발전	높음	안전	일조권^⑥ 차단 문제	일사량에 따라 변동
풍력 발전	높음	안전	소음 발생	풍향, 풍속에 따라 변동
핵발전	중간	사고 위험	사고시 심각한 환경 피해	일정한 출력으로 발전
수력 발전	낮음	안전	댐 건설로 환경 파괴	조절이 쉬움
지열 발전	중간	안전	지하 환경의 변화 가능성	조절 가능

② 태양광 발전, 풍력 발전의 단점 보완

(1) 태양광 발전

기술의 발전으로 태양 전지의 효율을 높이면, 태양 전지를 설치하는 면적을 줄일 수 있다.

④ 중성자
원자핵을 구성하는 입자의 하나로 전하를 띠고 있지 않다.

⑤ 핵분열의 제어
핵분열 결과 발생하는 중성자에 의해 연쇄 반응이 일어나므로, 중성자를 잘 흡수하는 물질을 통해 다른 우라늄 원소에 충돌하는 중성자의 수를 적절히 조절해야 핵분열 반응이 서서히 일어나도록 제어해 줄 수 있다.

⑥ 일조권
햇빛을 받을 수 있는 권리를 뜻하는 말로 이웃한 건물 등에 햇빛이 가려 그늘이 지면 문제가 발생한다. 대규모 태양광 발전소를 건설하게 되면 그 지역은 태양광을 받지 못하므로 농경지 등으로 활용할 수 없다는 단점이 있다. 따라서 대규모의 태양광 발전소는 사막, 바다와 같이 다른 용도로 사용하기 어려운 곳에 건설하는 경우가 많다.

(2) 풍력 발전

바람은 육지보다 바다에서 더 많이 분다. 따라서 바다 위에 발전소를 설치하면, 전력 생산이 증가하며 소음 문제도 해결할 수 있다. 다만 해상에 설치하려면 설치비가 많이 들기 때문에, 기술 발전으로 설치비를 낮춰야 한다.

(3) 전력망의 개선

① 날씨가 맑은 날은 주로 태양광 발전에서, 날씨가 흐리고 바람이 부는 날에는 주로 풍력 발전에서 전력을 생산한다.

② 전력을 공급하고 남은 전력은 축전기에 저장을 한 후, 태양광 발전과 풍력 발전에서 전력을 공급하지 못하는 경우 전력을 공급한다.

③ 태양광 발전, 풍력 발전, 축전기에서 공급하는 전력으로 부족하면 화석 연료를 사용하는 발전기를 통해 전력을 공급하게 된다.❼

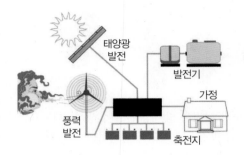

❼ 스마트 그리드
전력 공급자와 소비자가 양방향으로 실시간 전력 정보를 교환함으로써 에너지 효율을 최적화하는 차세대 지능형 전력망을 뜻한다. 전력 수요에 따라 발전량을 조절할 수 있다는 점에서 에너지를 효율적으로 사용할 수 있는 방법으로 연구가 진행 중이다.

 탐구 2 고안하기 **태양 전지를 이용한 장치 고안하기**

교과서 316쪽

목표　　과학적 참여와 평생학습 능력

태양 전지를 이용한 장치를 고안해 보고 태양 전지의 활용 방법을 알 수 있다.

결과/정리

1. 태양광 장치를 사용했을 때의 장단점은 무엇인가?

예시 야외에서 빛에너지를 이용하여 쉽게 전기 에너지를 얻을 수 있다는 장점이 있다. 하지만 야간에는 발전이 불가능하며, 주간에도 날씨의 영향을 많이 받는다는 것이 단점이다.

2. 고안한 발명품을 바탕으로 미래에 태양광 장치는 어느 분야에서 얼마나 사용될 것인지 예상해 보자.

예시 축전지를 태양 전지에 연결하면 빛이 없는 밤에도 이용할 수 있어, 적용할 수 있는 장치가 많아진다. 가로등과 같이 야외에 사용하는 많은 기기에 일일이 전기를 공급하는 대신 태양광 장치를 통해 대체할 수 있을 것이다.

과정

❶ 그림과 같은 다양한 태양광 장치의 사례를 조사한다.

태양광을 이용한 버스 정류장(출처:서울시)　　태양광을 이용한 쓰레기통

❷ 조사한 자료를 바탕으로 모둠별로 만들 발명품을 토의한다.
❸~❺ 태양 전지를 이용한 발명품을 설계해 보고, 설명서를 작성한다.

탐구 분석

태양 전지를 이용하여 외부 전원의 공급 없이 다양한 장치에 활용할 수 있음을 확인할 수 있다.

· 확인하기

1. 이해 **태양광 발전, 풍력 발전, 핵발전의 장단점을 설명해 보자.**

예시 세 가지 방식 모두 온실 기체를 방출하지 않는다는 장점이 있지만, 태양광 발전과 풍력 발전은 날씨에 영향을 많이 받아 발전량이 불안정하며, 핵발전은 방사성 폐기물이 만들어진다.

2. 적용 **태양광 발전소와 풍력 발전소는 발전소 건설에 넓은 면적이 필요하다. 이를 해결할 방안에는 무엇이 있을지 말해 보자.**

예시 바다와 호수와 같이 수상에 설치하면 어느 정도 해결이 가능하다.

✔ 개념 확인 문제

1 핵분열 과정에서 에너지는 어떠한 원리를 통해 설명할 수 있을까?

2 풍력 발전 과정에서 에너지 전환은 어떻게 일어날까?

사람과 지구를 살리는 기술

2015년 네팔에는 규모 7.9의 강력한 지진이 발생했다. 건물이 무너지고 도로가 갈라졌으며 통신과 전기도 모두 끊겼다. 전 세계에서 구호 물품이 도착했는데 이 중에 태양광 전등이 포함되었다. 우리는 전기를 당연하게 사용하고 있지만 전 세계 인구 중에서 전기를 사용하지 못하는 사람의 비율이 20 %가 넘는다. 전기를 사용하는 장치, 오염된 물을 정수해 주는 장치 등 편리한 문명의 혜택을 받지 못하는 사람들을 위한 기술을 적정 기술이라고 한다. 이러한 적정 기술은 제3 세계의 가난한 사람들을 위해 개발되었지만, 경제적이고 친환경적인 기술이기 때문에 전 세계적인 에너지 문제의 해결책의 역할도 하고 있다.

(가) 낮에 태양광으로 충전하고 밤에 전등으로 활용할 수 있는 태양광 전등

(나) 공을 차는 동안 충전이 되는 배터리가 들어 있는 축구공

(다) 가방 안에 물건을 넣고 떨어뜨리면 불을 약 30분 동안 켤 수 있는 중력 전구

적정 기술의 여러 가지 예

---

❶ 원리 이해하기
위의 발명품이 어떤 원리로 작동하는지 설명해 보자.

예시 (가) 기기 내에 태양광 패널과 배터리가 들어 있어서 태양광 패널을 이용하여 태양의 빛에너지를 전기 에너지로 전환한 뒤 배터리에 저장한다. 밤에 충전된 전기를 이용하여 전등에 불을 밝힌다.

(나) 공 안에 움직일 수 있는 자석 추를 넣고 코일을 주위에 위치시키면 공이 움직일 때 자석이 움직이면서 자기장이 변화하므로 전자기 유도에 의해 코일에 전류가 발생한다. 이를 이용하여 배터리를 충전한다.

(다) 가방 안에 물건을 넣고 떨어뜨리면 체인에 의해 전구 걸이의 발전기가 회전하면서 전기가 만들어진다.

❷ 고안하기
전기 생산 축구공과 중력 전구를 참고하여 전기가 없는 곳에서 빛을 밝힐 수 있는 장치를 고안해 보자.

예시 집앞에 흐르는 개울에 초소형 수력 발전기를 설치하여 전력을 생산하여 빛을 밝힌다. 지붕에 프로펠러를 설치하여 회전하는 풍력을 이용하여 전력을 생산한다. 빈 페트병에 물을 채운 뒤 표백제를 약간 넣고, 지붕에 구멍을 뚫고 끼워 넣어 낮에 어두운 실내를 환하게 밝힌다.

❸ 발표 및 토의하기
고안한 장치를 발표해 보고 어떤 장치가 가장 혁신적이며, 실현 가능한지 토의해 보자.

예시 자신들이 조사한 내용을 바탕으로 발표문을 준비한다.

인류는 오래전부터 환경 오염이나 고갈 염려가 없는 신재생 에너지 사용에 관심을 두기 시작했다. 현대의 인류 문명은 전기 에너지를 기반으로 만들어져 있으므로 막대한 양의 발전이 필요하다. 풍력 발전이나 태양광 발전은 이미 여러 나라에서 활용되고 있지만, 이것만으로는 인류가 필요로 하는 만큼의 에너지를 생산하는 데 한계가 있다. 화석 연료를 대체하기 위해서는 한 가지 신재생 에너지만으로는 부족하므로 다양한 에너지원의 개발이 필요하다. 여기서는 그 중 해양 에너지와 수소 연료 전지에 관해 알아본다.

해 보기 3 　[자료 해석]　파력 발전과 조력 발전의 원리

교과서 318~319쪽

목표

과학적 사고력

자료를 통해 파력 발전과 조력 발전의 원리를 설명할 수 있다.

결과/정리

1. 파력 발전에서 전기 에너지가 만들어지는 과정을 ❶~❹ 단계별로 설명해 보자.

   예시 파도에 의해 바닷물이 발전기 내부로 드나들게 되면 발전소 내에 있는 공기가 압축, 팽창되면서 발전소 외부의 공기가 드나들면서 터빈이 회전하게 되어 이를 이용해 발전한다.

2. 조력 발전에서 전기 에너지가 만들어지는 과정을 설명해 보자.

   예시 만조가 되어 바다가 호수보다 수위가 높아지면 위치 에너지 차이로 인해 바닷물이 호수 쪽으로 유입되는데, 그 운동 에너지를 통해 터빈이 회전하여 전기 에너지가 생성된다. 간조 시에는 이와 반대로 호수가 바다보다 수위가 높아지므로 터빈이 역으로 회전하며 전기 에너지를 생산할 수 있다.

과정

❶ 그림 (가)와 (나)를 통해 파력 발전과 조력 발전의 과정을 파악한다.

❷ 해수면이 높아지고 낮아지는 것을 반복한다.
❸ 공기의 압축 팽창이 반복된다.
❹ 공기의 압축과 팽창에 따라 터빈이 회전하고 발전기를 작동한다.
❶ 파도에 의해 해수의 유입과 유출이 반복된다.

(가) 파력 발전의 원리

밀물 때

①밀물로 해수가 유입된다.
②터빈이 회전하며 발전기를 작동시킨다.

(나) 조력 발전의 원리

3. 파력 발전과 조력 발전의 장단점을 각각 말해 보자.

예시 구분	장점	단점
파력 발전	• 파도가 가진 에너지가 항상 존재하므로 어느 바다에서나 개발할 수 있다. • 방파제와 연계하여 건설할 수 있다. • 발전 과정에서 온실 기체가 발생하지 않는다.	• 파도의 세기가 날씨에 따라 다르므로 발전량에 차이가 있다. • 일반적으로 전력 생산량이 크지 않아 대규모 발전이 어렵다. • 태풍과 같은 비정상적 상황일 때 시설 관리가 어렵다.
조력 발전	• 달과 지구의 중력 때문에 조석 현상이 항상 존재하므로 지속 가능성이 뛰어나다. • 발전 과정에서 온실 기체가 발생하지 않는다.	• 조수 간만의 차이가 큰 곳에만 건설할 수 있으므로 입지가 제한된다. • 바닷물을 가둬두기 위한 넓은 호수가 필요하다. • 해수의 움직임이 바뀌면서 생태계 교란 등 환경 문제가 발생한다. • 수위가 바뀌는 과정에서 바다와 호수의 높이 차이가 바뀌므로 발전량에 차이가 있다.

✱ 시화호 조력 발전소

경기도 시흥시 정왕동과 안산시 대부도를 연결하는 시화 방조제의 중간에 있는, 세계 최대 규모의 조력 발전소이다. 시화호 건설 이후 수질 오염이 심각하여, 이에 대한 대책의 하나로 방조제를 일부 철거하고 건설하였다. 그 결과 오염되었던 수질이 개선되고 생태계가 일부 복원되는 효과를 가져왔다.

4. 파력 발전과 조력 발전이 화석 연료를 대체할 수 있는 미래 에너지원으로 활용되기 위해 개선해야 할 점은 무엇인지 말해 보자.

> **예시** 파력 발전: 파도가 움직이는 에너지를 전기 에너지로 좀 더 효율적으로 전환할 수 있는 기술의 발전이 필요하다. 태풍이 지나갈 때와 같이 파도가 비정상적으로 강할 때도 시설물이 유지될 수 있도록 견고한 디자인이 필요하다.
>
> 조력 발전: 간조와 만조*를 적절히 이용하여 발전량을 최대한 일정하게 유지할 수 있는 기술이 필요하다. 대규모의 호수 없이도 발전할 수 있는 소규모의 조력 발전소에 관한 기술 개발이 필요하다.

> * **간조와 만조**
> 썰물로 바닷물이 빠져나가 해수면이 가장 낮아진 상태를 간조, 밀물로 바닷물이 들어와 해수면이 가장 높아진 상태를 만조라고 하며, 이를 통칭할 때 간만이라고 한다.

1 해양 에너지

(1) 파력 발전

① 에너지원 파도의 운동 에너지❶ – 주위가 바다로 둘러싸인 우리나라에 풍부한 자원이다. 파도의 수직 운동❷을 이용하여 전력을 생산한다.

② 원리 파도로 인해 빈 공간의 수면의 높이가 변하면 내부와 외부 사이에 생기는 공기의 흐름이 발전기에 연결된 터빈을 돌려 전력을 생산한다.

③ 장단점 파도의 상태에 따라 발전량이 변한다. 태양광 발전과 풍력 발전에 비해 안정적이지만 설비에 많은 비용이 든다. 방파제 겸용으로 사용할 수 있다.

(2) 조력 발전

① 에너지원 조류(밀물, 썰물)에 의해 생기는 물의 높이차를 이용하여 전력을 생산한다.

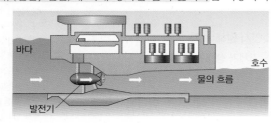

② 원리 조류가 밀려드는 동안 수문을 열어 물을 채운 후 조류가 빠져나가는 동안 발전하는 방식과 조류가 빠져나가는 동안 수문을 열어 물을 빼낸 후, 조류가 밀려드는 동안 발전을 하는 방식이 있다.❸

③ 단점 에너지원이 고갈되지 않고, 발전량이 예측 가능하지만, 바다에 댐을 설치하여 생태계에 많은 영향을 줄 가능성이 있다. 바다와 호수 사이의 수위에 따라 발전량이 변화한다.

(3) 그 외의 해양 에너지

① 조류 발전 지형적인 영향으로 밀물과 썰물 때 물살이 강한 곳에서 조류❹의 움직임을 이용하는 발전 방식. 우리나라에서는 현재 전남 진도와 해남 사이 울돌목에 시험 조류 발전소가 가동 중이다.

② 온도차 발전 심해와 표층수 사이의 온도차를 이용하는 발전 방식

③ 염분차 발전 바닷물과 민물의 염분 농도 차이를 이용해 발전하는 방식

❶ **파력 발전과 조력 발전의 에너지원**
파도는 바람에 의해 생성되는 경우가 많다. 따라서 파도의 에너지원은 태양 에너지가 근원이지만, 조류는 달과 지구 사이의 중력으로 생기므로 조력 발전의 에너지원은 태양 에너지가 아니다.

❷ **파력 발전**
파력 발전은 파도의 수직 운동을 주로 이용하지만 발전 방식에 따라서는 수평 운동을 이용하는 경우도 있다.

❸ **조력 발전소에서의 발전 방식**
조력 발전소의 경우 발전기의 구조나 성능, 또는 발전소의 지형에 따라서 밀물과 썰물 모두를 이용해 발전을 하는 방식도 있고, 밀물이나 썰물 중 한쪽 흐름만을 이용하여 발전하는 방식도 있다. 예를 들어 시화호 조력 발전소의 경우 밀물만을 이용한다.

❹ **조류**
밀물과 썰물 때문에 생기는 바닷물의 흐름

과제 1

해양 에너지를 이용하려는 연구는 다양하게 진행되고 있다. 파력 발전과 조력 발전 외에 해양 에너지를 활용하는 발전 방식에는 어떤 것이 있는지 조사해 보자.

예시 밀물과 썰물 때 조류가 강한 곳에서 조류의 움직임을 이용해 발전하는 조류 발전, 표층수와 심해 사이의 온도차를 이용해 열기관을 만들어 발전하는 온도차 발전, 민물과 바닷물의 염분 차이를 이용한 염분차 발전 등이 있다.

탐구 3 | 실험 | 수소로 전기 에너지 만들기

교과서 320쪽

목표
과학적 탐구 능력

물을 전기 분해 하여 얻은 수소 기체와 산소 기체를 이용하여 전기를 만들 수 있다.

(나) 연료 전지 효율 토의하기

❺ 일반적으로 화석 연료를 전기 에너지로 전환할 때 어떤 단계를 거치는지 말해 보자.

예시 화석 연료의 화학 에너지 → 열에너지 → 수증기의 운동 에너지 → 터빈의 운동 에너지 → 전기 에너지

❻ 화석 연료를 이용한 발전 방식과 비교하여 위의 에너지 생산 방식이 열효율 측면에서 어떤 장점이 있는지 모둠별로 토의해 보자.

예시 수소 연료 전지를 이용한 방식은 열이 거의 발생하지 않고 전기를 바로 생산하기 때문에 화석 연료를 이용한 방식에 비해 에너지 효율이 높을 것이고, 전기를 생산하는 과정에서 온실 기체와 미세 먼지가 발생하지 않는다.

과정

❶~❷ 2개의 백탄 끝을 알루미늄 포일로 싸고, 황산 나트륨 수용액에 절반쯤 잠기게 넣는다.

❸ 집게 달린 전선으로 알루미늄 포일과 건전지를 연결하고 5분 동안 어떠한 변화가 일어나는지 관찰한다.

❹ 5분 이상 지난 다음 건전지를 제거하고 극을 맞춰 발광 다이오드(LED)를 연결한다.

 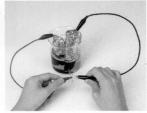

결과/정리

1. 건전지를 연결한 후 백탄 주위에 발생하는 기체는 무엇인지 말해 보자.

예시 물(H_2O)이 전기 분해되는 것이므로 수소 기체와 산소 기체가 생성된 것이다.
($2H_2O \rightarrow 2H_2 + O_2$)

2. 과정 ❹에서 건전지를 제거한 후에 발광 다이오드에 공급된 전기 에너지는 어디에서 만들어진 것일까?

예시 수소 기체와 산소 기체가 물로 결합하는 과정에서 화학 결합에 의해 화학 에너지 차이가 발생하고, 이 에너지가 전기 에너지로 전환된 것이다.

탐구 분석

건전지를 이용하여 물을 전기 분해 하면 (−)전극 표면에 수소 기체가, (+)전극 표면에는 산소 기체가 얻어진다. 이때 두 전극에 LED를 연결하면 (−)전극에 있던 수소 기체가 전극에 전자를 남겨두고 (+)이온이 된다. 전해질을 통해 (+)극으로 이동한 수소 이온과, LED를 통해 (+)극으로 이동한 전자가 산소 기체와 결합하여 물이 생성된다. 전자가 이동한 LED에는 불이 들어온다.

수행평가 TIP

탐구 수행	• 실험 안전에 대해 잘 숙지한 상태에서 실험을 실시한다.	☆ ☆ ☆
	• 역할 분담을 통해 실험을 잘 수행한다.	☆ ☆ ☆
탐구 결과	• 전기 분해와 연료 전지의 화학 반응을 잘 이해해야 한다.	☆ ☆ ☆
	• 발광 다이오드에 불이 들어오는 원리를 설명할 수 있어야 한다.	☆ ☆ ☆
	• 연료 전지의 장점, 단점을 설명할 수 있어야 한다.	☆ ☆ ☆

2 연료 전지

(1) **원리** 연료 전지는 전기 분해와 반대의 화학 반응을 이용하여 수소와 산소가 결합하여 물이 되는 화학 반응을 통해 전력을 생산한다.

① (−)극 수소가 전자를 내놓고 수소 이온이 된다.

$$2H_2 \rightarrow 4H^+ + 4e^-$$

② **이동** 수소 이온(H^+)은 전해질[⑤]을 따라 (+)극으로, 전자는 도선을 따라 (+)극으로 각각 이동한다.[⑥]

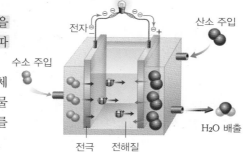

③ (+)극 외부에서 공급되는 산소 기체와 수소 이온, 전자가 결합하여 물을 형성하며, 그 과정에서 에너지를 방출한다.

$$O_2 + 4H^+ + 4e^- \rightarrow 2H_2O + 에너지$$

(2) **장단점**

① **장점** 유일한 생성물이 물이므로 온실 기체를 배출하지 않는다. 화학 에너지를 바로 전기 에너지로 전환하므로 화력 발전보다 효율이 좋다.

② **단점** 수소를 생산하는 과정이 어렵다. 수소는 끓는점이 매우 낮아(약 −253 ℃) 액화가 어려우므로 큰 저장 용기가 필요하다. 수소를 생산할 때 온실 기체가 발생한다.

3 그 외의 여러 가지 신재생 에너지

(1) **석탄 가스화, 액화** 석탄이나 원유를 정제하고 남은 잔재물을 효율이 높은 천연가스나 석유로 정제하는 기술

(2) **바이오 에너지** 농작물, 음식물 쓰레기, 나무[⑧] 등을 이용하여 가스, 액체, 고체 연료로 만드는 기술

(3) **지열 에너지** 온도가 높은 땅속의 열을 이용하여 난방이나 발전을 하는 기술

(4) **폐기물 에너지** 폐기물 중에서 에너지 함량이 높은 것들을 분해하여 액체나 가스 연료를 만드는 기술

 과제 2

에너지 문제를 해결하기 위한 현대 과학의 노력과 산물에는 무엇이 있는지 조사해 보자.

예시 환경 오염, 에너지 고갈, 지구 온난화 등의 문제를 해결하는 친환경 에너지 도시 건설, 화석 연료를 사용하지 않는 적정 기술의 개발, 지속 가능한 에너지 자원 개발 및 에너지 채굴 기술의 개발, 에너지 소비 효율 증대로 에너지 사용량 감소 기술 개발 등.

・ 확인하기

1. **이해** 연료 전지의 장점을 말해 보자.
   예시 여러 단계의 에너지 전환을 거치지 않고 화학 에너지에서 바로 전기 에너지를 얻을 수 있으므로 에너지 효율이 높고, 온실 기체를 배출하지 않는다.

2. **적용** 파력 발전, 조력 발전, 연료 전지 외에 앞으로 개발 가능한 신재생 에너지에는 어떤 것이 있을까?
   예시 지열을 이용한 발전, 농작물, 나무 등의 바이오 에너지를 이용한 발전, 폐기물을 이용한 발전, 수열을 이용한 에너지, 석탄의 액화·가스화 등이 있다.

---

⑤ 전해질
물에 녹으면 이온화하여 (+)와 (−) 이온을 띠는 물질. 전해질이 물에 녹아 있으면 이온을 통해 전류가 흐른다.

⑥ 연료 전지에서 전류의 방향
전류의 방향은 전자가 이동하는 방향과 반대이므로 연료 전지에서 전류는 (+)극 → 전구 → (−)극 방향으로 흐른다.

⑦ 연료 전지와 스마트 그리드
태양광 발전이나 풍력 발전과 같은 신재생 에너지는 발전량 조절이 어렵다는 문제점을 가지고 있다. 연료 전지는 이에 대해 좋은 대안이 될 수 있다. 발전량이 풍부할 때에는 남는 에너지로 수소를 생산하고, 발전량이 부족할 때에는 연료 전지에서 수소를 이용해 전기를 생산하면 된다. 즉, 연료 전지는 전기 에너지를 수소 형태의 화학 에너지로 저장할 수 있다.

⑧ 바이오매스
농작물, 음식물 쓰레기, 나무, 미생물 등 화학적 에너지 자원으로 이용되는 생물을 통칭할 때 바이오매스라는 용어를 사용하기도 한다.

✔ 개념 확인 문제

1 간조와 만조일 때 바닷물의 높이차이를 이용한 발전 방식을 무엇이라고 하는가?

2 연료 전지의 단점에 대해 서술하시오.

핵심 내용 정리하기

1 **태양 에너지** 교과서 312쪽

태양에서 에너지가 생성되는 과정은 아인슈타인의 【❶ 질량 에너지 등가 원리 】로 설명할 수 있다. 수소 원자핵이 【❷ 헬륨 】 원자핵으로 융합하는 과정에서 질량이 【❸ (감소) 증가 】하면서 막대한 에너지가 방출된다.

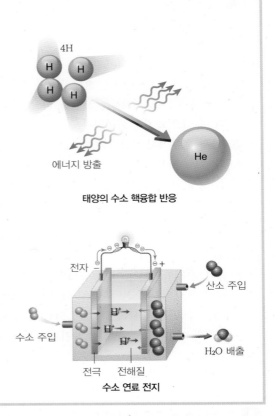

태양의 수소 핵융합 반응

2 **태양 에너지의 전환** 교과서 313쪽

태양에서 생성된 에너지는 극히 일부만 지구에 도달하며, 지구에서 다양한 에너지로 전환된다. 예를 들면, 식물의 광합성 과정에서 【❹ 화학 에너지 】로 전환되며, 태양 전지에 의해 【❺ 전기 에너지 】로 전환된다.

3 **기후 변화에 대처하는 발전 방법** 교과서 314~316쪽

지구 온난화의 원인인 이산화 탄소를 배출하지 않는 발전 방법에는 【❻ 태양광 발전 】, 【❼ 풍력 발전 】, 【❽ 핵 】 발전 등이 있다. 【❾ 핵 】 발전은 방사성 물질의 처리에 많은 시간과 비용이 드는 단점이 있으며, 【❿ 태양광 발전 】, 【⓫ 풍력 】 발전은 설치 비용이 비싸고 발전량을 조절하기 힘들다는 단점이 있다.

수소 연료 전지

활동으로 확인하기

이산화 탄소를 배출하지 않는 발전 방법의 장단점과 개선 방안을 표현한 마인드맵을 작성해 보자.

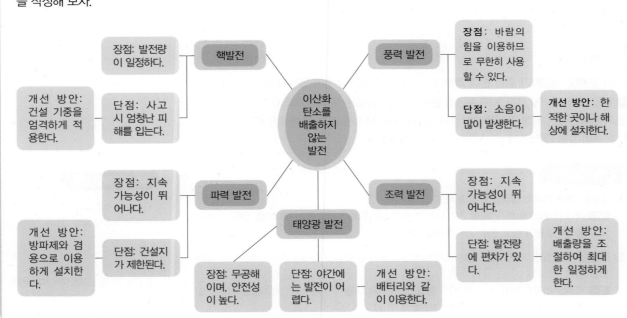

④ 단계 생각 넓히기 **지속 가능한 친환경 에너지 도시 만들기** 과학적 탐구 능력 과학적 참여와 평생 학습 능력

프라이부르크는 1970년대부터 화석 연료 절약 운동으로 건설된 도시이다. 태양광 발전에 관한 연구 및 투자를 시작으로 친환경 도시로 거듭났다. 먼저 프라이부르크로 들어갈 때, 자동차는 시 외곽에 주차하고 도보나 자전거, 또는 대중교통인 전차를 이용해야 한다. 온실 기체를 줄이기 위해서 공공시설에 태양 집열판을 설치하고 태양광 발전을 독려하고 있으며, 풍력 발전, 열병합 발전 등 재생 가능한 발전을 적극적으로 활용하고 있다. 또한, 건물의 에너지 절약 의무를 엄격하게 적용하고 있다.

아울러 신규 주택 단지는 수동형(패시브) 하우스 주택으로 건설하여 에너지 효율을 높였다. 프라이부르크는 현재 어느 도시보다 태양열 주택 단지가 많이 있는 것으로 알려져 있다. 또한, 자원 재활용 측면에서는 쓰레기 분리수거는 물론 퇴비화 용기를 곳곳에 설치하여 퇴비 자원화도 실천하고 있다. 열섬 현상을 줄이기 위해서 건물의 옥상에 나무를 심거나 놀이터를 생태 공원화하고 있으며, 도심에 물이 흐를 수 있도록 수로를 설치하였다.

❶ 핵심 내용 파악

모둠별로 주어진 자료를 읽고 친환경 도시에 적용된 기술이 무엇인지 정리해 보자.

예시 주택 및 건물: 수동형 주택으로 건설하여 에너지 효율을 높이고 태양광 발전기를 설치하였다.

교통: 도심의 자동차 진입을 통제하고 대중교통(전차)과 자전거 위주의 도로를 건설하였다.

에너지: 풍력 발전, 열병합 발전, 태양광 발전 등 신재생 에너지의 사용을 높였다.

자원 재활용: 쓰레기 분리수거와 더불어 퇴비 자원화를 실천하고 있다.

열섬 현상 방지: 옥상 녹지화, 놀이터 조성, 도심 인공 수로 건설 등으로 열섬 현상을 방지함으로써 주거 환경을 개선하며 냉방 에너지 사용량을 줄이도록 한다.

❷ 도시 설계에 적용할 기술

1. 모둠별로 주어진 자료 외에 친환경 도시에 적용할 수 있는 기술에는 어떤 것이 있는지 인터넷이나 도서 등을 참고하여 조사해 보자.

예시 • 대중교통 시설 정비, 환승시설 설치 등 대중교통 연계를 편리하게 만들어 도심 차량 억제
• 공공 자전거 운영으로 자전거 이용 활성화, 물(해수, 강 등)의 온도차나 지열을 이용한 발전 및 냉난방 시설 확충
• 빗물 및 중수(세면대 등에서 한번 사용하였던 물)의 재활용 방안 수립
• 신도시 설계 시 직장 및 학교와 주택의 거리를 가까이하여 출퇴근
• 등하교 시 이동 거리 단축으로 에너지 절약
• 바람길과 대기 순환을 고려한 시설물 배치로 열섬 효과 방지
• 일조량 및 채광 확보를 위한 공간 배치
• BRT, 트램, 천연가스 버스 등 에너지 절약형 신교통수단 도입 등

2. 다음에 제시된 공간을 친환경 에너지 도시에 맞게 어떻게 구성할 것인지 토의해 보자.

주거 공간	에너지 발전 시설	편의 시설	교통 시설	기타
채광이 잘 되게 공간을 확보하여 능동형 주택으로 건설. 학교, 직장과의 거리를 줄여서 도보나 대중교통으로 이동 할 수 있게 조성 등	지열, 온도차, 풍력, 태양광 등 재생 가능한 발전소 건설. 소규모 발전을 통한 에너지 자체 공급 시스템 구축 등	일정 규모 이상의 녹지 조성, 도심 인공 수로 건설, 바람길을 고려한 공간 배치 등으로 열섬 현상 완화 및 거주 환경 개선 등	환승 센터 및 대중교통 시설 확충, 자전거길 정비, 공공 자전거 설치 등	수자원 보전 및 친환경적인 하수 처리, 중수 재활용 시스템 구축 등

예시 라벨은 표 왼쪽 상단에 위치.

❸ 도시 설계도 그리기

모둠별로 친환경 도시의 설계도를 그리고, 그 결과를 발표해 보자.

예시 위의 ①, ②에서 살펴본 기술과 방법들을 반영하여 도시를 설계해 본다. 가상의 도시를 만들고 각각의 공간을 어떻게 배치할지, 어떠한 방법으로 친환경 에너지 도시를 구현할지를 생각해서 개략적인 도면을 그리고 설명을 작성한다. 모든 아이디어를 다 반영하는 것은 무리가 있으므로 중요한 부분을 골라 강조해서 그리면 좋다.

📖 **기본 개념 정리하기**

01 다음 물음에 답해 보자.

(1) 코일 주위에서 자석을 움직이면 전류가 흐르는 현상을 무엇이라고 하는가? **전자기 유도 현상**

(2) 발전기에서 일어나는 에너지 전환을 써 보자.
운동 에너지가 전기 에너지로 전환

(3) 송전 과정에서 전압을 높이거나 낮추는 시설은 무엇인가? **변전소**

(4) 전력은 전압, 전류와 어떤 관계가 있는가?
전력 = 전압 × 전류

(5) 태양의 중심부에서 에너지를 생성하는 반응을 무엇이라고 하는가? **수소 핵융합 반응**

(6) 이산화 탄소를 배출하지 않는 발전 방법에는 어떤 것이 있는가? **태양광 발전, 풍력 발전, 핵발전 등**

(7) 태양광 발전의 단점과 개선 방안을 써 보자.
넓은 공간이 필요하므로 사막, 바다 등에 설치한다.

(8) 파력과 조력 발전소를 설치하기 유리한 조건은 무엇인가? **파력 발전 – 수심이 깊지 않고 파도가 풍부한 연안 지역, 조력 발전 – 조수 간만의 차가 큰 지역**

(9) 연료 전지의 원리는 무엇인가?
전해질을 사이에 두고 (−)극에 수소 기체, (+)극에 산소 기체를 공급하면 수소 기체가 전자를 내놓고 전해질을 통해 (+)극으로 이동하면서 전류가 흐른다.

02 그림과 같이 회로를 구성한 후 자석을 위아래로 움직일 때 코일에 흐르는 전류를 측정하였다. 전류가 더 세게 흐르게 하려면 어떻게 해야 하는지 말해 보자.

해설 자석을 더 강한 것으로 바꾼다. 자석의 움직이는 속도를 빠르게 한다. 코일의 감은 수를 늘린다.

03 그림은 화력 발전소의 원리를 나타낸 것이다.

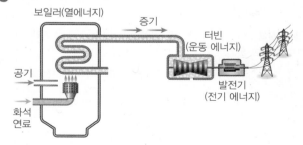

보일러(열에너지) / 증기 / 터빈(운동 에너지) / 공기 / 화석 연료 / 발전기(전기 에너지)

(1) 화석 연료가 전기 에너지로 전환되는 과정을 써 보자.
예시 화석 연료의 화학 에너지가 열에너지, 증기의 운동 에너지, 터빈의 운동 에너지로 전환되고 발전기로 전달되어 전기 에너지로 전환된다.

(2) 화력 발전이 환경에 미치는 영향은 무엇인지 설명해 보자. **예시** 화석 연료를 연소시키는 과정에서 온실 기체를 포함한 여러 환경 오염 물질을 배출한다.

04 변전소에 관한 설명으로 옳은 것만을 〈보기〉에서 있는 대로 골라 보자.

┌ 보기 ┐

✔ㄱ 변전소는 전압을 바꿔 주는 역할을 한다.

✔ㄴ 전력을 수송하려면 발전소보다 많은 변전소가 필요하다.

✔ㄷ 소비지와 발전소가 서로 멀리 떨어져 있으므로 효율적인 전력 수송을 위해 변전소가 필요하다.

해설 ㄱ, ㄷ 송전 과정에서 전력 손실을 줄이기 위해 전압을 높여 주게 된다. 소비자가 고전압을 그대로 사용하면 위험하므로 소비지에서는 사용 전압에 맞추어 전압을 낮추는 과정이 필요하다. 이처럼 전압을 높이거나 낮추는 역할을 하는 시설이 변전소이다.
ㄴ 발전소에서 소비지까지 오는 동안 전압을 높이거나 낮추는 데에는 여러 단계를 거치게 된다. 따라서 발전소보다 많은 변전소가 필요하다.

05 태양의 에너지 생성 과정에 관한 설명으로 옳은 것만을 〈보기〉에서 있는 대로 골라 보자.

┌ 보기 ┐

✔ㄱ 온도와 압력이 높은 태양의 중심부에서 반응이 일어난다.

ㄴ 수소 원자보다 헬륨 원자가 더 질량이 크기 때문에 에너지가 발생한다.

ㄷ 수소 핵융합 반응은 수소 원자 두 개가 모여 헬륨 원자 한 개가 만들어지는 반응이다.

✔ㄹ 아인슈타인이 발표한 질량 에너지 등가 원리로 발생하는 에너지의 양을 구할 수 있다.

해설 ㄴ 반응 전 수소 원자핵들의 질량 합보다 헬륨 원자핵의 질량이 더 작으므로 질량 차이에 의해 에너지가 발생한다.
ㄷ 수소 핵융합 반응은 수소 원자핵 4개가 모여 헬륨 원자핵 1개를 생성한다.

06 그림은 화력 발전, 태양광 발전, 풍력 발전의 모습이다.

(가) 화력 발전   (나) 태양광 발전   (다) 풍력 발전

(1) 이산화 탄소를 배출하지 않는 발전 방식은 무엇인가? **(나)와 (다)**

(2) 전력 생산량의 조절이 쉬운 발전 방식은 무엇인가? **(가)**

(3) 전력 생산에 필요한 에너지원이 고갈되지 않는 발전 방식은 무엇인가? **(나)와 (다)**

해설 (2) 태양광 발전과 풍력 발전은 날씨에 따라 발전량이 바뀌므로 전력 생산량의 조절이 쉽지 않다.

핵심 개념 적용하기

07 그림과 같이 코일과 발광 다이오드(LED)를 연결한 후 코일 위에서 자석을 떨어뜨렸다. 자석이 코일을 통과하는 순간 발광 다이오드가 약하게 빛을 내는 것이 관찰되었다. 이에 관한 설명으로 옳은 것만을 〈보기〉에서 있는 대로 골라 보자.

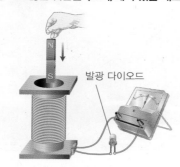

발광 다이오드

┌ 보기 ├
✔㉠ 자석의 운동 에너지가 빛에너지로 전환되었다.
㉡ 코일을 더 많이 감아도 발광 다이오드 빛의 밝기는 변화가 없다.
✔㉢ 자석을 더 높은 곳에서 떨어뜨리면 발광 다이오드에서 더 밝은 빛이 나온다.

해설 ㉠ 자석의 운동 에너지가 전자기 유도 현상을 통해 코일에서 전기 에너지로 전환되며, 다시 LED에서 빛에너지로 전환된다.
㉡ 코일을 더 많이 감으면 더 센 전류가 흐르므로 발광 다이오드 빛의 밝기는 더 밝아진다.
㉢ 자석을 더 높은 곳에서 떨어뜨리면 코일을 지날 때 자석의 속력이 더 빨라지므로 코일에 더 센 전류가 흐르고, 따라서 발광 다이오드 빛의 밝기는 더 밝아진다.

08 그림은 발전소에서 생산된 전기 에너지를 수송하는 과정을 나타낸 것이다. 이에 관한 설명으로 옳은 것만을 〈보기〉에서 있는 대로 골라 보자.

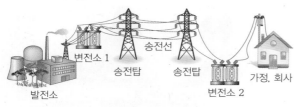

┌ 보기 ├
✔㉠ 송전선에 흐르는 전류를 작게 하면 에너지 손실도 작아진다.
㉡ 송전 전압을 높이면 에너지 손실이 커진다.
✔㉢ 변전소는 송전 전압을 높이거나 낮추는 역할을 한다.

해설 ㉠ 송전선에서의 에너지 손실은 전류의 제곱에 비례하고 저항에 비례한다. 따라서 송전선에 흐르는 전류를 작게 하면 에너지 손실도 작아진다.
㉡ 송전 전압을 2배 높이면 송전선에 흐르는 전류는 절반으로 줄어들고, 송전선에서의 에너지 손실은 $\frac{1}{4}$로 줄어든다.

09 그림은 태양에서 에너지를 생산하는 핵반응을 나타낸 것이다. 이에 관한 설명으로 옳은 것만을 〈보기〉에서 있는 대로 골라 보자.

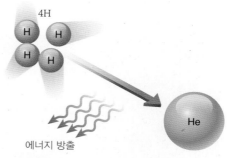

에너지 방출

┌ 보기 ├
㉠ 헬륨 핵융합 반응이라고 한다.
✔㉡ 수소 원자핵 네 개가 헬륨 원자핵 한 개보다 질량이 크다.
✔㉢ 방출되는 에너지는 질량 에너지 등가 원리를 이용해 계산할 수 있다.

해설 ㉠ 이러한 반응을 수소 핵융합 반응이라고 한다.
㉡, ㉢ 수소 원자핵 네 개가 헬륨 원자핵 한 개로 바뀌는 수소 핵융합 반응 과정에서 질량 중 일부가 감소하면서 질량 에너지 등가 원리에 의해 에너지가 발생한다.

10 그림 (가)와 (나)는 각각 핵발전과 태양광 발전의 모습이다. 이에 관한 설명으로 옳은 것만을 〈보기〉에서 있는 대로 골라 보자.

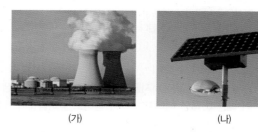

(가)   (나)

┌ 보기 ├
㉠ (가)의 에너지원은 고갈되지 않는다.
✔㉡ (나)는 (가)에 비해 날씨의 영향을 많이 받는다.
✔㉢ (가)와 (나)는 모두 발전 과정에서 온실 기체가 거의 발생하지 않는다.

해설 핵발전의 경우에도 핵반응 이전 물질에서 핵반응 이후 물질로 전환이 일어나므로 에너지원은 점차 고갈되며, 폐기물 문제나 사고 발생 시 문제가 있지만 온실 기체는 발생하지 않는다. 태양광 발전은 구름에 의해 태양광이 얼마나 가리는지에 따라 발전량에 차이가 크다. 하지만 핵발전은 설비에 문제가 없다면 항상 일정하게 발전이 가능하다.

과학과 핵심 역량 기르기

11 | 과학적 사고력 |

자이로드롭은 자유 낙하를 경험할 수 있는 놀이 기구로 일정 거리를 낙하한 후 안전하게 속도를 줄이도록 설계되었다. 의자가 설치된 낙하체에는 중앙에 커다란 영구 자석이 있어서 이 자석이 원통형 금속 부분을 지나면 속도가 줄어든다.

(1) 낙하 전 자이로드롭이 가지고 있던 위치 에너지는 어떤 에너지로 전환되었는지 써 보자.

예시 영구 자석이 원통형 금속을 지나면서 자기장의 변화 때문에 금속에 유도 전류가 흐르게 되며, 유도 전류에 의해 발생하는 자기장이 영구 자석의 운동을 방해하여 속도가 줄어든다. 이 과정에서 영구 자석의 위치 에너지는 운동 에너지의 형태를 거쳐 전기 에너지로 전환된다.

(2) 자이로드롭의 제동력을 높이는 방법에는 어떤 것이 있을지 설명해 보자.

예시 자이로드롭의 제동력을 높이려면 낙하체에 설치된 영구 자석이 에너지를 많이 잃게 하면 된다. 낙하체의 속력은 정해져 있으므로 전자기 유도 현상이 잘 일어나게 하려면 영구 자석을 더 강한 자석으로 바꾸거나, 원통형 금속을 저항이 더 작은 것으로 바꾸어 전류가 잘 흐르게 하면 된다.

12 | 과학적 탐구 능력 |

태양광 발전은 빛에너지를 이용하여 전기 에너지를 생산하기 때문에 태양 에너지가 많이 들어오는 여름철에 효율이 높다고 생각할 수 있다. 그러나 실제로 태양광 발전 효율이 가장 높은 계절은 봄, 가을이라고 한다. 봄, 가을에 효율이 높은 까닭을 알아보기 위해 일사량 이외에 계절에 따라 달라지는 여러 변인을 찾아보았다.

> 온도, 강수량, 구름의 양, 낮의 길이, 태양의 고도

위의 변인 중 하나를 선택하여 태양광 발전 효율에 대한 가설을 세우고, 가설을 검증하는 실험을 설계해 보자.

예시 구름의 양이 적을수록 태양광 발전 효율은 더 높을 것이다. 이를 검증하기 위해 태양 전지 패널에 손전등을 바로 비췄을 때와 손전등 앞에 기름종이를 두고 비췄을 때 태양 전지가 생산하는 전력량을 비교하는 실험을 실시한다.

13 | 과학적 참여와 평생 학습 능력 |

수소 연료 전지는 에너지 효율이 높고, 원료인 수소가 지구에 매우 풍부하다는 장점이 있다. 반면 수소를 생산하기 위해 많은 비용이 들어가는 점이 해결해야 할 문제로 꼽힌다.

(1) 수소를 생산하는 방법에는 어떤 것이 있는지 조사해 보자.

예시 수소를 생산하는 방법으로 현재까지 개발되어 있는 것으로는 천연가스에 수증기를 가해 수소를 얻는 천연가스 개질법, 나프타의 성분을 분해해서 얻는 나프타 분해법 등이 있다.

(2) 조사한 내용을 바탕으로 수소 연료 전지가 널리 쓰이기 위해서는 어떤 문제점을 해결해야 할지 토의해 보자.

예시 이러한 방법들은 모두 수소를 얻는데 온실 기체가 발생한다는 단점이 있으며, 아직 효율이 그렇게 높지 않다. 따라서 효율이 높고, 온실 기체가 적게 발생하는 새로운 방법의 개발이 필요하다. 또한 현재의 주유소를 수소 스테이션에 맞게 시설을 바꾸어 수소차가 충전을 원활하게 하도록 만드는 작업 역시 필요하다.

14 | 과학적 의사소통 능력 |

미래의 에너지에 대해 세 학생이 대화를 나누고 있다. 동훈과 지수의 대화를 들은 민지는 어떤 의견을 가질 수 있는지 써 보자. 이때 그렇게 생각한 근거를 함께 설명해 보자.

동훈: 화석 연료가 고갈된 미래는 어떤 모습일까?

지수: 석기 시대는 돌이 고갈되어 끝난 것이 아니야.

민지: 그때쯤이면 화석 연료를 대체할 미래의 에너지원이 개발되어 있지 않을까?

예시 화석 연료가 고갈된다고 하더라도 새로운 에너지원이 개발된다면 이를 대체하는 새로운 에너지원으로 사용될 수도 있을 것이다. 하지만 자원이 고갈되어 없어지는 것은 지금까지 역사에서는 거의 없던 일이어서 그 과정에서 화석 연료의 가격 상승, 에너지 대체 비용 상승 같은 혼란은 일어날 것이므로 미리미리 대비할 필요가 있다.

프로젝트 과제

모의 전력망 만들기

주어진 재료를 활용해 전기 에너지의 생산과 수송, 활용에 이르기까지 우리가 전기 에너지를 사용하는 전 과정을 표현한 모의 전력망을 만들어 보자.

모의 전력망 만들기

준비물 손 발전기, 태양 전지, 연료 전지, 풍력 발전기(모형), 꼬마전구, 발광 다이오드(LED), 모터, 전선, 전지 크기의 도시 지도, 스타이로폼판, 수수깡, 이쑤시개 등

1. 모둠 구성원을 다음과 같은 전문가 집단으로 나누고, 분야별로 역할을 수행하자.

발전 분야	송전 분야	활용 분야	환경 분야
• 발전 시설별 발전 용량 조사 • 발전 시설의 종류별 건설 조건 조사 • 발전소 건설 계획 수립	• 변전소와 송전탑의 건설 조건 조사 • 송전 시설 건설 계획 수립	• 전기 에너지의 효율적인 활용 방법 조사 • 전기 에너지의 효율적인 활용 방안 수립	• 발전소와 송전 시설이 환경에 미치는 영향 조사 • 다른 전문가 집단의 계획 평가

2. 우리 도시의 지도를 스타이로폼판에 붙이고 구상한 전력망을 그려 보자.

3. 준비물을 적절히 배치하여 모의 전력망을 제작해 보자.

해설 1. 자료 조사

인구 밀집 지역(주거 지역, 회사가 밀집한 상업 지역), 산업 단지의 위치와 같이 전기 에너지를 주로 소비하는 지역과, 발전소 건립을 위한 입지 조건을 잘 갖춘 지역, 송전선 배치를 위한 지형 특색 조사 등 분야별 계획 수립에 적합한 내용이 중점적으로 필요하므로, 이에 대한 자료를 조사한다. 이때 각 구성원이 한 분야씩 맡는 방법을 쓸 수 있다.

2. 설계 초안 토의

자료 조사 후 각 분야별 담당 시설을 지도 위에 배치하고, 각 분야별 담당자의 입장과 지역 주민의 입장 등 다양한 입장에서 타당성을 검토한다. 많은 토의가 필요한 단계이다.

3. 모의 전력망 제작

준비물을 이용하여 실제 모형을 제작하고, 모둠별 발표를 준비한다.

4. 모의 전력망 전시회

모둠별로 제작한 모의 전력망을 전시하고 발표한다. 우리 모둠의 전력망과 다른 모둠의 전력망을 비교하여 장단점을 분석해 보고, 실제 우리 도시의 전력망 자료와 비교하여 우리 도시의 전력망을 개선할 수 있다.

정리 및 발표하기

1. 모둠별로 제작한 모의 전력망 전시회를 열어 보자. 제작 과정의 주안점은 무엇인지, 우리 모둠의 전력망은 어떤 특징이 있는지 설명해 보자.

2. 우리 모둠의 전력망과 다른 모둠의 전력망을 비교하여 장단점을 분석해 보자.

3. 실제 우리 지역과 우리 지역 주변의 발전소, 변전소의 위치는 어디인지 조사하여 모의 전력망과 비교해 보자.

9-① 전기 에너지의 생산과 수송

01 그림 (가)~(다)는 동일한 솔레노이드 주변에서 자석이 운동하는 모습을 나타낸 것이다. 솔레노이드와 자석 사이의 거리는 (나)에서가 (가)에서보다 크고, (가), (다)에서는 같다.

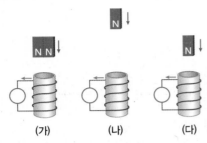

(가)~(다)에서 솔레노이드에 흐르는 전류를 각각 $I_{(가)}$, $I_{(나)}$, $I_{(다)}$라고 할 때, $I_{(가)}$, $I_{(나)}$, $I_{(다)}$의 크기를 바르게 비교한 것은? (단, 자석이 움직이는 속력은 세 경우가 같다.)

① $I_{(가)} > I_{(나)} > I_{(다)}$
② $I_{(다)} > I_{(가)} = I_{(나)}$
③ $I_{(가)} > I_{(다)} > I_{(나)}$
④ $I_{(나)} > I_{(가)} > I_{(다)}$
⑤ $I_{(나)} = I_{(가)} > I_{(다)}$

02 그림은 화력 발전소에서 가정으로 전력을 공급하는 과정을 간단히 나타낸 것이다.

이에 대한 설명으로 옳은 것만을 〈보기〉에서 있는 대로 고른 것은?

| 보기 |
ㄱ. 발전소에서는 전자기 유도를 이용하여 전력을 생산한다.
ㄴ. 그림의 변전소에서는 송전 전압을 높인다.
ㄷ. 변압기에서는 전압을 낮추어 가정에 전력을 공급한다.

① ㄱ
② ㄷ
③ ㄱ, ㄴ
④ ㄴ, ㄷ
⑤ ㄱ, ㄴ, ㄷ

03 그림은 마이크의 구조를 나타낸 것이다. 소리가 코일이 고정된 진동판을 진동시키면 코일에는 유도 전류가 흐르게 된다.

이에 대한 설명으로 옳은 것만을 〈보기〉에서 있는 대로 고른 것은?

| 보기 |
ㄱ. 코일에 흐르는 유도 전류는 전자기 유도로 설명할 수 있다.
ㄴ. 진동판이 진동하면 코일을 통과하는 자기장이 변하게 된다.
ㄷ. 진동판에 고정된 코일의 감은 수가 증가하면 유도 전류의 세기는 증가한다.

① ㄱ
② ㄷ
③ ㄱ, ㄷ
④ ㄴ, ㄷ
⑤ ㄱ, ㄴ, ㄷ

04 그림은 발전소에서 전력을 공급하는 모습을 나타낸 것이다.

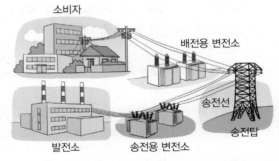

이를 보고 〈보기〉와 같이 세 사람이 토의하였다. 옳게 말한 사람만을 있는 대로 고른 것은?

| 보기 |
A: 높은 전압으로 송전하는 것이 송전선에서 전력 손실을 줄일 수 있어.
B: 송전용 변전소와 배전용 변전소 사이의 송전선은 안전을 위해 높게 설치해야 해
C: 송전용 변전소에서는 송전 전압을 낮춰 줘.

① A
② C
③ A, B
④ B, C
⑤ A, B, C

05 송전선에서 전력 손실에 대해 알아보는 모의 실험을 다음과 같이 실시하였다.

[과정]

(가) 그림 (가)와 같이 전구 A, 스위치, 건전지를 이용하여 회로를 구성한 후, A에서의 전압과 전류를 측정한다.

(나) (가)에서 A를 전구 B로 교체하고 건전지를 추가하여, 그림 (나)와 같이 회로를 구성한 후, B에서의 전압과 전류를 측정한다.

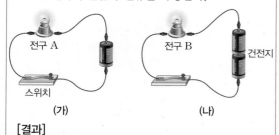

(가)　　　　　(나)

[결과]

	전압	전류
A	6 V	0.5 A
B	10 V	0.3 A

이에 대한 설명으로 옳은 것만을 〈보기〉에서 있는 대로 고른 것은?

보기
ㄱ. 소비 전력은 A, B에서 같다.
ㄴ. A에서 1초 동안 소비되는 전기 에너지는 3 J이다.
ㄷ. 도선에서 손실 전력은 (가)에서가 (나)에서보다 작다.

① ㄱ　　　　② ㄷ　　　　③ ㄱ, ㄴ
④ ㄴ, ㄷ　　　⑤ ㄱ, ㄴ, ㄷ

9-② 신재생 에너지

06 여러 가지 발전소에서 발생하는 에너지 전환을 옳게 나타낸 것만을 〈보기〉에서 있는 대로 고른 것은?

보기
ㄱ. 원자력: 핵에너지 → 열에너지 → 위치 에너지 → 운동 에너지 → 전기 에너지
ㄴ. 수력: 위치 에너지 → 운동 에너지 → 전기 에너지
ㄷ. 화력: 화학 에너지 → 열에너지 → 운동 에너지 → 전기 에너지

① ㄱ　　　　② ㄴ　　　　③ ㄱ, ㄴ
④ ㄱ, ㄷ　　　⑤ ㄴ, ㄷ

07 그림은 태양에서 에너지가 만들어지는 핵반응을 나타낸 것으로 입자 A가 입자 B로 전환되었다.

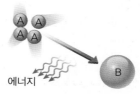

에너지

이에 대한 설명으로 옳은 것만을 〈보기〉에서 있는 대로 고른 것은?

보기
ㄱ. A는 수소 원자핵이다.
ㄴ. B의 질량은 A의 4배이다.
ㄷ. 태양의 표면에서 주로 일어난다.

① ㄱ　　　　② ㄷ　　　　③ ㄱ, ㄷ
④ ㄴ, ㄷ　　　⑤ ㄱ, ㄴ, ㄷ

08 그림은 에너지 전환 과정을 나타낸 것이다.

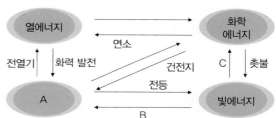

이에 대한 설명으로 옳은 것만을 〈보기〉에서 있는 대로 고른 것은?

보기
ㄱ. A는 전기 에너지이다.
ㄴ. B의 적절한 예는 태양 전지이다.
ㄷ. C의 적절한 예는 연료 전지이다.

① ㄱ　　　　② ㄷ　　　　③ ㄱ, ㄴ
④ ㄴ, ㄷ　　　⑤ ㄱ, ㄴ, ㄷ

09 전기를 생산하는 과정에서의 에너지 전환 과정 중 운동 에너지가 포함되어 있는 발전 방식만을 〈보기〉에서 있는 대로 고른 것은?

보기
ㄱ. 핵발전　　ㄴ. 풍력 발전　　ㄷ. 태양광 발전
ㄹ. 파력 발전　　ㅁ. 연료 전지　　ㅂ. 조력 발전

① ㄱ, ㄴ, ㄹ　　　　② ㄱ, ㄴ, ㄹ, ㅂ
③ ㄱ, ㄷ, ㅁ, ㅂ　　　④ ㄴ, ㄷ, ㄹ, ㅁ
⑤ ㄱ, ㄴ, ㄷ, ㄹ, ㅁ, ㅂ

10 그림은 풍력 발전, 연료 전지, 태양광 발전을 통해 전기를 공급받고 있는 친환경 주택을 나타낸 것이다.

이에 대한 설명으로 옳은 것만을 〈보기〉에서 있는 대로 고른 것은?

> **보기**
> ㄱ. 연료 전지는 화학 에너지를 이용해 전기를 생산한다.
> ㄴ. 풍력 발전에서는 수증기로 터빈을 돌려 전기를 생산한다.
> ㄷ. 태양광 발전에서는 역학적 에너지가 전기 에너지로 전환된다.

① ㄱ   ② ㄷ   ③ ㄱ, ㄴ
④ ㄴ, ㄷ   ⑤ ㄱ, ㄴ, ㄷ

11 그림은 연료 전지의 전극 A, B에 연결된 전구에 불이 켜진 것을 나타낸 것이다.

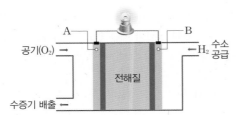

이에 대한 설명으로 옳은 것만을 〈보기〉에서 있는 대로 고른 것은?

> **보기**
> ㄱ. B에서는 수소 기체가 이온화된다.
> ㄴ. 산소 이온은 전해질을 통해 A에서 B로 이동한다.
> ㄷ. 전선이 흐르는 전류의 방향은 B → 전구 → A 방향이다.

① ㄱ   ② ㄴ   ③ ㄱ, ㄷ
④ ㄴ, ㄷ   ⑤ ㄱ, ㄴ, ㄷ

12 표는 여러 가지 발전 방식과 특징을 나타낸 것으로 A, B, C는 태양광 발전, 풍력 발전, 핵발전을 순서 없이 나타낸 것이다.

발전 방식	특징
A	빛에너지를 이용하여 전기를 생산한다.
B	핵분열 반응을 이용하여 전기를 생산한다.
C	바람을 이용하여 날개를 돌려 전기를 생산한다.

이에 대한 설명으로 옳은 것만을 〈보기〉에서 있는 대로 고른 것은?

> **보기**
> ㄱ. A는 태양 전지를 통해 전기를 생산한다.
> ㄴ. B는 A보다 날씨에 영향을 적게 받는다.
> ㄷ. B, C는 전자기 유도를 통해 전기를 생산한다.

① ㄱ   ② ㄷ   ③ ㄱ, ㄴ
④ ㄴ, ㄷ   ⑤ ㄱ, ㄴ, ㄷ

13 다음은 연료 전지의 원리에 대해 알아보는 실험이다.

[과정]
(가) 그림 (가)와 같이 알루미늄 포일을 싼 백탄 A에 건전지의 (+)극을, B에 (−)극을 연결한다.
(나) (가)에서 건전지를 제거한 후, 그림 (나)와 같이 발광 다이오드를 연결한다.

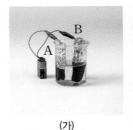 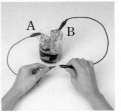

(가)   (나)

[결과]

(가)	A, B에서 기포가 발생하였다.
(나)	발광 다이오드에 불이 켜졌다.

이에 대한 설명으로 옳은 것만을 〈보기〉에서 있는 대로 고른 것은?

> **보기**
> ㄱ. (가)의 A에 발생한 기포는 수소 기체이다.
> ㄴ. (나)에서는 전기 에너지가 화학 에너지로 전환되고 있다.
> ㄷ. (나)의 도선에서 전자의 이동 방향은 B → 발광 다이오드 → A 방향이다.

① ㄱ   ② ㄴ   ③ ㄷ
④ ㄴ, ㄷ   ⑤ ㄱ, ㄴ, ㄷ

14 그림은 네오디뮴 자석과 에나멜 전선을 이용하여 간이 발전기를 제작한 모습이다. 줄감개를 돌리면 발광 다이오드에 불이 들어오는 것을 통해 전기가 만들어지는 모습을 관찰할 수 있다.

》과학적 탐구 능력
전자기 유도

❶ LED에 불이 더 밝게 들어오도록 하기 위해 쓸 수 있는 방법을 2가지만 서술하시오.
❷ ①에서 불이 더 밝게 들어오는 까닭을 설명하시오.

15 그림은 알루미늄 판에 질량과 모양이 같은 구리와 네오디뮴 자석을 올리고 한쪽을 기울이는 모습이다. 그 결과 구리는 아래로 빠르게 미끄러졌지만, 네오디뮴 자석은 천천히 미끄러졌다. 알루미늄에는 자석이 붙지 않는데도 네오디뮴 자석이 천천히 미끄러진 까닭을 서술하시오. (단, 알루미늄 판과의 마찰력은 구리와 네오다늄 자석이 같다.)

》과학적 사고력
전자기 유도

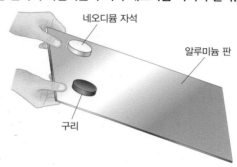

네오디뮴 자석
알루미늄 판
구리

16 다음은 어느 지역의 기후 및 자연 특성에 관한 설명 중 일부이다.

》과학적 문제 해결력
신재생 에너지

> (가) 이 지역은 연중 건조한 기후가 지속되며, 주위에 이렇다 할 크기의 강도 없어서 상수도 공급을 위해 먼 곳의 저수지에서 물을 끌어와서 쓰고 있다. 바람은 많이 불지만 수시로 풍향이 바뀌는 편이며, 일사량이 많고 주위에 사막화된 땅이 많이 있다.
>
> (나) 이 지역은 서핑을 즐기는 사람들에게 천국으로 불리는 곳이다. 일정한 방향으로 계속해서 강한 바람이 불며 그 때문에 파도가 높게 치기 때문이다. 다만 비와 눈이 잦은 것이 문제이다.

태양광 발전소, 풍력 발전소, 원자력 발전소를 건설하려고 할 때 각각 (가)와 (나) 중 어느 곳이 더 적절한지를 고르고 그 까닭을 서술하시오.

17 신도시 개발자의 입장에서 친환경 에너지 도시를 만들기 위해서는 다각도의 정책이 필요하다. 이 중 대중 교통 정책은 에너지 효율성 측면에서나 온실 기체 배출 문제, 도로 정체 해소 등 여러 가지 측면에서 중요하다. 신도시를 설계할 때 사람들이 편리하게 이용할 수 있는 교통 정책의 예를 2가지만 제시하시오.

》과학적 참여와 평생 학습 능력
친환경 에너지 도시

메모

정답과 해설

1 | 물질의 규칙성과 결합

✅ 개념 확인 문제

1-❶ 물질의 기원

1 방출에 의한 선 스펙트럼
2 흡수에 의한 선 스펙트럼

1 커, 감소, 낮아
2 수소 원자핵

1 탄소
2 초신성 폭발

1-❷ 원소의 주기성

1 알칼리 금속 　　**2** 2개

1 1주기 1족 　　**2** 주기 　　**3** 족

1-❸ 화학 결합과 물질의 형성

1 1개
2 잃는다.

1 2개
2

1 2 : 1
2 칼륨은 전자 1개를 잃고 염소는 전자 1개를 얻는다.

1 이온 결합 물질은 전기 전도성이 있지만, 공유 결합 물질은 전기 전도성이 없다.
2 염화 이온(Cl^-)

단원 총괄 평가　　　　　　　　50~53쪽

01 ③	**02** ②	**03** ③	**04** ⑤	**05** ⑤	**06** ⑤	**07** ⑤
08 ②	**09** ②	**10** ③	**11** ②	**12** ④	**13** ④	**14** ⑤
15 ③	**16~20** 해설 참조					

01 ㄱ. 태양의 스펙트럼은 확대하여 보지 않으면 연속 스펙

트럼으로 관측된다.

ㄴ. (나)는 흡수에 의한 선 스펙트럼이다.

ㄷ. (나)와 (다)는 선 스펙트럼이 나타나는 파장이 같으므로 같은 원소에 의해 형성된 것이다.

02 ㄱ. 우주의 구성 물질을 파악하는 데 주로 활용되는 스펙트럼은 선 스펙트럼이다.

ㄷ. 빅뱅 직후의 초기 우주에서 기본적인 입자들이 만들어지고, 우주의 온도가 낮아지면서 수소와 헬륨의 원자핵이 차례로 만들어진 후 전자와 결합하여 수소 및 헬륨 원자가 만들어졌다.

03 ㄱ. 산소는 주로 별 내부의 핵융합 반응으로 만들어진다.

ㄴ. 지구에 가장 많은 두 원소는 철과 산소이므로 (다)는 지구를 구성하는 원소의 질량비를 나타낸 것이다.

ㄷ. 수소와 헬륨이 대부분인 우주에서 태양계가 만들어졌고, 태양계 형성 당시에 규산염 광물과 금속 성분으로 지구가 만들어졌고, 지구에서 탄소 화합물로 생명체가 만들어졌기 때문에 각각의 원소 구성비가 다르다.

04 ㄱ, ㄴ. 중심핵으로 갈수록 더 무거운 원소가 분포하는 (가)가 (나)보다 질량이 크고 중심핵의 온도도 높다.

ㄷ. 질량이 태양보다 약 10배 이상 무거운 별의 내부에서는 핵융합 반응으로 철(Fe)까지 만들어지며, 초신성 폭발로 철보다 무거운 원소가 만들어질 수 있다.

05 ㄱ. 태양계 성운에서 지구가 만들어졌고, 지구에 철보다 무거운 원소가 존재하므로 A의 태양계 성운은 초신성 폭발 과정에서 만들어진 무거운 원소를 포함한다.

ㄴ. B → C의 과정에서 성운 중심부의 밀도와 온도가 높아지며 원시 태양이 만들어졌다.

ㄷ. 태양계의 행성은 태양에 가까운 쪽에 암석질의 행성이, 바깥쪽에는 기체형 행성이 주로 분포한다.

06 물과 격렬하게 반응하는 금속은 알칼리 금속이다. 물과 반응하여 수소 기체가 발생하고 금속은 양이온이 되므로 수용액은 전기 전도성이 있다.

07 (가) Li, Na은 1족, (나) F, Cl은 17족, (다) Ne, Ar은 18족 원소이다. (가)와 (나)는 금속과 비금속이므로 반응하여 이온 결합 물질을 형성한다.

08 ㄱ. (가)는 아이오딘, (다)는 플루오린으로 17족 할로젠이고, (나)는 리튬으로 1족 알칼리 금속이다.

ㄷ. 1족 원소의 원자가 전자 수는 1이고, 17족 원소의 원자가 전자 수는 7이다.

09 전자 껍질 수는 2이고 원자가 전자 수는 6이므로 2주기 16족 원소인 산소이다. 질소와 같은 주기 원소이며, 2개의 전자를 얻으면 옥텟 규칙을 만족한다.

10 탄소 원자와 산소 원자가 결합하여 이산화 탄소를 형성할 때, 공유 전자쌍의 수는 4개이다.

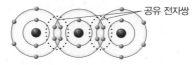
공유 전자쌍

11 전자를 잃고 양이온이 되는 것은 금속인 나트륨이고, 전자를 얻어 음이온이 되는 것은 비금속인 염소이다. 나트륨 이온과 염화 이온 사이의 정전기적 인력에 의해 이온 결합 물질인 염화 나트륨이 형성된다.

12 A 이온은 1가 양이온이므로 전자 1개를 잃기 전 A는 전자 껍질이 3개이고 원자가 전자가 1개인 3주기 1족 원소(Na)이다. B 이온은 2가 음이온이므로 전자 2개를 얻기 전 B는 2주기 16족 원소(O)이다.
ㄱ. 전자 껍질 수가 다르므로 A와 B는 주기가 다르다.

13 중심 원자인 Y는 전자 2개를 공유하여 옥텟 규칙을 만족하므로 16족 원소이고, X는 전자 1개를 공유하여 옥텟 규칙을 만족하므로 17족 원소이다. 따라서 원자가 전자 수는 X가 Y보다 크고, 전자 껍질 수가 같으므로 X와 Y의 주기는 같다.

14 ① 리튬과 산소는 이온 결합 화합물(Li_2O) 등을 형성한다.
② 질소와 산소는 공유 결합 화합물(NO_2 등)을 형성한다.
③ 원자가 전자 수는 17족인 플루오린이 1족인 나트륨보다 크다.
④ 마그네슘은 원자가 전자 수가 2이므로 1가 양이온이 되면 옥텟 규칙을 만족하지 않는다.

15 전하를 띤 입자가 3차원 배열을 이루는 (가)는 이온 결합 물질인 염화 나트륨이고, 전하를 띤 입자가 없는 (나)는 포도당이다. 고체 상태에서는 입자가 움직일 수 없으므로 (가), (나) 모두 전류가 흐르지 않는다.

🍴 수행 평가 대비 문제

16 **예시** 빅뱅 이후 우주가 팽창하며 우주의 밀도가 작아지고 온도가 낮아지면서 전자를 비롯한 기본 입자들이 먼저 만들어졌다. 이후 우주가 계속 팽창하며 온도가 낮아지면서 수소와 헬륨의 원자핵이 만들어졌고, 우주의 온도가 더 낮아지면서 원자핵이 전자와 결합하여 수소 원자와 헬륨 원자가 만들어졌다.

채점 기준	배점
사건의 순서와 우주의 밀도 및 온도 변화를 모두 옳게 서술한 경우	100 %
사건의 순서는 옳게 서술하였으나 우주의 밀도 및 온도 변화 중 한 가지만 옳게 서술한 경우	70 %
사건의 순서는 옳게 서술하였으나 우주의 밀도 및 온도 변화를 모두 옳지 않게 서술한 경우	40 %

17 **예시** 빅뱅 우주론과 가까운 주장을 한 사람은 프리드먼이다. 프리드먼의 동적 우주론은 르메트르와 가모의 빅뱅 우주론으로 이어졌다. 허블이 멀리 있는 은하가 더 빠른 속도로 멀어져 간다는 사실을 발견하여 우주가 팽창함을 밝혀내면서 동적 우주론이 증명되었다.

채점 기준	배점
프리드먼을 옳게 고르고, 멀리 있는 은하가 더 빠른 속도로 멀어져 간다고 설명한 경우	100 %
프리드먼을 고르지 못하였으나, 멀리 있는 은하가 더 빠른 속도로 멀어져 간다고 설명한 경우	70 %
프리드먼을 옳게 골랐으나, 멀리 있는 은하가 더 빠른 속도로 멀어져 간다고 설명하지 않은 경우	50 %

※ 주의: 허블의 발견을 '허블의 법칙' 또는 '우주의 팽창'이라고 쓴 경우는 동어 반복이므로 틀린 것으로 간주함.

18 **예시** 알칼리 금속은 1족 원소로 원자가 전자 수가 1이다. 따라서 전자 1개를 잃고 양이온이 되며 화합물을 형성하기 쉽기 때문에 반응성이 크다.

채점 기준	배점
알칼리 금속의 원자가 전자 수와 반응성을 옳게 설명한 경우	100 %
알칼리 금속의 원자가 전자 수를 설명했으나 반응성에 대한 설명이 부족한 경우	50 %
알칼리 금속의 원자가 전자 수만 옳게 답한 경우	30 %

19 **예시** •이온 결합 물질의 예: 염화 나트륨(NaCl)
•염화 나트륨의 전자 배치 모형:

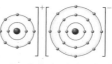

•공유 결합 물질의 예: 수소(H_2), 염화 수소(HCl)
•수소와 염화 수소의 전자 배치 모형:

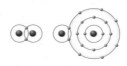

채점 기준	배점
이온 결합 물질과 공유 결합 물질의 예가 적절하고, 각각의 전자 배치 모형을 옳게 그린 경우	100 %
이온 결합 물질과 공유 결합 물질의 예가 적절하지만, 전자 배치 모형이 옳지 않은 경우	50 %

20 **예시** •(가) 이온 결합 물질인가? 액체나 수용액 상태에서 전기 전도성이 있는가? 이온 사이의 결합인가? 금속과 비금속 원소 간의 결합인가? 등
•염화 나트륨과 아이오딘화 칼륨은 금속과 비금속이 결합한 이온 결합 물질로 액체나 수용액 상태에서 전기 전도성이 있고, 설탕과 다이아몬드는 비금속끼리 결합한 공유 결합 물질이다.

채점 기준	배점
분류 기준과 까닭을 옳게 서술한 경우	100 %
분류 기준은 적절하지만 까닭을 서술하지 못한 경우	50 %

2 | 자연의 구성 물질

✅ 개념 확인 문제

2-❶ 지각과 생명체를 구성하는 물질의 규칙성

2-❷ 신소재의 개발과 활용

단원 총괄 평가 80~83쪽

01 ③	02 ③	03 ④	04 ④	05 ⑤	06 ⑤	07 ④
08 ①	09 ⑤	10 ⑤	11 ②	12 ②	13 ④	14 ⑤
15 ③	16-19 해설 참조					

01 ㄱ. (가)에서 장석, 석영, 휘석, 각섬석, 흑운모는 모두 규산염 광물이다.
  ㄴ. (나)에서 산소는 지구 탄생 이후 약 10억 년이 지난 후부터 생명체의 광합성으로 증가하기 시작했다.
  ㄷ. (다)에서 단백질, 지질, 핵산, 탄수화물은 모두 탄소 화합물이다.

02 Si-O 사면체는 산소 4개와 규소 1개로 구성되며, (가)에서 사면체의 각 꼭짓점은 산소(O)를 의미한다. (나)에서 사면체와 사면체는 꼭짓점에 위치한 산소를 공유하는 공유 결합으로 연결되어 있다. Si-O 사면체를 기본 결합 구조로 갖고 있는 광물은 규산염 광물이다.

03 과자는 탄소 원자를, 이쑤시개는 공유 전자쌍을 나타내므로 규칙 (다)는 탄소 원자 사이에서 3중 결합이 가능

함을 의미한다. 과자 3개를 연결할 때는 사슬 모양 이외에 가지 달린 사슬 모양과 고리 모양이 만들어질 수도 있으므로 2개를 연결할 때에 비해 매우 많은 가짓수의 골격 모형이 만들어진다.

04 탄소의 원자가 전자는 4개이다. 메테인은 탄소 화합물에 해당하며, 메테인에서 중심의 탄소는 이웃한 수소와 모두 공유 결합으로 연결되어 있다.

05 (가)~(다)에서 탄소는 수소 및 이웃한 탄소와 모두 공유 결합하여 옥텟 규칙을 만족한다. 탄소 화합물은 사슬 모양, 가지 달린 사슬 모양, 고리 모양 등 다양한 기본 골격으로 만들어질 수 있다.

06 (가)는 녹말, (나)는 글리코젠이다. 녹말과 글리코젠은 모두 생명체를 구성하는 탄수화물로, 단위체는 포도당이다. 녹말은 식물 세포에서, 글리코젠은 동물 세포에서 에너지원으로 사용된다.

07 ㄱ, ㄷ. 인지질은 글리세롤 1분자와 지방산 2분자, 중성 지방은 글리세롤 1분자와 지방산 3분자가 결합하여 형성된다.
  ㄴ. 인지질은 세포막의 구성 성분이고, 중성 지방은 체내 저장 에너지원으로 이용된다.

08 (가)는 아미노산, (나)는 폴리펩타이드, (다)는 단백질이다.
  ① 아미노산(가)이 결합하여 단백질(다)을 구성한다.
  ②, ③ 생명체를 구성하는 아미노산(가)은 20가지가 있으며, 각 아미노산은 서로 다른 모양을 가지고 있다.
  ④ 폴리펩타이드(나)의 길이가 같아도 아미노산(가)의 배열 순서가 다르면 서로 다른 입체 구조를 가진 단백질(다)이 만들어진다.
  ⑤ 아미노산의 배열 순서에 따라 단백질의 구조와 기능이 결정된다.

09 ①, ④ 아미노산은 중심 탄소에 아미노기, 카복실기, 곁사슬, 수소가 결합되어 있는 단위체로, 모든 아미노산의 기본 구조는 같지만 곁사슬에 따라 약 20가지로 구분할 수 있다.
  ② 단백질의 기능은 아미노산의 배열 순서에 따라 결정된다.
  ③ 펩타이드 결합은 물 한 분자가 방출되는 반응이다.
  ⑤ 같은 입체 구조를 가진 단백질은 같은 아미노산 서열을 가진다.

10 ㄱ. 뉴클레오타이드는 인산 : 당 : 염기가 1 : 1 : 1로 결합한 것이다. 따라서 그림에서 뉴클레오타이드가 5개이므로 구성 성분인 당도 5개 있다.
  ㄴ. 이 폴리뉴클레오타이드가 이루는 DNA 2중 나선에서 아데닌(A)과 타이민(T)은 상보적으로 결합하므로 두 염기의 비율은 같다.

ㄷ. 이 DNA의 폴리뉴클레오타이드 염기 서열이 ATGCA이므로 이에 상보적으로 결합하는 염기 서열은 왼쪽부터 TACGT이다.

> **해설 Plus**
>
> DNA를 구성하는 폴리뉴클레오타이드의 염기는 아데닌(A)은 타이민(T)과, 구아닌(G)은 사이토신(C)과 상보적으로 결합하여 2중 나선 구조를 형성한다.

11 ㄱ. 자기 부상 열차의 레일은 강도가 중요한 것이 아니라 자기력을 띠는 것이 중요하므로 철, 니켈과 같이 자석을 만들 수 있는 물질을 이용해야 한다.

ㄴ. 그림과 같은 구조로 자기 부상 열차가 만들어진 경우에는 차체를 레일 위로 띄우기 위해 레일과 전자석 사이에 서로 당기는 힘이 작용해야 한다. (단, 자기 부상 열차 중에서는 전자석이 레일 옆에 있거나, 레일 위에 있어서 미는 힘을 이용한 경우도 있다.)

ㄷ. 열차에 탑승한 인원이 많아지면 전자석을 아래 방향으로 당기는 중력이 커질 것이므로 차체가 레일 위에 떠서 운행하기 위해서는 전류의 세기가 증가하여 자기장이 더 세져야 한다.

12 ㄱ. (가) 상태의 초전도체는 내부에 자기장이 없어서 자석에 의한 자기장을 밀어내기 때문에 자석 위에 떠 있다.

ㄴ. (가)와 같은 현상은 초전도체가 전기 저항이 0이 될 때 발생한다. 따라서 (나) 그래프에서 온도가 T보다 낮다.

ㄷ. 초전도체로 강한 전자석을 만들 수 있기는 하나, 이는 (가)와 같은 성질을 이용한 것이 아니라, 저항이 없는 코일에 강한 전류가 흐르면 큰 자기장이 형성되는 성질을 이용한 것이다.

> **해설 Plus**
>
> 초전도체는 임계 온도 이하일 때만 초전도 현상을 나타낸다. 따라서 임계 온도에서 전기 저항이 갑자기 0으로 감소한다.

13 ㄱ. (가)는 탄소 구조가 2차원 평면을 이루고 있으므로 그래핀의 구조이며, (나)는 튜브 모양으로 말려 있으므로 탄소 나노 튜브의 구조이다.

ㄴ. 탄소 나노 튜브와 그래핀은 모두 전기 전도성이 뛰어나다.

ㄷ. 그래핀은 탄소가 한 층만 존재하기 때문에 빛의 투과성이 좋아서 태양 전지의 전극으로 이용할 수 있다.

14 네오디뮴 자석은 철에 네오디뮴과 붕소를 섞어 만드는 것으로 자기장이 강하여 전동기의 출력을 높이는데 이용된다. 따라서 물질의 자기적 성질을 활용한 예이다.

15 (가)는 비늘로 인해 마찰이 줄어드는 점을 이용하여 기능성 수영복에 응용하였으며, (나)는 강한 접착력을 이용하여 접착제로 이용할 수 있다. (다)는 빛의 성질을 이용해 다양한 색을 만들어낼 수 있으므로 디스플레이 등에 이용될 수 있다. 즉, (가)와 (다)는 생물의 구조를 모방한 것이며, (나)는 생명체의 화학 성분을 모방한 예이다.

🤚 수행 평가 대비 문제

16 예시 Si-O 사면체가 기본 단위가 되어서, 사면체가 1개, 1줄이나 2줄로 길게 이어진 구조, 또는 평면으로 넓게 이어진 구조를 이루며 규칙적으로 결합하여 기본 결합 구조를 형성하며 규산염 광물이 만들어진다.

채점 기준	배점
Si-O 사면체가 기본 단위가 되며, 사면체가 독립형, 단일 사슬형, 2중 사슬형, 층상형으로 결합하여 기본 결합 구조를 형성한다고 옳게 서술한 경우	100 %
Si-O 사면체가 독립형, 단일 사슬형, 2중 사슬형, 층상형으로 결합하여 기본 결합 구조를 형성한다고만 서술한 경우	70 %
규산염 광물은 Si-O 사면체가 기본 단위가 된다고만 서술한 경우	30 %

17 예시 그림과 같이 서로 다른 폴리뉴클레오타이드가 결합하여 DNA 2중 나선 구조를 형성할 때 염기 중 아데닌(A)은 타이민(T)과만, 구아닌(G)은 사이토신(C)과만 결합하는 것을 염기의 상보결합이라고 한다.

채점 기준	배점
염기의 상보결합을 아데닌(A)은 타이민(T)과만, 구아닌(G)은 사이토신(C)과만 결합하고 있다고 옳게 서술한 경우	100 %
아데닌(A)은 타이민(T)의 결합이나 구아닌(G)과 사이토신(C)과의 결합 중 1가지만 옳게 서술한 경우	50 %

18 예시 (가)는 물질의 자기적 성질을, (나)는 물질의 전기적 성질을 알아보기 위한 실험이다. A는 알루미늄, 구리, 금, 은 등이 될 수 있다.

채점 기준	배점
(가)와 (나)가 측정하려는 것을 옳게 서술하고, 예시 물질 2가지를 모두 옳게 서술한 경우	100 %
(가)와 (나)가 측정하려는 것을 각각 옳게 서술한 경우	각 25 %
예시 물질 2가지를 각각 옳게 서술한 경우	각 25 %

19 예시 상어 비늘을 모방한 전신 수영복. 상어의 비늘은 독특한 무늬가 있어서 헤엄칠 때 물의 저항력을 줄여 준다.

채점 기준	배점
생체 모방 신소재의 예를 옳게 들고, 그 신소재가 모방한 자연의 특징을 옳게 서술한 경우	100 %
생체 모방 신소재의 예만 옳게 쓴 경우	50 %

✔ 개념확인 문제

3-① 중력과 역학적 시스템

·· 89쪽

1 연직 아래 방향(지구 중심 방향)
2 일정한 크기의 중력이 계속 작용하기 때문이다.

·· 93쪽

1 육지의 따뜻한 공기가 상승하므로 바다에서 육지로 분다.
2 머리의 정맥은 중력의 방향과 심장으로 흐르는 방향이 같아서 역류하지 않지만, 다리는 방향이 반대여서 역류할 수 있기 때문이다.

3-② 충돌과 안전장치

·· 99쪽

1 속력이 일정한 등속 직선 운동을 한다.
2 60 kg·m/s

·· 101쪽

1 바닥에 떨어질 때 충돌하는 시간을 늘려주어 휴대 전화가 받는 힘을 줄이기 위해
2 충돌하는 시간을 늘려준다.

단원 총괄 평가						108~111쪽
01 ②	**02** ②	**03** ④	**04** ④	**05** ⑤	**06** ⑤	**07** ②
08 ⑤	**09** ②	**10** ③	**11** ③	**12** ②	**13** ②	**14** ②
15 ③	**16** ③	**17-20** 해설 참조				

01 (가) 잠수함은 중력에 의해 아래로 가라앉으려는 힘과 부력에 의해 위로 떠오르려는 힘을 적절히 조절하여 위아래로 움직인다.
(나) 스키 선수는 중력에 의해 아래로 미끄러지는데 이때 얼음과 스키 사이에 마찰력이 작용하여 속력을 조절하면서 내려온다.
(다) 트램펄린의 탄성력에 의해 공중으로 떠오르면 중력에 의해 아래로 다시 떨어진다.

02 수평 방향으로는 아무런 힘이 작용하지 않으므로 등속도 운동을 한다. 3 m/s의 속력으로 수평으로 12 m를 이동하였으므로 이동 시간은 4초이다.

03 수직 방향으로 중력이 작용하므로 물체는 수직 방향으로 점점 속도가 빨라지는 운동을 한다. 따라서 A가 땅에 떨어질 때 B는 A가 처음 출발한 높이를 지나게 되며, 그 이후는 속력이 더 빠르기 때문에 걸린 시간이 A의 2배보다는 작다. 수평 방향으로는 등속도 운동을 하므로 A가 날아간 거리의 2배보다는 적게 날아가게 될 것이다. 물체

04 진공 상태에서 운동하고 있으므로 두 물체에는 연직 아래 방향으로 중력만 작용하여 자유 낙하 운동을 하고 있다. 이에 따라 속력이 일정하게 빨라지는 운동을 하는데, 이때 두 물체의 질량이 다르므로 두 물체에 작용하는 중력의 크기는 다르다.

05 그래프에 의하면 시간에 따라 이동한 거리가 일정하게 늘어나고 있으므로, 속력이 일정한 등속도 운동을 하고 있다. 따라서 이 물체에는 아무런 힘이 작용하지 않고 있다. (또는 여러 힘이 작용하고 있으나 크기가 같고 방향이 반대이기 때문에 상쇄되고 있을 수도 있다.) 4초 동안 12 m를 이동하였으므로 이 물체의 속력은 3 m/s이다.

> **해설 Plus**
>
> 그래프를 해석할 때는 그래프의 모양을 보기 전에 가로축과 세로축이 무엇을 의미하는지를 먼저 살펴보아야 한다. 이 단원에서는 주로 세로축이 속력인 속력-시간 그래프를 다루었으나, 이 문제에서는 그래프의 세로축이 이동 거리인 거리-시간 그래프이므로 모양이 같아도 해석이 다르다.

06 ㄱ. 이는 지구의 중력에 의해 발생하는 것이므로 공기 저항이 없는 경우에 발생한다. 실제 인공위성은 공기 저항이 없는 우주 공간에서 원운동하고 있다.
ㄴ. 수평 방향으로 운동하고 있는 물체에 수직 방향으로 힘이 작용하기 때문에 이러한 운동이 발생하게 된다.
ㄷ. 인공위성은 우주 공간에서 지구의 중력에 의해 직선으로 날아가지 못하고 원운동을 하게 된다.

07 ㄱ. 대기 중에 약 20 %가 산소로 존재하는 것은 지구의 중력 때문이다. 만약 중력이 절반 이하로 감소하면 산소를 잡아두는 중력이 약하기 때문에 상당수의 산소 분자가 우주로 빠져나가게 될 것이다. 따라서 현재보다 산소가 부족해서 생명체가 숨을 쉬기 어려울 것이다.
ㄴ. 심장에서 혈액을 머리로 공급할 때는 중력을 이겨내어야 한다. 사람의 신체는 현재의 중력에 맞게 진화되어 있으므로 중력이 절반이 되면 중력이 아래로 잡아당기는 힘이 줄어들어 위쪽으로 혈액이 더 많이 공급될 것이다. 그 때문에 얼굴이 부어 보이게 될 것이다.
ㄷ. 중력이 절반이 되더라도 중력이 여전히 있으므로 속력이 빠르지 않을 경우 돌멩이는 현재보다 더 먼 거리를 날아가 땅에 떨어질 것이다.

08 A: 18 kg × 2 m/s = 36 kg·m/s
B: 0.15 kg × $\frac{18 \text{ m}}{0.6 \text{ s}}$ = 4.5 kg·m/s
C: 6 kg × 10 m/s = 60 kg·m/s

09 후추가 담긴 양념통을 흔들 때 통이 멈추면 후춧가루는 계속 운동하려고 하는 관성이 있기 때문에 양념통을 빠

져 나오게 된다. ㄱ, ㄴ은 관성에 의한 현상이지만, ㄷ은 물체의 충돌 시간을 늘려주어 충격량을 줄이는 방법으로 설명할 수 있으므로 원리가 다르다.

10 같은 높이에서 자유 낙하 하는 두 물체는 지면에 닿기 직전의 속력이 같으므로 질량×속도인 운동량 역시 같다. 다만 A의 경우 나중 속도가 0인데 비해 B의 경우 반대 방향으로 다시 튀어 올랐기 때문에 나중 속도가 0이 아니다. 결국 운동량의 변화량인 충격량은 B가 A보다 더 크다.

11 운동량은 질량×속도이다. A의 전체 질량은 (350+500+50) kg = 900 kg이고 B의 전체 질량은 300 kg이므로 A의 질량은 B의 3배이다. 속도는 A가 B의 절반이므로 전체 운동량은 A가 B의 1.5배이다.

12 질량이 같은 달걀이 같은 높이에서 떨어지고 있으므로 바닥에 닿을 때 속도가 같다. 따라서 두 달걀의 운동량은 같다. 두 달걀 모두 나중 속도가 0이므로 운동량의 변화량인 충격량 역시 같다. 다만 방석에 충돌한 달걀은 충돌 시간이 길어지기 때문에 달걀이 충돌할 때 받는 평균 힘의 크기가 줄어들게 되어서 깨지지 않는다.

13 자유 낙하 하는 물체는 1초에 속력이 9.8 m/s씩 빨라지는 운동을 한다. 따라서 방석에 닿을 때의 운동량은 0.05 kg × 9.8 m/s = 0.49 kg·m/s이다. 나중의 속도가 0이므로 운동량의 변화량인 충격량 역시 0.49 N·s이다. 방석에 충돌해서 멈출 때까지 걸린 시간이 0.5초이므로 평균 힘은 0.98 N이다.

14 충격량은 힘 × 시간으로 나타낼 수 있다. 0~2초동안 12 N의 힘을 받고, 2~3초 동안 평균 6 N의 힘을 받으므로 충격량은 12 N × 2 s + 6 N × 2 s = 36 N·s이다. 충격량이 운동량의 변화량과 같고, 처음의 운동량은 0이므로 나중의 운동량은 36 kg·m/s이다. 물체의 질량이 6 kg이므로 나중 속도는 6 m/s이다.

15 무거운 열차가 한 번에 멈추지 못하는 것은 관성으로 설명할 수 있다. 안전띠는 충돌 시 운전자가 관성에 의해 튀어 나가는 것을 방지하기 위해 착용하며, 트럭이나 대형 버스의 경우 차체가 무겁기 때문에 과속할 경우 관성이 커서 승용차보다 더 위험하므로 최고 속도 제한 장치를 부착한다.

16 ㄱ. 에어백이 터지면서 에어백에 파묻히는 시간이 늘어나며, 동시에 안전띠가 약간 풀리면서 안전띠로부터 힘을 받는 시간 역시 늘어난다.
ㄴ. 사고 발생 전의 속도와 사고 발생 후 멈춘 다음의 속도는 안전장치를 사용할 때와 사용하지 않을 때가 같기 때문에 충격량은 감소하지 않는다.
ㄷ. 차가 급정지하게 되면 관성에 의해 몸이 앞으로 쏠린다. 이때 몸이 튕겨져 나가지 않도록 하는 것이 안전

띠의 역할이며, 상체가 앞으로 튀어나올 때 핸들 등의 구조물에 부딪혀 다치지 않도록 하는 것이 에어백의 역할이다.

수행 평가 대비 문제

17 예시 A: 관성에 의해 바로 수직으로 낙하하므로 중력만 받아 속력이 점점 빨라지는 자유 낙하 운동을 한다.
B: 자가 수평으로 힘을 작용하기 때문에 수평 방향으로는 등속 운동을 하며, 수직 방향으로는 속력이 점점 빨라지는 운동을 한다.

채점 기준	배점
주어진 용어를 모두 써서 A와 B 모두 운동 상태와 그 까닭을 옳게 서술한 경우	100 %
A와 B의 운동 상태와 그 까닭을 옳게 서술하였으나, 주어진 용어를 모두 쓰지는 못한 경우	70 %
A와 B 중 어느 하나만 운동 상태와 그 까닭을 옳게 서술한 경우	50 %

18 예시 • 동전 A보다 동전 B는 더 먼 거리를 날아가기 때문에 공기 저항을 더 오래 받는다.
• 동전 B는 책상과의 마찰 때문에 동전 A보다 늦게 떨어지기 시작한다.
• 동전 A는 관성에 의해 자가 빠져나가는 즉시 떨어지지만 동전 B는 자가 밀어내는 데까지 시간이 걸리기 때문에 더 늦게 떨어지기 시작한다.

채점 기준	배점
동전 A와 B의 상태를 비교하여 A가 더 먼저 떨어지게 된 까닭을 타당하게 설명한 경우	100 %
동전 A가 더 먼저 떨어지게 된 까닭은 설명하였으나, A와 B의 상태를 비교하지는 않은 경우	70 %

19 예시 자동차가 급정거 시 아이는 관성에 의해 계속 움직이려고 하므로 앞으로 튀어나가게 된다. 이 때 앞 좌석에 부딪혀 몸을 다치거나 사망할 수 있다. 유리창에 머리를 부딪힐 수도 있다. 또한 앞좌석에 타고 있는 탑승자의 머리와 충돌하여 앞좌석 탑승자도 큰 부상을 입을 수 있다.

채점 기준	배점
몸이 앞으로 날아가는 까닭과 아이가 입을 수 있는 피해 2가지를 모두 옳게 서술한 경우	100 %
몸이 앞으로 날아가는 까닭을 옳게 쓰고 아이가 입을 수 있는 피해 2가지 피해 중 하나만 옳게 서술한 경우	70 %
아이가 입을 수 있는 피해 2가지는 모두 옳게 서술하였으나, 몸이 앞으로 날아가는 까닭을 잘못 서술한 경우	50 %

20 예시 달걀이 바닥에 부딪힐 때 충돌 시간을 최대한 길게 하여 같은 충격량에도 평균 힘이 작아지도록 하여야 한다. 빨대는 잘 휘어지는 성질이 있으므로 이를 이용하여 바닥과 닿는 부분이 잘 휘어지도록 구조를 만들면 된다.

채점 기준	배점
달걀을 보호하는 원리와 빨대의 탄력성을 이용하여 충돌 시간을 줄여주는 원리를 모두 옳게 설명한 경우	100 %
두 가지 중 하나만 옳게 설명한 경우	50 %

✅ 개념 확인 문제

단원 총괄 평가					140~143쪽	
01 ④	02 ③	03 ①	04 ①	05 ③	06 ⑤	07 ②
08 ①	09 ⑤	10 ①	11 ③	12 ①	13 ①	14 ⑤
15 ④	16-20 해설 참조					

01 지구 시스템은 태양계라는 역학적 시스템의 구성 요소이면서, 그 자체로 수많은 생명체를 포함하는 시스템이다.
ㄴ. 지구 시스템은 지권, 수권, 기권, 생물권, 외권으로 구성된다.

02 A는 대류권, B는 성층권, C는 중간권, D는 열권이다.
③ 대류권(A)과 중간권(C)에서 모두 대류 현상이 나타나지만, 기상 현상은 대류권에서만 나타난다.

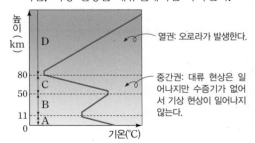

열권: 오로라가 발생한다.

중간권: 대류 현상은 일어나지만 수증기가 없어서 기상 현상이 일어나지 않는다.

03 A는 지각, B는 맨틀, C는 외핵, D는 내핵이다.
ㄴ. 맨틀은 암석 물질로 이루어져 있으며 고체 상태이지만, 상부 맨틀이 부분적으로 용융되어 있어서 유동성을 갖는다.

ㄷ. 외핵과 내핵은 모두 철과 니켈 등의 금속 물질로 이루어져 있다.

04 A는 혼합층, B는 수온 약층, C는 심해층이다.
ㄴ. 수온 약층은 안정한 층으로, 위아래 층의 물질 이동을 차단한다.
ㄷ. 심해층은 연중 수온이 거의 일정하다.

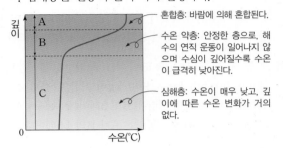

혼합층: 바람에 의해 혼합된다.

수온 약층: 안정한 층으로, 해수의 연직 운동이 일어나지 않으며 수심이 깊어질수록 수온이 급격히 낮아진다.

심해층: 수온이 매우 낮고, 깊이에 따른 수온 변화가 거의 없다.

05 황사는 지권과 기권의 상호 작용, 지진 해일은 지권과 수권의 상호 작용으로 일어나는 현상이다.

06 ⑤ 지하수에 의해 석회 동굴이 만들어지는 과정은 수권과 지권의 상호 작용으로, B에 해당한다.

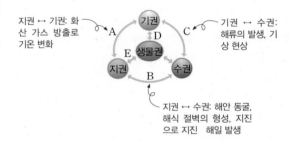

지권 ↔ 기권: 화산 가스 방출로 기온 변화

기권 ↔ 수권: 해류의 발생, 기상 현상

지권 ↔ 수권: 해안 동굴, 해식 절벽의 형성, 지진으로 지진 해일 발생

07 A는 태양 복사 에너지, B는 지구 내부 에너지, C는 조력 에너지이다.
ㄱ. 갯벌을 형성하는 에너지는 조력 에너지이다.
ㄷ. 여러 가지 자연 현상을 일으키는 근원적인 에너지는 태양 복사 에너지이다.

08 ㄱ. 외권에서 태양 복사 에너지가 유입되며, 적은 양이긴 하지만 운석 등의 형태로 물질도 유입된다.
ㄷ. 태풍은 저위도 지방의 남는 에너지를 고위도 지방으로 이동시키며 지구의 에너지 불균형을 해소한다.

09 물의 순환 과정에서 지표의 풍화, 침식 작용이 일어나고, 물이 증발하고 응결하는 과정에서 물질과 에너지가 이동한다. 물의 순환을 일으키는 주요 에너지원은 태양 복사 에너지이다.

10 지진대와 화산대는 주로 대륙 주변부에 분포하며 판 경계와 대부분 일치한다.
ㄴ. 대륙 중심부에서는 지진과 화산 활동이 드물게 발생한다.
ㄷ. 지진이 발생하는 곳에서 항상 화산 활동이 일어나지는 않는다.

11 (가)는 맨틀, (나)는 암석권, (다)는 연약권이다.

ㄷ. 연약권은 유동성이 있는 고체 물질로 이루어져 있다. 연약권의 맨틀은 온도가 높아서 부분 용융 상태로 유동성을 갖는다.

12 A는 동태평양 해령으로 판과 판이 멀어지는 경계(발산 경계)이며, B는 히말라야 산맥으로 두 판이 모이는 경계(수렴 경계), C는 산안드레아스 단층으로 두 판이 서로 어긋나는 경계(보존 경계)이다.
　ㄴ. B에서는 대륙판과 대륙판이 충돌하면서 습곡 산맥이 형성되고, 대륙판은 상대적으로 밀도가 작아서 맨틀 속으로 깊이 내려가지 않는다.
　ㄷ. C에서는 판이 생성되거나 소멸하지 않으며, 지진이 발생하지만 화산 활동은 일어나지 않는다.

13 (가)와 (나)는 모두 두 판이 모이는 경계(수렴 경계)로, (가)는 대륙판과 해양판이 충돌하는 경계, (나)는 해양판과 해양판이 충돌하는 경계이다.
　ㄴ. (가)와 (나) 모두 지진과 화산 활동이 활발하게 일어난다.
　ㄷ. 해양판과 해양판이 충돌하면 밀도가 상대적으로 큰 해양판이 다른 해양판 아래로 내려간다.

14 ⑤ 대규모의 화산이 폭발하면 화산에서 멀리 떨어진 지역까지 화산재와 화산 가스가 확산되며, 이로 인한 피해가 발생한다.

15 ④ 건물 안에 있을 때 지진이 발생하면 건물이 흔들리는 동안은 책상이나 탁자 밑에 들어가서 몸을 보호하고, 진동이 멈추면 건물 밖으로 대피해야 한다.

해설 Plus 지진 발생 시 대피 요령
· 지진으로 건물이 흔들리는 동안은 책상 밑에 들어가 몸을 보호한다.
· 전기, 가스불을 꺼서 화재를 예방하고, 문을 열어서 출구를 확보한다.
· 진동이 멈추면 계단을 이용하여 건물 밖으로 대피한다. 엘리베이터 안에 있다면 모든 층의 버튼을 눌러서 내린 후 계단을 이용한다.
· 건물 밖에 나가면 가방이나 손으로 머리를 보호하고, 낙하물에 유의하여 신속하게 넓은 공터로 대피한다.

〰️ **수행 평가 대비 문제**

16 예시　오로라는 태양에서 날아온 대전 입자가 지구 대기 상층부의 기체 분자와 충돌하여 일어나는 현상으로, 외

권과 기권의 상호 작용이다.

채점 기준	배점
오로라의 발생 과정과 외권과 기권의 상호 작용을 모두 옳게 서술한 경우	100 %
오로라의 발생 과정만 옳게 서술한 경우	50 %
외권과 기권의 상호 작용만 옳게 서술한 경우	30 %

17 예시　대기 중 이산화 탄소가 바닷물에 녹아서 탄산 이온이 되고, 산호가 탄산 이온을 흡수하여 탄산 칼슘의 골격을 만든다. 즉, 산호의 골격이 형성되는 과정은 탄소가 기권, 수권, 생물권으로 이동하는 과정이다.

채점 기준	배점
산호의 골격이 형성되는 과정을 탄산 이온을 정확히 언급하며 옳게 서술하고, 탄소의 이동 과정을 기권, 수권, 생물권의 이동으로 옳게 서술한 경우	100 %
산호의 골격 형성 과정에서 탄산 이온을 언급하지 않았으나 탄소의 용해와 흡수 과정으로 서술하였으며, 탄소의 이동 과정을 옳게 서술한 경우	70 %
산호의 골격 형성 과정은 옳게 서술하지 못하였으나, 탄소의 이동 과정을 기권, 수권, 생물권의 이동으로 옳게 서술한 경우	40 %
탄소의 이동 과정만을 서술하였으나, 수권과 생물권의 이동만으로 서술한 경우	20 %

18 예시　㉠은 바닷물이 태양 복사 에너지를 흡수하여 증발하는 과정으로, 바닷물이 열을 흡수한다. ㉡은 수증기가 응결하면서 대기 중으로 잠열을 방출하는 과정으로, 열을 방출한다.

채점 기준	배점
㉠과 태양 복사 에너지를 언급하고, ㉡에서 잠열을 언급하여 열이 출입하는 과정을 모두 옳게 서술한 경우	100 %
㉠과 ㉡에서 열이 출입하는 과정은 옳게 서술하였으나, 태양 복사 에너지와 잠열은 언급하지 않은 경우	50 %
㉠과 ㉡ 중 1가지만 옳게 서술한 경우	30 %

19 예시　대기 중으로 방출된 화산재는 바람을 타고 멀리 이동하는데, 이 지역에서는 서풍이 불어서 화산재가 동쪽 지역으로 확산되며 이는 지권과 기권의 상호 작용이다.

채점 기준	배점
화산재의 확산을 이 지역에 부는 서풍과 관련지어 지권과 기권의 상호 작용으로 옳게 서술한 경우	100 %
화산재의 확산을 지권과 기권의 상호 작용으로 서술하였으나, 이 지역에 부는 서풍은 언급하지 않은 경우	50 %
화산재의 확산을 단순히 바람이 불기 때문이라고만 서술하고, 지권과 기권의 상호 작용은 설명하지 않은 경우	30 %

20 예시　지진파를 통해 지구 내부 구조를 파악할 수 있다.

채점 기준	배점
지진파를 통한 지구 내부 구조 파악을 옳게 서술한 경우	100 %
지진파를 명시하지 않고 지구 내부 구조를 파악한다고만 서술한 경우	40 %
지진파는 옳게 썼으나 지구 내부 구조의 파악은 언급하지 않은 경우	30 %

✓ 개념 확인 문제

5-❶ 생명 시스템

5-❷ 세포 내 정보의 흐름

단원 총괄 평가	172~175쪽

01 ③ **02** ④ **03** ③ **04** ⑤ **05** ① **06** ② **07** ③
08 ① **09** ① **10** ③ **11** ⑤ **12** ② **13-16** 해설 참조

01 지구 시스템에서 살고 있는 생명체가 물, 공기, 빛 등의 외부 환경 요소와 상호 작용 하면서 이루는 시스템을 생명 시스템이라고 한다.
- 학생 A: 모든 생물의 세포는 세포막을 통해 세포 안팎으로의 물질 출입을 조절한다.
- 학생 B: 생명 시스템을 구성하는 기본 단위는 세포이며, 모든 생명체는 세포로 이루어져 있다.
- 학생 C: 핵 안의 DNA에 있는 유전자로부터 전사와 번역 과정을 통해 단백질을 만들고, 이 단백질에 의해 형질이 나타난다.
- 학생 D: 생명 시스템에서는 생체 촉매인 효소를 이용하여 활성화 에너지를 낮추어 물질대사가 빠르게 일어나게 한다.

02 (가)는 동물 세포이고, (나)는 식물 세포이다. A는 핵, B는 미토콘드리아, C는 엽록체, D는 세포벽이다.

ㄱ. 핵(A)에는 유전 정보를 저장하고 있는 DNA가 있어 세포의 구조와 기능을 결정하며, 생명 활동을 조절한다.
ㄴ. 무기물을 이용하여 포도당과 같은 유기물을 합성하는 곳은 엽록체(C)로, 식물 세포에만 있다. 미토콘드리아(B)는 동식물 세포에서 생명 활동에 필요한 에너지를 생산한다.
ㄷ. 엽록체(C)와 세포벽(D)은 식물 세포에만 있다.

03 A는 세포, B는 조직, C는 기관이다.

ㄷ. 기관(C)은 여러 조직이 모여 고유한 형태와 기능을 나타내는 단계로 동물의 경우 심장, 위, 폐, 간 등이 있다.

04 ㄱ, ㄷ. 포도당은 크기가 크고 수용성 물질이므로 세포막의 인지질 2중층을 통과할 수 없어 특정한 막단백질을 통해 이동한다. 따라서 A는 '인지질 2중층을 통해 이동한다.'이다.

ㄴ. 산소의 농도는 폐포 안이 폐포를 둘러싼 모세 혈관 안보다 높으므로 B가 '폐포에서 폐포를 둘러싼 모세 혈관으로 확산되어 이동한다.'이면 (가)는 산소, (나)는 이산화 탄소이다.

05 ㄱ. 산소와 포도당이 (가) 쪽에 많고, (가)에서 (나)로 이동하는 것으로 보아 (가)는 세포 바깥쪽이고, (나)는 세포 안쪽이다.

ㄴ, ㄷ. 산소는 인지질 2중층(I)을 통해, 포도당은 세포막의 특정 막단백질(II)을 통해 확산에 의해 세포 안쪽으로 이동한다. 세포막을 통한 물질의 출입은 물질의 종류에 따라 선택적으로 일어난다.

06 ㄱ, ㄴ. 눈금실린더 A(과산화 수소수 + 감자즙)에서 과정 (나)의 결과 흰 거품이 많이 발생하고, (다)의 결과 향 불꽃에 불이 붙는 것으로 보아 과산화 수소수와 감자즙이 반응하여 산소 기체가 발생한 것을 알 수 있지만, 생성물인 산소 기체의 양을 측정한 것은 아니다.

ㄷ. 과산화 수소가 분해되면 물과 산소 기체로 분해되는데, 감자즙을 넣은 눈금실린더 A에서 반응이 빠르게 일어났으므로 실험 결과로부터 감자즙에 들어 있는 어떤 성분이 과산화 수소의 분해 반응을 촉진시켰다는 것을 추론할 수 있다.

07 A는 카탈레이스가 없을 때의, B는 카탈레이스가 있을 때의 활성화 에너지이다. C는 반응열이다.

ㄱ. 크기가 큰 물질인 과산화 수소가 크기가 작은 물질인 물과 산소로 분해되는 반응이므로 이화 작용이다.
ㄴ. 카탈레이스가 있을 때의 활성화 에너지는 B이다.
ㄷ. 반응열(C)은 반응물과 생성물의 에너지 차이로, 효소의 유무에 관계없이 일정하다.

08 ㄱ. 붉은색 색소는 붉은색 색소 합성 효소 Y에 의해 만들어지며, 유전자 A의 DNA 염기 서열에 붉은색 색소 합성 효소 Y에 대한 유전 정보가 저장되어 있다. 따라서 DNA 염기 배열 순서에 이상이 생기면 붉은색 색소가 만들어지지 못할 수 있다.

ㄴ. 유전자 A의 정보는 전사와 번역 단계를 거쳐 단백질인 붉은색 색소 합성 효소 Y로 만들어진다.

ㄷ. 효소는 반응 후에 변하지 않으므로 촉매 작용을 반복할 수 있다.

09 DNA에 있는 유전자의 정보는 단백질과 RNA에 대한 정보이다. 유전자에 저장된 유전 정보에 따라 다양한 종류의 단백질이 합성되고, 이 단백질에 의해 생물의 여러 가지 형질이 나타난다.

10 (가)는 DNA, (나)는 RNA, (다)는 단백질이다.

ㄱ, ㄷ. DNA(가)와 RNA(나)는 염기 서열로, 단백질(다)은 아미노산 서열로 정보를 저장한다.

ㄴ. RNA는 DNA 2중 나선 중 한 가닥의 염기 서열을 바탕으로 상보적인 염기 서열을 갖는 단일 가닥이다. DNA를 구성하는 염기의 종류는 아데닌(A), 타이민(T), 구아닌(G), 사이토신(C)이지만, RNA는 아데닌(A), 유라실(U), 구아닌(G), 사이토신(C)이므로 염기 서열에 차이가 있다.

11 ㉠은 전사, ㉡은 RNA, ㉢은 번역이다.

ㄱ. RNA(㉡)는 전사(㉠) 과정을 통해 만들어진다.

ㄴ. RNA를 구성하는 염기의 종류는 아데닌(A), 유라실(U), 구아닌(G), 사이토신(C)이다.

ㄷ. 번역 과정에서는 3개의 염기로 이루어 RNA의 코돈에 대응하여 아미노산 1개가 만들어져 단백질을 구성한다.

12 ㄱ. 유전 정보를 갖고 있는 유전자는 DNA에 있다.

ㄴ, ㄷ. 정상적인 유전자는 전사와 번역 과정을 통해 페닐알라닌 수산화 효소(㉡)를 만들므로 페닐알라닌을 타이로신으로 분해할 수 있다.

🖐 수행 평가 대비 문제

13 삿갓말의 핵은 헛뿌리에 있으며, C형 헛뿌리에 M형 자루를 붙이면 C형 갓이 재생되고, M형 헛뿌리에 C형 자루를 붙이면 M형 갓이 재생되는 것으로 보아 삿갓말의 갓을 결정하는 유전자가 핵에 있음을 알 수 있다.

예시 실험 결과로부터 삿갓말의 갓의 형태는 헛뿌리에 있는 핵에 의해 결정된다는 것을 알 수 있다. 따라서 핵은 세포의 생명 활동을 조절하여 생명체의 특성을 결정한다는 것을 알 수 있다.

채점 기준	배점
삿갓말에서 핵의 역할과 생명체에서 핵의 기능을 모두 옳게 서술한 경우	100%
삿갓말에서 핵의 역할과 생명체에서 핵의 기능 중 1가지만 옳게 서술한 경우	50%

14 **예시** 난각막을 통해 삼투에 의한 물의 확산이 일어났다. 즉, 난각막을 통과하지 못하는 물질(용질)의 농도 차가 있는 경우 용질 대신 물이 난각막을 통해 이동한다. 이때 물은 용질의 농도가 낮은 쪽에서 높은 쪽으로 이동한다. 용질의 농도가 낮다는 것은 물의 농도가 높다는 것을 의미한다. 그러므로 난각막은 세포막처럼 특정 물질만 선택적으로 투과시킨다는 것을 알 수 있다.

채점 기준	배점
부피 변화의 원인과 난각막의 성질, 그리고 세포막의 성질과의 연관을 모두 옳게 서술한 경우	100%
부피 변화의 원인과 난각막의 성질만 옳게 서술한 경우	50%
세포막의 성질만을 옳게 서술한 경우	30%

15 (나)에서 감자즙을 넣은 경우에만 많은 양의 거품이 발생한 것으로 보아 감자즙에는 과산화 수소를 분해하는 효소가 있음을 알 수 있다. (다)에서 시험관 B에서만 다시 기포가 발생한 것으로 보아 감자즙에 들어 있는 성분은 변하지 않고 남아 있음을 알 수 있다.

예시 감자즙 속의 효소는 과산화 수소를 분해하여 기체를 발생시키는 기능이 있으며, 촉매 과정이 끝난 후에도 변하지 않는다.

채점 기준	배점
효소의 기능과 성질을 모두 옳게 서술한 경우	100%
효소의 기능과 성질 중 1가지만 옳게 서술한 경우	50%

16 DNA의 염기 종류는 아데닌(A), 구아닌(G), 사이토신(C), 타이민(T)이고, RNA의 염기 종류는 아데닌(A), 구아닌(G), 사이토신(C), 유라실(U)이다. 유전자로부터 단백질의 유전 정보 전달 과정에서 전사는 DNA 2중 나선 중 한 가닥의 염기 서열을 원본으로 하여 DNA 염기 서열에 상보적인 염기 서열을 갖는 RNA를 합성하는 과정이다. 그림에서 RNA는 DNA 2중 나선 중 (가)와 상보적인 염기 서열을 갖고, (나)의 염기 서열과는 타이민(T) 대신 유라실(U)이 있는 것만 다르므로 (가)를 원본으로 하여 만들어졌음을 알 수 있다.

예시 (가), 전사 과정에서는 DNA에 있는 유전자를 원본으로 하여 DNA 염기 서열에 상보적인 염기 서열을 가진 RNA를 합성하기 때문이다.

채점 기준	배점
(가)를 옳게 쓰고, 염기 서열과 전사의 정의를 포함하여 옳게 서술한 경우	100%
(가)를 옳게 쓰고, 염기 서열과 전사의 정의 중 1가지만 포함하여 옳게 서술한 경우	70%
(가)만 옳게 쓴 경우	20%

6 | 화학 변화

✔️ 개념 확인 문제

6-❶ 산화와 환원

·· 180쪽

1 산화
2 과일의 갈변, 연료의 연소 반응, 철의 부식 등

·· 182쪽

1 환원
2 산화 구리(II)의 환원, 철광석의 제련 등

·· 187쪽

1 산화
2 환원
3 산화와 환원은 항상 동시에 일어난다.

·· 189쪽

1 은 수저의 녹 제거, 리튬 전지 등
2 산소가 철보다 반응성이 큰 아연과 더 빨리 반응하므로 철의 산화가 지연된다.

6-❷ 산과 염기

·· 194쪽

1 산과 염기는 전기 전도성이 있다.
2 ㄴ, ㄹ

·· 197쪽

1 수소 이온
2 $CH_3COOH \longrightarrow H^+ + CH_3COO^-$

·· 200쪽

1 $KOH \longrightarrow K^+ + OH^-$
2 수산화 이온

·· 203쪽

1 페놀프탈레인: 붉은색, 메틸오렌지: 노란색
2 순수한 물

6-❸ 중화 반응

·· 209쪽

1 20 mL
2 파란색 → 녹색 → 노란색

·· 211쪽

1 중화열
2 온도를 측정한다. pH를 측정한다.

·· 213쪽

1 파란색
2 ㄷ, ㄹ

단원 총괄 평가　　　　　220~223쪽

01 ④	**02** ②	**03** ③	**04** ④	**05** ③	**06** ①	**07** ①
08 ②	**09** ③	**10** ①	**11** ⑤	**12** ④	**13** ⑤	**14** ③
15 ①	**16** 해설 참조	**17-21** 해설 참조				

01 산화 환원 반응은 동시에 일어나며, 환원은 산소를 잃는 반응이다. 코크스(C)는 산소를 얻어 일산화 탄소(CO)로 산화되고, 이때 산소는 환원된다. 산화 철(Fe_2O_3)은 산소를 잃고 철로 환원(Fe)된다.

02 구리 이온이 구리로 환원되어 석출되므로 용액의 푸른색은 점점 옅어진다. 아연은 아연 이온으로 산화되므로 아연판은 점점 얇아진다. 전자는 아연에서 구리로 이동하며, 황산 이온은 반응에 참여하지 않는다.

03 ㄱ. (가)에서 황이 산화되고 산소가 환원된다. ㄴ. (나)에서 이산화 황은 산소를 얻어 산화된다. ㄷ. (다)는 삼산화 황이 물에 녹는 반응으로 산화 환원 반응이 아니다.

04 전자를 얻는 반응은 환원 반응이고, 산소를 잃는 것과 같다. 산화는 산소와 결합하거나 전자를 잃는 반응이다.

05 ㄱ, ㄴ. 철로 된 건물 외벽에 페인트칠을 하거나 철캔에 주석을 도금하는 것은 철의 부식을 방지하기 위해 물과 산소를 차단하는 것이다.
ㄷ. 주석은 철보다 반응성이 작다.

06 (가) 염산은 염화 수소의 수용액으로 무색 투명하고 부식성이 강하다.
(나) 석회수는 수산화 칼슘 수용액으로 이산화 탄소와 반응하면 탄산 칼슘의 앙금을 생성한다.
(다) 수산화 나트륨이나 수산화 칼륨은 공기 중의 수분을 흡수하는 성질(조해성)이 있다.

07 (가)와 (나) 모두 산이므로 산의 공통적인 특징이 나타난다. 산은 전기 전도성이 있으며 마그네슘 조각과 반응하여 기체를 발생하고 페놀프탈레인 용액에서 무색이다.

08 (가) 황산, 질산은 산이고 (나) 수산화 칼륨, 수산화 마그네슘은 염기이다.
① 산에는 수소 이온이, 염기에는 수산화 이온이 들어 있다. ②, ③ 달걀 껍데기나 마그네슘과는 (가) 용액만 반응한다. ④ 염기에 메틸오렌지 용액을 떨어뜨리면 노랗게 변한다. ⑤ 산과 염기 모두 전기 전도성이 있다.

09 붉은색을 나타내는 수소 이온(H^+)이 (나)쪽으로 이동하므로 (나)가 (−)극이다. ㄷ. 전원을 연결하면 질산 칼륨의 질산 이온과 칼륨 이온도 이동하므로 염산의 수소 이온과 염화 이온까지 총 4가지 종류의 이온이 이동한다.

10 실험 결과로 볼 때 이 물질은 산이다.

ㄴ. 모든 산과 염기는 수용액 상태에서 전기 전도성이 있으므로 이 결과만으로 산과 염기를 구별할 수는 없다.

ㄷ. 산은 BTB 용액에서 노란색이다.

11 ①, ② (가) 산은 페놀프탈레인 용액에서 무색이며, 마그네슘 리본을 넣었을 때 기포가 발생한다.

③ (다)는 중화 반응에 의해 중화열이 발생하였으므로 온도가 올라간다.

④, ⑤ 산인 (가)와 염기인 (나)를 섞은 (다)는 중화된 상태로 염인 염화 나트륨이 생성되었다. 염화 나트륨은 수용액 상태에서는 물에 녹아 있지만 가열하면 물이 증발되어 흰색 가루로 얻어진다.

12 계속 증가하는 (가) 이온은 조금씩 추가되면서 반응에 참여하지 않는 이온이므로 나트륨 이온(Na^+)이고, 처음부터 변화가 없는 (나) 이온은 미리 담겨 있는 용액에 있고 반응에 참여하지 않는 염화 이온(Cl^-)이다.

H^+과 OH^-은 중화 반응하여 H_2O을 만들므로 넣어주는 대로 없어지다가 중화점 이후 증가하는 (다) 이온은 OH^-, 이온 수가 줄어들다가 중화점 이후 존재하지 않는 (라)는 H^+이다.

13 ⑤ 철캔을 주석으로 도금한 것은 산화 환원 반응을 이용한 예이다.

14 ㄱ. 중화 반응은 모든 지점에서 일어나고 H^+과 OH^-이 1:1의 개수비로 반응하므로 (가)~(마)에서 반응한 묽은 염산과 수산화 나트륨 수용액의 양은 각각 2, 6, 10, 6, 2 mL이며, (다)에서 가장 많은 중화 반응이 일어났다.

ㄴ. (나)와 (라)에서 반응한 산과 염기의 양은 6 mL로 같으므로 생성된 물의 양은 같다.

ㄷ. 중화점에서는 이온의 수가 가장 적으므로 (다)보다 (가)에서 양이온의 수가 더 많다.

15 ㄱ. H^+, OH^-이 없는 (다)가 중화점이다.

ㄴ. (다)의 중화점에서 H^+, OH^-은 없지만 Na^+, Cl^-이 존재하므로 전류가 흐른다.

ㄷ. 중화 반응이 진행됨에 따라 온도가 올라가므로 온도는 중화점인 (다)까지는 증가하고 그 이후 감소한다. 이때 용액의 양이 많아지므로 서서히 감소한다.

16 예시 빨래 비누는 염기성이며 산성인 식초에 의해 중화되었기 때문이다.

수행 평가 대비 문제

17 예시

$$\overset{\text{산화}}{\overbrace{\underset{\text{환원}}{\underbrace{Zn + 2H^+ \longrightarrow Zn^{2+} + H_2}}}}$$

채점 기준	배점
화학 반응식과 산화, 환원 표시를 모두 옳게 쓴 경우	100 %
화학 반응식의 일부(이온식이나 반응 계수)가 잘못되었으나 산화, 환원 표시는 옳은 경우	50 %
화학 반응식은 옳게 썼으나 산화, 환원 표시가 잘못된 경우	30 %

18 예시 양철과 함석 모두 금속의 산화를 막지만 주석에 흠집이 나면 철의 반응성이 주석보다 크므로 오히려 철의 부식이 촉진된다. 반면, 아연은 흠집이 나도 철보다 반응성이 큰 아연의 부식이 먼저 진행되므로 철은 쉽게 녹슬지 않는다. 따라서 오래 사용하는 지붕이나 양동이에는 아연을 도금한 함석을 사용한다.

채점 기준	배점
주석과 아연의 반응성에 비추어 양철과 함석의 도금 원리를 옳게 비교하여 서술한 경우	100 %
양철과 함석의 도금 원리를 서술했으나 차이를 비교하지 못한 경우	70 %
양철과 함석 둘 중 한 가지의 도금 원리만을 옳게 서술한 경우	50 %

19 예시 페놀프탈레인 용액을 사용한 실험 결과만으로는 A와 B의 액성이 산성인지 중성인지 구별할 수 없으므로 산의 공통적 성질을 알아볼 수 있는 실험을 추가로 실시한다. 마그네슘 조각이나 탄산 칼슘(달걀 껍데기)을 넣어 기체가 발생하는지 살펴보거나 메틸오렌지, BTB 지시약을 이용할 수 있다.

채점 기준	배점
실험 방법과 까닭을 모두 옳게 서술한 경우	100 %
실험 방법은 제시하였으나 까닭을 서술하지 못한 경우	50 %

20 예시 드라이아이스(고체 이산화 탄소, CO_2)는 물(H_2O)에 녹아 탄산(H_2CO_3)이 되므로 수산화 나트륨 수용액과 중화 반응하여 용액의 색은 녹색으로 변했다가 노란색으로 된다.

채점 기준	배점
색 변화와 까닭을 모두 옳게 서술한 경우	100 %
색 변화는 옳게 서술하였으나 그 까닭을 드라이아이스나 탄산의 산성을 언급하지 않고 중화 반응 때문이라고만 쓴 경우	70 %
색 변화만 옳게 쓴 경우	30 %

21 예시 손등에 산을 떨어뜨린 경우 염기로 중화한 행동이 잘못되었다. 산으로 인해 화상을 입은 상태에서 염기로 중화하면 중화열이 발생하여 화상이 더욱 심해진다. 따라서 흐르는 물로 씻어야 한다.

채점 기준	배점
잘못한 행동, 까닭, 올바른 지침의 3가지를 모두 옳게 서술한 경우	100 %
3가지 중 2가지를 옳게 서술한 경우	70 %
3가지 중 1가지만 옳게 서술한 경우	30 %

7 | 생물 다양성과 유지

단원 총괄 평가 256~259쪽

01 ③	02 ③	03 ⑤	04 ④	05 ⑤	06 ④	07 ④
08 ③	09 ④	10 ⑤	11 ⑤	12 ④	13 ④	14 ⑤
15 ③	16-20 해설 참조					

01 ㄱ. 삼엽충은 고생대의 생물이지만, 고사리는 여러 시대에 걸쳐 생존하고 있으므로 고사리 화석을 통해서는 지층이 만들어진 시기를 판단할 수 없다.
ㄴ. 고사리는 따뜻하고 습한 육지에 서식한다.

02 A는 선캄브리아 시대, B는 고생대, C는 중생대, D는 신생대이다.
ㄱ. 선캄브리아 시대에도 생물이 존재했으나, 화석으로 산출되는 양이 극히 적다.
ㄴ. 신생대에 현재의 생태계와 유사한 모습을 갖추었다.

03 선캄브리아 시대 초기에는 대기 중에 산소가 없었으나 남세균의 광합성으로 바다에서 산소가 만들어졌고, 이후 산소가 대기 중으로 유입되었다. 남세균의 활동으로 만들어진 화석이 스트로마톨라이트이다.

04 대기 중 산소 농도 증가는 생물권(남세균의 광합성), 수권(해수에 산소량 증가), 기권(대기 중 산소 농도 증가)의 상호 작용으로 설명할 수 있다.
ㄴ. 오존층 형성 이후에 식물이 동물(양서류)보다 먼저 육상으로 진출하였다.

05 그림은 중생대의 생태계를 복원한 모습이다. 초대륙 판게아는 고생대에 형성되었고, 중생대에는 판게아가 분리되었다.

06 아메리카 원주민이 이동한 시기는 신생대에 해당하며, 신생대 후기에 빙하기와 간빙기가 반복되어 나타났다.
ㄷ. 신생대에는 대멸종이 일어나지 않았다.

07 ㄱ. 지질 시대 동안 대멸종은 총 5차례 일어났으며, 고생대에 3번, 중생대에 2번 일어났다.

08 (가)는 환경의 영향으로 인해 나타나는 형질의 차이로 비유전적 변이이고, (나)는 유전자의 변화로 인해 나타나는 형질의 차이로 유전적 변이이다.
ㄱ. (가)는 후천적으로 얻은 형질로 비유전적 변이이므로, 자손에게 유전되지 않는다.
ㄴ. (가)는 자손에게 유전되지 않으므로 진화의 원인이 될 수 없다.
ㄷ. (나)는 부모에게 물려받은 유전 형질로, 유전자의 변화로 인해 나타난다.

09 • 학생 A, B: 한 생물 개체군 내에 다양한 유전적 변이를 가진 개체들이 서식할 때 생존 경쟁을 통해 환경에 가장 유리한 형질을 가진 개체가 자연 선택되어 자손을 남김으로써 환경에 유리한 형질을 자손에게 전달하는 과정에서 진화가 일어난다. 따라서 진화가 일어나기 위해서는 유전적 변이가 일어나야 하며, 여러 세대를 걸쳐 일어나는 자연 선택의 결과로 진화가 일어난다.
• 학생 C: 많이 사용하는 기관이 발달하는 것은 환경의 영향으로 인해 나타나는 비유전적 변이이므로 자손에게 전달되지 않는다. 따라서 비유전적 변이는 진화에 영향을 미치지 않는다.

10 ㄱ. 다윈의 진화론은 인간 중심주의를 무너뜨리고 생명권의 평등을 일깨워 주었으며, 결정론적 사고 체계를 확률론적 사고 체계로 전화하는 데 큰 역할을 하였다.
ㄴ. 진화론은 고정 불변의 진리가 있다고 생각하는 본질주의를 넘어 고정되어 있는 본질이란 없으며 모든 사물은 변화될 수 있다고 생각하는 유물론적 철학 사조가 나타나는 계기가 되었다.
ㄷ. 진화론은 과학뿐만 아니라 인문, 사회, 철학, 예술 분야 등과 같은 다른 많은 학문 영역들은 물론 우리들의 일상생활에도 폭넓게 영향을 미치고 있다.

11 기린 집단 내에 유전적 변이에 의해 목 길이가 다양한 개체들이 섞여 생존 경쟁을 할 때 목이 긴 기린은 높은 곳의 잎을 먹을 수 있기 때문에 생존에 유리하여 목이 짧은 기린에 비해 살아남아 자손을 남길 확률이 높다. 이와 같은 자연 선택 과정이 여러 세대에 걸쳐 일어나는 동안 기린 집단 내에 목 길이가 긴 유전자를 가진 개체들의

비율이 점점 높아져 기린의 목이 점점 길어지게 되었다.

⑤ 자주 사용하는 기관일수록 점점 발달하는 것은 환경에 의해 획득한 형질로 비유전적 변이이므로 자손에게 유전되지 않는다.

12 ㄱ. (가)에서 항생제 A에 대한 내성은 돌연변이 또는 유전자의 이동에 의해 나타난 유전적 변이이다.

ㄴ. (나)에서는 항생제 A가 있는 환경에서 항생제 A에 내성이 없는 개체들은 죽고, 내성이 있는 개체들만 살아남아 번식하므로 항생제 A에 대한 내성 세균이 자연 선택되었다.

ㄷ. (가)~(다)는 다윈이 주장한 자연 선택에 의한 진화 과정이 짧은 시간 동안 나타난 예이다.

13 아일랜드 대기근의 예에서 아일랜드 지방이 감자 잎마름병에 의해 큰 피해를 입게 된 이유는 아일랜드에서 재배하는 감자의 유전적 다양성이 매우 낮았기 때문이다.

ㄱ. ⊙은 유전적 다양성이 낮을 경우 나타나는 현상이다.

ㄴ. 바지락 개체군 내에서 다양한 껍데기 무늬를 가진 개체들로 구성되어 있는 것은 유전적 다양성의 예에 해당한다.

ㄷ. 유전적 다양성은 생식세포에 일어나는 돌연변이와 개체들 사이에서 일어나는 유전자의 이동 등을 통해 나타난다.

14 ㄱ. (가)는 유전적 다양성을 나타낸 것으로, 유전적 변이에 의해 나타난다.

ㄴ. (나)는 종 다양성을 나타낸 것으로, 종 다양성이 높을수록 생태계 내에 복잡한 먹이 그물이 형성되어 생태계가 안정적으로 유지될 수 있다.

ㄷ. (다)는 생태계 다양성을 나타낸 것으로, 특정한 지역이 다양한 형태의 생태계로 구성되어 있는 것을 말한다.

15 ㄱ. 서식지 단편화 후 종 B~C의 총 개체 수가 감소하고 종 E는 사라졌으므로 종 다양성이 감소하였고 그에 따라 생물 다양성이 감소하였다.

ㄴ. 서식지 단편화에 의해 경계 지역 공간이 증가하여 경계 지역 서식종의 서식 공간은 증가하였으나, 종 B, C의 총 개체 수가 감소한 것으로 보아 가장자리 분포종에게도 서식지 단편화로 환경 저항이 증가하였다고 볼 수 있다.

ㄷ. 생태 통로를 건설하면 동물의 이동 경로가 확보되어 서식지를 연결하는 효과가 있고, 동물 교통사고를 방지할 수 있다.

🖐 수행 평가 대비 문제

16 예시 C와 D층의 경계로 지질 시대를 구분할 수 있다. 화석 (가)와 (라)가 D, E 층에서는 발견되지 않고, (나)

와 (마)는 D층에서부터 발견된다. 지질 시대는 생물의 출현과 멸종으로 구분할 수 있는데, C와 D층의 경계에서 (가)와 (라)가 멸종하고 (나)와 (마)가 출현했기 때문이다.

채점 기준	배점
구분 경계를 옳게 서술하고, 지질 시대의 구분 기준이 생물의 출현과 멸종임을 토대로 각 지층에서 발견되는 화석의 차이를 옳게 서술한 경우	100 %
구분 경계와 각 지층에서 발견되는 화석의 차이를 옳게 서술하였으나 지질 시대의 구분 기준을 서술하지 않은 경우	70 %
구분 경계만 옳게 서술한 경우	30 %

17 예시 ⊙ 해안선의 길이가 길어지며 대륙붕 면적이 증가한다.
ⓒ 대규모의 화산 활동으로 화산 가스가 방출되며 대기 중 이산화 탄소 농도가 증가한다.

채점 기준	배점
⊙에서 해안선 길이 증가에 따른 대륙붕 면적 증가, ⓒ에서 대규모 화산 활동에 따른 대기 중 이산화 탄소 농도 증가를 모두 옳게 서술한 경우	100 %
⊙에서 대륙붕 면적 증가, ⓒ에서 대기 중 이산화 탄소 농도 증가는 옳게 서술하였지만 각각의 원인을 서술하지 않은 경우	60 %
⊙ 또는 ⓒ 중 1가지만 그 원인과 결과를 제시하여 옳게 서술한 경우	40 %

18 예시 세균 집단 내에서 유전자의 돌연변이에 의해 일부 세균이 항생제 A에 대한 내성을 가지게 되었다.

채점 기준	배점
유전자의 돌연변이에 의해서라고 옳게 서술한 경우	100 %

19 예시 단계 (나)에서 항생제 A가 있는 환경에서는 항생제 A에 내성이 없는 세균은 항생제 A에 의해 죽고, 항생제 A에 내성이 있는 세균들만 살아남아 번식하므로 세균 집단 내에 항생제 A에 내성이 있는 개체들의 비율이 점점 증가한다.

채점 기준	배점
항생제 A가 있는 환경에서 항생제 A에 내성이 있는 세균들이 자연 선택되어 번식하는 과정을 옳게 서술한 경우	100 %
항생제 A에 내성이 있는 세균들이 살아남는 과정은 옳게 서술하였으나, 항생제 유무 또는 살아남은 세균이 번식하는 과정을 서술하지 않은 경우	50 %

20 예시 종 다양성, 종 다양성은 특정한 지역에 다양한 종이 서식하며, 각 종의 구성 비율이 균등하게 분포해 있는 것을 말한다.

채점 기준	배점
종 다양성을 옳게 쓰고, 종 다양성을 종의 수와 종의 분포 측면에서 모두 옳게 서술한 경우	100 %
종 다양성을 옳게 썼으나, 종 다양성을 종의 수와 종의 분포 측면 중 1가지만 서술한 경우	50 %
종 다양성만 옳게 쓴 경우	20 %

✔ 개념 확인 문제

8-① 생태계의 구성과 생태계 평형

·········· 268쪽

1 개체, 개체군, 군집
2 공기 중 이산화 탄소의 양이 증가하면 식물의 광합성량이 증가한다. 등

·········· 271쪽

1 생태계 평형 2 생태 피라미드

·········· 273쪽

1 홍수, 산불, 산사태, 화산 폭발 등
2 외래종 도입, 환경 오염, 지역 개발 등

8-② 지구 환경 변화와 인간 생활

·········· 279쪽

1 화석 연료 2 상승

·········· 282쪽

1 엘니뇨 2 사막화

·········· 285쪽

1 온실 기체 2 국제적

8-③ 에너지의 효율적 활용

·········· 290쪽

1 열에너지 2 모터, 안마기 등

·········· 292쪽

1 $\dfrac{\text{실제 사용한 에너지}}{\text{공급한 전기 에너지}} \times 100$ 2 35 %

·········· 294쪽

1 같은 밝기로도 전기 요금을 아낄 수 있다.
2 태양광 발전을 통해 화력 발전소의 발전량을 줄일 수 있다.

단원 총괄 평가 302~305쪽

01 ⑤	**02** ③	**03** ①	**04** ⑤	**05** ④	**06** ④	**07** ①
08 ②	**09** ④	**10** ⑤	**11** ④	**12** ②	**13** ⑤	**14** ③
15 ④	**16-20** 해설 참조					

01 ㄱ. (가)는 생태계, (나)는 비생물적 요인, (다)는 생물적 요인이다.
　ㄴ. 개체, 개체군, 군집은 생물적 요인과 관련된 개념이다.
　ㄷ. A는 생산자로, 광합성을 통해 무기물로부터 유기물을 스스로 생산하여 살아가는 생물이다.

02 ㄱ. 지렁이에 의해 토양의 통기성이 높아지는 것은 생물적 요인이 비생물적 요인에 영향을 미친 예이다.
　ㄴ. 사막에 사는 동물이 선인장에서 수분을 얻기도 하는 것은 생물적 요인 사이의 서로 영향을 주고받는 예이다.
　ㄷ. 고산 지대의 산소 압력이 낮아 여행자가 고산병에 걸릴 수 있는 것은 비생물적 요인이 생물적 요인에 영향을 미친 예이다.
　ㄹ. 연이나 수련 같은 수생 식물의 줄기에 통기 조직이 발달한 것은 비생물적 요인이 생물적 요인에 영향을 미친 예이다.

03 ㄱ. 마른 멸치를 뜨거운 물에 불리면 멸치의 위 속에 들어 있는 내용물 관찰에 용이하다.
　ㄴ. 현미경으로 관찰할 때는 저배율로 관찰하여 상을 찾은 후 고배율로 자세히 관찰한다.
　ㄷ. 멸치의 위 속에서 관찰되는 생물은 멸치의 먹이이므로 멸치는 멸치의 위 속에서 관찰되는 생물보다 상위 영양 단계에 속한다.

04 ㄱ. 몸 말단 부위의 생김새로 보아 사막여우(가)는 북극여우(나)보다 더운 지역에 산다는 것을 알 수 있다.
　ㄴ. 북극여우(나)는 사막여우(가)보다 몸의 말단 부위가 작고 몸집이 커서 피부를 통한 열의 방출량이 적어 체온 유지에 효과적이다.
　ㄷ. (가)와 (나) 모두 온도에 적응하여 생김새가 변화한 사례에 해당한다.

05 ㄱ, ㄴ. (가)와 (나)는 모두 인간의 활동에 의해 환경 변화가 일어나 생태계 평형이 깨진 사례이다.
　ㄷ. (나)에서는 무분별한 벌목으로 그곳에 살던 생물의 서식지가 단편화되었으므로 생태 통로를 설치하면 서식지가 단편화되는 것을 막을 수 있다.

06 ① 최근 우리나라의 여름이 길어지고 봄과 가을은 점점 짧아지고 있다.
　② 여름철에 폭염 발생 일수가 증가하고 있다.
　③ 우리나라의 평균 기온 상승이 가속화 되고 있다.
　⑤ 우리나라의 평균 기온 상승폭은 전 세계보다 크다.

07 ㄴ. 최근 30년 동안 이산화 탄소 평균 농도 증가율이 더 커졌으므로 화석 연료의 사용량이 점점 증가하고 있음을 나타낸다.
　ㄷ. 지구 평균 기온 상승으로 극지방의 빙하가 녹아서 빙하 면적이 감소하고 있다.

08 ㄱ. 위도 30° 부근에는 대기 대순환의 하강 기류로 인해 주로 고기압이 분포한다.
　ㄷ. 대기 대순환은 저위도 지방의 남는 에너지를 고위도 지방으로 운반하여 지구의 에너지 불균형을 해소한다.

09 중위도 고압대에는 건조 기후가 분포하며 자연적인 사막

이 형성된다. 사막화는 과도한 경작과 방목, 삼림 벌채 등으로 생태계가 파괴되어 사막 주변 지역까지 사막이 확대되는 현상이다. 지구 온난화로 인한 기상 이변의 발생 증가로 사막화가 가속화되고 있다.

10 엘니뇨는 무역풍이 평상시보다 약해질 때 적도 동태평양의 표층 수온이 높아져서 발생하는 현상으로, 기권과 수권의 상호 작용으로 나타난다. 엘니뇨의 영향으로 대기와 해수의 순환에 변화가 나타나며, 세계 곳곳의 기후에 영향을 미친다.

11 온실 기체 배출량이 현재와 같이 유지되면 지구 온난화가 계속된다.

ㄴ. 지구 온난화로 극지방의 빙하가 녹아서 빙하 면적이 감소한다.

12 ㄱ. TV에서는 전기 에너지가 빛에너지와 소리 에너지로 전환된다.

ㄴ. 청소기에서 발생하는 소리 에너지는 활용되지 않는 소음이므로 버려지는 에너지라고 볼 수 있다.

ㄷ. 선풍기에서는 상당수의 에너지가 역학적 에너지로 전환되지만, 일부 에너지는 열에너지로 전환되어 유용하게 쓰이지 못한다.

13 ㄱ. ㄷ. 전체 연료로 공급된 100%의 에너지 중 $(45+10+20)\% = 75\%$의 에너지가 다른 것으로 전환되었으므로 에너지 보존 법칙에 의해 25%의 에너지가 운동 에너지로 전환되었다.

ㄴ. 현재 그림에 제시된 에너지 중에서는 운동 에너지만이 유용하게 사용된 것이므로 에너지 효율은 25%이다.

14 LED 전구는 형광등에 비해 효율이 높아서 열에너지가 적게 발생한다는 특징이 있다. 다만 LED 소자를 적게 사용한 소형 LED 전구의 경우 대형 형광등에 비해서 빛에너지가 적게 발생할 수 있다.

15 에너지 효율 향상 활동을 통해 실제 에너지 사용량이 감소하였다는 것은 버려지는 에너지가 줄어들고 유용하게 사용된 에너지가 증가하였다는 의미이다. 따라서 전체의 에너지 효율 역시 향상되었을 것이다.

🍴 수행 평가 대비 문제

16 예시 주어진 먹이 사슬을 고려하면 멸치의 먹이가 되는 동물 플랑크톤은 증가하고 동물 플랑크톤의 먹이가 되는 식물 플랑크톤을 감소한다. 또한 멸치가 감소하면 오징어, 참치, 상어의 개체 수도 감소한다.

채점 기준	배점
플랑크톤의 변화와 물고기의 변화를 모두 옳게 서술한 경우	100%
플랑크톤의 변화나 물고기의 변화 중 1가지만 옳게 서술한 경우	50%

17 예시 • 공통점: 연과 알로에 모두 수분 조건이 식물의 조직에 영향을 미친 것이다.

• 차이점: 연의 통기 조직은 물속에 사는 환경에 적응하여 호흡을 위해 공기가 이동할 수 있는 통기 조직이 발달한 결과이다. 알로에의 저수 조직은 건조한 환경에 적응하여 수분이 있을 때 수분을 저장하였다가 건조할 때 다른 조직에 수분을 공급해 주기 위해 발달한 결과이다.

채점 기준	배점
공통점과 차이점을 모두 옳게 서술한 경우	100%
공통점과 차이점 중 한 식물만 옳게 서술한 경우	70%
차이점을 모두 옳게 서술한 경우	50%
공통점만 옳게 서술한 경우	30%

18 예시 엘니뇨 시기에는 적도 서태평양 지역의 표층 수온이 낮아진다. 그 결과 호주와 동남아시아 지역에 고기압이 분포하여 강수량이 감소한다.

채점 기준	배점
엘니뇨 시기의 표층 수온 변화와 그에 따른 강수량 변화를 모두 옳게 서술한 경우	100%
엘니뇨 시기의 강수량 변화만 옳게 서술한 경우	30%
엘니뇨 시기의 표층 수온 변화만 옳게 서술한 경우	20%

19 예시 • 극지방의 빙하를 시추하여 빙하에 포함된 기체를 분석하여 과거의 대기 조성과 기온을 알아낼 수 있다.

• 꽃가루 화석을 분석하여 과거 그 지역에 어떤 식물이 서식했는지 알아내고 과거의 기후를 알아낼 수 있다.

• 빙하 퇴적물 등 지층의 퇴적 구조를 분석하여 과거의 기후를 알아낼 수 있다.

채점 기준	배점
과거 기후를 알아내는 방법 3가지를 모두 옳게 서술한 경우	100%
과거 기후를 알아내는 방법 2가지만 옳게 서술한 경우	50%
과거 기후를 알아내는 방법 1가지만 옳게 서술한 경우	20%

20 예시 • 단열 진공 유리창 및 단열 진공 벽체: 집안과 밖의 열출입을 막아 냉난방에 사용하는 열에너지가 외부로 흩어지는 것을 막아준다.

• 고효율 발광 다이오드 조명: 적은 전력을 소모하고도 밝기가 밝아서 전기 에너지 소모가 적다.

채점 기준	배점
수동형 기술에 해당되는 것 3개만을 모두 옳게 고르고 에너지를 절약하는 원리를 옳게 서술한 경우	100%
수동형 기술에 해당되는 것 중 2개만을 고르고 에너지 절약 원리에 대한 설명을 옳게 서술한 경우	70%
수동형 기술에 해당되는 것 중 1개만을 고르고 에너지 절약 원리에 대한 설명을 옳게 서술한 경우	30%
수동형 기술에 해당되는 것은 3개를 모두 옳게 골라 썼으나, 에너지를 절약하는 원리에 대한 설명은 쓰지 않은 경우	20%

9 | 발전과 신재생 에너지

✅ **개념 확인 문제**

9-① 전기 에너지의 생산과 수송

·· 311쪽

1 열에너지를 통해 물을 끓이고, 이때 발생하는 수증기로 터빈을 회전시킨다.
2 화학 에너지 → 열에너지 → 운동 에너지 → 전기 에너지

·· 315쪽

1 송전선에 흐르는 전류를 작게 하여 열의 발생으로 인한 전력 손실을 줄이기 위해
2 고전압 전류가 흐르므로 사람의 감전을 막기 위해

9-② 신재생 에너지

·· 320쪽

1 질량이 감소하므로 성립하지 않는다.
2 전체 에너지는 항상 보존된다.

·· 324쪽

1 질량 에너지 등가 원리
2 바람의 운동 에너지 → 발전기의 운동 에너지 → 전기 에너지

·· 329쪽

1 조력 발전
2 수소의 생산, 저장이 어렵다. 수소를 생산할 때 온실 기체가 발생한다.

단원 총괄 평가 · 336~339쪽

01 ③	02 ⑤	03 ⑤	04 ③	05 ③	06 ⑤	07 ①
08 ③	09 ②	10 ①	11 ①	12 ⑤	13 ③	14-17

해설 참조

---

01 (나)는 (다)보다 멀리 떨어져 있으므로 코일에 미치는 자기장의 변화가 더 적다. 따라서 (다)보다 (나)는 전류가 더 적게 생산된다. 한편 (다)에 비해 (가)는 자석의 수가 많으므로 자기장의 변화가 더 크다. 따라서 같은 높이에서 운동하여도 더 강한 자기장이 발생한다.

02 ㄱ. 화력 발전소는 화석 연료의 연소를 통한 증기의 운동 에너지로 터빈을 돌려 발전기에서 전력을 생산하므로 전자기 유도에 의해 전력을 생산한다.
ㄴ. 그림에서는 송전 과정에서만 변전소가 표시되어 있으므로 여기에서는 송전 전압을 높인다.
ㄷ. 변압기는 가정에서 사용할 수 있는 수준으로 전압을 낮추는 역할을 한다.

03 사람의 목소리에 의해 진동판이 떨리게 되면 진동판에 붙어 있는 코일이 같이 움직이게 된다. 그러면 영구 자석과의 거리가 변하게 되므로 코일 주위의 자기장이 변하여 전자기 유도에 의해 유도 전류가 발생한다. 이때 코일의 감은 수가 증가하면 같은 크기의 목소리가 입력되더라도 유도 전류의 세기 역시 증가할 것이다.

04 송전용 변전소에서는 전압을 높여서 송전선에 흐르는 전류를 감소시켜 전력 손실을 막으며, 배전용 변전소에서 전압을 낮추어 소비자가 이용할 수 있을 정도로 만들어 준다. 따라서 두 변전소 사이의 송전선에는 고압 전류가 흐르므로 안전을 위해 높은 곳에 설치해야 한다.

05 ㄱ. 전력 = 전압 × 전류이므로 A의 소비 전력은 6 V × 0.5 A = 3 W이며 B의 소비 전력은 10 V × 0.3 A = 3 W이므로, 두 전구의 소비 전력은 같다.
ㄴ. 전력은 1초 동안 소비하는 전기 에너지의 양을 나타낸 것이다. A, B가 소비하는 전력이 3 W로 같으므로 1초 동안 소비 되는 전기 에너지 역시 3 J로 같다.
ㄷ. (나)의 전압이 더 높으므로 도선에 흐르는 전류는 B가 A보다 작다. 따라서 손실 전력 역시 B가 A보다 작다.

> **해설 Plus** ── 손실 전력
> 문제의 실험 과정 (가)에서는 전구 A의 양 끝에 가해지는 전압을 측정하여 6 V임을 알았다. 그런데, 도선에서도 열에너지가 발생하면서 일부 전력이 소비되므로 건전지 양 끝의 전압은 6 V가 아니라 6 V보다 크다.

06 원자력 발전소에서는 핵에너지에 의해 열에너지가 발생하고 이에 의한 수증기의 운동 에너지가 전기 에너지로 전환된다. 수력 발전소에는 물의 위치 에너지가 운동 에너지로 전환되면서 터빈을 회전시켜 전기 에너지를 생산한다.

07 태양에서는 4개의 수소 원자핵이 핵융합 반응을 하여 한 개의 헬륨 원자핵을 생성한다. 이때 헬륨 원자핵의 질량은 수소 원자핵 4개의 질량보다 약간 작으며, 이 때문에 질량 에너지 등가 원리에 의해 막대한 에너지가 발생한다. 원자핵 사이에 서로 밀어내는 전기적인 힘을 이겨 내고 반응을 해야 하므로 이는 고온, 고압 상태인 태양의 중심부에서 발생한다.

08 ㄱ. 화학 에너지에서 건전지를 통해 전기 에너지가 생성되며, 전열기는 전기 에너지를 열에너지로 전환하는 장치이다.
ㄴ. 태양 전지는 반도체의 성질을 이용하여 태양의 빛에너지를 바로 전기 에너지로 전환하는 장치이다.
ㄷ. 연료 전지는 화학 에너지를 전기 에너지로 전환할 때 쓰이는 장치이다.

09 핵발전, 풍력 발전, 파력 발전, 조력 발전은 각각 수증기, 바람, 공기, 밀물(또는 썰물)의 운동 에너지를 이용해 터빈을 회전시켜 발전하는 방식이지만, 태양광 발전은 빛에너지를 바로 전기 에너지로 전환하며, 연료 전지는 화학 에너지를 바로 전기 에너지로 전환한다.

10 ㄱ. 연료 전지는 수소와 산소의 화학 에너지를 이용하여 전기 에너지를 생산한다.
ㄴ. 풍력 발전은 바람을 이용하여 터빈을 돌려서 전기 에너지를 생산한다.
ㄷ. 태양광 발전에서는 빛에너지가 바로 전기 에너지로 전환된다.

11 연료 전지의 (−)극에 수소(H_2)가 공급되면 (−) 전극에서 수소가 이온화하여 수소 이온(H^+)은 전해질을 통해 (+)극으로 이동하며 전자는 전선을 따라서 (+)극으로 이동한다. (+)극에서는 공급되는 산소 원자와 수소 이온, 전자가 결합하여 물을 생성한다.

> **해설 Plus**　　**전류의 방향**
>
> 전류는 (+)에서 (−) 방향으로 이동하는 것으로 정의되어 있다. 따라서 (−) 전하인 전자의 이동 방향은 전류의 방향과 반대 방향이다. 참고로 전해질에서는 (+) 전하를 띤 수소 이온이 이동하였으므로 전류의 방향과 수소 이온의 이동 방향이 같아서 B → A 방향으로 전류가 흐르고 있다. 즉 그림과 같은 연료 전지는 전체적으로 시계 방향(B → 전해질 → A → 전구 → B)으로 전류가 흐르는 회로라고 할 수 있다.

12 표에 설명된 특징을 통해 A는 태양광 발전, B는 핵발전, C는 풍력 발전임을 알 수 있다. 핵발전은 날씨의 영향이 없이 일정한 출력이 유지된다는 장점이 있다. 태양광 발전은 반도체의 성질을 이용하여 전력을 바로 생산하지만, 핵발전과 풍력 발전은 터빈이 회전하면서 전자기 유도에 의해 전력을 생산한다.

13 ㄱ. 전기 분해할 때 (+)극에는 산소 기체가, (−)극에는 수소 기체가 발생하며, 이들 기체가 연료 전지에 공급되는 기체의 역할을 하게 된다.
ㄴ. 실험 (나)는 수소와 산소가 결합하며 화학 에너지가 전기 에너지로 전환된 것이다.
ㄷ. 전자는 (−)극에서 (+)극으로 이동하므로 B → LED → A 방향으로 이동한다.

🍴 수행 평가 대비 문제

14 예시 ① 줄감개를 빨리 돌린다. 네오디뮴 자석을 더 많이 붙인다. 더 작은 페트병으로 만들어서 자석과 전선 사이의 거리를 짧게 만든다. 전선을 더 많이 감는다. 등
② 이 발전기는 전자기 유도 현상을 이용한 것이다. 전자

기 유도는 자기장의 변화가 클수록 유도 전류가 커지므로 자기장의 변화가 크게 만들면 된다.

채점 기준	배점
밝기를 더 밝아지도록 만드는 방법 2가지를 각각 옳게 서술한 경우	100 %
밝아지도록 만드는 방법을 전자기 유도를 이용하여 옳게 서술한 경우	40 %
각각의 배점을 합산한다.	

15 예시 자석이 미끄러지게 되면 알루미늄 주위에 자기장이 변하게 된다. 따라서 알루미늄 판에는 전자기 유도에 의해 유도 전류가 발생한다. 전류가 발생하게 되면 자기장이 발생하므로 알루미늄 판에는 자석의 움직임을 방해하는 자기장이 발생하게 된다. 따라서 중력의 작용에도 불구하고 천천히 미끄러지게 된다.

채점 기준	배점
전자기 유도와 전류에 의한 자기장을 포함하여 그 까닭을 옳게 설명한 경우	100 %
단순하게 전자기 유도 때문이라고만 서술한 경우	50 %

16 예시 (가) − 태양광 발전소, (나) − 풍력, 원자력 발전소
• 태양광: (나)의 경우 비와 눈이 잦은 곳이므로 일사량이 상대적으로 (가)에 비해 적을 것이다. (가)는 사막화된 땅이 많아 부지도 충분하다.
• 풍력: (가)와 (나) 모두 바람이 많이 불지만 (가)는 풍향이 계속 변하므로 풍향이 일정한 (나)가 더 적합하다.
• 원자력: 핵발전을 위해서는 터빈을 돌린 수증기의 열을 식히기 위한 냉각수가 필요한데 (가) 지역은 냉각수의 공급이 어렵지만 (나)는 해안이므로 냉각수의 공급이 원활하다.

채점 기준	배점
세 가지 발전 방식이 더 적합한 곳을 모두 옳게 고르고, 그 까닭도 모두 옳게 설명한 경우	100 %
더 적합한 곳을 옳게 고르고 까닭도 옳게 설명한 발전 방식이 2가지인 경우	50 %
더 적합한 곳을 옳게 고르고 까닭도 옳게 설명한 발전 방식이 1가지인 경우	0 %

17 예시 • 일터, 학교와 집과의 거리를 짧게 하여 도보와 대중교통 만으로 등하교, 출퇴근이 가능하게 설계한다.
• 도심에 자동차 통행을 억제하고 대중 교통 환승 체계를 마련한다.
• 공공 자전거를 설치하고, 자전거 도로를 확충하여 가까운 거리는 자전거를 이용해 다니기 편하게 만든다.

채점 기준	배점
두 가지 모두 타당한 교통 대책을 서술한 경우	100 %
타당한 교통 대책을 한 가지만 서술한 경우	50 %

메모